Dictionnaire du
FILM

André Roy

Dictionnaire du
FILM

■

Tous les termes
de la technique,
de l'industrie,
de l'histoire
et de la culture
cinématographiques

■

**Les Éditions
LOGIQUES**

LOGIQUES est une maison d'édition reconnue par les organismes d'État responsables de la culture et des communications.

Nous remercions le Conseil des Arts du Canada, le ministère du Patrimoine canadien et la Société de développement des entreprises culturelles du Québec pour leur appui à notre programme de publication.

Nous reconnaissons l'aide financière du gouvernement du Canada par l'entremise du Programme d'Aide au Développement de l'Industrie de l'Édition (PADIÉ) pour nos activités d'édition.

Révision linguistique: Liliane Michaud, Nathalie Prince
Mise en pages et illustrations: Philippe Langlois
Couverture: Christian Campana
Photo de l'auteur: Alain Comtois
Recherche iconographique: Isabelle Morissette
Recherche et numérisation: Nicole Laurin, Nathalie Guénette
Révision technique: Marcel Carrière

Photographies de 1re couverture: *Touch of Evil* (1958), d'Orson Welles. Universal Pictures.
Le déclin de l'empire américain (1986), de Denys Arcand.
Malo Films, photo de Bertrand Carrière.
Photographie de 4e couverture: *Surfacing* (1981), de Claude Jutras. Photo de Jack Rowand.
Illustration de la page 67: *Cinéma en relief,* George Eastman House.
Toutes ces photographies proviennent des archives de la Cinémathèque québécoise.

Distribution au Canada:
Québec-Livres, 2185, autoroute des Laurentides, Laval (Québec) H7S 1Z6
Téléphone: (450) 687-1210 • Télécopieur: (450) 687-1331

Distribution en France:
Casteilla/Chiron, 10, rue Léon-Foucault, 78184 Saint-Quentin-en-Yvelynes
Téléphone: (33) 01 80 14 19 30 • Télécopieur: (33) 01 34 60 31 32

Distribution en Belgique:
Diffusion Vander, avenue des Volontaires, 321, B-1150 Bruxelles
Téléphone: (32-2) 762-9804 • Télécopieur: (32-2) 762-0662

Distribution en Suisse:
Diffusion Transat s.a., route des Jeunes, 4 ter, C.P. 1210, 1211 Genève 26
Téléphone: (022) 342-7740 • Télécopieur: (022) 343-4646

Les Éditions LOGIQUES
7, chemin Bates, Outremont (Québec) H2V 1A6
Téléphone: (514) 270-0208 • Télécopieur: (514) 270-3515

Dictionnaire du film

© Les Éditions LOGIQUES inc., 1999
Dépôt légal: Quatrième trimestre 1999
Bibliothèque nationale du Québec
Bibliothèque nationale du Canada

ISBN 2-89381-543-X
LX-608

à Janine Euvrard

Les choses ne se passent point pour ce qu'elles sont, mais pour ce qu'elles semblent être. Savoir faire et le savoir montrer, c'est double savoir.

Balthasar GRACIAN

Le cinématographe est une invention sans avenir.

Louis LUMIÈRE

… le cinéma est un regard qui se substitue au nôtre pour nous donner un monde accordé à nos désirs…

Michel MOURLET

… le cinéma, c'est de la métaphysique par d'autres moyens.

Philippe SOLLERS

Le film révèle de plus en plus son caractère louche, d'entremetteur, mais captivant. Il vous fait empocher de l'argent, et cela, en quelque sorte est bien. Derrière la signature du contrat, il y a un chèque: ça, c'est très bien.

Federico FELLINI

Signes conventionnels
et abréviations du dictionnaire

ADJ.	Adjectif
ANGL.	Terme anglais
ANT.	Antonyme
ARCH.	Emploi archaïque
ARG.	Argot
ESP.	Terme espagnol
É.-U.	États-Unis
FAMILIER	Langage familier
FÉM.	Féminin
G.-B.	Grande-Bretagne
ITAL.	Terme italien
JAP.	Terme japonais
LAT.	Terme latin
LOC. FIG.	Locution figurée
MASC.	Masculin
N.	Nom
OBS.	Obsolète
PLUR.	Pluriel
PORT.	Terme portugais
SYN.	Synonyme
VX	Vieux
→	Renvoie à un autre terme du dictionnaire

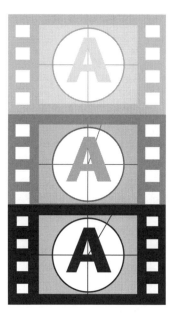

Aardman Animations Société de production de films fondée en 1976 par les cinéastes britanniques Peter Lord et David Sproxton. Les films que produisent les Aardman Animations sont marqués par une volonté d'engagement social ainsi que par des techniques associant le son direct et l'animation. Les réalisations les plus connues de cette compagnie sont celles de Nick Park. Ce cinéaste utilise des figurines en pâte à modeler pour ses deux personnages burlesques, Wallace et Gromit. Parmi les œuvres importantes de cette maison de production, citons *Dernière édition* (1983) et *Histoire de guerre* (1989) de Peter Lord, et *Un mauvais pantalon* (1993) de Nick Park.

Aäton Marque de commerce d'une caméra française 16 standard et Super 16, mise au point en 1973 par l'ingénieur en électronique, inventeur et fabricant de caméras, Jean-Pierre Beauviala. La principale caractéristique qui distingue cette caméra est son marquage chronologique: la référence temporelle en heures, minutes et secondes, en clair (en chiffres) sur la pellicule et en signaux codés sur la bande magnétique, pour chaque plan tourné. Son système de traction donne une grande stabilité et une grande netteté à l'image. Dans les années 80, une caméra 35 mm a également été mise en marché par Aäton.

aberration Défaut optique pouvant affecter l'image donnée par un objectif (*aberration*). L'aberration peut être liée à la géométrie des lignes (la distorsion), à la définition (la netteté de l'image) et au chromatisme (le rendu des couleurs).

abrasion Usure par frictions, frottements et manipulations de la pellicule causant des rayures sur la pellicule (*abrasion*).

abri fiscal Disposition fiscale permettant de déduire des revenus des sommes investies dans la production de films (*tax shelter*). Originaire des États-Unis, ce système de compensation est adopté dans plusieurs pays des Amériques et de l'Europe. ➤ **sofica.**

abstraction allemande Terme donné aux films expérimentaux allemands des années 20 dans lesquels le monde visuel est composé de dessins, de lignes et de formes géométriques (*German abstraction*). On inclut ces films dans le domaine de l'animation. L'exemple le plus connu de l'abstraction allemande est *Rythmus 21* (1921) de Hans Richter. Parmi les cinéastes rattachés à ce mouvement de films expérimentaux, citons les noms de Viking Eggeling et Walter Ruttmann. Au cours des années, les réalisateurs ont intégré des vues réelles et leurs films se sont rapprochés du documentaire. Dans les années 30, on associe la musique aux formes abstraites (à voir: les *Études* [1929-1934] d'Oskar Fischinger), puis à la couleur (à voir: *Composition en bleu* [1934] d'Oskar Fischinger). Les dadaïstes, les surréalistes, les cinéastes américains Mary Ellen Butte, Lewis Jacobs et Joseph Schilinger (auteurs de *Synchronization* [1934]) et l'animateur Norman McLaren sont influencés par l'abstraction allemande. Syn. film abstrait. ➤ **film absolu.**

Academy Forme abrégée de Academy of Motion Picture Arts and Sciences.

Academy Award Récompense de l'Academy of Motion Picture Arts and Sciences [AMPAS] de Hollywood remise au printemps de chaque année aux artisans de tous les secteurs de la réalisation et de la production cinématographiques. Ce prix se présente sous la forme d'une statuette appelée «oscar».

Academy of Motion Picture Arts and Sciences [Academy, AMPAS] Organisme créé en 1927 regroupant des membres et des associations de la profession cinématographique aux États-Unis. Cet organisme compte environ 3 000 membres.

accéléré Procédé rendant le mouvement plus rapide à l'écran que dans la vie réelle (*fast motion*). On obtient l'accéléré par des images filmées au ralenti. Ce procédé donne un effet artificiel et syncopé à la scène; les personnages ressemblent alors à des marionnettes. Mack Sennett l'utilise abondamment, surtout pour les poursuites; Emir Kusturica l'emploie pour illustrer la folie et le dérèglement dans *Underground* (1995). ➤ **trucage**.

accessoire Tout objet, généralement une petite pièce, qu'on peut facilement déplacer, comme une glace, un revolver, un vase ou une canne à pêche (*prop, property*). L'accessoire fait partie du décor et est utilisé pour l'action. Par extension, toute pièce autonome ou combinée, utilisée sur des appareils comme la caméra et le projecteur, ou pour l'éclairage.

accessoiriste Personne responsable des accessoires, assistant de l'ensemblier (*prop man, property man*).

accréditation Action d'accréditer un critique ou un journaliste à une manifestation cinématographique (festival, biennale, etc.). L'accréditation donne un droit d'entrée aux projections publiques ou privées ainsi qu'aux conférences de presse. Selon l'importance de la manifestation, elle est plus ou moins difficile à obtenir.

accroche Scène, images ou effets spéciaux destinés à éveiller la curiosité du spectateur au début du film (*teaser*). L'accroche prend souvent forme avec les premiers plans d'un film et en annonce le genre. On ne doit pas confondre l'accroche et l'amorce. ➤ **attrape**.

ace ANGL. ARG. Chez les éclairagistes, un projecteur Fresnel.

acétate Sel, de l'acide acétique, employé dans la fabrication de la pellicule de film (*acetate*). Ce composant remplace au début des années 50 le nitrate, trop inflammable et instable. ➤ **diacétate, Estar, triacétate.**

acétoïd Support en diacétate fabriqué par la société Pathé. L'acétoïd est commercialisé pour le Pathé-Baby, le Pathé-Rural et les copies tirées en 35 mm pour les projections dans les institutions scolaires.

achrome ADJ. Se dit d'une image dépourvue de couleur (*achrome*). On ne doit pas confondre achrome et monochrome.

ACL Marque de commerce d'une caméra 16 mm commercialisée en 1971 par la société Éclair International Diffusion et utilisant un moteur à régulation par quartz.

acoustique [1] Relatif au son (*acoustics*). [2] Au cinéma, ensemble des qualités particulières d'un lieu en ce qui a trait à l'enregistrement et à la diffusion du son (*acoustics*).

acteur, trice Toute personne incarnant un rôle à l'écran (*actor, actress,* FAMILIER *pic actor*). L'acteur doit se mettre dans la peau du personnage et s'identifier à lui. Son jeu est un élément important de la mise en scène et du langage cinématographique. Depuis les débuts du cinéma jusqu'à maintenant, l'image publique de l'acteur évolue constamment, suivant sa popularité auprès du public spectateur qui, souvent, s'identifie à lui et le déifie (vedette, étoile ou star). On distingue plusieurs rôles pour un acteur: le rôle principal, le second rôle (ou rôle secondaire), le figurant, la silhouette, le cascadeur et la doublure; ➤ **camée**. On distingue deux catégories d'acteurs: les professionnels et les non-professionnels (ou acteurs amateurs). ➤ **comédien**.

acteur, trice amateur Acteur non professionnel (*non-professional actor*). ➤ **non-professionnel**.

actinisme Propriété de la lumière d'impressionner la pellicule (*actinicity*). Les radiations lumineuses peuvent exercer une action chimique sur certaines substances comme celles qui constituent la pellicule de film.

action [1] Événement dramatique ou narratif prenant place dans une scène ou une séquence (*action*). L'action est déterminée par les faits et gestes accomplis par les personnages à l'écran. On distingue l'action principale et l'action secondaire. [2] Description sommaire des séquences dans un scénario (*action*).

«Action!» Ordre donné par le réalisateur afin de déclencher le jeu des interprètes (*"Action!"*).

Actors Studio École d'art dramatique fondée à New York en 1947 par Lee Strasberg, Cheryl Crawford et Elia Kazan destinée à un groupe restreint d'étudiants prometteurs. La technique d'apprentissage des interprètes, propre à l'école, est appelée «la Méthode» (*"the Method"*) et a été mise au point à partir des écrits de Constantin Stanislavski; elle met l'accent sur l'introspection, l'émotion et le naturel. La Méthode passe par les techniques d'improvisation et de mémoire affective. Le corps y est un instrument à maîtriser grâce à la relaxation et à la concentration préalable. L'impact de la formation offerte à l'Actors Studio se révèle dans les films des années 50; à voir, entre autres films, *Sur les quais* (1954) d'Elia Kazan. Les grandes stars comme Marlon Brando, Montgomery Clift, James Dean et Julie Harris y ont été formées. La technique de cette école influencera également des interprètes comme Robert De Niro, Dustin Hoffman, Harvey Keitel et Al Pacino.

actualités PLUR. Court ou moyen métrage illustrant un événement réel (*newsreel* ou *news reel*). Le terme est donné par les frères Lumière à la projection à Paris, en 1895, de *L'arrivée d'un train en gare de La Ciotat*. Les actualités prendront par la suite la forme d'un journal, produit hebdomadairement et projeté en salle avant le film. Elles disparaissent dans les années 70 avec le développement de l'information télévisée. ➤ **film de montage.**

acutance Mesure exprimant la capacité d'un système photographique à reproduire fidèlement la transition brusque d'une plage blanche à une plage noire (*acutance*). L'acutance a la propriété de rendre la densité des détails dans une image. SYN. netteté des contours. ➤ **contraste.**

adaptateur, trice (1) Auteur d'une adaptation (*adaptator*). L'adaptateur travaille sur des romans, des récits, des nouvelles, des pièces de théâtre ou biographies et doit transformer l'œuvre originale pour le cinéma en tenant compte de l'esthétique et de la technique de ce médium.

adaptateur (2) Pièce mécanique, électrique, permettant d'adapter l'appareil pour un autre usage que celui auquel il est destiné (*adaptor*).

adaptation Travail de modification et d'appropriation d'éléments d'une œuvre autre que cinématographique: un roman, une nouvelle, une biographie, une pièce de théâtre, un opéra, une émission de télévision, parfois même une chanson ou un poème (*adaptation, treatment*). Parmi les titres d'adaptations filmiques réussies, citons *Autant en emporte le vent* (1939) de Victor Fleming, *Le parrain* (1972) de Francis Ford Coppola, *Le soulier de satin* (1985) de Manoel de Oliveira et *Cyrano de Bergerac* (1990) de Jean-Paul Rappeneau. ➤ **feuilleton télévisé.**

administrateur, trice Personne chargée de l'administration dans la production d'un film (*production accountant*). L'administrateur veille aux dépenses durant le tournage ainsi qu'aux versements des cachets des pigistes et du salaire du personnel. ➤ **producteur.**

ADR ANGL. Abréviation de *automatic dialogue replacement*.

affiche Feuille imprimée destinée à la publicité d'un film, conçue par un affichiste (*poster*). L'affiche est placée à l'entrée des salles de cinéma, placardée sur les murs, reproduite sur les cartes postales, les pochettes de disques, les jaquettes des éditions vidéo, etc. Objet de collection, elle fait dorénavant partie du patrimoine cinématographique. L'expression «être à l'affiche» signifie pour un film «être projeté».

affichiste Personne responsable de la conception d'une affiche (*poster designer*). On commande une affiche à un artiste graphique, un dessinateur ou un peintre.

AFI Sigle de l'American Film Institute.

afilmique Terme de la théorie du cinéma. Tout ce qui relève de la réalité et qui n'a pas été modifié par la mise en scène au moment de son enregistrement. ANT. profilmique.

AFM Sigle de l'American Film Market.

AFNOR Acronyme de l'Association française de normalisation.

AgaScope Format du CinémaScope en Suède et en Hongrie. L'AgaScope est de 2:35:1.

âge d'or Des années 20 aux années 50, à Hollywood, période durant laquelle les films atteignent la perfection dans certains genres comme la comédie musicale et le film policier (*golden age*). Plus généralement, cette appellation désigne l'industrie cinématographique hollywoodienne dominée depuis les années 20 par les cinq grandes compagnies appelées Majors (Paramount, Fox, MGM, Warner Bros. et RKO) qui contrôleront entièrement la production et la distribution de leurs films jusqu'en 1948, année de la loi antitrust qui les forcera à se départir de leurs salles et annoncera leur déclin; → **Paramount decision**. Avec les premiers films de réalisateurs comme Peter Bogdanovich, Michael Cimino, Brian De Palma, Francis Ford Coppola, Philip Kaufman, George Lucas, Martin Scorsese, Paul Schrader et Steven Spielberg, les années 70 représentent un nouvel âge d'or du cinéma américain. → **cinéma classique hollywoodien.**

agence Établissement commercial représentant divers métiers du monde du spectacle comme le cinéma, le théâtre et la télévision (*agency*). L'agence a sous contrat des interprètes, des réalisateurs, des directeurs photo, des scénaristes et des producteurs indépendants. Elle négocie leurs contrats et reçoit généralement 10 pour cent d'un cachet déterminé. Le secteur «cinéma» y est extrêmement important.

L'agence propose des packages à une maison de production, à une Major ou à un groupe de producteurs. Parmi les agences les plus connues dans le monde, citons Creative Artists Agency (CAA), International Creative Management (ICM) et The William Morris Agency, aux États-Unis; Artmédia et Cinéart, en France. → **casting.**

agent, e Personne chargée des intérêts d'un individu, pour le compte duquel elle agit (*agent*). Membre généralement du personnel d'une agence, l'agent est un intermédiaire entre un acteur, un réalisateur, un directeur photo, un scénariste, un producteur ou une société de production.

Agfacolor Marque de commerce d'un procédé de pellicule couleur mis au point par la firme allemande Agfa AG en 1936 pour le 16 mm et en 1940 pour le 35 mm. Certaines séquences d'*Ivan le Terrible* (1943-1946) sont colorées en Agfacolor par S.M. Eisenstein en 1958. Ansco Color et Sovcolor sont des dérivés de ce procédé.

Agfa-Gevaert Firme constituée par la fusion des compagnies Agfa AG et Gevaert NV en 1964. Ses quartiers généraux sont à Mortsel, en Belgique. Agfa-Gevaert désigne couramment la pellicule fabriquée par cette firme.

agit-film Film de propagande en Union soviétique (*agitfilm*). Produit après la révolution d'Octobre de 1917, l'agit-film doit éveiller les masses aux idées révolutionnaires. Il est projeté dans un train qui comprend, outre une salle de cinéma, une salle de conférence, une bibliothèque et une presse à imprimer. → **cinéma militant.**

agrandissement [1] Reproduction agrandie d'une photo originale (*blow-up*). [2] Reproduction agrandie d'un détail d'une photo (*blow-up*). [3] Opération consistant à gonfler un film, le reproduisant ainsi sur un format supérieur (*blow-up*). SYN. gonflage.

à hauteur d'homme Expression singularisant une prise de vues par une caméra placée à environ 1,60 m du sol. Cette prise de vues caractérise le cinéma classique hollywoodien, particulièrement les films de Howard Hawks, John Ford et John Huston. Pour les critiques français des années 50 et

60, elle revêt une valeur morale, une manière de respecter la réalité. On dit: filmer à hauteur d'homme.

Ailimount Marque de commerce d'un système conçu pour la prise de vues en hélicoptère. Ce système est équipé d'une tête électronique placée sous l'hélicoptère et télécommandée à distance par un cadreur visualisant l'image sur un moniteur vidéo. ➤ **Hélivision.**

Alan Smithee N. PROPRE Pseudonyme utilisé par les réalisateurs qui ne veulent pas signer de leur vrai nom un film peu honorable. Lorsque le film produit s'avère nul, on remplace au moment du montage du générique le nom du réalisateur par celui d'Alan Smithee.

albédo Mesure du pouvoir réfléchissant d'une surface par rapport au flux lumineux renvoyé par la surface et au flux lumineux reçu. L'albédo est un des facteurs dont dépend la couleur d'un objet. La neige a ainsi un albédo de 0,98, la paume de la main, de 0,30 et le velours noir, de 0,004. SYN. réflectance.

Alec ARG. É.-U. Électricien de plateau.

alimentation [1] Approvisionnement essentiel au fonctionnement d'un appareil: le film vierge pour la caméra ou la copie de film pour le projecteur (*feeding*). [2] Source d'énergie électrique nécessaire au fonctionnement d'un appareil, comme la caméra ou le projecteur (*power supply, power unit*). L'alimentation électrique est fournie grâce à une batterie, à des piles ou à un branchement sur un secteur. SYN. alimentation en courant.

alimentation en courant ➤ **alimentation.**

alimentation secteur Système permettant d'alimenter la caméra à une prise de courant de secteur normal (*power adapter*). Ce type d'alimentation préserve des pannes éventuelles causées par une chute de puissance de la batterie.

Alleflex Marque de commerce d'un appareil capable de produire 50 effets sonores différents pouvant accompagner la projection d'un film muet.

allégorie Mot associé principalement à la littérature pour décrire les éléments d'une œuvre et leur représentation symbolique (*allegory*). L'allégorie représente une idée générale sous forme de métaphores. *Zéro de conduite* (1933) de Jean Vigo est une allégorie sur la force et le triomphe de la jeunesse contre l'autorité et le monde adulte borné. ➤ **sujet, thème.**

Allflex Marque de commerce d'un appareil britannique pour le bruitage au cinéma, mis au point en 1910.

allocation quotidienne Somme d'argent donnée quotidiennement à chacun des membres d'une équipe pour ses dépenses lors de déplacements à l'extérieur du lieu principal de travail (généralement à plus de 50 kilomètres) (*living allowance*). ➤ **frais de séjour, *per diem.***

allonger la focale Réduire le champ de la prise de vues par l'utilisation d'une longue focale. ANT. réduire la focale.

allusion [1] Référence indirecte dans le dialogue ou dans l'image à une personne, à un événement ou à une autre forme d'art que le cinéma (*allusion*). Le film de Bob Fosse, *Cabaret* (1972), fait une référence indirecte à l'avènement futur du nazisme. Le sketch *La ricotta* (1963) de Pier Paolo Pasolini reconstitue deux tableaux du peintre Pontormo. [2] Dans un film, référence directe à un autre film ou à l'œuvre d'un cinéaste (*allusion*). Les allusions sont une forme de reconnaissance envers un ou des auteurs. Les films de Francis Ford Coppola, Jean-Luc Godard, Brian De Palma et Wim Wenders sont riches en références directes au cinéma.

alternance Terme de la théorie du cinéma. Présentation en alternance de divers éléments filmiques (*alternation*). L'alternance peut se situer à plusieurs niveaux: a) le niveau simple: alternance de deux personnages à l'écran par montage de champ-contrechamp et b) le niveau complexe dans l'organisation du récit: alternance de deux scènes différentes (les plans avec Mᵐᵉ Berkman et les plans avec la petite Elsie, au début de *M le Maudit* [1931] de Fritz Lang), ou alternance de deux ou plusieurs récits (les quatre épisodes d'*Intolérance* [1916] de D.W. Griffith).

Amanda → **Nordic Amanda.**

amateur de cinéma Personne qui aime le cinéma, qui y va souvent et qui voit énormément de films (*moviegoer*). SYN. amateur de films, cinéphile. VOISINS: cinémaniaque, cinéphage.

amateur de films → **amateur de cinéma.**

ambiance Tonalité générale, climat du film (*mood*).

ambiophonie Ambiance sonore créée par l'augmentation de la réverbération des sons (*surround sound*). L'ambiophonie est l'équivalent de la stéréophonie. Utilisée dans l'audiovisuel, elle améliore la qualité sonore des films en vidéocassettes et des émissions de télévision (les matchs sportifs, particulièrement) diffusées expressément en ambiophonie. → **Dolby Stéréo, THX.**

American Cinematographer Revue américaine fondée en 1920 et publiée par l'American Society of Cinematographers. Cette revue traite des techniques de la direction photo, avec reportages sur les tournages et chroniques sur le nouveau matériel de prise de vues (caméra, lampe, tireuse, vidéo, pellicule, etc.). Parution: mensuelle.

American Film Institute [AFI] Organisme américain sans but lucratif créé en 1967, regroupant des membres de l'industrie, des enseignants et des étudiants de cinéma. Les buts de l'American Film Institute sont: a) la conservation des films et des émissions de télévision, b) la recherche et la formation de nouveaux talents en cinéma et télévision et c) la promotion du cinéma et de la vidéo comme formes d'art. L'Université de Californie à Los Angeles [UCLA] et le John F. Kennedy Center à Washington sont les deux lieux d'où émanent les programmes créés par l'AFI. Cet organisme donne, entre autres, des bourses à des étudiants en scénarisation et en réalisation, et organise des rétrospectives et des hommages aux artisans du cinéma américain. Depuis 1975, l'AFI publie un magazine mensuel, *American Film.*

American Film Market [AFM] Foire créée en 1981, destinée aux producteurs et aux distributeurs de cinéma et qui se tient à Los Angeles à la fin du mois de février de chaque année. L'American Film Market est l'un des plus importants marchés du film et offre des productions américaines à des distributeurs venus du monde entier. Plus de 70 pour cent des films qui y sont projetés le sont en avant-première mondiale.

American Society of Cinematographers [ASC] Association américaine des directeurs de la photographie fondée en 1919. Cette association n'est pas un syndicat, mais un organisme à buts culturel, éducatif et professionnel. L'adhésion se fait sur invitation. En être membre est un honneur qu'on accorde à des directeurs photo reconnus pour leurs hautes compétences et leur engagement dans la profession. Au générique des films, les membres font suivre leur nom du sigle de l'association [ASC] qui est un signe de prestige et d'excellence. Cette association publie le mensuel *American Cinematographer.*

American Standard Association [ASA] Organisme de normalisation américain qui a proposé en 1941 un indice de mesure de la sensibilité et de la rapidité d'émulsion de la pellicule. Cet indice est appelé ASA, du sigle de cet organisme. Il est maintenant remplacé par l'indice ISO. → **DIN.**

amorçage Opération consistant à placer l'amorce de la pellicule dans l'armement de la caméra (*threading*).

amorce [1] Bout de pellicule au début et à la fin de chaque bobine de film (*leader, projection leader*). L'amorce facilite le chargement dans la caméra et le changement de bobines lors de la projection. Elle évite de toucher et donc de salir et de rayer les premières et dernières images du film. On distingue l'amorce de début (ou amorce initiale) (*head tailer*), et l'amorce de fin (ou amorce finale) (*end tailer*). SYN. amorce de lancement, bande amorce. → **élément.** [2] Bande neutre, généralement blanche, placée entre deux bandes pour assurer le synchronisme de l'image et du son au montage (*spacer*). [3] Se dit d'un personnage au bord du champ, en bordure de l'écran, dans un champ-contrechamp (*over-the-shoulder shot*).

amorce de lancement → **amorce.**

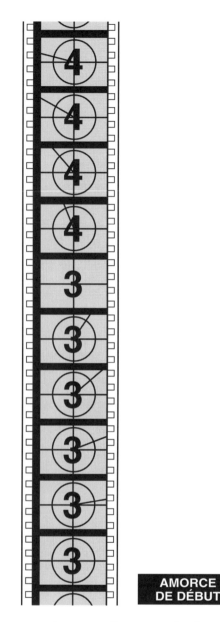

AMORCE DE DÉBUT

amortissement Imputation des dépenses en prévision des recettes prévues (*paying off*). L'amortissement est souvent négatif et on dit alors que le film ne fait pas ses frais. ➤ **superproduction, budget.**

AMPAS Sigle de l'Academy of Motion Picture Arts and Sciences.

Ampex Marque de commerce du premier magnétoscope apparu sur le marché dans les années 50 et mis au point par la compagnie américaine Ampex.

ampli Forme abrégée de amplificateur.

amplificateur [ampli] Appareil utilisé pour augmenter le signal sonore (*amplifier*). Conçu pour alimenter un haut-parleur, l'amplificateur accroît l'amplitude des oscillations électriques. La mise au point de l'amplificateur permettra une avancée importante dans le développement du cinéma parlant. ➤ **préamplificateur.**

amplitude [1] Rapport entre les focales extrêmes d'un zoom (*lenght*). L'amplitude 10 est le rapport d'un zoom 25/250 mm. [2] Grandeur d'un signal électrique (*amplitude*). L'amplitude est l'une des trois caractéristiques d'un signal; les deux autres sont la fréquence et la phase. Elle est exprimée en volts.

anaglyphe Procédé de stéréoscopie mis au point par Louis Ducos du Hauron en 1891 (*anaglyph process*). On couple deux épreuves d'un seul négatif en deux couleurs complémentaires (rouge et verte). Ce procédé annonce les appareils pour la projection en relief ou en trois dimensions [3D].

anaglyphoscope Sorte de lunettes que doit porter le spectateur pour voir les images projetées en stéréoscopie (*anaglyphoscope*). Chaque verre est d'une des couleurs complémentaires des filtres utilisés pour les images. ➤ **anaglyphe.**

analyse [1] Première des deux phases dans les procédés de reproduction de la couleur (*color analysis*). Sur des émulsions en noir et blanc, on effectue une sélection des couleurs. Cette phase permet de distinguer les radiations bleues, vertes et rouges grâce à des filtres appropriés. L'autre phase est la synthèse. [2] Approche raisonnée des films en tant qu'œuvres autonomes et singulières, et du cinéma en tant que moyen d'expression artistique, culturelle et sociale (*analysis*). Son but est de faire comprendre et aimer une œuvre. On distingue plusieurs sortes d'analyse: l'analyse historique, l'analyse idéologique, l'analyse structurale, l'analyse narratologique, l'analyse psychanalytique, l'analyse iconique, etc. Certaines approches sont désuètes, comme l'analyse psychologique, l'analyse des personnages et l'analyse thématique. L'analyse dissocie certains éléments d'un film pour trouver leur organisation et leur signification. Elle dégage les règles régissant le récit et son organisation. Elle est différente, quoique voisine, de la critique et de la théorie.

anamorphose Procédé optique permettant, grâce à une lentille, de comprimer horizontalement une image et de lui donner une forme allongée (*anamorphic process*). Emprunté à la peinture du XVIe siècle, le procédé d'anamorphose est mis au point durant la Première Guerre mondiale. Claude Autant-Lara en fera la première utilisation en 1928 dans *Construire un feu*, court métrage muet. La Twentieth Century-Fox achète en 1952 les droits du procédé,

l'enregistrera sous le nom de CinémaScope et sortira l'année suivante le premier film en CinémaScope, *La tunique* de Henry Koster. Superscope, Panascope et Warnerscope en sont différents systèmes dérivés. ⤙ **Anorthoscope**.

Angénieux Compagnie française reconnue pour sa fabrication d'objectifs de grande qualité, des zooms, particulièrement.

angle de prise de vues Ce qui apparaît à l'écran, du centre de l'image à ses extrémités (*angle of view*). Techniquement, il s'agit de la place de la caméra selon un axe horizontal et un axe vertical. Cet angle dépend également du format de la pellicule et des lentilles de la caméra. Il y a changement d'angle lorsqu'il y a déplacement de la caméra. ⤙ **axe optique.**

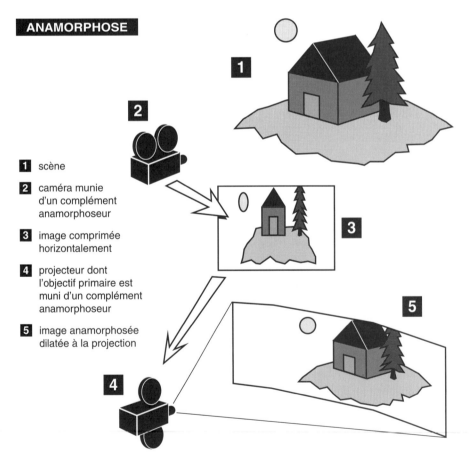

ANAMORPHOSE

1 scène

2 caméra munie d'un complément anamorphoseur

3 image comprimée horizontalement

4 projecteur dont l'objectif primaire est muni d'un complément anamorphoseur

5 image anamorphosée dilatée à la projection

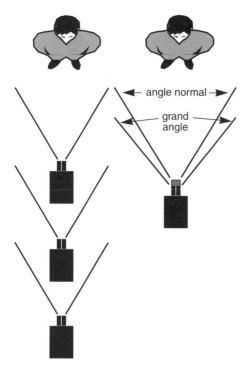

angle normal

grand angle

ANGLES DE PRISE DE VUES

angle normal Angle de prise de vues qui rend approximativement à l'écran la vision de l'œil humain (*normal angle*). La lentille de 50 mm d'une caméra 35 mm donne cet angle. ➤ **perspective.**

angle oblique Angle de prise de vues qui n'est pas droit, qui est à la verticale (*oblique angle*). L'angle oblique correspond à une image en diagonale, à un plan asymétrique dans lequel le sujet n'est pas filmé de face. Par son utilisation, on suggère un regard subjectif, une hallucination, etc.; on peut donner l'impression d'un personnage en déséquilibre ou créer une tension, comme dans les films d'horreur. ➤ **axe optique.**

animated tintypes ANGL. VX Surnom donné aux premières images cinématographiques. SYN. *galopping tintypes.*

animateur, trice Personne qui, dans un film d'animation, s'occupe des mouvements et de leur style (*animator*). L'anima-teur est responsable de l'expression et de la crédibilité des mouvements. En cinéma d'animation, le terme est souvent synonyme de réalisateur. ➤ **intervalliste,** *lay out man.*

animation Forme abrégée de cinéma d'animation.

animation de figurines Méthode d'animation réalisée avec des personnages façonnés avec de la pâte à modeler et photographiés image par image (*claymation*). Cette méthode utilise des figurines en trois dimensions [3D] dont les déplacements requièrent un lent et minutieux manie-ment: 6 à 8 heures de travail donneront 3 secondes de film.

animation de marionnettes Méthode d'animation réalisée avec des poupées articulées photographiées image par image (*puppet animation*). On utilise des marion-nettes à fils ou à gaine. L'animation tchèque est reconnue internationalement dans ce domaine.

animation de silhouettes Méthode d'a-nimation réalisée avec des silhouettes découpées et photographiées image par image (*silhouette animation*).

animation d'objets Méthode d'animation réalisée avec des objets en trois dimensions [3D] photographiés image par image (*object animation*).

animation multiplane Technique qui permet de donner à un dessin animé pro-fondeur et relief par superposition de cellu-los éloignés les uns des autres (*multiplane*). Cette technique a été mise au point par Walt Disney par l'utilisation d'un banc-titre.

animation par cellos Mouvement obtenu par les dessins sur différentes feuilles transparentes, dites de celluloïd (*cel animation*). Sur un fond de scène peint sur un papier épais, on empile les cellos qui formeront une séquence, chaque cello représentant une forme ou le segment d'une forme (personnage, objet), stable ou en mouvement.

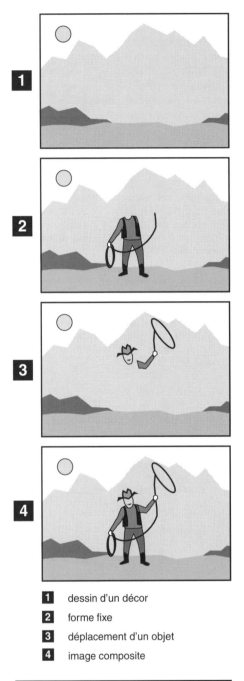

1 dessin d'un décor

2 forme fixe

3 déplacement d'un objet

4 image composite

ANIMATION PAR CELLOS

animation par ordinateur Procédé d'animation combinant l'informatique et l'infographie (*computer animation*). On distingue trois façons de créer des images par ordina-teur: a) l'animateur utilise uniquement des images numérisées, b) à l'aide de calcul par interpolation, l'animateur utilise l'ordina-teur pour les intervalles (les images inter-médiaires entre deux mouvements) (*key animation*) et c) l'animateur simule les mou-vements et les transformations d'un objet à animer. Les images réalisées par ordinateur peuvent être visionnées à l'écran ou sur une bande vidéographique. La première animation par ordinateur a eu lieu en 1964 et a été réalisée par Ken Knowlton. ➤ **ani-matique**.

animation sans caméra Animation faite directement sur la pellicule par des dessins peints ou grattés (*noncamera animation*). Plusieurs films d'animation de Norman McLaren sont réalisés sans caméra. ➤ **dessin sur film, peinture sur film**.

animatique Animation par ordinateur réalisée grâce aux possibilités que donnent l'électronique et l'informatique (*animatics*). Plus largement, l'animatique désigne l'ima-ge de synthèse. Elle requiert des équi-pements dispendieux, des techniciens programmeurs et des mathématiciens. Le premier film de long métrage pleinement réussi en animatique est *Histoire de jouets* (1995) de John Lasseter. ➤ **infographie**.

animatronics ANGL. Technique d'animation électronique de marionnettes mise au point par Jim Henson, créateur des *Muppets*, et réutilisée au cinéma dans des films comme *Les Pierrafeu* (1994) de Brian Levant.

Animographe Marque de commerce d'un appareil mis au point par Jean Dejoux pour le Service de recherche de la chaîne française ORTF. L'Animographe permet de simplifier les étapes intermédiaires de la production du dessin animé et d'en réduire les coûts de fabrication. ➤ **intervalliste**.

annonce [1] Ordre donné au début d'une prise de vues («Silence!», «Action!») (*an-nouncement*). [2] Indications orales lancées par le clapman avant le tournage d'un plan et le claquage du clap (*announcement*).

Anorthoscope Appareil mis au point par Joseph Plateau en 1836. L'Anorthoscope est composé de deux disques dont le premier porte une figure anamorphosée peinte sur papier huilé et le second est muni de trois ou quatre fentes radiales servant d'obturateur; la rotation restitue l'image dans ses proportions réelles. L'Anorthoscope est un des nombreux appareils préfigurant le Cinématographe. Il est également à l'origine du CinémaScope.

AnscoColor Marque de commerce d'un procédé d'une pellicule couleur monopack mis au point aux États-Unis durant les années 40 par Ansco, une filiale d'avant-guerre de la firme allemande Agfa. L'AnscoColor devait remplacer l'Agfacolor. Il disparaît au début des années 60. → **Orwocolor, Sovcolor.**

antenne parabolique [1] Antenne à réflecteur parabolique servant à capter les sons dans la nature (*antenna*). Cette antenne s'avère très utile pour le tournage de films animaliers. SYN. parabole. [2] Antenne en forme de cercle servant à capter les émissions de télévision diffusées par satellite (*satellite dish*). Son diamètre varie de 50 à 80 cm. Elle est indispensable à la réception numérique. SYN. parabole.

anti-abrasif N. Traitement de la pellicule relativement à son émulsion afin de la protéger des rayures (*anti-abrasion*).

antibourreur N. Mécanisme de sécurité placé sur certaines caméras arrêtant l'entraînement du film en cas de mauvais fonctionnement (*anti-jam*).

anti-film → **dadaïsme.**

antihalo N. Couche ajoutée sur la face dorsale de la pellicule destinée à éviter la réimpression de l'émulsion par la réflexion des rayons lumineux (*anti-halation*). L'antihalo disparaît au développement. SYN. couche antihalo. → **halo de réflexion.**

antihéros Contraire du héros (*antihero*). L'antihéros désigne un personnage, le plus souvent de sexe mâle, ne possédant aucune des vertus positives attribuées à un héros. L'antihéros est porteur de valeurs «corrompues» qu'il défend souvent par les armes; il se meut dans la société comme une bête fauve, un rebelle aux fausses causes. Tom Powers (James Cagney), dans *L'ennemi public* (1931) de William Weldan,

incarne l'un des tout premiers antihéros au cinéma. Humphrey Bogart interprète plusieurs antihéros dans sa carrière. Travis (Robert De Niro) est un antihéros moderne insomniaque, neurasthénique et paranoïaque dans *Taxi Driver* (1976) de Martin Scorsese.

A-picture ANGL. Des années 30 aux années 50, film principal dans un programme double. Ce film se distingue du film de série B qui l'accompagne par sa qualité, son budget et ses vedettes. Ce terme disparaît dans les années 50 avec l'abandon de la formule du programme double, à la suite du décret de la Cour suprême des États-Unis condamnant les Majors à se départir de leurs salles; → **Paramount decision.** SYN. ANGLAIS: *main feature.*

appareil de cadrage Dans le projecteur, ensemble des pièces nécessaires au cadrage (*framer*). SYN. dispositif de cadrage.

appareil de prise de vues Appareil permettant l'enregistrement des images cinématographiques (*camera*). → **caméra.**

appareil de projection Appareil permettant la projection des images cinématographiques (*projector*). → **projecteur.**

apparition [1] Action d'apparaître brièvement à l'écran. Une apparition est le plus souvent le fait d'un acteur ou d'une actrice très populaire. SYN. camée. [2] Moment d'une action où les silhouettes apparaissent (*appearance*).

apprentie star Jeune actrice qui rêve de gloire.

Arabiscope Marque de commerce d'un procédé de prise de vues et de projection permettant d'inscrire une image large sur un film 35 mm. Parce que ce procédé utilise une avance de deux perforations, la vitesse de défilement s'en trouve ralentie et altère la qualité de l'image et du son.

arborescence Parasite affectant l'image vierge d'un film à la suite d'une décharge électrique statique (*tree*). L'arborescence laisse des traces sous forme de ramifications après le développement. Une couche antistatique prévient cet accident.

arc électrique Émission de lumière intense fournie par une décharge électrique entre deux électrodes rapprochées (*arc light*). Ce type d'arc est utilisé dans un projecteur de film. La lampe à arc est à la base du projecteur d'éclairage. → **graphite, xénon**.

Archemedia Programme européen dont le but est d'intensifier les contacts entre les cinémathèques et les institutions universitaires. Archemedia propose annuellement une série de colloques portant sur des thèmes tels la conservation, les droits et questions juridiques et les services de documentation cinématographique.

archétype Personnage type représentant un modèle de caractère, qu'on retrouve autant au cinéma qu'en littérature et au théâtre (*archetype*). Dans *Les Hauts de Hurlevent*, le roman (1848) d'Emily Brontë et le film (1939) de William Wyler avec Laurence Olivier, le personnage de Heathcliff est l'archétype de l'amant sauvage et violent. Dans *Sur les quais* (1954) d'Elia Kazan, Terry Malloy (Marlon Brando) représente l'archétype du mauvais garçon devenu un sauveur sous l'influence bénéfique de l'amour et de la religion.

architecte-décorateur → **décorateur**.

archives du film PLUR. [1] Endroit où sont entreposés, pour l'étude et la recherche, films, scénarios et tout autre matériel ayant servi à la réalisation d'un film (*archive*). [2] Se dit d'une institution qui se consacre à la conservation et au catalogage des films (*archives*). La Pacific Film Archives, de Berkeley, aux États-Unis, est l'une des plus célèbres institutions du cinéma. → **cinémathèque, dépôt légal**.

ardoise VX Plaquette en ardoise préfigurant le clap et utilisée durant la période du muet (*slate*). Le numéro du plan y est inscrit à la craie. SYN. pancarte, tableau.

argument Exposé sommaire du scénario d'un film (*outline*). VOISIN: synopsis.

armature métallique Monture protectrice de métal qui sert de support à l'écran de projection (*metal mount*). Cette monture est surtout utilisée pour le cinéma amateur.

armement RARE Opération consistant à placer une pellicule dans la caméra (*loading*). SYN. chargement.

armoire de séchage Endroit vitré où la pellicule, placée sur des galets, est mise à sécher (*drying case*). La pellicule tourne en boucle et sous une ventilation d'air chaud.

AromaRama Marque de commerce d'un procédé de cinéma odorant apparu en 1959. Les odeurs durant la projection sont diffusées par un système de ventilation semblable à celui de l'air conditionné. → **Odorama, Smell-O-Vision**.

arrangement Adaptation de partitions musicales préexistantes (*arrangement*).

arrangeur, euse Personne qui fait l'adaptation ou l'arrangement orchestral d'une partition musicale (*arranger*).

arrêt Commande permettant l'arrêt d'un appareil grâce à un bouton-poussoir ou à un interrupteur (*off, stop*).

arrêt sur image [arrêt sur l'image] [1] Mode de lecture de l'image sur les caméscopes et les magnétoscopes obtenu par l'arrêt de défilement de la bande (*stop frame*). [2] Trucage réalisé en laboratoire qui provoque l'arrêt du mouvement par la reproduction de la même image un certain nombre de fois (*freeze frame*).

arrêt sur l'image → **arrêt sur image**.

arrière-plan Espace le plus éloigné de l'appareil de prise de vues, se situant derrière le sujet principal filmé (*background*). L'arrière-plan correspond pour l'œil du spectateur à ce qui est au fond du plan. Un rapport étroit est établi entre l'arrière-plan et la profondeur de champ. ANT. premier plan. → **second plan**.

Arriflex Marque de commerce de caméras 16 mm et 35 mm fabriquées par la compagnie allemande Arnold et Richter. Mises au point en 1937, elles sont munies d'une visée reflex. Elles se caractérisent par leur légèreté et leur volume relativement petit. Un nouveau modèle, plus petit et léger, portable, apparaît dans les années 60 et est utilisé abondamment par les cinéastes de la

Nouvelle Vague et du cinéma-vérité. L'Arriflex 765 est mise au point en 1989 pour le 70 mm. Appellation familière: une Arri.

Arrivision   Marque de commerce appartenant à la compagnie Arriflex et désignant un procédé de cinéma en relief [3D].

art director   ANGL. Terme fréquemment utilisé en français au lieu de son équivalent qui est «directeur artistique». Personne responsable de la conception artistique d'un film, de tout ce qui apparaît à l'écran (les décors, les costumes et les accessoires). Durant l'âge d'or du cinéma américain, Hans Dreier, attaché à la Paramount et travaillant avec Cecil B. DeMille et Josef von Sternberg, devient l'un des plus remarquables directeurs artistiques; le décor est pour lui l'expression du climat psychologique du film. ➤ **décorateur.**

Arte   Chaîne publique culturelle de télévision franco-allemande. Créée en 1992, cette chaîne est financée par des fonds publics et diffuse des émissions de qualité, généralement exigeantes. Arte regroupe à parts égales la Sept (Société d'édition de programmes de télévision) et Arte Deutschland TB GmbH, filiale des chaînes nationales ARD et ZDF. Avec la Sept-cinéma, elle devient un partenaire important de la production de films européens.

artefact   [1] Altération dans la perception d'un phénomène, reproduite par une technique de représentation visuelle (*artefact*). ➤ **moirage, crénelage.** [2] Décalage entre le jeu d'un acteur et la situation de la scène ou du décor (*artefact*). L'artefact donne alors l'impression d'une mise en scène artificielle. Les films de Peter Greenaway fourmillent d'artefacts.

art et essai   Label décerné par l'institution gouvernementale responsable du cinéma en France, le Centre national de la cinématographie [CNC], aux salles diffusant un cinéma de qualité (*art house*). On compte 800 salles en France ayant obtenu ce label. ➤ **cinéma d'art et d'essai.**

articulation   Système d'attache, articulé ou non, servant à fixer la caméra sur le plateau du trépied (*tripod socket*).

artisan, e   Personne participant à la réalisation d'un film (*artisan*). Il peut s'agir, entre autres, d'un technicien, d'un interprète ou d'un auteur. ➤ **participation.**

Artistes associés   Traduction française du nom de la compagnie américaine United Artists.

Artmédia   Très importante agence française d'artistes ayant pignon sur rue à Paris. Artmédia a été fondée par Gérard Lebovici.

art médiatique   Forme d'expression artistique utilisant l'électronique, l'informatique, les moyens de communication (l'holographie, Internet, la télécopie, la radio, la télévision et la vidéographie) ainsi que le cinéma (*media art*). Les œuvres en art médiatique sont surtout des installations multimédias et interactives.

artsploitation   NÉOLOGISME ANGL. Mot anglais formé de *art* et de *exploitation*. D'origine récente (1996), il désigne les tentatives de tirer profit de films et de réalisateurs américains indépendants à des fins commerciales. L'*artsploitation* stigmatise l'utilisation mercantile par les grands studios américains de festivals (comme le Festival du film de Sundance) pour lancer leurs films jugés difficiles.

art vidéo [vidéo d'art]   [1] Forme d'expression artistique utilisant le support vidéographique comme véhicule (*video art*). [2] Ensemble des expérimentations exploitant les techniques de l'électronique (la bande vidéographique, l'infographie, la télévision, etc.) (*video art*). L'art vidéo naît au début des années 60 dans les galeries d'art et se caractérise par ses multiples courants, genres et formes. Un de ses plus illustres auteurs est Nam June Paik, qui tient une première exposition sur support électronique en 1963 à la galerie Parnasse, de Rolf Jarhling, à Wuppertal, en Allemagne. Parmi les principaux auteurs en art vidéo, citons les noms de Luc Bourdon, Jean-Michel Gautreau, Thierry Kuntzel, Steina et Woody Vasulka, Bill Viola et Wolf Vostell.

ASA   Sigle de l'American Standard Association.

ASC Sigle de l'American Society of Cinematographers.

aspect ratio ANGL. Terme fréquemment utilisé dans le métier, mais ambigu puisqu'il peut désigner tout autant le format et le ratio que le standard du film.

asservissement Mécanisme permettant le contrôle d'un appareil par un signal provenant d'un autre appareil, entre un magnétoscope et un ordinateur, par exemple (*slave*); ➤ **signal pilote**. Au cinéma, l'asservissement a de multiples fonctions, tant à la prise de vues qu'à la projection. Le Digital Theater System [DTS] utilise des cédéroms pour la projection de films; les disques et les projecteurs doivent donc être synchronisés constamment par un mécanisme d'asservissement.

assistant, e Personne qui en aide une autre dans son travail (*assistant*). On distingue l'assistant metteur en scène, l'assistant caméraman, l'assistant décorateur, l'assistant à la production, l'assistant animateur, etc. Selon le type de production, le film peut avoir plusieurs assistants pour un même travail, alors classés suivant leur nombre: le premier, le deuxième et le troisième.

assistant-caméraman RARE Pointeur (*focus puller*, en Europe).

Association française de normalisation [AFNOR] Association créée en 1926 qui a la triple mission: a) d'élaborer des normes, b) de publier, diffuser et promouvoir les normes françaises dans les domaines de l'audiovisuel, de l'informatique et des télécommunications et c) de délivrer les certificats de produits (labels). Elle compte 4 000 entreprises, possède un centre de documentation et organise des colloques et des séminaires pour les industriels. Son équivalent britannique est la British Standard Institution [BSI]. L'AFNOR est membre de l'ISO.

assurance Partie du budget de la production d'un film ou d'un programme audiovisuel servant à couvrir les risques encourus lors de sa fabrication (*insurance*). L'assurance garantit généralement l'achèvement du projet dans les délais prévus. Elle protège le producteur contre des risques déterminés et porte sur les pertes pécuniaires et matérielles, et la responsabilité civile.

astigmatisme Aberration optique affectant les lignes verticales dans une image, qui ne sont pas aussi nettes que les horizontales (*astigmatism*). ➤ **lentille correctrice**.

atelier de menuiserie Lieu où travaillent les menuisiers responsables de tout le travail de menuiserie nécessaire à la construction des décors (*carpenter shop*).

attaché, e de presse Personne responsable de la publicité d'un film (*press agent, publicist*). L'attaché de presse élabore les campagnes de presse. Son action est dirigée essentiellement vers les journalistes afin de susciter des articles et des reportages sur les films dont il s'occupe.

attractions PLUR. Autrefois, numéros de music-hall présentés entre deux séances d'un programme (*attractions*). ➤ **entracte**.

attrape ➤ **accroche**.

audience Nombre de personnes ayant vu un film à la télévision ou un produit télévisuel (*ratings*). Il est l'équivalent de l'indice d'écoute (ou cote d'écoute). Le système de mesure d'audience connu en France est l'Audimat et au Canada, le BBM.

audio [1] ADJ. Ce qui se rapporte à l'enregistrement et à la reproduction des sons (*audio*). [2] N. Élément distinct de l'image: le matériel et la bande sonore (*audio*). ➤ **bande audio**.

audiogramme ➤ **stéréoscopie**.

audiovisuel N. [1] Ensemble des moyens mis en œuvre dans la production de l'image et du son: l'antenne, le caméscope, le magnétophone, le magnétoscope, le projecteur de diapositives, l'ordinateur, etc. (*audiovisual*). [2] Domaine couvrant tous les moyens de communication sonores et visuels, principalement la télévision (*audiovisual*). L'audiovisuel a longtemps désigné un moyen d'apprentissage scolaire. On tend à y intégrer le cinéma, mais comme élément du marché du magnétoscope, de la vidéocassette et du cédérom; le film devient alors un produit audiovisuel. «Audiovisuel» tend à être remplacé par «multimédia». Par extension, le mot désigne en France l'ensemble des chaînes de télévision; → **PAF**.

audition Séance d'écoute pour la sélection d'un ou plusieurs comédiens pour une production donnée (*screen test*, ARG. *livestock show*). L'audition est généralement organisée par un responsable du casting. → **bout d'essai [1]**.

auditorium Salle aménagée pour l'enregistrement des voix et du bruitage lors du mixage du film (*auditorium, recording studio*). SYN. studio d'enregistrement.

Auricon Marque de commerce de caméras 16 mm permettant l'enregistrement direct de l'image et du son optique (et plus tard, du son magnétique) sur un même support. Le premier appareil de prise de vues est l'Auricon Pro, mis au point en 1942 et destiné aux reportages des correspondants de guerre. Auricon lance un modèle de caméra portable en 1957, le Cine-Voice.

auteur Personne ayant réalisé un film (*author*). Il peut s'agir d'un réalisateur ou d'un metteur en scène. Dans les années 50, par l'action des critiques des *Cahiers du cinéma*, ce mot désigne le droit d'un cinéaste d'avoir une vision du monde et un style qui se traduisent, dès lors, par la mise en scène; on emploie alors l'expression «Politique des auteurs». L'auteur impose sa personnalité au film. Sa pensée s'incarne dans les matériaux cinématographiques, particulièrement dans l'intrigue filmée. Selon qu'on a affaire à tel auteur ou à tel autre, tout dans le film (le choix des plans, des couleurs et des cadrages) revêt une signification différente. On oppose film d'auteur (ou cinéma d'auteur) à film commercial (ou cinéma commercial). → **auteurisation**.

auteurification NÉOLOGISME Mot apparu à la fin des années 80 dans la critique pour désigner la manière qu'ont certains cinéastes d'apposer leur signature à leurs films. L'auteurification se caractérise par des signes d'énonciation appuyés, comme le choix des plans ou des couleurs. Synonyme de maniérisme, ce terme dépréciatif a été utilisé pour le cas de réalisateurs français comme Jean-Jacques Beineix et Luc Besson.

auteurisation NÉOLOGISME Mot tiré de la théorie de cinéma désignant la façon dont le réalisateur se pose en tant qu'auteur en marquant son film de signes d'énonciation repérables: le choix des angles de caméra ou des couleurs, le jeu particulier des acteurs, etc. L'auteurisation désigne une manière qu'a un auteur de personnaliser son film; on y reconnaît dès lors sa «signature». L'auteurisation peut être évidente pour un film de fiction, elle l'est plus pour un journal et elle l'est moins pour un documentaire traditionnel.

autoblimpé Appareil de prise de vues muni d'un blimp incorporé (*self-blimped*).

autofocus Dispositif permettant de régler automatiquement la mise au point au moment de la prise sur une caméra amateur (*autofocal*).

automappage Procédé infographique de fabrication d'images kaléidoscopiques (*automapping*). Ce procédé donne une image qui se reproduit sur elle-même indéfiniment. → **mappage**.

automate [1] Mécanisme autoréglable ajouté au projecteur (*automate*). Grâce à l'automate, le projectionniste programme l'exécution automatique de la projection, comme l'ouverture et la fermeture des rideaux, le réglage de la lumière ambiante, etc. [2] Technique permettant à une caméra de faire des mouvements très complexes grâce à un programme informatique (*motion control*). L'automate facilite le tournage des plans pouvant contenir des effets spéciaux.

automatic dialogue replacement [ADR] ANGL. Séances de postsynchronisation où on utilise le doublage en boucle. Le sigle ADR est de plus en plus utilisé au générique des films, quelle que soit la langue du générique.

automatisme Ensemble des dispositifs permettant de contrôler et de régler automatiquement certaines fonctions sur les caméras amateurs ou non professionnelles: la mise au point, l'ouverture du diaphragme, le niveau sonore, etc. (*automatic control*). → **autofocus**.

autonomie Durée maximale du fonctionnement d'une caméra entre deux chargements de pellicule ou de son moteur électrique entre deux recharges de batterie (*stand alone disponibility*).

autorisation de travail Permis permettant de travailler sur un plateau dans son pays ou à l'étranger (*work permit*). Cette autorisation est délivrée par les syndicats, qui protègent ainsi leurs membres. SYN. permis de travail.

autoroute de l'information Espace planétaire établi par des réseaux informatiques (*information superhighways*). SYN. autoroute électronique. → **cyberespace, Internet**.

autoroute électronique → **autoroute de l'information**.

à-valoir distributeur Somme versée à un producteur par un distributeur en échange de droits exclusifs d'exploitation du film anticipé (*advance against distribution*).

avance rapide Touche de commande de rembobinage rapide d'une bande magnétique, magnétoscopique ou vidéographique (*fast forward*).

avance sonore Décalage entre l'emplacement de la lecture du son et l'emplacement de l'image y correspondant (*sound advance*). Il y a décalage parce que la tête de lecture sonore sur le projecteur est placée avant la fenêtre de projection.

avance sur recettes Fonds investis dans le film avant sa réalisation et dont le remboursement dépend des recettes (*advance against takings*). En France, l'avance sur recettes est gérée par une commission du Centre national de la cinématographie [CNC], qui accorde une avance à un film sur la présentation de son scénario. Cette avance constitue généralement moins de 5 pour cent du budget total d'un film.

avant-plan Espace situé entre l'appareil de prise de vues et le sujet principal filmé (*foreground*). L'avant-plan correspond pour l'œil du spectateur à ce qui est le plus proche dans le plan. Un rapport étroit est établi entre l'avant-plan et la profondeur de champ. SYN. premier plan. ANT. arrière-plan.

avant-première Projection d'un film avant sa sortie générale (*preview*). L'avant-première précède la première, souvent organisée avec faste. Le terme recouvre des activités aux buts différents mais proches; il peut alors signifier: a) une projection dans une manifestation cinématographique comme un festival, qui donnera une aura particulière au film, et b) une projection devant un public ciblé pour vérifier ses réactions et permettre parfois un remontage de dernière minute. → **avant-première fugitive**.

avant-première fugitive Projection devant un public invité, soit par le producteur afin de modifier éventuellement le montage du film, soit par l'attaché de presse afin de favoriser le succès du film par le bouche à oreille (*sneak preview*).

Avant-scène du cinéma (L') Revue française de cinéma fondée en 1961 qui publie, à chaque numéro, le scénario *in extenso* d'un film, avec photos, présentation et dossier. Parution: mensuelle.

avertissement [1] Déclaration du producteur placée au générique de fin de film attirant l'attention du spectateur sur un point particulier (*warning*). Cet avertissement signale que toute ressemblance avec des personnes vivantes ou décédées serait pure coïncidence. Le producteur se dégage alors de toute accusation ou poursuite qui pourrait survenir (*disclaimer*). Un nouvel avertissement est apparu au générique des films dans les années 90 indiquant que les animaux employés dans le film n'ont pas été maltraités ou n'ont pas été réellement tués. [2] En audiovisuel, déclaration du diffuseur attirant l'attention sur un point particulier du film (*warning*). Les chaînes de télévision placent dorénavant, avant la présentation du film, un carton indiquant le classement du film (cote) ou avertissant le public que l'œuvre contient des scènes de violence ou des scènes sexuelles explicites.

Avid FAMILIER Forme abrégée de Avid Film Composer et de Avid Media Composer.

Avid Film Composer → **Avid Media Composer**.

Avid Media Composer [Avid] En vidéographie, appareil de montage virtuel numérique mis au point par la société américaine Avid Technology et lancé en 1989. À partir de cet appareil, la société a mis au point différents modèles d'Avid pour le montage hors ligne et en ligne, fonctionnant avec un ordinateur Macintosh et stockant les images électroniques sur le disque dur de l'ordinateur. Le Avid Media Composer 8000, destiné au montage virtuel hors ligne et en ligne en vidéo, permet le montage du film et le mixage de 24 bandes audio. Son avantage est un gain de temps et une grande souplesse dans la manipulation des plans. Le Avid Film Composer, lancé en 1994, a été spécialement conçu pour le montage d'un film ayant une cadence de 24 images à la seconde. On peut y stocker 8 heures de montage en ligne. Il permet également de fabriquer des effets spéciaux comme les fondus, les volets, les superpositions et les caches mobiles. La conformation de la copie film s'effectue à partir des numéros de bord du film conservés sur les images électroniques. Dans l'industrie du film, l'utilisation du Avid Film Composer est en augmentation constante.

axe de projection Ligne droite imaginaire reliant l'objectif du projecteur au centre de l'écran (*projection axis*).

axe de visée Ligne droite imaginaire reliant l'œil du cameraman au centre de l'image, qu'il voit par le viseur (*viewfinder axis*).

axe optique Ligne droite imaginaire reliant l'objectif de la caméra, le champ couvert par cet objectif et le centre de l'image (G.-B. *axis,* É.-U. *batch*). Un déplacement par rapport à cette ligne donne une plongée ou une contre-plongée. → **angle de prise de vues**.

azimut Angle formé par les têtes de lecture ou la fente de lecture d'un magnétophone par rapport à l'axe de défilement de la bande (*azimuth*).

azimutage Action de régler l'azimut (*azimuth adjustment*). L'azimut est mal réglé si la bande d'un magnétophone ne défile pas exactement à la perpendiculaire par rapport aux têtes de lecture ou à la fente de lecture; il y aura alors perte des hautes fréquences.

baby Forme abrégée de baby spot.

baby spot [baby] ANGLICISME Petit projecteur de 750 watts (*baby spot*).

Babylone Nom régulièrement donné à Hollywood, capitale de l'empire cinématographique, ville mythique par son éclat et son faste, comparée à la ville de Babylone, foyer de la civilisation asiatique reconnue pour ses monuments architecturaux. → **Mecque du cinéma, usine à rêves**.

baffle Plaque rigide sur laquelle est monté le diffuseur d'un haut-parleur afin d'améliorer le rendement acoustique (*baffle*). On ne doit pas confondre la baffle et l'enceinte acoustique.

Bafta Acronyme de British Academy of Film and Television Awards. → **British Academy of Film and Television**.

bague allonge Anneau placé entre l'objectif et la caméra (*extension ring*). En microcinématographie, la bague allonge permet de filmer de très près.

bague d'accouplement Dispositif servant à fixer des objectifs et des accessoires standard ou non sur la caméra (*lens adapter*). SYN. bague intermédiaire.

bague de mise au point Anneau gradué en mètres ou en pieds placé autour de l'objectif, qu'on peut déplacer d'avant en arrière afin d'assurer la mise au point (*focus ring*).

bague intermédiaire → **bague d'accouplement**.

bain de développement Solution chimi-que dans laquelle on plonge la pellicule pour son développement (*bath*).

baïonnette Dispositif de fixation de l'objectif à la caméra qui rappelle la baïonnette (*bayonet*). La baïonnette peut être une monture, un anneau ou une bague.

balance [1] Organisation des volumes, des masses et de la lumière dans l'espace du champ afin d'obtenir l'image souhaitée (*balance*). [2] Réglage des appareils servant à l'enregistrement sonore dans le but d'obtenir l'enregistrement musical souhaité (*balance*). [3] Réglage de l'éclairage en fonction des couleurs et de l'adaptation de l'émulsion ou de l'utilisation appropriée de filtres (*color balance*).

balayage Mouvement de caméra, généralement un panoramique, montrant rapidement le décor ou les personnages dans un lieu (*sweep*). On dit: balayer l'espace. → **fouettage**.

balcon Partie de salle de cinéma surplombant l'orchestre (*balcony*). Avant sa disparition dans les années 60, le balcon était un endroit où les spectateurs pouvaient fumer et où se tenaient, disait-on, les couples d'amoureux.

banc d'essai Bâti, généralement mobile sur rails, sur lequel on monte un appareil de prise de vues pour les essais caméra (*testing bench*). Ce banc permet d'ajuster les distances et de régler l'intensité des éclairages. On le trouve chez les loueurs d'appareils de prise de vues.

banc-titre Support pour le déplacement de la caméra devant une surface où sont disposés pour être filmés les titres (pour le générique) et les dessins (pour un film d'animation) (*animation stand*). Le banc-titre tend à disparaître avec l'avènement des générateurs d'images par ordinateur. SYN. PEU USITÉ: table de tournage. → **animation multiplane**.

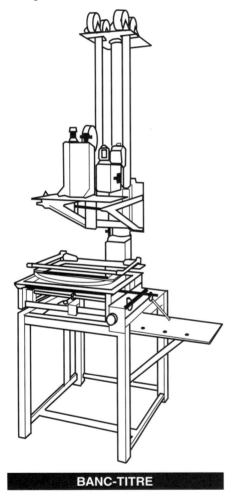

BANC-TITRE

bande [1] Forme que prend la pellicule lorsqu'elle est fabriquée (*film*). Placée sur une bobine, la pellicule est découpée en bandes de 122 ou de 303 mètres,

rigoureusement repérées par des numéros. [2] vx Film. Peu usité, ce terme est dépréciatif.

bande amorce → **amorce**.

bande-annonce Court film présentant des extraits d'un film qui sortira bientôt en salle (*preview, trailer*). La bande-annonce fait partie du matériel publicitaire du film. SYN. film-annonce.

bande audio Bande magnétique servant à l'enregistrement des sons (*audiotape*).

bande de sécurité Copie de la bande internationale (*insurance print*). On recopie les éléments de la bande internationale afin de préserver la bande d'origine.

bande image Partie de la pellicule où est impressionnée l'image (*image track*). La bande image est distincte de la bande son.

bande inter Forme familière de bande internationale.

bande internationale [bande inter] Bande sonore magnétique sur laquelle sont enregistrés séparément les différents éléments sonores d'un film (musique et bruits) (*international track, M and E* pour *Music* et *Effects Track*). La bande internationale est destinée aux versions en langues étrangères; → **doublage**. SYN. version internationale.

bande lisse Bande non perforée.

bande magnétique [1] Bande pour l'enregistrement et la reproduction des sons uniquement (*magnetic tape*). [2] En vidéographie, bande pour l'enregistrement et la reproduction des sons et des images; dans ce dernier cas, on l'appelle «bande vidéo» (*video-recording tape*). La bande magnétique est formée d'un ruban de polyester ou d'un film recouvert d'une couche d'oxyde de fer. → **entrefer**.

bande mère [1] Bande magnétique destinée au transfert optique (*magnetic master*). La bande mère est obtenue par le mélange des différentes bandes comportant les éléments sonores du film. SYN. son mixé. [2] En doublage et en postsynchronisation, pellicule blanche en 35 mm sur laquelle sont inscrits les dialogues principaux et l'adaptation qui serviront à l'enregistrement de la version doublée du film (*master tape*).

bande originale du film [BOF] Enregistrement de la musique d'un film, commercialisé sous forme de disque, de CD ou de cassette (*original score*). La bande originale du film ne comprend généralement pas les dialogues, les sons et les bruits.

bande passante Dans un amplificateur, bande de fréquences entre lesquelles l'amplification est acceptable (*passband*). Le domaine de fréquences est compris entre deux limites, 30 Hz (hertz) et 15 000 Hz, que ne peuvent reconstituer intégralement les systèmes d'enregistrement et de reproduction du son. Le Dolby Stéréo a une bande passante de 50 - 15 000 Hz.

bande quart de pouce Bande magnétique lisse de 6,35 cm utilisée pour la prise de son au moment du tournage (*quarter-inch tape*).

bande rythmo Forme familière de bande rythmographique.

bande rythmographique [bande rythmo] Bande transparente sur laquelle sont lisibles les noms des personnages et les dialogues adaptés, ainsi que les indications de temps (en secondes), utilisée lors du doublage ou de la postsynchronisation (*timing track*). La bande rythmo est projetée sous l'écran en synchronisme avec la bande image. ➤ **calligraphie**.

bande son Forme familière de bande sonore.

bande sonore [bande son] [1] Partie de la pellicule où sont enregistrés les sons du film (les paroles, la musique et les effets sonores) (*sound track*); ➤ ***Foley artist***. La bande son est distincte de la bande image. [2] Par extension, ce qu'entend un spectateur en regardant un film.

bande synchro Bande sur laquelle est écrit le texte des dialogues d'un film, utilisée lors du doublage ou de la postsynchronisation (*lip-sync band*). La bande synchro est projetée sous l'écran en synchronisme avec la bande image.

bande vidéo [1] Support magnétique servant à l'enregistrement et à la reproduction des images vidéographiques (*videotape*). [2] En art vidéo, œuvre (*videotape*). On classe les bandes en art vidéo en quatre catégories: les bandes conceptuelles, les bandes expérimentales (ou formelles), les bandes de vidéo-enregistrement et les bandes de vidéoperformance. ➤ **film vidéo**.

bande vidéo promotionnelle Terme français officiel de vidéoclip.

banlieue-film Nouveau genre cinématographique français, dont le terme a été créé à la sortie du film *La haine* (1995) de Mathieu Kassovitz. Comme son nom l'indique, le banlieue-film se déroule dans une banlieue où vivent en majorité les immigrés en France. Il met généralement en scène des jeunes qui sont en chômage, s'adonnent très souvent à la drogue et dont la musique rap est l'expression de leur sensibilité. Ces jeunes sont en conflit avec les autorités et développent une haine, particulièrement contre la police. ➤ **film beur**.

banque d'images Ensemble des images archivées sous forme numérique (*image bank, picture bank*).

Barbus PLUR. Surnom donné par les critiques américains au trio de réalisateurs formé de Brian De Palma, Francis Ford Coppola et Martin Scorsese (*Men With Beards*). Les critiques considèrent ces cinéastes comme les héritiers directs de Howard Hawks et Alfred Hitchcock.

Barons rouges ➤ **école des Buttes-Chaumont**.

barre de cadrage Intervalle opaque entre deux images consécutives ou deux photogrammes consécutifs (*frame line*). SYN. barre de séparation, cadre de visée, interimage.

barre de séparation ➤ **barre de cadrage**.

barres horizontales PLUR. ➤ **bretelles**.

basculement Mouvement de haut en bas ou de bas en haut de l'appareil de prise de vues (*tilt, tilt shot*). SYN. panoramique vertical.

basculer Passer d'un projecteur à un autre, à chaque fin de bobine, dans le cas d'une projection à double poste (*tilt*). SYN. enchaîner.

base Appareil dans une cabine de projection qui est en état de marche (*base*).

base de pied Pièce faite d'une seule embase posée sur le sol afin de permettre d'y placer le trépied de la caméra (*spreader*). La base de pied prend la forme d'un Y. SYN. patte d'oie.

basher ANGLICISME Projecteur flood de 500 watts (*basher*).

Bathing Beauties ANGL. Baigneuses des films de Mack Sennett, à la Keystone Company. ➜ **burlesque**.

battement Effet de clignotement à la projection d'un film, provoqué par un mauvais défilement de la pellicule dans la caméra lors de son enregistrement (*beat*).

batterie Ensemble d'éléments générateurs d'électricité alimentant une caméra (*battery*). La batterie permet à l'appareil de fonctionner de façon autonome. Elle dispense du courant continu et comprend accumulateurs et piles. Elle s'avère très utile lorsqu'on tourne en extérieur.

batterie de ceinture Ceinture renfermant des piles que porte le caméraman pour le tournage avec une caméra autosuffisante, c'est-à-dire sans qu'elle soit alimentée électriquement par un secteur (*battery belt*).

Bauer Marque de commerce de projecteurs allemands 35 mm pour les salles de cinéma d'Europe.

BBC Sigle de la British Broadcasting Corporation.

Beachhead Bijoux Nom donné aux nombreuses bases militaires (les têtes de pont) où étaient projetés les films pour les combattants américains durant la Deuxième Guerre mondiale. Les récentes productions (de Frank Capra, William Wyler, John Ford, John Huston, etc.) y étaient présentées gratuitement, en 16 mm. «Bijou» est un nom régulièrement donné à des salles de cinéma en Amérique du Nord et en Angleterre.

Beaulieu Marque de commerce d'une caméra semi-professionnelle 16 mm française très compacte et légère, utilisée surtout par les explorateurs et les ethnographes. ➜ **Paillard Bolex, Coutant 16, Eyemo**.

Beep (the) ANGL. ARG. G.-B. La BBC (British Broadcasting Corporation).

Bell and Howell Compagnie américaine de Chicago fabriquant depuis 1910 des caméras portables et des projecteurs de films pour les amateurs et les professionnels de cinéma.

benshi JAP. Au Japon, durant la période du muet, personne dans la salle de cinéma commentant le déroulement de l'action et lisant les intertitres des films. Certains *benshis* deviendront de véritables vedettes et contribueront au succès des films. ➜ **bonimenteur**.

Berlinale Nom familier donné au Festival international du film de Berlin.

Bertelsmann-CTL Troisième groupe en importance dans l'industrie des communications, après Time Warner Inc. et Walt Disney Company. Ce groupe est le résultat d'une alliance entre une maison d'édition allemande de bibles fondée en 1835, Bertelsmann Verwaltungsgesellschaft, et la compagnie de télédiffusion luxembourgeoise [CTL]. Bertelsmann prend son essor à partir de 1980 en se lançant dans la télévision et en achetant des parts dans la production de films de l'Universum Film Aktien Gesellschaft [UFA]. La compagnie fait momentanément alliance avec Rupert Murdoch afin de créer la télévision numérique en Allemagne, avant de s'allier avec d'autres diffuseurs européens pour la télévision par câble. Elle tente de former en 1996 un consortium avec CTL pour la télévision numérique, mais elle renonce quelques mois plus tard à son projet de bouquet numérique. Le marché de Bertelsmann couvre l'édition de livres, de journaux et de magazines, et l'industrie du spectacle (musique, film, télévision et radio). En 1998, Bertelsmann se porte acquéreur des éditions américaines Random House, scelle une alliance avec la chaîne de librairies Barnes and Nobles, s'associe avec le groupe italien Mandadori (contrôlé par Silvio Berlusconi) pour le commerce des clubs de livres et des livres sur Internet. Le marché de CTL comprend les télévisions européennes suivantes: RTL, RTL 2, Super RTL, Vox et Première (télévision payante) en Allemagne; RTL 4 et RTL 5 dans les Pays-Bas; M6 et TMC en France; Channel 5 en Grande-Bretagne; s'y ajoutent 18 stations de radio paneuropéennes, ainsi qu'Audofina, une compagnie de publicité formée par un holding complexe de participants belges, français et luxembourgeois, qui rapporte à CTL la majorité de ses revenus (97 pour cent). Bertelsmann est également l'allié européen du service en ligne AOL.

Berthiot Compagnie française reconnue pour son zoom Pan Cinor, le premier à avoir une large diffusion. Ce zoom, mis au point en 1950, possède un objectif à focale variable.

Beta Forme abrégée de Betamax. Ce terme désigne couramment la vidéocassette fabriquée selon le procédé Betamax.

Betacam Marque de commerce d'appareils vidéographiques professionnels, caméras et tables de montage, mis au point par la compagnie Sony en 1981. Les caméras Betacam deviennent rapidement le modèle de l'enregistrement vidéographique demi-pouce. Dans le métier, Betacam désigne les caméscopes utilisés pour les reportages et les nouvelles télévisées. En 1987, Sony lance le Betacam-SP aux performances supérieures. En 1996, la compagnie fabrique de nouveaux appareils de format numérique, compatibles avec les anciens appareils de format analogique.

Betamax [Beta] Marque de commerce du format demi-pouce d'enregistrement vidéo mis au point par la firme Sony en 1975 et commercialisé en 1978. Ce format disparaît à la fin des années 80 et est remplacé par le VHS.

Beverly Hills Quartier de Los Angeles où résident des personnalités de l'industrie du cinéma et du monde des médias.

BFI Sigle du British Film Institute.

Bianco e nero Revue de cinéma italienne fondée en 1937, axée sur la pluridisciplinarité et publiant, avant la Deuxième Guerre mondiale, de nombreux textes théoriques de tendance marxiste. Après quatre années d'interruption, la publication reprend en 1947. Cette revue subit dans les années 50 des pressions politiques. Toujours spécialisée, elle perd toutefois dans les années 80 son aura intellectuelle tout en abaissant ses exigences.

bichromie Procédé employant deux couleurs de base afin de restituer les couleurs d'un film (*two-color process*). Ces deux couleurs sont le plus souvent le rouge-orangé et le bleu-vert.

biformat ADJ. Caractéristique des caméras et des projecteurs acceptant deux formats de films: 8/Super 8, 16/35 ou 35/70.

Big Eight (The) ANGL. Appellation désignant les huit plus grandes compagnies formant l'association des producteurs aux États-Unis, la Motion Picture Association of America [MPAA]: Columbia, Paramount, Universal, Orion, Fox, MGM, Warner Bros. et Disney. ➙ ***Little Three*, Major, Minor.**

Big Five (The) ANGL. Appellation désignant les cinq grandes compagnies nommées Majors que sont Paramount, MGM, Warner Bros., Fox et RKO. ➙ ***Big Eight*, Minor.**

bijoute ARG. Caisse dans laquelle le chef électricien et le chef constructeur rangent leur matériel et leurs outils.

billet Forme familière de billet de cinéma.

billet de cinéma [billet] Coupon donnant un droit d'entrée dans une salle de cinéma, remis contre une somme d'argent (*ticket*). SYN. billet d'entrée. ➙ **prix d'entrée.**

billet de faveur Billet offert gratuitement à un spectateur (*complementary ticket*, ARG. *comp*).

billet d'entrée ➤ **billet de cinéma**.

Biographe Marque de commerce d'une caméra conçue par le Français Georges Demenÿ et détenue par Léon Gaumont, qui l'enregistre en 1895. Cet appareil est commercialisé à la fin de la même année et fonctionne avec le Bioscope.

biographie filmée ➤ **film biographique**.

Bioscope Marque de commerce d'un projecteur conçu par le Français Georges Demenÿ et détenue par Léon Gaumont, qui l'enregistre en 1895. Il fallait reporter les vues prises enregistrées par le Biographe sur le Bioscope.

bip Signal sonore bref (*beep tone*). Le bip est placé à l'amorce de tête et de fin de bobine.

bipack [1] Film comportant une émulsion sur ses deux faces (*duplitized*). [2] Procédé de cinéma en couleurs utilisant simultanément deux films dans la caméra (*bipack*). FAMILIER sandwich. [3] Se dit d'un magasin d'une caméra possédant deux magasins séparés (débiteur et récepteur) (*bipack*). ➤ **monopack, tripack**.

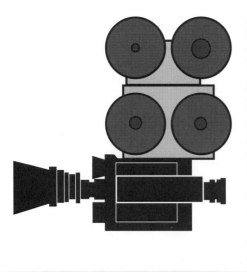

CAMÉRA BIPACK

bipiste Magnétophone permettant d'enregistrer deux pistes audio sur un même support (*double track*).

Black Maria FAMILIER Surnom donné au petit studio adjacent aux laboratoires d'Edison, construit en 1893, et permettant, grâce à son toit ouvrant, de filmer à la lumière naturelle. Ce surnom, donné aux fourgons de la police à l'époque, lui vient du fait que ses murs sont couverts de feuilles goudronnées.

Black Tower FAMILIER Surnom donné au siège social des studios de la Universal, en Californie.

blanc N. [1] Couleur blanche (*white*). [2] Absence de son sur un bande audio, généralement provoquée par la mise en marche du magnétophone (*blank*). [3] Silence dans le dialogue à cause des hésitations de l'acteur (*blank*).

blank ANGL. Littéralement: blanc, vierge. Dans le procédé Technicolor, film argentine (muni d'une piste sonore) qui sera coloré au cours du dye transfer en cyan, jaune et magenta (*blank*). Le *blank* devient alors la copie d'exploitation Technicolor. ➤ **virage par mordançage**.

blaxploitation NÉOLOGISME ANGLICISME Mot d'origine américaine formé de *black* et de *exploitation*. Exploitation de la culture noire dans des films réalisés par des Noirs. Ces films ont surtout pour but d'attirer la jeune clientèle noire et de rapporter rapidement de l'argent. ➤ **film black**.

bleu N. Avec le rouge et le vert, couleur primaire du spectre (*blue*).

blimp ANGLICISME Caisson isolant qui empêche l'enregistrement du bruit du moteur de la caméra sur la bande son lors du tournage (*blimp*). Le blimp équivaut à un blindage de la caméra. Une caméra autoblimpée a un blimp incorporé.

bloc d'alimentation ➤ **alimentation**.

bloc de collage Pièce de métal ou de plastique servant à la collure des fragments de films (*editing block, splicing block*). Cette pièce est munie d'une fente oblique qui permet de diriger la lame pour couper la pellicule. SYN. bloc de montage, colleuse.

bloc de montage → **bloc de collage**.

bloc optique Partie mécanique du projecteur permettant la projection des images (*projector head*).

bobine Cylindre de métal ou de plastique, muni d'un noyau central, dans lequel se trouve une fente d'accrochage, et de deux flasques (pièces latérales plates) pour l'enroulement et le déroulement de la pellicule, pendant le tournage, le montage, le visionnement et la projection (*spool*). On distingue deux types de bobine: la bobine enrouleuse (ou réceptrice) et la bobine dérouleuse (ou débitrice).

bobineau Petite bobine de film 35 mm permettant d'enrouler un maximum de 20 mètres de pellicule. Le bobineau est utilisé pour le montage.

bobine débitrice Bobine sur laquelle se trouve la pellicule à dérouler dans le circuit de la caméra, du projecteur ou de la tireuse (*feed spool*). SYN. bobine dérouleuse. → **pignon débiteur, plateaux**.

bobine de choix Bobine contenant tous les plans bruts des prises de vues montés avec les claps et selon la chronologie du découpage (*continuity cutting, first cut*). SYN. continuité.

bobine dérouleuse → **bobine débitrice**.

bobine enrouleuse Bobine sur laquelle la pellicule s'enroule dans le circuit de la caméra, du projecteur ou de la tireuse (*take-up spool*). SYN. bobine réceptrice. → **pignon récepteur, plateaux**.

bobine réceptrice → **bobine enrouleuse**.

bobineuse Appareil, muni de manivelles, servant à enrouler un film sur une bobine (*winder*). La bobineuse n'est guère utilisée de nos jours et le mot est désuet; on emploie en lieu et place le mot «enrouleuse» (*rewinder*). SYN. table de bobinage.

BodyCam Nom abrégé à partir des mots anglais *body* (corps) et *camera*. Marque de commerce américaine d'un dispositif de caméra portable ressemblant à la Steadicam. → **Panaglide**.

BOF Abréviation de bande originale du film.

boîte Récipient de métal pouvant contenir une bobine de film (*can*).

bol Partie hémisphérique d'une petite lampe servant à réfléchir et à diffuser une lumière ambiante (*scoop*).

Bolex Forme abrégée de Paillard Bolex.

Bollywood NÉOLOGISME Calque du mot «Hollywood» désignant les studios situés à Bombay, en Inde, pays qui est le plus grand producteur de films au monde (700 films par année, en 16 langues). → **Busby Beserkeley**.

bon à tirer Mention exprimant l'accord du réalisateur pour le développement en laboratoire des prises jugées les meilleures lors du tournage.

bonimenteur Durant l'époque du muet, personne dans la salle commentant l'action du film, lisant et, parfois, traduisant les intertitres (*barker*). Certains bonimenteurs, très célèbres, font le succès d'un film en attirant les foules. → *benshi*.

bonnette [1] Lentille convergente placée devant un objectif pour les prises de vues rapprochées (*additional lens*). SYN. lentille additionnelle, lentille d'approche. [2] Sorte de bonnet, en mousse ou en Nylon, recouvrant le microphone pour atténuer l'effet du vent lors de l'enregistrement (*wind screen*). SYN. boule anti-vent.

boomer ANGLICISME Haut-parleur conçu pour les basses fréquences (*woofer*).

bord à bord Type de collure. Les deux fragments du film ne se chevauchent pas, mais se trouvent côte à côte.

borgniol ARG. Tissu noir et opaque de grande taille servant à obstruer les fenêtres, pour faire un sas.

bouchage Action de boucher par des sons d'ambiance des lacunes dans la continuité sonore.

bouchon d'objectif Bouchon ou couvercle qu'on met sur l'objectif de la caméra avant de la ranger afin de protéger l'objectif de la poussière et des égratignures (*lens cap*). SYN. protège-objectif.

boucle Bout de pellicule de film placé avant et après le dispositif d'entraînement dans une caméra ou un projecteur (*loop*). La boucle donne une souplesse à la pellicule et évite ainsi la cassure du film. On distingue deux types de boucle: la boucle inférieure et la boucle supérieure.

boucle inférieure Boucle que forme la pellicule après son passage dans le couloir d'exposition de la caméra ou la fenêtre du projecteur (*lower loop*).

boucle supérieure Boucle que forme la pellicule avant son passage dans le couloir d'exposition de la caméra ou la fenêtre du projecteur (*upper loop*).

bougie Ancienne unité de mesure luminescente (*candela*). ➤ **candela**.

bougie-pied Unité de mesure américaine d'éclairement (*foot-candle*). En unité métrique, la bougie-pied est égale à 10,7 lux.

boule anti-vent ➤ **bonnette** [2].

bouquet numérique Ensemble des chaînes regroupées pour la transmission de la télévision par satellite. ➤ **plateforme numérique**.

bourdonnement Défaut dans le rendu sonore lors de la projection d'un film (*buzz*). Le bourdonnement désigne plus spécifiquement un son sourd et continu, semblable à celui que font certains insectes, qui empêche d'entendre parfaitement les éléments de la bande sonore.

bourrage Engorgement de la pellicule dans le circuit de la caméra (*film jam*, ARG. *salad*).

bout à bout Premier montage des plans tournés, assemblés suivant l'ordre indiqué par le découpage (*rough cut*). Le bout à bout est différent de bobine de choix, qui est un assemblage des plans avec les claps. ➤ **ours, premier assemblage, prémontage**.

bout d'essai [1] Séance d'essai filmée pour l'évaluation des aptitudes d'une personne à jouer un rôle dans un film (*screen test*). ➤ **audition**. [2] Séquence filmée, développée sur-le-champ, afin de vérifier la qualité technique de l'image d'une scène à tourner ou tournée (*test*).

bouton-poussoir Forme abrégée de bouton-poussoir de mise en marche.

bouton-poussoir de mise en marche [bouton-poussoir] Dispositif simplifié de mise en marche d'un appareil (*push-button release*).

bouts PLUR. Courts fragments d'un film. Ce mot n'est guère usité; on emploie en lieu et place le mot «rushes» (au pluriel).

box-office ANGLICISME Aux États-Unis, guichet dans le hall d'une salle où sont vendus les billets d'entrée (*box office*). [1] Échelle du succès d'un film, calculé selon le montant des recettes (*box office*). *Titanic* (1997) de James Cameron est le plus grand succès de box-office du cinéma; ➤ **superproduction** [3]. [2] Recettes globales d'un film (*box office*).

Boy Meets Girl ANGL. Expression signifiant «rencontre d'un garçon et d'une fille», fréquemment utilisée par les producteurs américains pour définir l'idée directrice d'une comédie sentimentale.

branche Forme abrégée de branche de trépied.

branche de trépied [branche] Support en bois ou en métal, de forme tubulaire, servant de pied à un trépied (*tripod leg*).

branchement Action de brancher différents appareils entre eux (*plugging*).

braquer Diriger un spot, un projecteur ou une caméra vers les interprètes ou la scène à filmer.

bras Python Bras de grue de type Louma. Court, le bras Python peut être utilisé sur les grues-camions.

brass ANGL. ARG. É.-U. Film produit par une Major.

Bref Revue française fondée en 1989, destinée à la défense et à l'illustration du court métrage. Parution: trimestrielle.

bretelles PLUR. Les deux bandes horizontales, noires ou grises, encadrant l'image d'un film diffusé à la télévision ou enregistré sur support vidéographique dans son format normal (*horizontal bars*). Les bretelles donnent à l'écran une image de format rectangulaire, semblable à celui d'une boîte aux lettres. SYN. barres horizontales. ➤ *letterbox*.

brillance ➤ **luminance**.

brit flick ANGL. ARG. Film britannique.

British Academy of Film and Television Association regroupant les artisans britanniques de l'industrie du cinéma et de la télévision. Cette association, fondée en 1947 par le cinéaste Alexander Korda sous l'appellation British Film Academy, devient en 1976 la British Academy of Film and Television. Elle remet en avril de chaque année les Bafta, les British Academy of Film and Television Awards, équivalents des oscars américains, aux meilleures œuvres du cinéma et de la télévision. Ses bureaux sont situés à Londres.

British Broadcasting Corporation [BBC] Service public de radio et de télévision de la Grande-Bretagne. Trois chaînes de télévision font partie de ce service: la BBC 1, la BBC 2 et la BBC Select qui est une chaîne payante diffusant des émissions la nuit. Le mandat de la British Broadcasting Corporation est de fournir des programmes éducatifs. La BBC est reconnue mondialement pour le professionnalisme de ses artisans et l'exigence de qualité de ses émissions. ➤ *Beep (the)*.

British Film Institute [BFI] Organisme gouvernemental britannique situé à Londres, créé en 1933 dans le but d'aider la production, le rayonnement et la connaissance du cinéma et de la télévision. Le BFI projette les films au National Film Theater, ainsi qu'au Museum of the Moving Image de Londres, les conserve au National Film and Television Archive et les distribue par l'entremise de la Film Distribution Library. L'organisme publie des livres sur le cinéma et la revue mensuelle *Sight and Sound*.

British Standards Institution [BSI] Organisme britannique de standardisation. Son équivalent français est l'AFNOR. Le BSI est membre de l'ISO.

Broadcast Video U-Matic [BVU] Format d'enregistrement vidéographique professionnel de 3/4 de pouce, qui est une version améliorée du procédé U-Matic.

bromure d'argent Composé chimique sensible à la lumière entrant dans la fabrication de la pellicule photographique et cinématographique (*silver bromide*).

brouillage Trouble, volontaire ou involontaire, dans la réception des ondes de radio ou de télévision diffusées par voies hertziennes, par câble ou par satellite (*interference*). Le brouillage détériore la qualité de l'image et du son, mais n'est pas irréversible, car on peut reconstituer le signal d'origine. ➤ **chaîne cryptée**.

bruit Tout autre son que le dialogue, la voix off et la musique (*sound effect*). Employé généralement au pluriel, le mot est synonyme de fond sonore ou d'effets sonores. ➤ **bruits**.

bruitage Reconstitution artificielle des sons qui composeront la bande sonore (*sound effects production*). Le bruitage est le plus souvent une simulation de bruits naturels.

bruit de cadre Bruit causé par le déplacement de la pellicule vers la droite lors de son défilement dans le projecteur (*sprocket noise*). Ce bruit provoque une fréquence parasite.

bruit de fond Bruit parasite qui perturbe l'enregistrement sonore ou qui persiste dans la reproduction du son (*background noise*).

bruit de perforation Bruit produit par les dents d'un débiteur entrant dans les perforations du film (*sprocket noise*).

bruiteur, teuse Spécialiste du bruitage (*Foley artist, sound effects man*, ARG. *gafoon*). Le repérage, le rassemblement, la création, l'enregistrement et la synchronisation des éléments sonores requis par le film sont sous la responsabilité du bruiteur. → **monteur sonore**.

bruits PLUR. Éléments sonores du film autres que les paroles et la musique (*sound effects*). Synonyme de fond sonore ou d'effets sonores, les bruits sont généralement ajoutés après le tournage, car ils sont difficilement contrôlables et paraissent moins réels une fois enregistrés. On les crée donc artificiellement; ils peuvent ainsi participer à l'ambiance dramatique du film; synchronisés avec les actions des personnages, ils peuvent donner un impact à la scène ou la rendre plus fidèle à la réalité. La sonothèque d'une maison de production contient un volumineux choix de bruits, enregistrés sur bandes magnétiques et sur disques: coups de revolver, crissements de pneus, explosions de bombes, galops de chevaux, mouvements de vents (rafales, bourrasques, ouragans, cyclones), etc. Avec l'arrivée de l'ordinateur, la création de bruits particuliers et insolites en tant qu'effets spéciaux a pris de l'ampleur. La manipulation des bruits requiert un personnel spécialisé comme le bruiteur et le monteur sonore. → *Foley artist*.

brute Se prononce «broute». Projecteur très puissant de 10 kw (*brute*). C'est la lampe la plus largement utilisée pour les extérieurs et pour les pellicules couleur. → **maxibrute, minibrute**.

BSC Sigle de la British Society of Cinematographers.

BSI Sigle de la British Standards Institution.

BSkyB Bouquet de programmes thématiques de télévision appartenant à Rupert Murdoch et dont la diffusion est assurée par satellite.

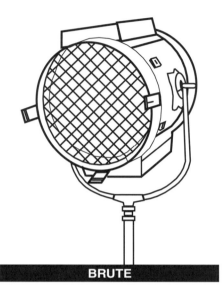

BRUTE

budget [1] Ensemble des dépenses et des recettes prévues dans la production d'un film (*budget*). [2] ANGLICISME Devis du film.

Buena Vista Forme abrégée de Buena Vista Distribution Co. Inc.

Buena Vista Distribution Co. Inc. [Buena Vista] Compagnie de distribution de films fondée en 1954 par Walt Disney Company. Buena Vista est associée à la compagnie française Gaumont.

bungalow ANGLICISME Surnom donné au lieu de travail, notamment celui des scénaristes et des réalisateurs, dans les départements des studios hollywoodiens (*bungalow*). Tous les bungalows d'un département sont identiques. Le bungalow est également l'endroit où se repose la vedette d'un film entre les prises de vues.

bunker Surnom donné au nouveau Palais des festivals à Cannes, inauguré en 1983.

Bureau de liaison du cinéma de l'Espace francophone Association internationale fondée en 1987 et formée de professionnels répartis dans 15 pays. Les objectifs de cette association sont l'échange d'informations et la communication entre professionnels de l'audiovisuel de la francophonie en vue de contribuer à la promotion et à la diffusion de films francophones.

Elle publie un bulletin d'information trimestriel, *Liaison*. Ses bureaux sont situés à Bruxelles.

burlesque Genre cinématographique créé durant les années 10 aux États-Unis, dont la caractéristique principale est un comique extravagant et déroutant qui accumule les gags (*comic film*). Proche de la *commedia dell'arte* italienne et du music-hall anglais, le burlesque atteint son autonomie esthétique durant les années folles avec Mack Sennett, ses *Bathing Beauties* et ses *Keystone Cops*, et avec Hal Roach qui imposera Harold Lloyd, Stan Laurel et Oliver Hardy. Dans les films de Charles Chaplin et de Buster Keaton, il devient plus personnel tout en gardant son insolence. Il se modifie dans les années 30 avec le film parlant: W.C. Fields et les Marx Brothers lui ajoutent une violence verbale et des dialogues absurdes. Il subit petit à petit une transformation, remplacé en tout et en partie par la comédie fantaisiste et la comédie musicale. Après la Deuxième Guerre mondiale, il périclite. Les plus sûrs représentants de la tradition burlesque dans les années 50 et 60 sont l'Américain Jerry Lewis et le Français Jacques Tati. Le burlesque prend définitivement fin dans les années 70, malgré les réussites de réalisateurs comme Woody Allen, Blake Edwards et Mel Brooks. ➤ *farce*.

Busby Beserkeley Terme ironique employé dans l'industrie américaine pour qualifier la comédie musicale indienne fabriquée à Bombay. Son origine vient de la déformation du nom de Busby Berkeley, réalisateur américain de comédies musicales somptueuses. Le terme désigne un opéra-savon dans lequel chansons et danses, graves et dramatiques mais au rythme entraînant, défilent à une vitesse vertigineuse; les chansons, dans lesquelles les passions humaines sont intenses et ostentatoires, sont destinées avant tout à devenir des succès de l'industrie du disque. Les acteurs sont doublés, lorsqu'ils chantent, par des vedettes de la chanson très populaires au pays. Tout film indien comporte au moins quatre ou cinq chansons, nécessaires et attendues du public.

business ANGLICISME Importance financière d'un film, tant dans sa production que dans sa distribution (*business*). ➤ **showbiz**.

BVU Sigle de Broadcast Video U-Matic.

CAA Sigle de la Creative Artists Agency.

cabine de projection Pièce isolée abritant le ou les appareils de projection ainsi que les accessoires du projectionniste, dans une salle ou un complexe de salles de cinéma (*projection booth*). Généralement percée de quatre fenêtres, deux petites pour le flot lumineux des projecteurs et deux plus grandes pour la surveillance de la séance, la cabine de projection est également équipée d'un dispositif de sécurité et de ventilation.

câble Faisceau de fils servant à transporter des images audiovisuelles sous forme de signaux (*cable*). Par analogie, le terme «câble» désigne l'ensemble des services de distribution de chaînes de télévision par câble. Au Québec et au Canada, on emploie le terme «câblodistribution» au lieu du terme «télédistribution».

câble coaxial Câble composé de fils métalliques autres que le cuivre et la fibre optique, servant à transporter des informations sous tension électrique modulée (*coaxial cable*). Le câble coaxial est constitué de deux conducteurs concentriques séparés par un isolant. Il peut transporter de l'information à haut débit et sur de longues distances.

câble en fibre optique Câble fait de fibres de silice, servant à transporter des informations sous forme d'impulsions lumineuses (*optical cable*). Le câble en fibre optique permet un grand débit d'information et un haut degré d'interactivité.

câbliste Personne responsable de la manipulation des câbles d'une caméra lors des déplacements dans les prises de vues (*cable man*).

câblodistributeur QUÉBÉCISME Entreprise assurant la pose et la gestion des installations câblées (*cable-operator*). ➤ **câblo-opérateur**.

câblodistribution ➤ **télédistribution**.

câblo-opérateur Entreprise responsable de la définition, la mise en place ou l'exploitation d'un réseau câblé de distribution de programmes de radio et de télévision (*cable-operator*).

cache [1] Feuille de papier noir empêchant une partie de la pellicule d'être impressionnée (*mask, matte*). Le cache peut être utilisé sur un plateau de tournage, en laboratoire, parfois même en projection. Il permet des effets spéciaux comme l'ouverture ou la fermeture à l'iris. On a amélioré le cache avec le cache-contrecache en impressionnant la partie noire dans un second temps – la partie impressionnée étant alors masquée; on peut ainsi multiplier un personnage, ajouter un élément étranger qui n'était pas enregistré au moment du tournage. Georges Méliès utilisera abondamment ce système. Le cache se transformera de nouveau avec le cache mobile (*travelling matte*), puis avec l'arrivée de l'ordinateur. ➤ **écran divisé, fond bleu, fond noir**. SYN. PEU APPROPRIÉ: masque. [2] Rideau ou masque noir cachant une partie de l'écran à la projection et qui sert de cadre à l'image projetée (*screen mask*).

cache mobile Trucage amélioré du cache et de la transparence (*travelling matte*). Le plan changeant de forme image par image explique l'emploi du mot *travelling* dans l'expression anglaise, expression qui est, par ailleurs, souvent usitée en français. Le cache mobile intègre des images enregistrées ailleurs; → **image composite**. On distingue deux procédés de cache mobile: a) on filme un interprète dont un cache épouse parfaitement le contour; le film *Qui a peur de Roger Rabbit?* (1988) de Robert Zemeckis emploie ce type de cache devenu extrêmement précis grâce à l'ordinateur, ou b) on filme un interprète sur un fond bleu (pour la couleur) ou sur fond noir (pour le noir et blanc) sur lequel on incrustera plus tard un décor, ce fond servant de cache. Le cache mobile se fabrique: a) soit avec un film et une caméra, ce qui nécessite de multiples recopies; b) soit avec une caméra spéciale utilisant deux films à la fois; à voir: *Mary Poppins* (1965) de Robert Stevenson; → **cache mobile ultraviolet**. *Les oiseaux* (1963) d'Alfred Hitchcock est le premier film à répéter plus d'une centaine de fois un trucage en cache mobile. Le dunning et la projection frontale font partie de ce procédé.

cache mobile ultraviolet Trucage fait par une caméra utilisant deux films à la fois (*ultraviolet travelling matte*). On filme l'action, ou généralement l'interprète, sur un fond éclairé par des rayons ultraviolets; un prisme à l'intérieur de la caméra envoie ces

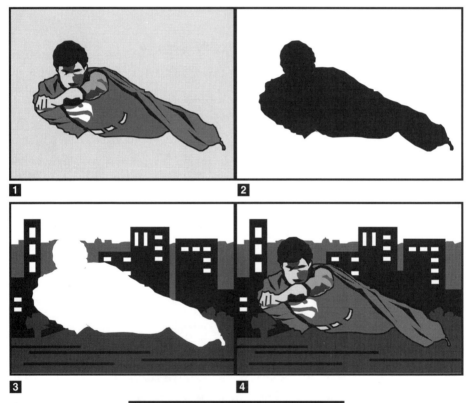

CACHE MOBILE ULTRAVIOLET

1 Interprète filmé sur fond bleu ou noir.

2 Cache de l'interprète.

3 Décor enregistré ailleurs superposé sur le cache mobile.

4 Image composite.

rayons sur un des deux films sur lequel se forme le cache mobile avec l'image de l'interprète et un fond opaque; l'autre film qui sera impressionné par une lumière incandescente a un fond clair, et l'image laissée par l'interprète est opaque.

cachet Rétribution d'un interprète pour son rôle dans un film (*fee*). S'il s'agit d'une vedette, le cachet sera élevé. SYN. honoraires, salaire. ➤ **club des 20 millions $.**

cadence Vitesse d'enregistrement ou de projection d'un film calculée en images/seconde (*frequency, frame frequency, frame rate*). Pour le cinéma en 35 mm standard, la cadence est de 24 images à la seconde; pour le petit écran, pour des raisons techniques propres à la télévision, la cadence du film est de 25 images à la seconde. À l'époque du muet, la cadence varie entre 16 et 18 images à la seconde. SYN. fréquence.

cadrage [1] Manière de filmer le sujet à l'image par rapport à l'espace autour de lui (*framing*). ➤ **décadrage.** [2] Composition du plan. Le cadrage est un élément de la syntaxe cinématographique (*frame*). [3] Action de placer correctement l'image par rapport à la fenêtre de la caméra ou du projecteur (*frame*). SYN. cadre. ➤ **appareil de cadrage.** [4] Réglage de l'image projetée (*framing*). Le projectionniste doit vérifier que les photogrammes défilent correctement dans la fenêtre de projection. [5] Image du film apparaissant à l'écran du téléviseur (*framing*). Ce cadrage ne respecte généralement pas le format original du film. ➤ *letterbox,* **plein écran.**

cadre En cinéma et en vidéo, image apparaissant à l'écran, de son centre à ses extrémités, et qui en constitue son fond statique ou mobile (*frame*). Les limites de l'image enregistrée constituent le cadre. Tout ce qui n'apparaît pas dans le cadre est dit hors-cadre, hors-champ ou off. SYN. SOUVENT USITÉ: cadrage. ➤ **photogramme.**

cadre calque Forme abrégée de cadre en calque.

cadre de visée Lignes horizontales d'un rectangle gravées sur le verre dépoli de la visée, servant à délimiter le champ de l'image à enregistrer (*frame line*).

cadre diffuseur ➤ **cadre en calque.**

cadre en calque [cadre calque] Accessoire d'éclairage utilisé en vue d'adoucir la lumière et en diminuer la puissance (*diffuser frame*). SYN. cadre diffuseur.

cadre porte-diffuseur Dans un diffuseur, monture dans laquelle on glisse des filtres teintés (*filter holder, filter mount*). SYN. cadre porte-filtre.

cadre porte-filtre ➤ **cadre porte-diffuseur.**

cadre presseur [1] Dans une caméra, une tireuse ou un projecteur, petite plaque exerçant une pression sur le dos du film pour maintenir l'alignement de la surface de l'émulsion vis-à-vis du plan focal de l'objectif (*pressure plate*). SYN. presseur. ➤ **presse-film.** [2] En animation, plaque de verre exerçant une pression sur les feuilles de celluloïd pour les maintenir à plat, dans leur position initiale (*pressure plate*).

cadrer [1] Composer un cadre. Mettre en place tous les éléments qui apparaîtront ou non dans le cadre (*frame*). [2] Projeter correctement l'image avec un projecteur et voir à ce que les photogrammes du film soient alignés avec la fenêtre de projection du projecteur (*frame*).

cadreur, euse Personne responsable du cadre sous l'ordre du caméraman ou du metteur en scène (*camera operator, second cameraman*). Aux États-Unis, le terme désigne le caméraman, la personne qui assiste le directeur de la photographie.

cahier de presse Ensemble de la documentation préparée pour la sortie d'un film et remise aux critiques et aux journalistes (*press kit* ou *presskit*). Ce cahier comprend tous les renseignements nécessaires au film: le synopsis, le générique, les filmographies, des interviews inédites (avec le cinéaste, les interprètes principaux), des photos. On dit également en français «press-book», anglicisme qui, originalement, désigne le matériel que la production fournit aux distributeurs.

Cahiers du cinéma (Les) Revue française de cinéma fondée en 1951 par André

Bazin, Jacques Doniol-Valcroze et Lo Duca. Au cours des années 50, les rédacteurs de cette revue privilégient le cinéma classique, incarné presque essentiellement par le cinéma américain, et combattent ardemment le cinéma dit de Qualité française. Ils créent l'expression «Politique des auteurs», et des critiques comme Claude Chabrol, François Truffaut, Jean-Luc Godard, Jacques Rivette et Éric Rohmer la défendent et jettent ainsi les bases de leur pratique future: la Nouvelle Vague. Dans les années 60, des rapprochements sont établis avec des théoriciens comme Roland Barthes et Claude Lévi-Strauss, apportant un regard du cinéma dans la vie intellectuelle française. Par de nombreux reportages et critiques, le cinéma de pays comme le Brésil, la Hongrie, l'Italie, la Tchécoslovaquie et le Québec y est promu avec passion sous l'appellation «Nouveau Cinéma». De 1968 à 1974, la rédaction des *Cahiers* opte pour une idéologie gauchiste et un engagement politique teinté de marxisme et de maoïsme qui a pour effet d'éloigner les lecteurs; la revue perd de nombreux abonnés. Au milieu des années 70, la direction éditoriale se réoriente et reconsidère le cinéma comme aventure esthétique; elle soutient de nouveau le cinéma classique et les expériences limites. Les principaux rédacteurs en chef des *Cahiers du cinéma* ont été Jean-Louis Comolli, Serge Daney, Antoine de Baecque, Thierry Jousse, Jean Narboni et Serge Toubiana. Parution: mensuelle.

caillou ARG. Objectif.

caisson Housse absorbante (*blimp*). Le caisson empêche d'enregistrer le bruit du moteur de la caméra lors du tournage. ➤ **blimp.**

calage [1] Réglage de l'objectif de la caméra de façon à avoir une image nette dans le plan d'un sujet situé à l'infini (*wedging*). [2] Tentative de synchroniser l'image et le son sur la table de montage afin qu'ils coïncident parfaitement.

cale Objet en bois dont se servent les machinistes pour donner à l'appareil de prise de vues de l'aplomb ou de la stabilité (*wedge*). La cale sert également à bloquer les portes, à incliner les miroirs et les tableaux, à indiquer des repères, etc. ➤ **cube, support.**

caligarisme Terme donné par les critiques et les historiens français, à partir du titre du film de Robert Wiene, *Le cabinet du docteur Caligari* (1919), au style de décors des films allemands durant la période dite de l'expressionnisme.

calligraphie Étape de travail précédant l'enregistrement des voix au doublage ou à la postsynchronisation (*calligraphy*). Sur une pellicule blanche, appelée bande mère, contenant les dialogues principaux et l'adaptation finale, on superpose une autre bande, transparente, appelée bande rythmographique, sur laquelle sont lisibles les noms des personnages et les dialogues adaptés, avec les indications de temps en secondes.

came Dans certaines caméras et certains projecteurs, pièce mobile de forme triangulaire, provoquant la descente et le retrait du porte-griffes avant de le ramener à sa position initiale (*cam*). La came permet de faire avancer la pellicule dans l'appareil. On la connaît sous son nom de marque, la came Carpentier-Lumière.

camée De l'italien *cameo*. Brève apparition d'une vedette dans un film (*cameo, cameo role*). ➤ **apparition,** *guest star.*

Caméflex Marque de commerce d'une caméra 35 mm dessinée par André Coutant et fabriquée par Éclair International Diffusion. En 1959, Éclair lance une caméra biformat qui accepte le 16 mm et le 35 mm. Dans le métier, on dit le Caméflex plutôt que la Caméflex. Caméra bruyante, le Caméflex peut être porté à l'épaule. C'est avec cette caméra que fut tourné le premier long métrage de Jean-Luc Godard, *À bout de souffle* (1959).

caméra De l'italien *camera obscura*, qui veut dire «chambre noire». Appareil pour la prise de vues à une vitesse donnée (16 ou 18 images par seconde pour le cinéma muet, 24 ou 25 images par seconde pour le cinéma parlant) (*camera*). Les images enregistrées par la caméra, développées sur une copie positive et projetées à la même vitesse que celle de leur enregistrement donnent l'illusion du mouvement. La caméra peut enregistrer les images à une vitesse inférieure ou supérieure; les images projetées donneront alors l'illusion d'un mouvement accéléré ou d'un mouvement ralenti. La caméra se compose d'un magasin débiteur et d'un magasin receveur de film vierge, d'un tambour d'entraînement continu, de griffes d'entraînement saccadé de la pellicule, parfois d'une contre-griffe, d'un couloir, d'une fenêtre, d'un obturateur, d'un objectif, d'un presse-film (ou presseur) et de la pellicule du film; → **baïonnette, monture, zoom**. Une visée y est fixée; → **caméra à crémaillère, œilleton, parallaxe, visée reflex**. Des accessoires peuvent y être ajoutés: la lunette de visée, le pied, la tourelle d'objectifs, le blimp (ou caisson), les filtres, le porte-filtre, le parasoleil (ou pare-soleil), la claquette automatique, le compteur et les caches. On distingue cinq types d'appareil: la caméra de studio en 35 mm, la caméra portable, la caméra légère 16 mm, la caméra d'amateur et la caméra spéciale (pour l'animation et les films scientifiques). → **Aäton, Arriflex, Beaulieu, Caméflex, Moskva, Paillard Bolex, Panaflex**. En vidéo, l'appareil de prise de vues est appelé «caméscope». Dans le langage courant, on distingue ceux qui sont devant la caméra, les acteurs, et ceux qui sont derrière, les membres de l'équipe sur le plateau (le réalisateur, le caméraman, les techniciens, etc.).

caméra à crémaillère Caméra dont la lunette de visée est remplacée par un tube vidéo de prise de vues (*rack-over camera*). Cette caméra permet à l'opérateur de filmer dans des positions qui ne lui permettent pas de placer l'œil sur l'œilleton.

caméra à l'épaule → **caméra portable**.

caméra au poing → **caméra portable**.

caméra chronophotographique → **chronophotographie**.

camera cut ANGL. Montage déterminé au tournage. Ce terme est uniquement employé pour désigner la stratégie employée par les cinéastes hollywoodiens (comme John Ford et Alfred Hitchcock) afin d'éviter que leurs films soient charcutés par le producteur au moment du montage; ce dernier, à qui appartiennent les droits du film, a un droit de regard définitif sur la version finale du film. Avec cette stratégie, le metteur en scène ne tourne que les plans nécessaires en évitant l'enregistrement sous différents angles des scènes en continuité. Traduction suggérée: montage dans la caméra. → *director's cut*.

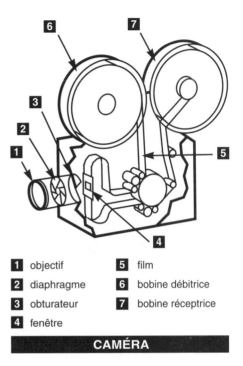

1	objectif	**5**	film
2	diaphragme	**6**	bobine débitrice
3	obturateur	**7**	bobine réceptrice
4	fenêtre		

CAMÉRA

Caméra d'or Prix décerné à un premier film par un jury au Festival international du film de Cannes. Créé en 1978, ce prix est accompagné d'une somme de 300 000 FF (environ 46 000 euros ou 60 000 $ US) offerte par la Commission supérieure technique de l'image et du son. *Alambrista!* de l'Américain Robert M. Young est le premier film ainsi primé.

caméra flottante Caméra comportant un dispositif de type Steadicam, soit un harnais qui lui permet d'absorber les vibrations. Les déplacements sans heurts de l'opérateur donne une impression d'ondoiement dans la prise de vues. VOISIN: caméra portée.

caméra G.V. «G.V.» pour «Grande Vitesse». Caméra spéciale à très grande vitesse de défilement (*hight-speed camera*). Sa vitesse permet de saisir des phénomènes très rapides, comme le vol d'une libellule. SYN. caméra ultrarapide.

caméraman, woman Personne responsable des prises de vues. Aux États-Unis, le terme cameraman désigne le cadreur. → **directeur de la photographie, opérateur.**

caméra mobile Terme peu usité. Caméra qui permet de faire des plans mobiles et d'imprimer des mouvements comme le travelling et le panoramique (*mobile camera*). Les premières caméras sont fixes, sur trépied.

caméra objective Technique d'utilisation de la caméra dont les prises de vues simulent le regard objectif d'un observateur extérieur à l'action ou au récit (*objective camera*). En principe, cette technique est celle du documentaire. Dans le film de fiction, on l'utilise pour rendre compte de certains événements à la manière d'un documentaire; elle se caractérise le plus souvent par l'emploi de la voix off. À voir: le film de Costa-Gavras, *Z* (1968). → **point de vue.**

caméra portable Appareil de prise de vues léger et compact (*hand camera*). Une caméra portable peut être manipulée sans pied, à l'épaule ou au poing. → **Arriflex, Bell and Howell, Coutant 16, Éclair, Eyemo, Filmo, Louma.** VOISIN: caméra portée.

caméra portée Caméra portée à l'épaule ou au poing, ne nécessitant pas de système de harnais pour les déplacements de l'opérateur (*hand-held caméra*). → **caméra flottante, caméra portable.**

caméra stylo Terme employé par Alexandre Astruc dans un essai éponyme publié en 1948 où il affirme que le cinéaste peut utiliser d'une façon personnelle la caméra, comme l'écrivain sa plume (son stylo). Astruc anticipe alors la «Politique des auteurs» défendue par *Les Cahiers du cinéma* dans les années 50.

caméra subjective Technique d'utilisation de la caméra dont les prises de vues simulent le point de vue du personnage (*subjective camera*). En principe, cette technique

doit montrer ce qu'est censé voir le personnage. La caméra subjective débute souvent par le plan, généralement un gros plan, du personnage; elle annonce alors que le point de vue adopté sera le sien. La caméra subjective peut également se confondre avec la voix off de l'interprète. Dans *La dame du lac* (1946) de Robert Montgomery, excepté le prologue et l'épilogue, tout est vu par les yeux du détective Marlowe; → **énonciation.** Un plan tourné en caméra subjective est appelé «plan subjectif».

caméra ultrarapide → **caméra G.V.**

caméra vidéo Caméra pour la prise de vues électronique (*video camera*). La caméra vidéo transforme les signaux lumineux en signaux électroniques. → **caméscope.**

caméscope Caméra servant à l'enregistrement et à la reproduction de films vidéo (*camcorder*). Le caméscope intègre une caméra vidéo et un magnétoscope. Il remplace progressivement dans les années 80 les appareils de cinéma amateur utilisant de la pellicule.

camion son Cabine de son mobile placée dans un camion pour les extérieurs (*sound truck*).

camp Mouvement de sous-culture valorisant le mauvais goût et exprimant une admiration pour le style kitsch ou pompier d'œuvres le plus souvent médiocres (*camp*). L'artifice, le bizarre, le délire et l'outrance, ingrédients essentiels du film-culte, sont à rapprocher de la notion de culture camp caractérisée par l'anticonformisme et la subversion. Selon l'écrivain Susan Sontag, le camp mêle la stylisation théâtrale, l'esprit extravagant, le refus des critères du bon goût et de la mesure, l'affirmation d'une identité équivoque et ambiguë sur le plan de la sexualité et la complicité ironique.

CAMS Sigle de Computer Aided Movie System.

Canadian Broadcasting Company [CBC] Service de radio et de télévision de langue anglaise de l'État canadien. Ce diffuseur participe à la coproduction de films de court, de moyen et de long métrages. Il a son équivalent de langue française: la Société Radio-Canada.

canal   ANGLICISME Terme fréquemment utilisé pour «chaîne de télévision».

Canal Plus [Canal +]   Société française de télévision à péage distribuée par voie hertzienne. Créée en 1984, Canal Plus participe à la production de films français et européens sous la forme d'avances en préachats. Ses filiales en Belgique et en Espagne pratiquent la même politique. Canal Plus diffuse également en Allemagne, en Italie, en Pologne et en Suède et a créé le Studio Canal Plus pour des prises de participation directe à la production de films. En 1995, elle échoue dans sa tentative d'affiliation avec CTL pour la télévision numérique par satellite. En avril 1996, elle commercialise dès lors CanalSatellite numérique; son cahier de charges l'oblige à investir une partie de son chiffre d'affaires dans la production de films français. Affiliée aux États-Unis avec Time Warner Inc., la société s'est portée acquéreur en 1996 du catalogue de 26 films produits par la maison Carolco (*Basic Instinct, Total Recall, Terminator 1* et *2*, etc.). Elle a 20 pour cent de parts dans la mini-Major française MK2 qui a dans son catalogue 200 films. Canal Plus fusionne avec NetHold en avril 1997 et crée NC Numéricable. Une chaîne d'information en continu, Canal +i télévision, est lancée en 1999.

CanalSatellite   ↪ **Canal Plus**.

candela [cd]   Unité de mesure lumineuse (*candela*). ↪ **bougie**.

Candid Eye   Ensemble de la production de films de l'équipe anglaise de l'Office national du film du Canada à la fin des années 50. Les cinéastes du Candid Eye privilégient un regard objectif par les prises de vues à l'improviste, très souvent sans son synchrone. Parmi les cinéastes importants du Candid Eye, citons les noms de Wolf Koenig et Roman Kroitor. ↪ **Cinéma direct**.

Cannes   Ville de la Riviera française où se déroule depuis 1946 le plus important festival international du film, le Festival international du film de Cannes.

Cannon   Société de production américaine dirigée par Yorim Globus et Menahem Golan qui, entre 1979 et 1989, tentent de rivaliser avec les plus grandes compagnies en produisant des films d'auteurs réalisés, entre autres, par Robert Altman, John Cassavettes, Jean-Luc Godard et Andreï Kontchalovski. Cannon est aujourd'hui disparue.

Canon   Société japonaise qui fabrique des appareils photographiques, réputée pour ses objectifs destinés au cinéma en 16 et 35 mm.

cantine   Salle de restauration dans un complexe de studios réservée aux membres des équipes de film (*cafeteria*). Du temps des Majors, les studios possédaient deux cantines, dont une était réservée principalement aux producteurs, aux vedettes, aux réalisateurs et aux chefs des départements, et la seconde, aux techniciens. ↪ *corral*. Pour les extérieurs, on a recours aux services de traiteurs.

CAO   Abréviation de conception assistée par ordinateur.

capitale du cinéma   Surnom donné à Hollywood, la ville la plus importante de l'industrie du cinéma. Hollywood est devenue le modèle dans la réalisation, la production et la diffusion du film, les Majors s'y étant installées. Hollywood est également surnommée «capitale du rêve». ↪ **Babylone, Mecque du cinéma, usine à rêves**.

captation   Prise de vues ou de sons en extérieur (*captation*).

capteur   Dispositif permettant de traduire des phénomènes physiques (les fréquences sonores, l'intensité lumineuse ou la température atmosphérique) en signaux électriques (*sensor*). Certains capteurs servent d'interface lorsque leurs signaux sont numérisés. Couplés à un programme informatique, ils peuvent être corporels, gestuels, oculaires et vocaux.

caractérisation   Dans l'écriture d'un scénario, méthode consistant à doter un personnage d'une psychologie et de manies particulières pour bien le différencier des autres (*characterization*). Le terme anglais désigne également l'interprétation donnée par un acteur à son personnage.

car de reportage Camion servant au transport du matériel pour le tournage en extérieur (*outside-broadcasting van*). SYN. cinébus (VX).

Carpentier-Lumière ➤ **came**.

carrière [1] Se dit principalement des étapes du métier d'acteur (*career*). [2] Exploitation d'un film: la carrière d'un film.

carter Enveloppe métallique étanche (*housing*). En projection, on distingue deux carters dans lesquels se déroule et s'enroule le film, qui le protègent ainsi contre les risques d'incendie. Depuis l'apparition de la lampe à xénon, les carters n'existent plus sur les projecteurs.

carton Texte calligraphié ou imprimé, photographié sur un cello ou un fond mat (*intertitle*). Durant l'époque du muet, le carton intercalé entre deux images donne une information sur le temps et le lieu de l'action, un commentaire explicatif ou un extrait du dialogue; ➤ **intertitre**. Aujourd'hui, il sert généralement de support au générique, mais tend à disparaître en tant que tel, depuis les années 90, avec l'utilisation en production cinématographique de l'ordinateur et de l'infographie.

carton d'étalonnage Feuille sur laquelle sont indiqués tous les renseignements nécessaires au tirage d'une bobine, comme la densité des couleurs, les valeurs de lumière et les corrections chromatiques (*grading card, grading sheet*). SYN. fiche d'étalonnage.

carton-pâte VX Terme péjoratif désignant l'aspect artificiel d'un décor dans un film (*pastedboard*).

cascades PLUR. De l'italien *cascada*. Actions dangereuses dans un film: simulations d'accidents, de chutes, de courses-poursuites, de sauts périlleux, etc. (*stunt*). Les cascades sont exécutées par un cascadeur, généralement une doublure du rôle principal.

cascadeur, euse Personne spécialisée dans l'exécution de cascades (*stuntman, stuntwoman*). Le cascadeur se substitue à l'interprète principal pour les scènes aux actions dangereuses ou difficiles; costumé comme l'interprète, son visage reste habituellement caché dans la scène enregistrée. Pour un film requérant plusieurs cascadeurs, on emploie un coordinateur ou un directeur de cascades. Dans plusieurs pays, les cascadeurs sont regroupés en syndicat.

casque d'écoute Dispositif formé de deux écouteurs reliés par un serre-tête (*headset*). Le casque d'écoute est utilisé par les techniciens du son, particulièrement l'ingénieur du son, sur les lieux du tournage d'un film. SYN. serre-tête.

casser le plan ARG. Au tournage, passer au plan suivant (*to strike a shot*).

casserole ARG. Réflecteur très puissant largement utilisé durant l'époque du muet. ➤ **gamelle**.

cassette Boîtier protecteur dans lequel sont incorporées deux bobines et une bande magnétique servant à l'enregistrement électronique des sons et des images (*cassette*).

cassette audio Boîtier contenant une bande magnétique servant à l'enregistrement et à la reproduction des sons (*audiotape*).

cassette vidéo [vidéocassette] Boîtier contenant une bande magnétique servant à l'enregistrement des images et des sons (*videotape*).

cassure Rupture accidentelle de la pellicule (*break*). ➤ **déchirure**.

casting Distribution des rôles dans un film (*casting*); ➤ **interprétation**. Le casting est de plus en plus dévolu à des spécialistes (directeurs de casting) qui ont pignon sur rue ou qui font partie d'une agence. Tous les seconds rôles et les figurants sont recrutés par des directeurs de casting, qui négocient également leurs contrats. ➤ **package**.

catalogue Liste des films et des droits audiovisuels appartenant à un groupe (*catalogue*). Dans l'industrie des communications, le catalogue détermine l'importance de son propriétaire qui peut exploiter les droits dérivés de ses films, notamment les droits d'exploitation pour la télévision et dans le format cassette vidéo.

«Ça tourne!» Interjection lancée par l'opérateur de prises de vues et par l'opérateur du son pour indiquer que la mise en marche des appareils est déclenchée. Cette interjection vient après l'ordre «Moteur!» du réalisateur.

CBC Sigle de la Canadian Broadcasting Corporation.

cd Abréviation de candéla.

CD *[Compact Disk]* En français: disque compact. Disque à mémoire optique. Le CD est apparu en 1983. Répandu dans le domaine de l'enregistrement sonore, le CD a remplacé le disque de vinyle. ➤ **CD-I.**

CD-I *[Compact Disk-Interactive]* En français: disque compact interactif. Nouveau standard de disque compact audio courant adapté pour les images et les sons. Ce CD interactif est lancé sur le marché en 1991 par les compagnies Philips et Sony. Fonctionnant avec le téléviseur, son interactivité laisse le choix au spectateur entre plusieurs fins programmées d'un même film. Il est surtout utilisé pour des jeux interactifs. Le lecteur CD-I peut lire des vidéodisques et donne accès à Internet. Il n'a pas eu le succès escompté et est remplacé en 1997 par le DVD. ➤ **CD-TV.**

CD-ROM Abréviation de *Compact Disc Read Only Memory*. En français: cédérom, DOC.

CDS Sigle du Cinema Digital Sound.

CdS Notation chimique de sulfure de cadmium.

CD-TV [Commodore Dynamic-Total Vision] Marque de commerce d'un système de disque compact interactif mis au point par la compagnie Commodore. Destiné au grand public, le CD-TV devait con-currencer le CD-I, mais il n'a pas obtenu le succès anticipé. La compagnie l'a repositionné comme ordinateur multimédia sous l'appellation Amiga CDTV, puis l'a transformé en outil de jeux vidéo, appelé CD 32, utilisant des disques compacts.

cédérom Disque optique compact mis au point en 1984 par la compagnie Philips et commercialisé en 1985 (*CD-ROM*). Le cédérom est destiné au monde informatique et professionnel et est utilisé comme mémoire auxiliaire de l'ordinateur. En 1991, le disque optique compact évolue vers un nouveau standard de disque, le CD-ROM-XA, pour le stockage de données multimédias (le son, le texte, les images fixes ou animées), usage pour lequel il n'était pas conçu au départ. Le cédérom nécessite un lecteur (interne ou externe), périphérique adapté au système d'exploitation de l'ordinateur. Son application au cinéma n'est pas encore courante, mais elle permet de stocker une documentation multiple sur le septième art, son histoire, ses œuvres, son industrie, ses moyens techniques, etc. SYN. DOC (pour «disque optique compact»).

cell Forme abrégée de celluloïd.

cello Forme abrégée de celluloïd.

cellule photoélectrique Élément transformant la lumière en courant électrique (*photocell, photoelectric cell*). On distingue les cellules de mesure de la lumière incidente et les cellules de mesure de la lumière réfléchie. ➤ **posemètre.**

cellulo Abréviation de celluloïd.

celluloïd [cellulo, cello, cell] [1] Matériel transparent fait à base de nitrate de cellulose et entrant dans la composition de la pellicule cinématographique (*cel*). Le celluloïd est très inflammable. [2] Par extension, le film. [3] Feuille transparente plastifiée servant de carton ou de matériel de base pour le dessin animé (*cel*).

censure Action qui consiste à décider quelles parties d'un film seront interdites aux spectateurs (*censorship*). La censure dépend du droit de regard d'un organisme d'État sur le cinéma dans le but de protéger la moralité et les mœurs. Quels que soient le système politique et l'époque, chaque pays possède son moyen de contrôle de la production et de l'exploitation des films. Le premier film censuré de l'histoire du cinéma est *The Serpentine Dancer* (1894) réalisé par William K. Dickson pour le Kinétoscope de Thomas Edison, appareil de projection à vision individuelle. ➙ **code Hays, commission de contrôle, interdiction, Motion Picture Rating System, visa de censure**.

Centre national de la cinématographie [CNC] Organisme gouvernemental français créé en 1946 et placé sous la direction du ministère de la Culture en 1950. Le CNC intervient dans la profession cinématographique et réglemente son économie. Il prend des mesures en vue de favoriser l'industrie cinématographique: des projets de lois, des décrets et des crédits de soutien (son système de soutien automatique finance environ 10 pour cent de chaque film français produit). Il coordonne une série d'activités concernant la profession: les festivals, la formation professionnelle (la Fondation européenne des métiers de l'image et du son [FEMIS]), la conservation des films (la Cinémathèque française) et le contrôle des associations et des organismes subventionnés (Festival international du film de Cannes, Unifrance Film, etc.). ➙ **art et essai**.

Centro Sperimentale di Cinematografia [CSC] École officielle de cinéma italienne fondée en 1936. Situé à Rome, le CSC est destiné à la formation professionnelle de futurs cinéastes. Un enseignement critique et théorique y est privilégié. L'influence de son enseignement se fait sentir dans la production italienne de l'après-guerre; le néoréalisme est tributaire de l'approche théorique et pratique de cette école. Roberto Rossellini sera l'un de ses présidents les plus actifs et pilotera ce centre expérimental vers la multidisciplinarité; pour sa part, Lina Wertmuller, autre présidente, tente d'intégrer la formation des élèves au monde de l'industrie cinématographique. L'école se voit à la fin des années 80 fortement concurrencée par la création de nombreuses autres écoles, dont le Ipotesi Cinema, fondé par Ermanno Olmi et situé à Bassano, et par les facultés universitaires. En 1998, le gouvernement italien rebaptise le CSC en École nationale du film et change ses statuts pour en faire une institution privée.

cerisier ARG. Pour les machistes, tout végétal faisant partie du décor (arbre, gazon, fleurs, bouquet, etc.).

césar Récompense remise annuellement par l'Académie des arts et techniques aux professionnels du cinéma français. Le césar est l'équivalent en France de l'oscar américain. La cérémonie de remise a lieu, selon les années, à la fin du mois de février ou au début du mois de mars. Cette récompense a été remise pour la première fois en 1976 au film *Le vieux fusil* de Robert Enrico. Elle est symbolisée par une sculpture conçue par l'artiste français César.

chaîne FAMILIER Chaîne de télévision (*channel*).

chaîne cryptée Chaîne dont les émissions sont brouillées et nécessitant un décodeur pour être vues en clair. La télévision à péage et la télévision par satellite exploitent ce type de chaîne.

chaîne de télévision Ensemble d'émetteurs de télévision transmettant un même programme (*television channel, television station*). Par extension, société produisant et diffusant des programmes de télévision. Les chaînes participent de plus en plus à la production de films en tant qu'entités productrices et coproductrices; ➙ **chaîne cryptée, chaîne généraliste, chaîne thématique**. SYN., MAIS ANGLICISMES SOUVENT EMPLOYÉS: canal, station.

chaîne généraliste Chaîne produisant et diffusant des émissions pour tous les publics: de l'information, des variétés, des émissions pour les enfants, des dramatiques, du sport, du cinéma, etc. (*general-interest station*). OPPOSÉ: chaîne thématique.

chaîne publique Chaîne nationale appartenant à un État ou subventionné en partie ou en tout par un État (*public service channel*). La mission impartie à une chaîne publique est d'informer, de cultiver et de distraire. Une chaîne publique se caractérise par sa qualité, son originalité et sa diversité. La multiplication des chaînes dans les années 80, les compressions budgétaires et la nécessité de recourir aux revenus de la publicité ont mis en péril la mission culturelle des chaînes publiques. Aux États-Unis, une chaîne publique est une corporation privée, financée à hauteur de 20 pour cent par le gouvernement fédéral; le reste des revenus proviennent de commanditaires et de collectes de fonds auprès du public; le réseau public de télévision américain se nomme Public Broadcasting Service [PBS].

chaîne spécialisée ➤ **chaîne thématique.**

chaîne thématique Chaîne dont les émissions sont ciblées sur un thème. C'est une chaîne spécialisée dans un domaine particulier: l'information, le cinéma, le sport, la musique, les procès, etc. La chaîne Cable News Network [CNN], américaine, est la plus connue des chaînes thématiques; elle est dédiée entièrement à l'information. Music Television [MTV], autre chaîne d'origine américaine, est consacrée entièrement à la musique rock. SYN. chaîne spécialisée. OPPOSÉ: chaîne généraliste.

chambre d'échos Système permettant d'obtenir un effet d'écho lors de la reproduction de sons (*echo box* ou *echo chamber*). L'écho est reproduit par un dispositif de réverbération artificielle.

chambre noire De l'italien *camera obscura*. [1] Enceinte fermée où une petite ouverture, avec ou sans lentille, laisse pénétrer les rayons lumineux pour former sur un écran une image à l'extérieur (*darkroom*). Cette image est alors doublement inversée: latéralement et verticalement. La chambre noire devient au XIXᵉ siècle un divertissement public. Elle est à l'origine de l'enregistrement et de la projection d'images. ➤ **sténopé.** [2] Partie de la caméra par où entrent les rayons lumineux qui s'imprimeront sur la pellicule. [3] Lieu, dans un studio, où l'on peut charger et décharger la pellicule des magasins de la caméra.

champ Espace parcouru par la caméra et délimité par le cadre (*field*). Le format du cadre dépend des lentilles utilisées et de la distance entre l'objectif de la caméra et le sujet photographié. ➤ **hors-champ, contrechamp, profondeur de champ.**

champ-contrechamp Alternance de deux champs diamétralement opposés (*shot-reverse shot*). Le champ-contrechamp est généralement utilisé dans un dialogue lorsque la caméra prend la place de l'interprète qui ne parle pas. ➤ **loi des 180 degrés.**

chanchada PORT. Comédie brésilienne, musicale ou non, modelée sur la comédie légère américaine. La *chanchada* naît après la Deuxième Guerre mondiale à la suite d'une législation sur le quota obligatoire de films brésiliens dans les salles. Elle met en scène des gens du peuple. C'est un genre médiocre, méprisé par la critique et l'élite, qui disparaît lentement après 1955 avec l'avènement du Cinéma Nôvo et une tentative d'industrialisation d'un cinéma de qualité internationale. La *chanchada carioca* désigne une comédie se déroulant à Rio (*carioca* désigne celui qui habite Rio de Janeiro). ➤ *pornochanchada.*

changing bag ANGLICISME Manchon (ou sac) de chargement. Dans le métier, en France, on dit: charging bag.

Channel Four Chaîne privée de télévision britannique fondée en 1982, mais dont les membres sont nommés par le gouvernement. Les productions de Channel Four sont destinées aux minorités ethniques, aux jeunes et aux handicapés. Sa programmation est aventureuse. Une portion de 10 pour cent de son budget est consacrée à la production cinématographique. Des cinéastes anglais comme Stephen Frears, Derek Jarman, Neil Jordan et Ken Loach ont bénéficié de son système de production, et des cinéastes non britanniques comme Atom Egoyan, Alain Tanner, Andreï Tarkovski et Agnès Varda, de son système de coproduction. En 1987, au Festival international du film de Cannes, le prix Rossellini est remis à la chaîne pour sa contribution au renouveau du cinéma britannique. La crise économique des années 90 oblige Channel Four à réduire sa production à des films dont les capitaux sont majoritairement britanniques.

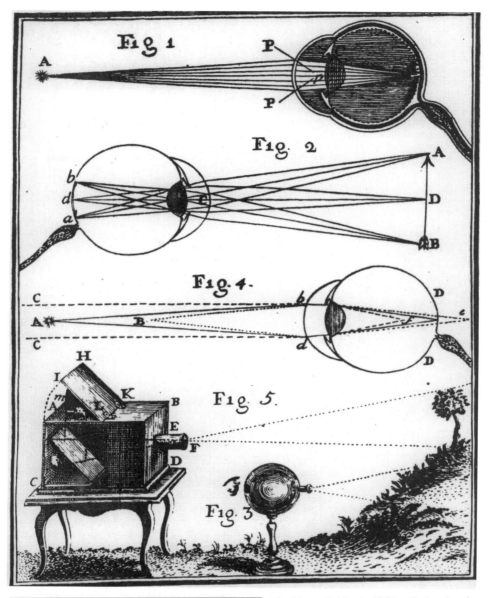

CHAMBRE NOIRE (*camera obscura***)** — Modèle portable du XVIIIe siècle, d'après l'abbé Nollet «Leçons de physique».

chanson [1] Texte mis en musique et destiné à être chanté (*song*). La chanson est utilisée abondamment dans le cinéma. Le patrimoine cinématographique comprend environ 5 000 titres de chansons. [2] Intermède musical dans la narration d'une comédie musicale (*song*). La chanson parti-cipe du jeu du récit et du spectacle. La plus célèbre chanson au cinéma est «Singin' in the Rain», signée Nacio Herb Brown et Arthur Freed, du film *Singin' in the Rain* (en français: *Chantons sous la pluie*, 1952) de Stanley Donen et Gene Kelly. → **musique**.

charbons PLUR. Terme donné aux électrodes à base de graphite employées dans l'arc à charbons (*carbon*).

chargement Action de charger la pellicule dans un appareil de prise de vues, de tirage ou de projection (*loading*). On utilise un sac de chargement pour approvisionner la caméra en pellicule vierge. ANT. déchargement. SYN. (RARE) armement.

chargeur Boîte étanche de la caméra contenant les bobines débitrice et réceptrice et les débiteurs (*magazine*). ➝ **magasin**.

charging bag ➝ **changing bag**.

chariot Plate-forme montée sur rails ou pneumatiques où prennent place le caméraman et le cadreur (*dolly*). Le chariot permet de faire des travellings latéraux. Il n'est guère plus utilisé de nos jours et est remplacé par des appareils de type dolly qui permettent des déplacements verticaux.

chariot-crabe ➝ **crab dolly**.

Charlot Équivalent français du diminutif anglais «Charlie». Charlot désigne le personnage interprété par Charles Chaplin dans la majorité des films muets qu'il a réalisés.

charte Forme abrégée de charte de couleurs.

charte de couleurs [charte] Panneau de couleurs et de gris dégradés servant à vérifier la qualité des couleurs lors du tournage (*color chart, lily*). SYN. gamma, lily.

chassé Trucage qui donne l'impression d'une image chassant l'autre, la poussant hors cadre quand elle apparaît (*push off, pushover*). SYN. effet de chassé.

chasse aux sorcières ➝ **liste noire, maccarthysme**.

chasseur ARG. Nom donné par Samuel Goldwyn au film documentaire projeté entre deux séances, qui doit entraîner les spectateurs à l'extérieur et les inciter à acheter une autre entrée pour la deuxième séance (*hunter*).

châssis Cadre de bois destiné à la construction de la paroi des décors (*canvas flat*). Le châssis est recouvert d'une toile.

chaud ADJ. Caractéristique d'une couleur riche en radiations orangées (*hot*). ANT. froid.

chauffeur Conducteur d'automobile responsable du transport de certains membres de l'équipe de tournage, dont les interprètes et le réalisateur (*driver*). Le chauffeur assure ainsi le respect de l'horaire de tournage, ce qui évitera les retards de tournage et le dépassement des dépenses prévues au budget.

chaussette Tube de tissu léger, noir ou blanc, servant à canaliser la lumière dans son axe (*space light*). La chaussette sert de source d'ambiance.

chef Spécialiste de son secteur, responsable de l'équipe de travail qu'il dirige. ➝ **chef constructeur, chef costumier, chef décorateur, chef de plateau, chef électricien, chef machiniste, chef monteur, chef opérateur, chef opérateur du son**.

chef constructeur Personne responsable de la construction des décors (*construction manager*). Le chef constructeur est un contremaître qui supervise une équipe de menuisiers, de plâtriers et de peintres qui bâtiront, monteront, installeront ou modifieront les éléments des décors.

chef costumier Personne responsable des costumes (*costume director, wardrobe master*, parfois *costumer*). Souvent confondu avec le créateur de costumes, comme on le désignait autrefois, le chef costumier est devenu son assistant. Il est responsable de la recherche, de l'achat ou de la location des costumes et des accessoires avant le tournage ainsi que des essayages. Il assume souvent le travail d'un habilleur.

chef décorateur Personne responsable de la conception et de la construction des décors (*art director, production designer*). Le chef décorateur choisit et adapte les lieux de tournage hors du studio. Il est responsable également de la conception des costumes ou, s'il y a un créateur de costumes, de voir à l'adaptation des costumes à l'ensemble des décors. C'est un architecte-décorateur qui doit non seulement posséder des dons artistiques, mais avoir des connaissances en menuiserie, en plomberie, en électricité, en tapisserie, etc., et en technique d'enregistrement des images (caméra, lentille, couleur, effets spéciaux) et des sons. Chez les Majors, il dirige un département, le service artistique où il a sous sa responsabilité un grand nombre d'artisans, de créateurs et de gens de métier. Du terme anglais *art director*, le terme français traduit par «directeur artistique» remplace de plus en plus celui de «chef décorateur».

chef de plateau Personne responsable du doublage (*dubbing director*). Le chef de plateau distribue les rôles, supervise les séances de doublage et contrôle le mixage.

chef-d'œuvre Film capital pour l'histoire du cinéma (*masterpiece*). Les films suivants sont les plus souvent cités comme chefs-d'œuvre: *Naissance d'une nation* (1915) de D.W. Griffith, *Le cuirassé «Potemkine»* (1925) de S.M. Eisenstein, *La ruée vers l'or* (1925) de Charles Chaplin, *La règle du jeu* (1939) de Jean Renoir, *Citizen Kane* (1941) d'Orson Welles, *Rome, ville ouverte* (1945) de Roberto Rossellini, *Le voyage à Tokyo* (1953) de Yasujiro Ozu, *L'avventura* (1960) de Michelangelo Antonioni, *Pierrot le fou* (1964) de Jean-Luc Godard, *Persona* (1965) d'Ingmar Bergman, *Raging Bull* (1980) de Martin Scorsese et *Le sacrifice* (1986) d'Andreï Tarkovski. ➤ **classique**.

chef électricien Technicien responsable du matériel électrique et de son utilisation adéquate durant le tournage en studio et en extérieur (*gaffer*). Le chef électricien est sous la responsabilité du directeur photo et commande les électriciens à son service pour installer, déplacer, orienter et régler les projecteurs. ➤ **groupiste**.

chef machiniste Technicien responsable du matériel de tournage (*key grip, head grip*). Le chef machiniste dirige l'équipe de machinistes.

chef monteur Personne responsable des travaux de montage jusqu'au mixage (*editor*). Le plus souvent appelé «monteur», le chef monteur travaille en étroite collaboration avec le réalisateur, parfois avec le producteur si celui-ci possède un droit de regard sur le montage final; on lui indique les scènes choisies pour être montées. Son travail longtemps méconnu est maintenant pris en compte par les critiques et les cinéphiles. Plusieurs réalisateurs ont commencé leur carrière comme chefs monteurs, Robert Wise, Hal Ashby et Gilles Groulx, entre autres. Le travail de montage est souvent dévolu à des femmes; citons les noms de Jolanda Benvenuti, qui a travaillé avec Roberto Rossellini, Agnès Guillemot avec Jean-Luc Godard, Susan E. Morse avec Woody Allen et Thelma Schoonmaker avec Martin Scorsese.

chef opérateur Spécialiste responsable de la qualité de l'image apparaissant à l'écran, soit de son enregistrement et de son tirage (*cinematographer*). Ce terme est moins usité que celui de directeur de la photographie (ou directeur photo).

chef opérateur du son Technicien responsable de l'enregistrement du son pendant le tournage (*soundman*). Le chef opérateur peut également travailler à la conception sonore en studio, dans la dernière phase de la réalisation. Cette fonction remplace de plus en plus celle d'«ingénieur du son». ➤ *Foley artist*.

chenille [1] Bande de travail destinée à la vérification de l'étalonnage (*color pilot*). La chenille comporte deux bandes négatives de chaque plan qui permettent les corrections de lumière et de couleurs prévues pour l'étalonnage. SYN. deux à deux. [2] Système lumineux utilisé au mixage pour vérifier les fréquences sonores alors imprimées sur une bande passant sous l'écran.

chercheur de champ Appareil, retenu par une chaîne au cou du réalisateur ou du chef opérateur, permettant de rechercher et de choisir le champ approprié avant la prise de vues (*auxiliary finder*). Le chercheur de champ permet de comparer le champ donné par différentes focales, qui sont adaptables individuellement à l'appareil. Certains appareils sont parfois munis de zooms. Le champ obtenu par le chercheur de champ est comparable à celui donné par le viseur de l'appareil de prise de vues. SYN. viseur de champ.

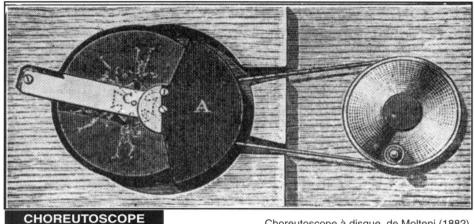

CHOREUTOSCOPE

Choreutoscope à disque, de Molteni (1882).

chevauchement Technique de transition entre deux actions (*overlap*). Le son d'un plan se continuant dans le plan suivant est un exemple de chevauchement. On peut faire un chevauchement en répétant l'action du dernier plan dans le plan suivant; S.M. Eisenstein le fait au début du *Cuirassé «Potemkine»* (1925). Il y a également chevauchement dans le dialogue quand deux ou plusieurs personnages parlent en même temps.

cheville de guidage Pièce d'une tireuse permettant l'entraînement précis du film.

chlorure Composé chimique sensible à la lumière entrant dans la fabrication de la pellicule (*chloride*).

chorégraphe Personne planifiant et dirigeant les parties dansées d'un film (*choreographer*). Busby Berkeley est l'un des plus célèbres chorégraphes-réalisateurs des années 30, alors que Bob Fosse se démarque dans les années 70.

Choreutoscope Appareil apparu dans les années 1860, ressemblant au Phénakistiscope et au Praxinoscope, mais dont le déroulement des dessins est intermittent au lieu d'être continu. Chaque prise étant immobilisée un bref instant, cet appareil fournit une meilleure luminosité et une plus grande stabilité au dessin. Le Choreutoscope est un des nombreux appareils à l'origine du Cinématographe.

chorus girls ANGL. PLUR. Groupe de danseuses dans une comédie musicale.

chromatisme Dispersion des rayons lumineux dont les longueurs d'onde produisent les couleurs sur une surface (*chromaticism*).

chrominance En vidéographie, représentation des informations relatives aux couleurs d'une image (*chrominance*). Une bonne chrominance se caractérise par des couleurs réalistes, vives, saturées et sans bavures. → **luminance**.

chromo Film de mauvais goût et plein de clichés au plan esthétique (*chromo*). Les films de Franco Zeffirelli sont souvent qualifiés de chromos.

chronique Genre cinématographique montrant des faits réels ou s'inspirant de faits réels, sous la forme d'un documentaire ou d'une fiction. Un ton intimiste et personnel y est adopté. Y sont également privilégiées la franchise et une liberté de ton. *Chronique d'un été* (1961) de Jean Rouch, qui donnera naissance au cinéma-vérité, en est l'exemple typique. La série des *Appunti* de Pier Paolo Pasolini (*Notes pour un film sur l'Inde* [1968] et *Carnet de notes pour une Oreste africaine* [1969]) peut être classée dans ce genre. Peut y être incluse la série des huit films de *Chronique de la vie quotidienne* (1977-1978) de Jacques Leduc. On dit des fictions de Jean-Charles Tacchella (*Croque la vie*

[1981], *Escalier C* [1985] et *Travelling avant* [1987]) qu'elles sont des chroniques chaleureuses et sincères sur l'amitié et la vie de quartier. ➤ **journal**.

Chrono Appareil de prise de vues, qui est également un projecteur, inventé en 1895 par George Williams de Bedts. Cet appareil ressemble au Kinetoscope d'Edison. Il sera vendu sous le nom de kinétographe.

chrono (1) FAMILIER Forme abrégée de chronomètre.

chrono (2) ARG. Partie entièrement mécanique du projecteur: le moteur, les mécanismes d'avancement du film, l'obturateur, la pompe à huile, etc. ➤ **bloc optique**.

Chronochrome [Chronochrome Gaumont, Gaumontcolor] Marque de commerce d'un procédé trichrome lancé par Léon Gaumont en 1913, d'après le système de Camille Lemoine à base d'images superposées. Une caméra à trois objectifs munis chacun d'un filtre (rouge, vert et bleu) enregistre trois images juxtaposées et permet de restituer idéalement toutes les teintes. La caméra doit toutefois être manipulée avec précaution.

Chronochrome Gaumont ➤ **Chronochrome**.

Chrono dit de Demenÿ Appareil d'enregistrement et de projection mis au point en 1893 par Georges Demenÿ pour des films à bande perforée de 60 mm, puis de 35 mm. La société Gaumont le commercialise en 1896. Les opérateurs apprécient grandement les Chronos 35 mm Demenÿ-Gaumont. Alice Guy-Blaché, première femme réalisatrice, l'utilise pour tourner ses films. Cet appareil sera soumis à de constantes améliorations jusqu'en 1915.

chronomètre [chrono] Montre de précision permettant de mesurer des intervalles de temps en minutes, secondes et fractions de seconde (*stopwatch*). Le chronomètre est utilisé par la scripte dont l'une des tâches est de mesurer la durée de chaque prise.

Chronophone Appareil breveté en 1903 par Léon Gaumont et commercialisé en 1906. Le Chronophone allie le Chronophotographe et le phonographe, l'image étant synchronisée au son grâce à un disque. Cet appareil relance la fréquentation des salles de cinéma qui fléchissait faute de nouveauté.

Chronophotographe ➤ **chronophotographie**.

chronophotographie Enregistrement d'images multiples grâce à une chambre photographique mise au point par le Français Étienne Jules Marey en 1882 (*chronophotography*). Ce nouvel appareil remplace le fusil photographique du même inventeur et est appelé caméra chronophotographique à plaque fixe. C'est un appareil voisin du Fantascope. En 1888 apparaît le Chronophotographe à bande mobile et, en 1890, le Chronophotographe à pellicule celluloïd mobile, deux ancêtres directs de la caméra. ➤ **kinétographe**.

chutes PLUR. [1] Fragments de pellicule tournée non utilisés au montage (*cut-outs*). SYN. déchets de film. ➤ **chutier**. [2] Fragments de pellicule vierge n'ayant pas servi au tournage (*tails*). Dans le métier, ces chutes sont appelées «queues».

chutier Sac surmonté de crochets sur lesquels sont suspendus les fragments de pellicule à être détruits, conservés ou parfois réutilisés pour un autre film (*trim bin*). L'extrémité de la pellicule tombe dans le sac pour éviter les rayures et les salissures.

Cinderella film ANGL. ARG. Film à petit budget qui a un énorme succès et rapporte gros à ses producteurs.

ciné (1) FAMILIER Forme abrégée de «cinéma», qui est elle-même une abréviation familière de «cinématographe» (*cine*). Le radical de ce terme facilite la formation de mots relatifs aux activités cinématographiques (cinéaste, ciné-club, cinéroman, etc.) et à des noms de marque (Cinecolor, CinémaScope, Cinérama, etc.).

ciné (2) FAMILIER Salle de cinéma. ➤ **cinoche**.

cinéac De la contraction de «cinéma» et «actualités». Dans les années 30, en France, salle de cinéma spécialisée dans la projection de films d'actualités.

cinéaste Réalisateur ou metteur en scène d'un film (*film-maker* ou *filmmaker*). C'est en mai 1921 que Louis Delluc propose le mot «cinéaste» pour remplacer celui de «metteur en scène d'un film». ➤ **cinégraphiste, cinéplaste, écraniste, visualisateur.**

cinébus ➤ **car de reportage.**

Ciné Chiffres Organisme français de l'industrie cinématographique qui publie pour ses membres les relevés hebdomadaires de fréquentation des salles.

Cinecittà De l'italien, qui veut dire «cité du cinéma». Ensemble des studios construits dans la banlieue de Rome et inaugurés en avril 1937 par Benito Mussolini. Ces studios doivent relancer la production cinématographique italienne et la rendre indépendante de l'étranger. Avec la crise du cinéma italien des années 80, les studios sont partiellement abandonnés. Dans les années 90, ils serviront de plus en plus aux tournages de films pour la télévision anglaise et italienne, d'où un surnom qui leur est donné par le milieu cinématographique: *Telecittà*. Ce vaste complexe est évoqué dans le film de Federico Fellini, *Intervista* (1987).

ciné-club [cinéclub] Club d'amateurs de cinéma qui organisent des séances de projection de films suivies de débats dans le but de promouvoir la culture cinématographique (*film society*). Apparu en 1920 sous l'impulsion du cinéaste Louis Delluc, le ciné-club prend une ampleur considérable après la Deuxième Guerre mondiale et forme, en France, avec la Cinémathèque française, de nombreux cinéastes, notamment ceux de la Nouvelle Vague. La télévision programme des émissions qui se substituent aux ciné-clubs qui ont disparu depuis la fin des années 70; ces émissions montrent généralement des classiques du cinéma. ➤ **cinéphilie.**

Cinécolor Marque de commerce d'un procédé de film en deux couleurs utilisé de la fin des années 30 aux années 50 à la place du Technicolor qui est un procédé trop coûteux. ➤ **bichromie.**

cinégraphe [cinégraphiste] Mot employé aux débuts du cinéma pour désigner le réalisateur. Il a été remplacé dans les années 20 par le mot «cinéaste».

cinégraphiste ➤ **cinégraphe.**

cinéholographie Système d'animation de séquences holographiques conçu aux États-Unis en 1967 par De Bitetto et Lehman (*holographic movie*). La cinéholographie nécessite un grand nombre d'images sur un écran lenticulaire afin que les spectateurs puissent percevoir en même temps l'effet tridimensionnel de l'holographie. Les premières images étaient en noir et blanc; en 1984, on réussit à projeter des images couleur. Les films ne durent que quelques secondes seulement. Le film le plus long est projeté en 1986 à Strasbourg (France); il dure 80 secondes.

Cinéma Revue de cinéma fondée en 1947 et publiée par la Fédération française des ciné-clubs. Cette revue deviendra pour les amateurs de cinéma une importante source d'informations et d'analyses sur le cinéma. On y propose des dossiers, des reportages, des entretiens et des critiques. Avec les événements politiques de mai 68, les collaborateurs remettent en question leur approche et des divisions se forment au sein de la rédaction. Des collègues quittent la revue et fondent *Écran 72*; de nouveaux rédacteurs sont engagés. On compte parmi les collaborateurs de futurs cinéastes comme Bertrand Tavernier et Gérard Frot-Coutaz. La revue est aujourd'hui disparue.

cinéma [ciné] Appellation familière de Cinématographe, une marque de commerce devenue nom commun (*cinema*). [1] Art et technique nés de l'enregistrement et de la reproduction du mouvement photographié (*film-making*). Le mot est utilisé familièrement comme synonyme de réalisation de films. On distingue quatre grands éléments au cinéma: la scénarisation, la réalisation, le filmage et le montage. On dit du cinéma qu'il est la réunion d'un art et d'une industrie. Comme branche d'une industrie, il exige un personnel spécialisé dans la fabrication et la diffusion du film. Le terme «technicien de cinéma» désigne une personne pratiquant un métier dans le cinéma: le chef opérateur, l'ingénieur du son, la scripte, le monteur, l'éclairagiste, le perchiste, etc. [2] Ensemble des œuvres filmées (*film*, FAMILIER *pix*). Ces œuvres sont regroupées selon des catégories (histoire, genres, courants esthétiques, etc.). On distingue le cinéma muet, le cinéma parlant, l'industrie du cinéma et l'art cinématographique. Les œuvres cinématographiques constituent une histoire du cinéma traversée de divers mouvements esthétiques: l'expressionnisme allemand, le néoréalisme, la Nouvelle Vague, le cinéma Nôvo, etc. On classe les œuvres cinématographiques en catégories (documentaire, fiction, reportage, dessin animé, etc.) et en genres (film noir, film de poursuite, comédie musicale, parodie, etc.). [3] Procédé technique d'enregistrement et de projection des vues animées (*film*). Ce procédé qui analyse et synthétise le mouvement photographié compte de nombreux ancêtres, entre autres, la lanterne magique, le Kinetoscope, le Phénakistiscope et le Praxinoscope. ➤ **bande, film, pellicule**. [4] Salle où sont projetés les films (*movie house, movie theater*). On distingue la salle obscure, le cinéma en plein air et le multiplexe; ➤ **ciné, cinéma de quartier, cinéma permanent, ciné-parc, cinoche**. [5] Séance de cinéma (*movie*).

cinéma amateur [**cinéma d'amateur**] Cinéma non professionnel (*amateur cinematography*). Le cinéma amateur est rendu techniquement possible grâce à un matériel de format réduit par rapport à celui du matériel professionnel. À ses débuts, il est une aimable distraction du dimanche, fait par des gens soucieux d'enregistrer des souvenirs personnels ou de garder sous forme de cinéma des images de voyages et de vacances. Il se développe après la Deuxième Guerre mondiale aux États-Unis, en Allemagne, en Angleterre et en France, avec l'apparition d'un matériel simple, robuste et économique, qui se perfectionne et s'automatise au fil des ans, passant du noir et blanc à la couleur, puis se sonorisant. Les amateurs se réunissent en clubs, participent à des concours, des compétitions et des festivals. Les formats de pellicule utilisés sont le 8 mm, le Super 8, le 9,5 mm et le 16 mm. La première caméra amateur est la Pathé-Baby, mise au point dans les années 30 par Charles Pathé. L'appareil avec pellicule est progressive-

ment remplacé dans les années 80 par le caméscope et la bande magnétoscopique.

cinéma artisanal Au Québec, synonyme de cinéma indépendant. Le cinéma artisanal désigne des films produits à faible budget, avec la participation financière de ses artisans et de ses techniciens. Il se distingue par une production d'œuvres généralement non traditionnelles, non narratives, de type expérimental.

cinéma autrement Expression créée à la fin des années 60 pour désigner l'ensemble des films d'avant-garde dans lesquels priment les expériences et les recherches auditives et visuelles. Le cinéma autrement est un des nombreux labels désignant le cinéma d'auteur, le cinéma d'avant-garde, le cinéma expérimental et le cinéma moderne. Parmi les noms importants de cinéastes rattachés à ce mouvement, citons ceux de Marguerite Duras, Jean Eustache, Philippe Garrel, Jean-Daniel Pollet, Daniel Schmidt et Werner Schroeter. À lire sur ce sujet: *Le Cinéma, autrement* (1977) de Dominique Noguez. ➤ **cinéma de poésie, cinéma underground**, *unigrudi*.

cinéma bis Ensemble des films mineurs, tels le péplum, le western-spaghetti et le film érotique. ➤ **camp, film psychotronique, kitsch**.

cinéma classique hollywoodien Expression donnée par les historiens et théoriciens au cinéma hollywoodien de l'âge d'or, des années 30 aux années 50, dominé par une forme narrative traditionnelle (*classic Hollywood cinema*). La narration est caractérisée par un récit clair reposant sur la triade «ordre-désordre-ordre»: 1) exposé d'une situation harmonieuse (un mariage, de bonnes relations entre parents, voisins ou collègues de travail, etc.), 2) situation perturbée par un événement (une mort, un conflit interpersonnel, une guerre, etc.) et 3) problème résolu et situation redevenue harmonieuse (happy end). Le film emblématique de ce cinéma est *Autant en emporte le vent* (1939) de Victor Fleming qui raconte une histoire d'amour sur fond de guerre civile américaine qui provoquera des conflits personnels entre les principaux protagonistes, eux-mêmes symboles des traditions sudistes et nordistes. Quel que soit le genre, film d'amour ou film de guerre, aucune ambiguïté de nature idéologique ne doit subsister à la fin du film: les amants doivent être réunis, les criminels, appréhendés, l'amitié, retrouvée, etc. La narration est centrée sur l'intrigue et les personnages, dans une continuité temporelle et spatiale logique, à laquelle doit être subordonné le style; celui-ci ne doit pas être remarqué: ni l'agencement des plans, ni l'éclairage, ni le montage, ni la mise en scène ne doivent attirer l'attention du spectateur; ➤ **master shot**, **montage invisible**. Ainsi, le champ-contrechamp doit reconduire le point de vue de chaque personnage; la lumière et la couleur doivent soutenir l'ambiance de la séquence; la musique doit renforcer la signification de la scène (l'appréhension d'un danger, le bonheur retrouvé, etc.). Les codes et les normes du cinéma hollywoodien sont imposés par les producteurs de l'époque (comme David O. Selznick), mais de nombreux cinéastes, Howard Hawks, Alfred Hitchcock, Fritz Lang, Nicholas Ray, entre autres, réussissent à les déjouer et affirmer ainsi leur vision singulière, particulièrement dans la mise en scène. Le cinéma classique hollywoodien est admiré et défendu par les critiques français des années 50, notamment ceux des *Cahiers du cinéma* et de *Positif*, ➤ **à hauteur d'homme**, **«hitchcocko-hawksiens»**, **«mac-mahoniens»**, **«Politique des auteurs»**.

cinéma corporel Mouvement apparu dans les années 70 en France, parallèlement à l'art corporel, dont les œuvres représentent le corps en transgressant les tabous. Le corps y est célébré dans des rituels érotiques, formels, théâtraux et sexuels. Malgré le discours politique qui les anime, les films du cinéma corporel sont imprégnés de maniérisme. L'homosexualité est le sujet central de la majorité des œuvres. À voir: *Un chant d'amour* (1950) de Jean Genet, œuvre-phare du mouvement. Parmi les noms importants de cinéastes du cinéma corporel, citons ceux de Téo Hernandez, Stéphane Marti, Michel Nedjar et Lionel Soukaz.

cinéma criminel Ensemble de films comprenant deux genres importants qui s'opposent et se complètent: le film de gangsters et le film noir (*criminal film*). On distingue également des sous-genres: le film de détective, le film policier, le film de bandits et le film «de casse» (*big caper film*). La permanence du cinéma criminel, aux États-Unis, vient d'une évolution complexe et de l'entrecroisement constant des genres. Le sujet principal est le règlement de comptes sanglant entre gangs. Les films ont pour cadre une grande ville américaine (New York, Chicago, Los Angeles et San Francisco). Les scènes de nuit et de poursuites y sont nombreuses. Les réalisateurs y cherchent l'effet de choc par la violence, l'affrontement armé et la dualité entre le Bien et le Mal. Parmi les œuvres importantes de ce cinéma, citons *Scarface* (1932) et *Le grand sommeil* (1946) de Howard Hawks, *Laura* (1944) d'Otto Preminger, *La soif du mal* (1958) d'Orson Welles, *Les bas-fonds new-yorkais* (1961) de Samuel Fuller, *Le parrain* (1971) de Francis Ford Coppola, *Les incorruptibles* (1987) de Brian De Palma et *Miller's Crossing* de Joel Coen.

CinémAction Revue française de cinéma fondée en 1978 par Guy Hennebelle. Cette revue publie sous format livre des dossiers et des documents cernant tous les aspects et les dimensions du cinéma. Elle publie des numéros portant sur le cinéma d'animation, la psychanalyse, la musique, les écoles, les métiers et les revues de cinéma, les cinémas africain, arabe, latino-américain, noir américain, homosexuel, etc. Elle consacre également des numéros à la télévision et aux nouveaux médias On compte parmi ses rédacteurs des collaborateurs du monde entier. Parution: trimestrielle.

cinéma d'amateur ➤ **cinéma amateur**.

cinéma d'animation [animation] Méthode qui donne à une suite d'images l'impression de mouvement (*animation*). Ces images sont constituées de dessins, de marionnettes ou d'objets qui, entre chaque prise, ont été légèrement modifiés; leur projection à la vitesse adéquate (24 images à la seconde) donne l'impression de mouvement. Le genre le plus connu d'animation est le dessin animé, dont les techniques et la conception évoluent considérablement avec l'arrivée de l'ordinateur et de l'infographie; ➤ **key animation**. On distingue plusieurs techniques d'animation; les plus connues sont le stop motion et la pixilation. On distingue deux grandes catégories: l'animation directe (l'image est créée avec des objets ou des personnages directement devant une caméra) et l'animation indirecte (qui est associée au dessin animé). L'animation directe comprend l'animation de figures (avec diverses matières), de figurines, de marionnettes, de silhouettes, d'objets, d'éléments découpés et l'écran d'épingles. L'animation indirecte comprend le cinéma d'animation avec ou sans caméra et le cinéma par ordinateur. On dit du cinéma d'animation qu'il est le «7e art bis». Plusieurs festivals sont consacrés au cinéma d'animation; le plus important est celui d'Annecy, en France. → **animatique, image par image**.

cinéma d'art et d'essai Salle de cinéma autorisée à porter le label «Art et essai» décerné par le Centre national de la cinématographie [CNC], de France. SYN. cinéma de répertoire.

cinéma d'auteur Cinéma considéré comme art personnel. Les œuvres du cinéma d'auteur livrent une vision qui est irréductiblement liée à celle de leur réalisateur. On l'oppose généralement à cinéma de divertissement. → **auteurisation, cinéma de poésie**.

cinéma de divertissement Équivalent de cinéma commercial (*entertainment movie*). L'expression désigne des films dont le but premier est de rapporter rapidement un grand profit; → **superproduction**. On l'oppose généralement à cinéma d'auteur. Aux États-Unis, le cinéma est englobé dans l'industrie du divertissement: l'*entertainment.* SYN. cinéma traditionnel, film narratif. → **cinéma de prose, film d'art**.

cinéma de femmes Ensemble des films réalisés par des femmes (*women cinema*). Cette désignation naît au début des années 70 dans la foulée du mouvement féministe et des études universitaires sur les femmes. Le cinéma des femmes comprend une grande variété de films, tant dans la fiction que dans le documentaire, couvrant tous les aspects de la réalité des femmes. Il est souvent militant et son discours se veut un rappel historique de la situation de la femme, une critique de l'idéologie masculine phallocratique et des rapports homme-femme, un appel à la mobilisation et une recherche d'un imaginaire féminin. Les femmes sont présentes dès les débuts du cinéma: Alice Guy-Blaché est la première femme à réaliser un film: *La fée aux choux*, en 1896 (certains historiens donnent une autre date: 1900) ; elle est probablement la personne à avoir signé le premier film de fiction de l'histoire du cinéma, avant même Georges Méliès. Germaine Dulac, Léontine Sagan et Leni Riefenstahl sont les rares femmes qui tournent entre les deux guerres. Après la Deuxième Guerre mondiale, Jacqueline Audry et Agnès Varda demeurent encore des exceptions dans l'industrie du cinéma. C'est surtout à partir de mai 1968 et de la création du MLF (Mouvement de libération des femmes) en France que le cinéma des femmes prend un essor et qu'il est reconnu en tant que tel. Il est plus proche du cinéma indépendant et expérimental que du cinéma de divertissement et traditionnel. On y trouve un fort courant lesbien. De nombreux festivals sont consacrés au cinéma des femmes et contribuent à lui donner une vitrine. Parmi les noms importants de cinéastes femmes, citons ceux de Catherine Breillat, Jane Campion, Shirley Clarke, Marguerite Duras, Pascale Ferran, Barbara Kopple, Marta Meszaros, Léa Pool et Margarethe von Trotta. Et parmi les œuvres-phares du cinéma des femmes, citons *Jeanne Dielman, 23, quai du Commerce, 1080 Bruxelles* (1975) de Chantal Akerman, *Personne réduite de toutes parts* (1977) de Helke Sander, *Allemagne, mère blafarde* (1980) de Helma Sanders-Brahms, *Question de silence* (1981) de Marleen Gorris, *Born in Flames* (1983) de Lizzie Borden et *Les chercheuses d'or* (1983) de Sally Potter.

cinéma de papa Expression créée par le critique François Truffaut pour désigner le cinéma français de l'après-Deuxième Guerre mondiale, conventionnel, désuet, sclérosé. Le cinéma de papa est synonyme de Qualité française.

cinéma de poésie Appellation donnée par Pier Paolo Pasolini (dans une conférence donnée au Festival du nouveau cinéma de Pesaro en octobre 1965) à un cinéma rompant avec les conventions narratives traditionnelles et commerciales (*ci-*

nema of poetry). P.P. Pasolini donne les qualificatifs suivants au cinéma de poésie: métaphorique, libre, expressif, expressionniste, subjectif et intérieur. Les films de Michelangelo Antonioni, Bernardo Bertolucci et Jean-Luc Godard se caractérisent par leur «langue de poésie», de même que ceux de Charles Chaplin, Kenji Mizoguchi et Ingmar Bergman. OPPOSÉ: cinéma de prose.

cinéma de prose Appellation donnée par Pier Paolo Pasolini à un cinéma naturaliste et objectif qui respecte les conventions narratives traditionnelles et commerciales (*cinema of prose*). Archaïque, le cinéma de prose désigne, selon P.P. Pasolini, un cinéma sans nouveauté stylistique ou formelle; il a une «langue de prose». OPPOSÉ: cinéma de poésie.

cinéma de quartier Salle de cinéma fréquentée par les résidants d'un quartier (É.-U. *neighborhood movie house*). C'est dans le cinéma de quartier que les films sont repris en deuxième et troisième exclusivité. Ce type de salle disparaît à la fin des années 70. À Paris, le Kursaal (aux Gobelins), le Texas (à Montparnasse) et le Mexico (place Clichy) étaient des cinémas de quartier fort connus.

cinéma de répertoire Salle destinée à la projection des films importants de l'histoire du cinéma (*repertory theater*). L'expression «cinéma de répertoire» est employée au Québec pour désigner une salle reprenant en majorité des films en deuxième exclusivité. Le Verdi est le premier cinéma de répertoire de Montréal; il a été fondé en 1966. SYN. cinéma d'art et d'essai.

cinéma des origines Ensemble des films des 10 premières années qui suivent l'invention du Cinématographe des frères Lumière et qui établissent les bases de la grammaire cinématographique. SYN. cinéma des premiers temps.

cinéma des premiers temps ➛ **cinéma des origines**.

cinéma différent Le cinéma différent est un des nombreux labels désignant le cinéma d'auteur, le cinéma autrement, le cinéma d'avant-garde, le nouveau cinéma, le cinéma expérimental et le cinéma moderne. On regroupe sous ce label des films de style non traditionnel. ➛ **cinéma artisanal, cinéma d'art et d'essai, cinéma indépendant**.

Cinema Digital Sound [CDS] Marque de commerce d'un procédé de cinéma numérique en 35 mm mis au point par la compagnie Kodak en 1990. Comme le 70 mm magnétique, le procédé utilise six canaux et ses données numériques sont enregistrées sur trois bandes. Le premier film tourné avec ce procédé est *Dick Tracy* de Warren Beatty, en 1990. Le CDS est abandonné en 1993 parce qu'on ne peut tirer des copies conventionnelles en analogique.

Cinéma direct [le Direct] Ensemble de documentaires tournés aux États-Unis durant les années 60 et dont le nom a été donné par le réalisateur Albert Maysles (*Direct Cinema*). Le Cinéma direct privilégie l'authenticité par une approche directe et sans fard de la réalité qui révèle la psychologie et l'attitude profonde des gens. Parmi les principaux cinéastes de ce mouvement, citons les noms de Robert Drew, Richard Leacock, Albert et David Maysles, D.A. Pennebaker et Frederick Wiseman. ➛ **Candid Eye, Cinéma direct québécois, cinéma-vérité, Free Cinema**.

Cinéma direct québécois Ensemble des films tournés dans les années 60 par les cinéastes francophones travaillant à l'Office national du film du Canada, dans la mouvance du mouvement du Cinéma direct américain, du Candid Eye canadien, du Free Cinema britannique et du cinéma-vérité français (*Quebecois Direct Cinema*). Surtout documentaires, les films de ce mouvement tentent de restituer le plus honnêtement possible la réalité observée, et ce, grâce à des techniques nouvelles (caméra légère, pellicule plus sensible, etc.) et au recours à la subjectivité du regard. Il est l'équivalent d'un cinéma engagé. On y trouve de multiples tendances. Parmi les cinéastes importants de ce mouvement, citons les noms de Michel Brault, Bernard Gosselin, Gilles Groulx et Pierre Perrault.

cinéma du samedi soir Cinéma populaire (*saturday night movie*). L'expression désigne un film qu'on va voir après sa semaine de travail ou l'habitude de fréquenter une salle de quartier le samedi soir.

cinéma du Tiers Monde Ensemble des films provenant des pays en voie de développement, ceux de l'Amérique latine, de l'Afrique et de l'Asie, pays ayant peu ou pas d'industrie cinématographique (*Third World cinema*). Ce cinéma est souvent synonyme de lutte révolutionnaire ou gauchiste; ➤ **cinéma militant**. Cuba est probablement l'une des premières nations à avoir consolidé le cinéma tiers-mondiste avec les films de Santiago Alvarez, Tomàs Gutiérrez Alea et Humberto Solas. Le Brésil, avec le Cinéma Nôvo, offre dans les années 60 l'alliance du politique et du formel subversif, particulièrement avec les films de Glauber Rocha. Parmi les autres cinémas participant de ce mouvement, citons le cinéma algérien avec Mohamed Lakhdar-Hamina, le cinéma sénégalais avec Ousmane Sembène et le cinéma turc avec Yilmaz Guney.

Cinéma dynamique Marque de commerce d'un système de projection utilisé dans les parcs d'attractions (*Dynamic Motion Simulator*). Présenté la première fois en 1988, le Cinéma dynamique est le résultat du développement du procédé Showcan. Ce système de projection d'un film réalisé en caméra subjective procure des sensations fortes aux spectateurs; les sensations sont accentuées par le mouvement articulé des fauteuils, synchronisé avec les mouvements de la caméra. Le Cinéma dynamique prolonge le jeu vidéo et la réalité virtuelle. Sa technique est dite d'immersion et a pour but de recréer un cinéma du réalisme intégral. Une salle équipée pour ce type de projection existe sur le site du Futuroscope, à Poitiers, en France.

cinéma électronique Méthode de tournage d'un film sur support vidéo avant qu'il ne soit converti par la suite sur support pellicule (*electronic cinema*). Les premiers films produits en cinéma électronique perdent leur brillance et leur précision, comme le confirment *Trafic* (1971) de Jacques Tati et *Coup de cœur* (1981) de Francis Ford Coppola. Depuis, l'évolution de la technologie a éliminé ces défauts.

cinéma en relief Procédé de cinéma en trois dimensions [3D] donnant l'illusion de percevoir les images devant ou derrière la caméra (*3-D*). Le cinéma courant offre, lui, une image plate. Pour obtenir l'effet de binocularité, l'enregistrement se fait par stéréoscopie: deux objectifs séparés. On obtient également la stéréoscopie par artifice de couleur lors de la projection; ce procédé, en vogue dans les années 20, est appelé «stéréoscopie par anaglyphes»: le spectateur doit alors porter des lunettes spéciales (*spectacles*) pour obtenir l'effet de vision binoculaire. La stéréoscopie s'améliore grâce aux verres polarisants et les images peuvent être en couleurs; la stéréoscopie par lumière polarisée exige du spectateur qu'il porte des verres polarisants. Les divers procédés de cinéma en 3D sont Natural Vision, Space Vision et Stereo Vision. L'holographie est un autre procédé 3D; malgré de nombreuses expériences, surtout en France, ses résultats ne sont pas encore totalement dévoilés et ne semblent pas concluants.

cinéma expérimental Ensemble des films qui sont considérés comme des expériences dans le domaine du son, de l'image et du récit, et qui tentent de renouveler le langage cinématographique (*experimental film*). Le cinéma expérimental est synonyme de cinéma non narratif, de cinéma personnel et de cinéma artisanal. La forme y prime avant même le contenu et s'ouvre sur des visions nouvelles à travers des approches personnelles et des techniques particulières (le film à clignotements, l'intervention directe sur pellicule, etc.). On distingue plusieurs genres selon les époques et les pays: le film abstrait, le film poétique, le journal, etc. Le cinéma expérimental est florissant en Union soviétique et en France dans les années 20, aux États-Unis dans les années 60, en Allemagne, en Hollande et en France dans les années 70. Parmi les principaux représentants de ce cinéma, citons les cinéastes Kenneth Anger, Stanley Brakhage, Germaine Dulac, Marguerite Duras, Philippe Garrel, Marcel Hanoun, Marcel L'Herbier, Jonas Mekas, Werner Nekes, Werner Schroeter, Dziga Vertov, Rosa von Praunheim et Andy Warhol. Plusieurs festivals lui sont consacrés, notamment à Rotterdam, Toulon-Hyères, Knokke-le-Zoute,

CINÉMA EN RELIEF

George Eastman House

Bruxelles et Montréal. Les galeries d'art et les musées lui réservent une grande place dans leurs activités. ➤ **cinéma autrement, cinéma moderne, cinéma underground, film d'avant-garde.**

cinéma fantastique Genre cinématographique exploitant l'irrationnel et l'inconnu, dont les actions et les personnages sont improbables et impossibles (*fantastic film, fantasy horror film*). Le cinéma fantastique englobe plusieurs types de films: a) le film de science-fiction, comme *La guerre des étoiles* (1977) de George Lucas, b) le film d'épouvante, d'horreur et de terreur, comme *Frankenstein* (1931) de James Whale, c) le conte merveilleux, comme *Le septième voyage de Sinbad* (1958) de Nathan Juran, d) le conte de fées, comme *La belle et la bête* (1946) de Jean Cocteau, et e) le conte fantastique à proprement dit, comme le film d'animation *Le baron de Crac* (1961) de Karel Zeman. Mais c'est le film d'horreur et de terreur qui a particularisé le cinéma fantastique, un cinéma qui s'appuie sur des effets chocs (apparitions, actes violents, trucages, etc.) et sur un décalage de la réalité dans le décor, l'éclairage ou le cadrage. L'univers qui y est généralement décrit est mystérieux, placé sous le signe de la névrose, et ses origines viennent des contes, des légendes et des croyances populaires. Son iconographie multiplie les paysages sombres et nus, les routes cahoteuses et poussiéreuses, les héros pâles et tourmentés, les monstres et les vampires, les agressions et les morts. Le personnage le plus connu du genre est Dracula. Le cinéma fantastique doit provoquer l'angoisse et le suspense. On dit que le cinéma fantastique est né avec Georges Méliès. Hollywood sera une terre fertile pour le développement de ce cinéma; dès 1910, Thomas Edison adapte le livre de Mary Shelley, *Frankenstein.* Un jalon important est posé avec le film de Rupert Julian, *Le fantôme de l'opéra* (1925). Le cinéaste Tod Browning et l'acteur Bela Lugosi sont devenus des noms mythiques du genre. Le genre se raffine avec *Dr. Jekyll et Mr. Hyde*

(1932) de Robert Mamoulian et *La fiancée de Frankenstein* (1935) de James Whale. Si un certain épuisement du genre se fait sentir après la Deuxième Guerre mondiale, une sorte d'éclectisme apparaît; Roger Corman, producteur et réalisateur, renouvelle le genre avec des films à petits budgets, qui sont des adaptations d'écrivains renommés, comme Edgar A. Poe, avec *La chute de la maison Usher* (1960) et *L'enterré vivant* (1962). Le perfectionnement des trucages et des budgets substantiels permettent par la suite des films d'horreur et d'épouvante de plus en plus efficaces, de *L'exorciste* (1972) de William Friedkin à *Halloween* (1978) de John Carpenter, en passant par *Shining* (1979) de Stanley Kubrick et *Scream* (1997) de Wes Craven, ainsi que des films de science-fiction comme *Rencontres du troisième type* (1977) de Steven Spielberg et *La mouche* (1986) de David Cronenberg. Avec ses adaptations de *Dracula* entre 1960 et 1970, le cinéaste britannique Terence Fisher maintient en vie un genre qui s'épuise lentement. Les péplums bizarres et les films gothiques italiens ont un large succès dans les années 50 et 60; → *giallo*. Un important festival est consacré au cinéma fantastique, celui d'Avoriaz, en France.

cinéma homosexuel Ensemble des films reflétant la vision et la sensibilité du monde homosexuel, masculin et féminin (*queer cinema*). Le cinéma homosexuel est souvent confondu avec le cinéma pornographique en raison de son exploitation dans des salles spécialisées, alors qu'il est souvent de type expérimental et associé au cinéma militant. On y promeut une conscience et un sentiment d'appartenance à la communauté gaie ou lesbienne. Plusieurs cinéastes y cultivent le style camp ou kitsch, comme Rosa von Praunheim et John Waters. Le cinéma homosexuel se distingue des films dits commerciaux qui mettent en scène avec dérision et souvent sous forme de caricature des personnages homosexuels, comme *La cage aux folles* (1978) d'Édouard Molinaro. L'homosexualité est bannie des écrans hollywoodiens par le code Hays, entre 1934 et 1960; dans certains films, on y fait allusion, mais indirectement, comme dans *Johnny Guitare* (1954) de Nicholas Ray; sur ce sujet, voir le film de Robert Epstein et Jeffrey Friedman, *The Celluloid Closet* (1995). Les pays communistes ban-

nissent également l'homosexualité comme sujet ou la dénoncent comme une anormalité; une des rares exceptions du genre est *Coming out* (1989) de Heiner Carow, de l'ex-République démocratique allemande. Ce sont dans les films d'avant-garde et expérimentaux, tournés dans les années 60, que l'homosexualité sera présentée d'une manière plus explicite, particulièrement dans le cinéma underground (avec des œuvres signées Kenneth Anger, Stan Brakhage, Paul Morissey et Andy Warhol). La majorité des films du cinéma corporel ont pour sujet l'homosexualité. Plusieurs festivals sont consacrés au cinéma homosexuel, notamment celui de San Francisco, aux États-Unis. Parmi les œuvres importantes du genre, citons *Un chant d'amour* (1950) de Jean Genet, *The Queen* (1968) de Frank Simon, *Ce n'est pas l'homosexuel qui est pervers, mais la situation dans laquelle il vit* (1970) de Rosa von Praunheim, *Le droit du plus fort* (1975) de Rainer Werner Fassbinder, *Les cités de la nuit* (1978) de Ron Peck et Paul Hallan, *Ixe* (1980) de Lionel Soukaz, *Caravaggio* (1986) de Derek Jarman, *My Own Private Idaho* (1991) de Gus Van Sant et *Les nuits fauves* (1992) de Cyril Collard.

cinéma indépendant Aux États-Unis, ensemble des films non produits par Hollywood (*independent cinema*). Le cinéma indépendant est surtout produit à New York et se fragmente en nombreuses tendances, et ses références culturelles sont multiples et même opposées. On inclut dans cet ensemble les films expérimentaux de Maya Deren, Kenneth Anger et Andy Warhol, la nouvelle fiction signée Hal Hartley, Amos Poe et Mark Rappaport, et les œuvres multimédias et vidéographiques de Scott et Beth B., et Leandro Katz. Les œuvres du cinéma indépendant sont rarement distribuées et présentées dans les salles appartenant à des grandes compagnies comme les Majors. On peut surtout les voir dans des espaces alternatifs new-yorkais, comme les salles de projection indépendantes (celles du Film Forum et du Museum of Modern Art), les cinémathèques (la Anthology Film Archives) et des lieux non traditionnels comme les galeries d'art du quartier de Soho, à New York. Des revues comme *Film Culture* et *Film Forum* défendent principalement le cinéma indépendant. On ne doit pas confondre le cinéma indépendant et le film indépendant. ➤ **cinéma poétique, cinéma underground, film d'avant-garde, New American Cinema, New Wave**.

cinéma interactif Films tournés de façon à ce qu'un dispositif informatique puisse permettre aux spectateurs d'intervenir sur le déroulement du film à partir d'alternatives proposées (*interactive movie*). On trouve une salle de cinéma interactif au Futuroscope, à Poitiers, en France, le Cinéautomate.

cinéma militaire Ensemble de films produits par des institutions militaires (*military drama*). Le cinéma militaire naît en France en 1915, par la création du Service cinématographique de l'armée [SCA]. Durant la Première Guerre mondiale, les Britanniques réalisent des films commandités par l'État. L'Allemagne nazie enrôle des correspondants de guerre et des militaires pour des films de propagande. Durant la Deuxième Guerre mondiale, l'armée américaine recrute des professionnels comme John Huston et Frank Capra, mais l'industrie hollywoodienne se montre hostile à toute production d'origine publique. L'URSS développe, elle aussi, un cinéma de guerre. Durant la guerre d'Algérie, des cinéastes comme Claude Lelouch, Philippe de Broca et Claude Zidi apprennent leur métier grâce au Service cinématographique de l'armée française. La guerre du Golfe en 1991 posera le problème de l'information transmise uniquement par les militaires. La différence entre le documentaire et le film de propagande est ténue, et le film de guerre est un genre mineur par rapport aux autres genres reconnus.

cinéma militant Cinéma qui aborde des thèmes politiques et qui se dit engagé. Le cinéma militant existe depuis les débuts du cinéma (Méliès tourne en 1899 un film sur l'affaire Dreyfus). Le cinéma militant est souvent confondu avec le cinéma de propagande, principalement durant les guerres. Avec Mai 68 et ses suites, il a un regain de faveur, particulièrement avec le groupe Dziga-Vertov dont fait partie Jean-Luc Godard. À la même époque, il est fortement théorisé par les *Cahiers du cinéma* dont l'orientation est alors marxiste-léniniste.

Les films militants connaissent un ressac à partir des années 80, sauf dans le mouvement féministe et le mouvement gai. En Amérique latine et dans les pays asiatiques comme le Viêt-nam et la Chine, on le désigne sous l'expression «film révolutionnaire». On inclut le film militant dans un ensemble plus grand appelé «cinéma politique». Selon les époques, le cinéma militant est prorévolutionnaire, prosyndicaliste, antifasciste, antinazisme, antifranquisme, généralement marqué par des propos très à gauche. On l'oppose au cinéma de divertissement et de spectacle. Parmi les œuvres importantes du genre, citons *La grève* (1925) de S.M. Eisenstein, *Le bonheur* (1935) d'Alexandre Medvedkine, *La vie est à nous* (1936) de Jean Renoir, *Native Land* (1942) de Paul Strand et Leo Hurwitz, *Le sel de la terre* (1954) de Herbert Biberman, *L'heure des brasiers* (1966-68) de Fernando Solanas et Octavio Getino, *Ice* (1968) de Robert Kramer, *One + One* et *Vent d'Est* (1969) de Jean-Luc Godard, *Family Life* (1971) de Ken Loach, *Réjeanne Padovani* (1973) de Denys Arcand et *Comment Yu Kong déplaça les montagnes* (1971-75) de Joris Ivens et Marceline Loridan. ➤ **cinéma du Tiers Monde, Ciné-Œil, marxisme**.

cinéma moderne Expression désignant les films qui renoncent aux recettes classiques du récit cinématographique et aux poncifs imposés aux personnages (*modern film*). Le cinéma moderne est éloigné des genres établis et du naturalisme de type sociologique. C'est un cinéma où priment les formes et les expériences narratives. Il est synonyme de cinéma de poésie, de cinéma d'avant-garde et de nouveau cinéma. Parmi les cinéastes importants dans ce domaine, citons les noms de Marguerite Duras, John Cassavettes, Jean-Luc Godard, Philippe Garrel, Jacques Rivette, Pier Paolo Pasolini et Hans Jurgen Syberberg. ➤ **cinéma autrement, cinéma différent, cinéma underground**.

cinéma muet Ensemble des films réalisés durant la période du muet, soit entre 1895 et 1927 (*silent film*). Cet ensemble se divise en différents stades: a) les premiers films de Thomas Edison qui durent une minute ou moins, b) les actualités des frères Lumière, c) les films narratifs de Georges Méliès, d) aux États-Unis, les films des compagnies regroupées en 1909 sous le nom de Motion Picture Patents Company [MPPC], e) le développement du film de fiction au moment où Hollywood devient le centre mondial de la cinématographie, f) l'âge d'or des comédies (Mack Sennett, Charles Chaplin, Buster Keaton, Harry Langdon et Harold Lloyd), g) le cinéma scandinave (Victor Sjöström, Carl Th. Dreyer), h) l'expressionnisme allemand (G.W. Pabst, Fritz Lang, F.W. Murnau, Robert Wiene), i) le cinéma soviétique postrévolutionnaire (S.M. Eisenstein, Vladimir Poudovkine, Alexandre Dovjenko), j) le cinéma français d'avant-garde (Louis Delluc, Germaine Dulac, Jean Epstein, Marcel L'Herbier) et k) la consolidation du système des studios des Majors aux États-Unis (Cecil B. DeMille, Ernst Lubitsch, Erich von Stroheim). Le cinéma muet est une période autonome de l'histoire du cinéma, avec ses chefs-d'œuvre signés par des cinéastes comme Charles Chaplin, Cecil B. DeMille, S.M. Eisenstein et F.W. Murnau. Il sera remplacé par le cinéma sonore à partir de 1927. VOISINS: film muet, muet.

cinémaniaque Amateur obsédé par le cinéma, qui a une passion excessive pour le cinéma (*movie fan*, FAMILIER *flicker fan*). SYN. cinéphage.

cinéma Nôvo De l'expression brésilienne, qui signifie «cinéma nouveau». Production cinématographique du Brésil des années 60, comprenant, entre autres, les œuvres de Carlos Diegues, Ruy Guerra, Nelson Pereira Dos Santos et Glauber Rocha, cinéastes qui produisent et distribuent leurs propres films (*Cinema Nôvo*). Très enraciné dans le pays, sa culture, son folklore, ses traditions religieuses, ce mouvement donne des films épiques et flamboyants à messages politiques. Le cinéma Nôvo participe de la résistance intellectuelle contre la dictature, mais la répression de 1969 voue à l'exil plusieurs de ses auteurs; et ceux qui restent s'autocensurent. Il disparaît quelques années plus tard. Parmi les œuvres importantes de ce mouvement, citons *Ganga Zumba* (1964) de Carlos Diegues, *Les fusils* (1974) de Ruy Guerra, *Le Dieu noir et le Diable blond* (1964) et *Terre en transe* (1967) de Glauber Rocha, *Porto das Caixa* (1962) de Paulo Cesar Saracini et *Vidas secas* (1963) de Nelson Pereira Dos Santos.

cinéma parlant → **cinéma sonore**.

cinéma permanent Salle qui projette le même programme sans interruption de séance (*continuous performance theater*, ARG. *grind house*). Le cinéma permanent n'existe plus depuis les années 80.

cinéma poétique Expression désignant les films d'avant-garde américains dans les années 40 et 50 (*poetic cinema*). L'œuvre-référence est *Meshes of Afternoon* (1943) de Maya Deren. Le cinéaste Jonas Mekas utilise cette expression dans *Film Culture* pour décrire les films du mouvement *New American Cinema*. On ne doit pas confondre le cinéma poétique et le cinéma de poésie.

cinéma politique Catégorie qui prend en compte les films documentaires ou de fiction traitant de thèmes politiques (*political drama*). Cette catégorie est créée dans les années 70 et traduit sur le plan du cinéma la politisation par le marxisme et le maoïsme d'une frange importante de l'intelligentsia occidentale. Selon ses théoriciens, un film livre consciemment un message et inconsciemment une idéologie. Dans le cinéma politique, le divertissement passe au second plan; l'auteur s'engage dans son film, cautionne une ligne politique et impose un point de vue de classe. Le cinéma politique est vu comme un moyen d'action, comme une intervention dans le champ de la réalité sociale. On lui donne une assise anticapitaliste et anti-impérialiste, et une orientation socialiste. Il est généralement associé au cinéma militant et au cinéma de propagande dont une grande partie des œuvres demeurent inaccessibles au grand public, car elles circulent dans des circuits parallèles. Ses principaux thèmes sont l'injustice et les inégalités sociales, l'exploitation de la classe ouvrière, le pouvoir économique, la lutte des classes, la lutte de libération des peuples, l'Histoire, les guerres et les mouvements populaires (la Révolution française, la lutte contre le fascisme, la Résistance, les guerres de libération, les luttes syndicales et les grèves, etc.). Le premier film politique est *L'affaire Dreyfus* de Georges Méliès, réalisé en 1899; le film fut interdit jusqu'en 1950. Parmi les œuvres spécifiquement politiques, citons *L'homme à la caméra* (1929) de Dziga Vertov, *Le bonheur* (1935) d'Alexandre Medvedkine, *La Marseillaise* (1937) de Jean Renoir, *Le dictateur* (1940) de Charles Chaplin, *Le sel de la terre* (1955) de Robert Biberman, *Dix-septième parallèle* (1967) de Joris Ivens et Marceline Loridan, *Antonio Das Mortes* (1969) de Glauber Rocha, *Ice* (1969) de Robert Kramer, *Family Life* (1971) de Kenneth Loach, *L'olivier* (1976) de Serge Le Péron et *24 heures ou plus...* (1976) de Gilles Groulx.

cinéma pour enfants Production de films destinés aux enfants de cinq à douze ans (*kids cinema*, FAMILIER *kidpix*). Le cinéma pour enfants n'est pas un genre en soi, mais un créneau cinématographique qui a fondamentalement pour but de divertir et d'éduquer les enfants. Complémentaire au film pédagogique ou éducatif, il comprend des productions de court, moyen et long métrages; le film court est recommandé aux moins de dix ans. Les films pour enfants sont majoritairement des comédies. L'URSS produit un cinéma pour enfants dès 1920. L'Angleterre est le premier pays, dans les années 40, à le produire systématiquement. Les pays de l'Est en sont de grands producteurs. Les films à épisodes américains s'adressent à un public jeune. Walt Disney popularise auprès des enfants ses dessins animés et ses films de nature. Les films pour enfants sont présentés autant dans le circuit des salles que hors-circuit (écoles, sous-sols d'église, salles communautaires, etc.). Le cinéma pour enfants est très réglementé par les États; → **Commission de contrôle, Motion Picture Rating System.** Plusieurs festivals lui sont consacrés, notamment le Festival international du film pour enfants de Chicago; Cannes et Berlin ont également chacun un festival parallèle consacré au film pour enfants.

cinéma pur Ensemble de films d'avant-garde réalisés en France dans les années 20, fortement inspirés de la musique (*pure cinema*). Le terme «cinéma pur» est utilisé par Henri Chomette qui réalise lui-même en 1925 *Cinq minutes de cinéma pur*. Ce cinéma est narratif et déroule ses images comme autant de thèmes musicaux. À la tête de ce mouvement, on trouve Germaine Dulac (*La coquille et le clergyman* [1927]). Les cinéastes de l'abstraction allemande subissent son influence. Les réalisa-

teurs de cinéma pur sont également appelés «les impressionnistes».

cinéma rural Ensemble des films ayant pour sujet la terre et son exploitation. Le cinéma rural n'est pas un genre cinématographique en soi: il se compose d'œuvres de nature très différente, allant de la fiction au documentaire. Le cinéma rural revêt souvent un caractère militant, comme *La terre* (1930) d'Alexandre Dovjenko, *Notre pain quotidien* (1934) de King Vidor, *Les raisins de la colère* (1940) de John Ford et *La terre* (1969) de Youssef Chahine. Les sujets abordés dans le cinéma rural ont trait à l'exploitation agricole, la célébration de la nature, les mythes des éléments naturels, les légendes, la pauvreté rurale, l'émancipation paysanne, la révolte contre les propriétaires terriens, l'histoire et la généalogie du monde rural, la collectivisation agricole, l'opposition ville-campagne, etc. On compte des œuvres importantes en Italie, comme *Paisa* (1946) de Roberto Rossellini et *L'arbre aux sabots* (1978) d'Ermano Olmi; au Portugal, comme *Ana* (1982) d'Antonio Reis et Margarita Cordeiro et *Chemins de traverse* (1977) de Joän Cesar Monteiro. Le Français Georges Rouquier est un grand cinéaste de la ruralité (*Farrebique* [1946], *Biquefarre* [1984]). *Heimat* (1984) du cinéaste allemand Edgar Reitz est une fresque monumentale retraçant la vie d'un village allemand entre 1919 et 1982. Dans le documentaire, les historiens de cinéma citent *Terre sans pain* (1932) de Luis Buñuel, *Symphonie paysanne* (1944) d'Henri Stork, *Le règne du jour* (1966) de Michel Brault et Pierre Perrault, et *La montagne verte* (1991) de Fredi Murer.

CinémaScope [Scope] De CinemaScope, marque de commerce d'un procédé lancé par la Twentieth Century-Fox en 1953 utilisant la lentille anamorphique pour la projection sur écran large. Son ratio (ou standard) est de 2:55:1, qui devient du 2:35:1 avec la bande sonore optique. On tourne le film sur une pellicule 55 mm avant de le réduire sur une pellicule 35 mm au tirage. Le premier film produit en CinémaScope est *La tunique* (1953) de Henry Koster. Le procédé connaît un grand succès et suscite l'apparition de nombreux procédés similaires à écran large avec anamorphose (le Superscope, le Dyaliscope, le Totalvision, etc.), de procédés à écran large sans anamorphose (le Todd-AO, le VistaVision, le 70 mm) et de formats standards allongés donnant une image panoramique (le Panavision). Il périme rapidement et dans les années 60 plus aucun film n'est tourné en CinémaScope. L'illusion d'un film projeté en Scope est donnée aujourd'hui par les lentilles de grande qualité de Panavision. Certains films contemporains ont été tirés sur des pellicules de type CinémaScope, comme *Playtime* (1967) de Jacques Tati et *Rencontres du troisième type* (1977) de Steven Spielberg. ➤ **Anorthoscope**.

cinéma sonore [(le) sonore] Cinéma ayant la particularité d'associer en synchronisme l'image et le son (*sound motion-picture*). Thomas Edison, l'inventeur du phonographe, est le premier à concevoir des images filmées accompagnées de sons, avec le Kinétophone, utilisé pour la première fois en 1889. Louis Gaumont améliore la restitution du son avec le Chronophone. C'est toutefois l'Américain Lee De Forest qui conçoit le système d'amplification du son, avec amplificateur et haut-parleur, toujours utilisé aujourd'hui dans ses principes acoustiques. En 1892, trois Allemands, Josef Engl, Joseph Massole et Hans Vogt, proposent le procédé Tri-Ergon. En 1923, De Forest invente le procédé Phonofilm avec piste latérale; malgré une centaine de films tournés entre 1923 et 1927, il ne réussit pas à convaincre Hollywood de l'adopter. Jusqu'au milieu des années 20, les inventions pour le cinéma parlant restent sans écho ou presque. Ce sont les frères Warner, au bord de la faillite, qui présentent en août 1926 *Don Juan* d'Alan Crosland, avec John Barrymore, un film agrémenté de musique et de bruitage grâce au procédé Vitaphone. En mai 1927, Wallace Fox lance le Movietone et présente *L'heure suprême* de Frank Borzage, un long métrage avec accompagnement musical. En octobre 1927, les frères Warner frappent le grand coup avec *Le chanteur de jazz* d'Alan Crosland, dont le succès sera triomphal. Le Vitaphone, de la Western Electric, est acheté, en 1928, par la MGM, la Paramount, la United Artists, la First National et la Universal, qui lui assurent sa suprématie sur les autres procédés. Les procédés à son optique par piste photographique latérale sont alors adoptés. La RKO opte, pour sa part, pour le Photophone, puis Pathé et les studios Mack Sennett en 1933 et Disney, Republic Pictures, Warner Brothers et Columbia Pictures font de même en 1936. L'avènement du son change radicalement l'industrie du cinéma (qui doit s'adapter rapidement et augmenter considérablement le budget de ses films), notamment la réalisation (on tourne en studio et le tournage en extérieur se fait sans son) et le style des films (apparaissent la comédie musicale et la comédie fantaisiste); ➤ *master shot*. Un dur coup est porté contre le cinéma comique des Mack Sennett, Buster Keaton et Charles Chaplin. L'Europe suit et, en deux ans, le cinéma est mondialement sonore. Les procédés optiques s'améliorent. En 1950 est introduite la piste magnétique, qui connaîtra une diffusion limitée malgré le CinémaScope et ses quatre pistes magnétiques; le son optique demeure et progresse, notamment avec le procédé Dolby Stéréo qui apparaît en 1975. ➤ **stéréophonie, THX**. La miniaturisation, qui demande peu d'équipements, multiplie les tournages en son direct. Elle améliore la qualité sonore et offre de vastes possibilités dans l'enregistrement et la reproduction du son. La conception sonore devient dans les années 80 un domaine important de la réalisation, avec ses spécialistes. SYN. cinéma parlant, le parlant.

cinémathèque Institution publique ou privée où sont conservés, stockés et entretenus les films qui peuvent, dès lors, être présentés au public (*film archives*, ARG. *morgue*). Tout ce qui est relatif au cinéma et à son histoire, des origines à nos jours, y est également gardé: les appareils, les accessoires, les maquettes, les costumes, les affiches, les photos, les livres de cinéma, etc. La première cinémathèque est le Svenska Filmsamfundets Arkiv, fondée en 1933 par l'Académie suédoise du cinéma. On compte plus de 90 cinémathèques dans le monde, qui sont regroupées dans une association, la Fédération internationale des archives du films [FIAF]. La plus célèbre cinémathèque est la Cinémathèque française, fondée en 1936 par Georges Franju, Henri Langlois et Jean Mitry; celle-ci est également la plus riche au monde de par ses collections (50 000 titres de films).

Parmi les cinémathèques importantes, citons la Cinémathèque royale de Belgique (à Bruxelles), la Cinémathèque québécoise (à Montréal), la Gosfilmofond (à Moscou), la Film Library du Museum of Modern Art (à New York), le Motion Picture Department de la George Eastman House (à Rochester) et la National Film Library (à Londres). ⇀ **archives du film**.

cinématique Tout ce qui a un rapport direct avec le mouvement des images (*cinematic*).

Cinématographe Marque de commerce de l'appareil inventé en 1895 par les frères Louis et Auguste Lumière, capable de reproduire le mouvement par des images. Le Cinématographe donne naissance au cinéma. L'appareil est construit par un ingénieur-constructeur, Jules Carpentier, qui en fabriquera 25 modèles entre octobre et décembre 1895. Le terme deviendra générique et désignera le cinéma.

cinématographe vx Cinéma.

cinématographie Ensemble des techniques et procédés mis en œuvre pour produire le mouvement par le film (*cinematography*).

cinématon Terme forgé à partir de «photomaton» par Gérard Courant pour ses milliers de portraits filmés sur plusieurs années. Chaque cinématon comprend 3 600 photogrammes pour 2 minutes et 50 secondes de film, soit un portrait.

cinéma traditionnel Équivalent de cinéma de divertissement et de cinéma commercial, l'expression désigne un cinéma qui respecte les conventions et les genres. OPPOSÉS: cinéma d'auteur, cinéma d'art. ⇀ **cinéma de papa**.

cinéma underground Autre nom donné au cinéma d'avant-garde américain dans les années 50 et 60 (*underground film*). Le cinéma underground est propagé par la génération dite des beatniks (*Beat Generation*) vivant à New York et San Francisco. Dans ce cinéma non commercial, aux apparences crues et négligées, indépendant de la grande industrie cinématographique, est privilégiée la vision personnelle de l'auteur.

Plusieurs innovations sont apportées et de nouvelles techniques sont utilisées par les réalisateurs du cinéma underground et changent la nature des films et leur perception. Parmi les cinéastes importants de ce mouvement, citons les noms de Kenneth Anger, Stan Brakhage, Robert Breer, Ed Emshwiller, Mike et George Kuchar, Gregory Markopoulos, Jonas Mekas et Andy Warhol. ⇀ *Film Culture, New Wave*.

cinéma-vérité Ensemble des documentaires tournés dans les années 60 dans lesquels priment l'authenticité, l'immédiateté et la spontanéité, et réalisés par une petite équipe grâce à un équipement léger (*cinema truth*). Le scénario naît du tournage; l'improvisation y est importante. La mise en scène se fait au hasard des situations et des lieux; elle est plus maîtrisée qu'elle ne le laisse transparaître dans l'importance attachée aux gestes et aux objets filmés. On y emploie le son naturel, qui y retrouve son pouvoir émotif. La première œuvre de ce mouvement est *Chronique d'un été*, réalisée par Edgar Morin et Jean Rouch en 1961.

Cinemax Service de télévision à péage aux États-Unis réservé à la diffusion de films. Ce service est affilié à la chaîne Home Box Office [HBO].

Cinémaya Revue de cinéma fondée en 1988, à New Delhi, par Aruna Casudev, et diffusée sur l'ensemble du continent asiatique. Cette revue est exclusivement consacrée aux cinémas asiatiques; ses rédacteurs sont presque tous des critiques asiatiques. Des reportages et des articles y sont publiés. Ses principaux dossiers ont porté sur le cinéma vietnamien, sur le cinéma iranien, sur les femmes réalisatrices et sur la censure. Parution: trimestrielle.

Cinemiracle Marque de commerce d'un procédé d'écran panoramique à trois projecteurs. Issu des travaux menés par Russel H. McCullough, le Cinemamiracle ressemble au Cinérama. Le premier film réalisé avec ce procédé est *Windjammer*, produit en 1957 par Louis de Rochemont. Ce procédé est vite abandonné en raison de son coût élevé et de son utilisation complexe.

Cinémonde Revue de cinéma française fondée en 1928, qui cesse de publier en 1940, mais qui reparaît en 1945. *Cinémonde* est l'une des revues les plus populaires de son époque; son tirage atteint 250 000 exemplaires après la Deuxième Guerre mondiale. On y publie des textes critiques et des reportages. Les principaux collaborateurs de la revue sont alors Alexandre Arnoux, Maurice Bessy, Jean Georges Auriol et René Lehmann. La revue fait également appel à des écrivains comme Henry de Montherlant, Claude Maurois et Paul Valéry. Des critiques comme Jacques Doniol-Valcroze, Robert Chazal et François Truffaut y collaborent plus tard. La revue disparaît en 1967.

Ciné-Œil Théorie et méthode de travail mises au point par le cinéaste russe Dziga Vertov en 1923 afin de favoriser un cinéma militant exclusivement documentaire dont tout élément de fiction serait donc banni (*Kino-Eye*). La fonction du montage y est primordiale dans la volonté d'enregistrer la réalité brute. D. Vertov élabore sa théorie dans le magazine qu'il fonde et dirige, *Kino-Pravda*. Son film *L'homme à la caméra* (1929) est l'application des théories du Ciné-Œil qui influenceront plus tard des cinéastes comme Joris Ivens et John Grierson, de même que ceux du cinéma-vérité et du Cinéma direct. En russe: *Kino Glaz*.

Cinéon Marque de commerce d'une chaîne complète de traitement du film mise au point par la compagnie Kodak au début des années 90 et utilisant l'ordinateur et ses accessoires (logiciel, scanner, etc.).

Cinéorama Système de projection en 360 degrés mis au point par le Français Raoul Grimoin-Sanson pour l'Exposition universelle de Paris en 1900. Ce système utilise dix films et autant de projecteurs différents pour reproduire l'effet visuel d'une envolée en montgolfière. Aucune projection en Cinéorama n'aura lieu par crainte d'incendie. → **projection hémisphérique**.

ciné-parc [cinéparc] QUÉBÉCISME Salle de cinéma en plein air (*drive-in*). Synonyme couramment usité, qui est un anglicisme: drive-in.

cinéphage → **cinémaniaque**.

cinéphile Personne qui aime et connaît le cinéma (*moviegoer*, FAMILIER *film buff, movie buff*). Le mot apparaît au début de l'année 1912. SYN. amateur de cinéma. VOISINS: cinémaniaque, cinéphage.

cinéphilie Pratique amoureuse du cinéphile. Le terme est créé en France dans les années 20, sous l'impulsion de critiques comme René Clair et Louis Delluc. Avant la Deuxième Guerre mondiale, la cinéphilie est liée aux mouvements d'avant-garde artistiques, comme le surréalisme. Dans les années 50, elle est plutôt liée à la critique et à la formation cinématographique ainsi qu'à la réalisation anticipée de films. L'érudition constitue sa marque essentielle. Elle est moins présente aujourd'hui, même chez les étudiants en cinéma; la disponibilité et l'abondance des films créées par les nombreux festivals de films, les chaînes télévisées et les vidéocassettes lui ont enlevé son aura d'élection, de savoir privilégié et d'apprentissage sensible du cinéma.

cinéplaste ARCH. À la fin des années 10, terme employé pour désigner le metteur en scène. Créé par l'essayiste et historien d'art Élie Faure, il a été remplacé, comme bien d'autres mots à l'époque, par le terme «cinéaste». → **cinégraphiste, écraniste, visualisateur**.

cinéplastique [1] Mot créé par l'essayiste et historien d'art Élie Faure pour souligner le caractère original du cinéma. Le spectateur est impressionné par tout ce que montre le film: les volumes, les gestes, les attitudes, les contrastes, le passage d'un plan à un autre, etc. Les théoriciens du cinéma et les critiques n'adopteront pas ce terme. [2] → **film cinéplastique**.

Cinérama De Cinerama, mot formé de «cinema» et de «panorama». Marque de commerce d'un procédé créé par l'Américain Fred Waller pour la projection d'un film sur un écran vaste et courbe. → **projection hémisphérique**. Commercialisé en 1952 avec un large succès, le Cinérama emploie trois projecteurs 35 mm pour trois images différentes de la même scène. À cause de son utilisation difficile et coûteuse, on ne compte qu'une réussite, *Les amours enchantées* (1952) de Henry Levin et George Pal. ➤ **Omnimax.**

ciné-roman Feuilleton cinématographique présenté hebdomadairement dans les salles de cinéma, parallèlement à la publication de ses textes dans les quotidiens (*film story*). VOISINS: feuilleton, film à épisodes.

ciné-shop [cinéshop] Boutique où sont offerts des articles en rapport avec le cinéma (les livres, les disques, les affiches, etc.). Ce terme n'est plus guère usité aujourd'hui.

cinétoscope Autre nom donné en français au kinétoscope de Thomas Edison.

Cine-Voice Marque de commerce d'une caméra portable mise au point par la compagnie Auricon en 1957.

cinoche ARG. Cinéma (*flicks*).

cinopéra NÉOLOGISME Genre cinématographique mariant étroitement l'opéra et le cinéma. Le cinopéra est plutôt de type expérimental. De nature baroque et roman-tique, il apparaît dans les années 70, en Allemagne, avec les films de Werner Schroeter, comme *La mort de Maria Mali-bran* (1971).

Circle-Vision Marque de commerce d'un procédé d'écran large mis au point en 1955 par la compagnie Walt Disney sur le modèle du Cinéorama inventé par Raoul Gri-moin-Sanson. Le Circle-Vision est utilisé dans les différents parcs d'attractions de la compagnie. Le modèle a évolué au cours des années, et le dernier mis au point pour le parc Epcot en Floride utilise un appareil 35 mm, un écran de 85 mètres environ (275 pieds), 7 pistes sonores; il couvre toutefois un champ de 200 °, au lieu du 360 ° du Cinéorama.

circuit de salles Réseau de salles appar-tenant à un même propriétaire, une même compagnie de production ou de distribu-tion (*theatrical circuit*). Ces salles présentent fréquemment les mêmes films en même temps. Un circuit de salles permet une rentabilité plus rapide des films et à des conditions meilleures que leur exploitation par les salles indépendantes.

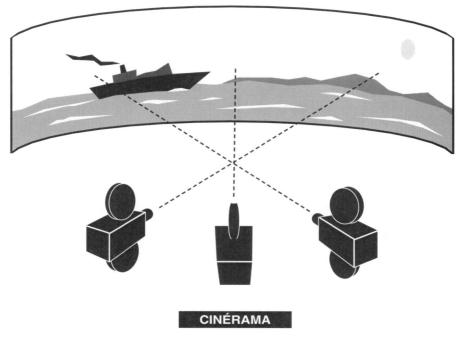

CINÉRAMA

circuit du film Cheminement qu'emprunte le film à l'intérieur de la caméra ou du projecteur (*circuit*). SYN. trajet du film.

circuit indépendant Salles n'appartenant pas à un circuit (*indie circuit*). Ces salles ne bénéficient pas des conditions avantageuses des salles des grands circuits pour la location des films et leur publicité.

ciseau ➤ **mouvement croisé**.

ciseaux PLUR. [1] Outil servant à couper la pellicule lors du montage (*scissors*). [2] Symbole de la censure (*scissors*).

Cité Elgé Nom donné par Louis Gaumont, qui s'inspire des initiales de son nom, «L» et «G», à ses studios et ses ateliers de fabrication d'appareils et de pellicule, tous situés aux Buttes-Chaumont.

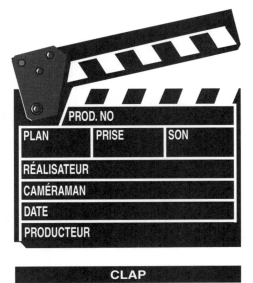

CLAP

clap De l'anglais *clapboard*. Petite ardoise munie d'un rebord articulé pour un claquement au début de chaque prise de vues (*clapper board, clapstick board, clapstick board*). Les renseignements qui sont inscrits sur le clap permettront plus tard au monteur d'ordonner les plans et de synchroniser l'image et le son. Ces renseignements mentionnent le titre du film, le nom du réalisateur et, parfois, celui de l'opérateur, le numéro du plan et celui de la prise. Le clap est remplacé dans les années 80 par le clap

électronique. SYN. claquette, claquoir. ➤ **synchronisation**.

clap électronique Clap possédant une horloge électronique qui donne précisément l'heure en minutes, secondes et fractions de seconde, et qui émet, au lieu du bruit de la claquette, un signal sonore (*automatic start mark*). Certaines caméras ont un clap électronique incorporé qui envoie directement au magnétophone le signal sonore; en même temps, une lampe voile quelques instants les images.

clapman ANGLICISME Personne responsable du clap (*clapman, clapper boy*).

claquage Son que fait une collure mal faite quand elle passe devant le dispositif de lecture sonore dans un appareil de projection (*clicking*).

claquette ➤ **clap**.

claquoir ➤ **clap**.

Classification and Rating Administration ➤ **Motion Picture Rating System**.

classique N. Œuvre filmique de grande qualité faisant partie du patrimoine cinématographique (*classic film*). Parmi les classiques du cinéma, les historiens citent les œuvres suivantes: *Intolérance* (1916) de D.W. Griffith, *La ruée vers l'or* (1925) de Charles Chaplin, *M le Maudit* (1931) de Fritz Lang, *La grande illusion* (1937) de Jean Renoir, *Allemagne, année zéro* (1947) de Roberto Rossellini, *Les contes de la lune vague après la pluie* (1953) de Kenji Mizoguchi, *Les fraises sauvages* (1957) d'Ingmar Bergman, *Sueurs froides* (1957) d'Alfred Hitchcock, *À bout de souffle* (1959) de Jean-Luc Godard et *Viridiana* (1961) de Luis Buñuel. ➤ **chef-d'œuvre**.

cliffhanger ANGL. ARG. É.-U. Terme signifiant «scène à suspense» dans un film à épisodes. Ce terme peut être traduit en français par «film à suspense». Le mot vient de l'action des *serials* où l'héroïne en danger est suspendue (*hanged*) au-dessus d'un gouffre et attend que le héros lui sauve la vie à la dernière minute. Le spectateur est ainsi «accroché» à une scène de la fin d'un épisode, anxieux de connaître sa résolution.

climax ANGLICISME Point culminant dans la progression d'une intrigue qui se situe généralement à la fin du film. SYN. nœud de l'action.

clip ANGLICISME [1] De *video clip*. Court film sur support vidéographique servant à la promotion des chanteurs et des groupes musicaux. Le clip est un essai de visualisation des sons. L'industrie du clip se développe à la fin des années 70 avec la création des chaînes de télévision musicales, comme Music Television [MTV]. Il se définit par rapport à la musique, à la publicité, à la photographie et au cinéma. L'existence du clip remonte aux années 30 et 40 avec la comédie musicale et les *musical shorts*; ➞ **Walt Disney Company**. Dans les années 60 apparaît le Scopitone, son ancêtre immédiat. Lié à l'art vidéo et au multimédia, le clip est la synthèse des racines industrielles de l'audiovisuel. L'hybridité le caractérise. Les réalisateurs de clips font de nombreuses références directes au cinéma, mais les cinéastes subissent également son influence; à voir: *Flashdance* (1983) d'Adrian Lyne. On s'en sert énormément au lancement des films en utilisant leur bande sonore. Il existe une culture du vidéoclip, avec ses fans et ses détracteurs. Terme français officiel guère usité: bande vidéo promotionnelle. SYN. clip vidéo, vidéoclip. [2] Court extrait d'un film servant à son étude ou à l'illustration d'une technique cinématographique (*clip*).

clip vidéo ➞ **clip**.

clonage Nouveau procédé de trucage, graphique ou numérique, permettant la reproduction en copie conforme d'acteurs ou d'objets en trois dimensions [3D] (*cloning*). Le clonage est semblable au procédé mécanique de cache-contrecache, mais il est numérisé et réalisé par des techniques très sophistiquées utilisant l'ordinateur. *La ligne de mire* (1993) de Wolfgang Peterson, *Forrest Gump* (1994) de Robert Zemeckis et *La cité des enfants perdus* de Caro et Jeunet (1995) sont les premiers films où cette technique est abondamment utilisée.

**club des 20 millions $** Expression apparue en 1996 pour désigner l'ensemble des acteurs américains gagnant un cachet de 20 millions de dollars US par film (*$ 20 Million Club*). Parmi les acteurs faisant partie de ce «club», citons les noms de Jim Carrey, Tom Cruise, Harrison Ford, Mel Gibson et Tom Hanks.

club de vidéos [club-vidéo, vidéoclub] Boutique spécialisée en location et en vente de vidéocassettes (*video club*). En expansion depuis 1985, ce commerce rapporte aux États-Unis 50 pour cent des recettes d'un film. Aux États-Unis également, 30 pour cent des films ne prennent jamais l'affiche dans une salle de cinéma et sortent uniquement en vidéocassettes.

club-vidéo [vidéoclub] ➞ **club de vidéos**.

c.m. Abréviation de court métrage. Cette abréviation s'écrit parfois «cm».

CNC Sigle du Centre national de la cinématographie.

coach ANGLICISME De *dialogue coach*. Spécialiste aidant l'acteur à apprendre et à interpréter son rôle. Un coach est souvent engagé pour aider un interprète à jouer dans une autre langue que sa langue maternelle.

code Terme de la théorie du cinéma. Traits propres et communs soit effectivement, soit virtuellement, à tous les films: le panoramique, le champ-contrechamp, le gros plan, les effets optiques, etc. (*code*). Certains traits ne peuvent apparaître que dans une certaine classe de films, comme dans le western, l'expressionnisme allemand ou les films d'un cinéaste; ils sont alors dits «codes particuliers». Les codes donnent aux films leur spécificité. Il ne faut pas confondre le code et le symbole. ➞ **forme, motif**.

code de la pudeur ➞ **code Hays**.

code Hays Code d'autoréglementation du cinéma américain institué au début des années 20 par les Majors de l'industrie réunies en association dans la Motion Picture Producers and Distributors of America [MPPDA] (*Hays code*). Rédigé par William Hays, ce code doit contrôler notamment le contenu des films à caractère implicitement ou explicitement sexuel, ou qui font simplement allusion au sexe. Il entre en vigueur en 1934 et disparaît dans les années 60. Les cinéastes rusent avec ce code qui limite même la durée d'un baiser à l'écran; à voir: *Les enchaînés* (1946) d'Alfred Hitchcock. Il a été surnommé «le code de la pudeur». ➤ **Motion Picture Rating System**.

code numérique Résultat d'une numérisation (*digital code*).

code temporel [1] En cinéma, indication précise de l'instant de la prise de vues qui synchronise parfaitement l'enregistrement des sons et des images (*time code*). Le code temporel aide au transfert du son enregistré sur bande magnétique au son optique sur le support film. Il est très utile également pour le montage électronique. Le premier codage temporel date de 1967. Sa normalisation sera adoptée dans les années 70. On ne doit pas confondre le code temporel et le code numérique. ➤ **Aäton**. [2] En vidéographie, lignes de service des images vidéo. Le code sert à l'identification des images; on l'appelle alors «code temporel vertical» et il est incrusté dans le signal vidéo.

coiffeur, euse Spécialiste responsable de la coiffure (*hairdresser*). Le coiffeur coiffe les interprètes avant et après le tournage, et fait des retouches durant les prises de vues pour les raccords. Il s'occupe des perruques et des teintures. Il travaille étroitement avec le directeur artistique, le chef costumier et le chef maquilleur. SYN. coiffeur-perruquier.

coiffeur-perruquier ➤ **coiffeur**.

coin sensitométrique Échantillon de film vierge prélevé sur le stock destiné au tournage (*sensitometric strip*, RARE *step wedge*). Cet échantillon est exposé à une série de lumières étalonnées, appelée «sensitogramme», permettant de vérifier les caractéristiques de l'émulsion et d'en dresser la courbe.

collage Action de coller deux fragments de pellicule au moment du montage (*splicing*). On colle deux fragments de film à l'aide de ruban adhésif, de colle ou d'un dispositif thermique. On obtient alors une collure.

colle Solvant cellulosique qui assure la soudure entre deux fragments de pellicule (*cement*).

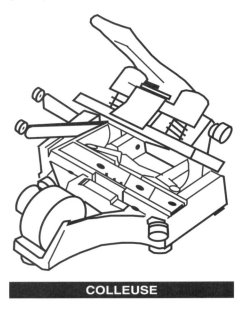

COLLEUSE

colleuse [presse à coller] Instrument permettant le collage (*splicer*).

collure [1] Raccord entre deux fragments de film (*splice*). La collure assure la continuité technique pour le tirage ou la projection. On distingue la collure au ruban adhésif (ou au scotch), la collure à la colle et la collure à chaud. Pour les supports en polyester, la collure est faite à l'ultrason. SYN. joint. [2] Passage d'un plan à un autre (*cut*). ➤ **coupe franche, montage cut**.

color assistant ANGL. Mot n'ayant pas d'équivalent français. Au début du cinéma en couleurs, spécialiste, employé d'un fabricant de pellicule couleur, qui conseille l'équipe responsable de l'image, du chef opérateur au réalisateur en passant par le décorateur et le costumier.

coloriage Action de colorier un film noir et blanc. Le coloriage est une technique utilisée du temps du muet. On connaît le coloriage à la main (*hand-painted*), semblable au travail d'enluminure, fait au pinceau, et le coloriage au pochoir (*stencil-tinting process*), avec la machine à colorier.

colorier Mettre en couleurs une image monochrome (*colorize*). En images de synthèse, on colorie en fausses couleurs, c'est-à-dire qu'on utilise une couleur pour une autre ou les couleurs en dégradé. → **colorisation**.

colorieur Matériel ou logiciel servant à colorier manuellement ou automatiquement une image achrome (*colorizer*).

colorimétrie Mesure de la couleur (*colorimetry*).

colorisation De l'anglais *colorization*. Technique moderne de coloriage des images en noir et blanc d'un film. La colorisation s'effectue par ordinateur sur une bande vidéo du film. La diffusion des films ainsi retouchés par une chaîne de télévision américaine dans les années 80 suscite la colère des historiens de cinéma et des cinéastes qui partent en guerre contre cette dénaturation d'une partie du patrimoine cinématographique.

colortoon FAMILIER ANGL. Dessin animé en couleurs.

Colortran Marque de commerce américaine de l'ensemble de différents articles d'éclairage. À cause de leur coût économique, les lampes à incandescence Colortran ont été fort utilisées dans les années 60 et 70 pour les tournages légers.

Columbia Forme abrégée de Columbia Pictures.

Columbia Pictures [Columbia] Minor américaine fondée en 1924 par Harry Cohn, Jack Kohn et Joseph Brandt. Columbia Pictures produit énormément de films de série B et remporte de nombreux succès, notamment: avec les films de Frank Capra dans les années 30, avec les comédies mettant en vedette Rita Hayworth dans les années 40 et avec les réalisations des indépendants (comme Elia Kazan) dans les années 50 et 60. Durant cette dernière période, Screen Gems est créée pour la production télévisée de Columbia. Malgré des problèmes financiers au début des années 70, la compagnie continue d'avoir des succès populaires avec des productions comme *Rencontres du troisième type* (1977) de Steven Spielberg. Elle est achetée par la compagnie Coca-Cola en 1982 et, avec la chaîne de télévision Columbia Broadcasting System [CBS], fonde la même année TriStar pour la production de films pour la télévision à péage Home Box Office [HBO]. En 1989, la société japonaise Sony s'en porte acquéreur pour la somme de 3,9 milliards de dollars US. Indépendants dans la production de leurs films, TriStar et Columbia sont totalement intégrés en 1991 dans le conglomérat Sony Pictures Entertainment Company. L'emblème de Columbia demeure toujours le même: la statue de la liberté habillée du drapeau américain.

coma Aberration optique affectant l'image donnée par l'objectif (*coma*).

combo ANGLICISME ARG. De *combination*. D'emploi récent, désigne dans le métier l'ensemble du matériel d'enregistrement des images que forme le couplage de la caméra vidéo et de l'appareil de prise de vues. Par extension, l'écran témoin de la caméra vidéo.

combo ANGL. ARG. Deux films pour le prix d'une seule entrée. → **programme double**.

comédie Genre cinématographique fondé sur l'humour et la gaieté (*comedy, comical film*). On regroupe les comédies produites aux États-Unis sous la dénomination «comédie américaine». On distingue plusieurs types de comédie: le burlesque, la comédie musicale (*musical*), la comédie sophistiquée, la comédie fantaisiste ou loufoque (*screwball comedy*), la comédie sentimentale et la comédie dramatique (*black comedy*). Son métissage avec d'autres genres (comme le film d'aventures ou de science-fiction), surtout depuis les années 70, tend à brouiller les types de comédie reconnus.

On peut affirmer que la comédie est le genre fondateur du cinéma: *L'arroseur arrosé*, des frères Lumière, est produit dès la première année du cinéma, en 1895. C'est le Français Max Linder qui lui donne ses lettres de noblesse au début du siècle; on dit de ce cinéaste qu'il a influencé Mack Sennett et Charles Chaplin. Selon l'essayiste américain James Agee, les années 20 demeurent l'âge d'or de la comédie avec les comiques que sont Charles Chaplin, Buster Keaton, Harry Langdon et Harold Lloyd. La comédie demeure le genre par excellence du cinéma de tous les pays. On distingue des classifications qui ne recouvrent pas nécessairement celles de la comédie américaine: la comédie de mœurs, la comédie policière, etc. Le dessin animé n'est pas classé dans le genre «comédie», même si son but premier est de faire rire. ➤ **comédie «à l'italienne», comédie anglaise**.

comédie «à l'italienne» Genre qui naît en Italie dès le début des années 30, qui s'impose dans les années 50 et 60 et qui périclite dans les années 80 (*comedy italian style*). La comédie «à l'italienne» est une forme de comédie de mœurs abordant les problèmes graves de la société italienne sous le prétexte du divertissement, et dans laquelle se côtoient l'humour et la critique politique, ce qui lui vaudra d'être qualifiée de «néoréalisme rose». Réaliste et populiste, elle met en scène des personnages modestes dans des décors naturels, qui développent à travers des épreuves la fraternité sociale. *Deux sous d'espoir* (1952) de Renato Castellani lui donne une audience internationale, mais c'est le film de Mario Monicelli, *Le pigeon* (1959), qui affirme le genre, avec ses personnages de laissés-pour-compte et son mélange de drôlerie et de désespoir. Dans les années 60, les films illustrent les répercussions du «miracle économique» et les thèmes sont l'égoïsme, l'amoralité et la médiocrité. Durant les années 70, les thèmes et la critique sociale de la comédie «à l'italienne» ont une portée accrue: la vision du monde y est plus féroce et l'humour, plus cynique. À cause de la multiplication des chaînes de télévision dans les années 80, le genre disparaît avec la crise du cinéma que traverse l'Italie à cette période. Une des figures emblématiques du genre est le comédien Toto, qui

joue dans les films d'Eduardo De Filipo et de Mario Monicelli. Tous les acteurs italiens importants gagneront leurs galons en jouant dans ces comédies; parmi eux, citons Gino Cervi, Vittorio Gassman, Gina Lolobrigida, Nino Manfredi, Alberto Sordi et Ugo Tognazzi. Parmi les cinéastes représentants du genre, citons les noms d'Aldo Fabrizi, Renato Castellani, Mario Monicelli, Dino Risi, Luigi Comencini et Ettore Scola.

comédie américaine ➤ **comédie**.

comédie anglaise Comédie produite en Grande-Bretagne après la Deuxième Guerre mondiale, qui se distingue par son humour dit «britannique». L'histoire de la comédie anglaise se confond avec les productions réalisées dans les studios Ealing dirigés par Michael Balcon et est connue sous l'appellation *Ealing comedy*. Le premier film reconnu du genre est *À cor et à cri* (1947) de Charles Crichton. On trouve dans la comédie anglaise un souci de représenter la réalité sociale de l'après-guerre et de critiquer le système social britannique, notamment sa bureaucratie. Un des fleurons du genre est *Passeport pour Pimlico* (1949) de Henry Cornelius, reconnu pour ses qualités comiques remarquables, son étude des phénomènes de groupes et sa distribution homogène et excellente.

comédie de mœurs Sous-genre de la comédie qui prend prétexte des habitudes des gens pour formuler une critique de la société et indiquer la démarcation entre le Bien et le Mal (*comedy of manners*). ➤ **comédie «à l'italienne»**.

comédie de situation ➤ **sitcom**.

comédie dramatique Pièce de théâtre ou film tournant en dérision certains sujets ou éléments sombres et négatifs de la vie, comme la maladie, la guerre et le meurtre (*black comedy*). La plus célèbre comédie dramatique est *Docteur Folamour* (1963) de Stanley Kubrick.

comédie fantaisiste Ensemble des films américains tournés dans les années 30, décennie de la Dépression (*screwball comedies*). La comédie fantaisiste est un sous-genre de la comédie américaine. Les personnages y sont joyeux, excentriques et riches. Les réalisateurs y font la satire de la classe bourgeoise et petite-bourgeoise et donnent une image de la femme, émancipée, libre, indépendante et sexuellement attirante; ils veulent briser les tabous, particulièrement sur le mariage et la sexualité. Malgré la construction souvent chaotique, même illogique, de la comédie fantaisiste, on y fait flèche de tout bois. George Cukor et Howard Hawks sont de grands réalisateurs du genre. SYN. comédie loufoque.

comédie loufoque ➔ **comédie fantaisiste**.

comédie musicale Genre cinématographique américain axé sur la chanson et la danse (*musical, musical comedy*). La comédie musicale peut être classée comme un sous-genre de la comédie américaine. La comédie musicale est, avec le western, le genre par excellence du cinéma américain. Trois ingrédients la distinguent: la comédie, le chant et la danse. Les films d'opéra sont exclus du genre. Avec l'avènement du parlant, Hollywood investit tous ses efforts dans le développement technologique et artistique de la comédie musicale, en faisant particulièrement appel à Broadway et en adaptant ses triomphes musicaux. Le genre obtient un succès immédiat. *Le chanteur de jazz* (1927) de Alan Crosland, premier film sonore et parlant, est la première comédie musicale. La comédie musicale connaît son apogée dans les années 30 et 40, avec un auteur comme Busby Berkeley (*Chercheuses d'or de 1937* [1936], *Broadway Serenade* [1939]) et avec des interprètes comme Fred Astaire et Ginger Rogers (*La joyeuse divorcée* [1934] de Mark Sandrich, *Ziegfeld Follies* [1946] de Vincente Minnelli, *Parade de printemps* [1948] de Charles Waters). Les années 50 et 60 voient des grandes réussites du genre, grâce à la couleur et au CinemaScope: *Chantons sous la pluie* (1952) de Stanley Donen et Gene Kelly, *Gigi* (1958) de Vincente Minnelli, *West Side Story* (1961) de Robert Wise et *My Fair Lady* (1964) de George Cukor. C'est la Major Metro-Goldwyn-Mayer qui regroupe les meilleurs talents du genre: des réalisateurs comme Busby Berkeley, Roy del Ruth, Stanley Donen, Vincente Minnelli, George Sidney et Charles Walters; des acteurs comme Fred Astaire, Cyd Charisse, Judy Garland, Gene Kelly, Ann Miller, Ginger Rogers, Mickey Rooney, Esther Williams; et des scénaristes comme Betty Comdon et Adolph Green. Dans les années 70, on tente difficilement de lui redonner vie; *Cabaret* (1972) de Bob Fosse est une exception. Seule la France va tenter de la récupérer et de la transformer avec Jacques Demy, réalisateur des *Parapluies de Cherbourg* (1964) et d'*Une chambre en ville* (1982). En Inde, la comédie musicale s'apparente à une sorte d'opéra-savon, avec chansons et danses graves et dramatiques, défilant à un rythme entraînant et à une vitesse vertigineuse, tablant sur les émotions physiques des spectateurs pour en faire des succès publics; elle est qualifiée en Amérique par un terme ironique: Busby Beserkeley. ➔ **musique**.

comédien, ienne Personne dont le métier est d'interpréter des rôles (*performer*). ➔ **acteur**.

comics ANGL. PLUR. Bandes dessinées. Les héros de plusieurs films d'animation sont reproduits dans les bandes dessinées (Mickey Mouse), tandis que d'autres inspirent le cinéma (Superman, Batman).

comité de sélection Ensemble des responsables de la sélection des films d'une manifestation (*selection committee*).

COMMAG Code international désignant le processus par lequel le son magnétique est couché sur une piste à la surface du film. Une copie COMMAG est une copie sonore munie d'une piste magnétique standard. ➔ **COMOPT**.

commande Forme abrégée de film de commande.

commande automatique Mécanisme commandant automatiquement le réglage du diaphragme d'une caméra (*automatic iris control switch*).

commande d'arrêt automatique Mécanisme permettant d'arrêter immédiatement la projection en cas de problèmes techniques (*automatic switch-off*).

commanditaire Organisme ou institution subventionnant la production d'un film (*sponsor*, FAMILIER *backer*). Les subventions du commanditaire sont données le plus souvent à des films documentaires ou à des films de fiction diffusés hors du circuit des salles. Les films subventionnés par l'industrie sont généralement produits dans un but de relations publiques. En télévision, les films, les feuilletons et les séries sont mis en production grâce à l'apport financier anticipé de commanditaires.

commentaire Description, explication ou interprétation de ce qui est montré à l'image dans un film (*commentary*). Verbalisation des images, le commentaire caractérise communément un film documentaire. ➤ **voix off**.

Commères PLUR. Surnom donné aux chroniqueuses de cinéma Hedda Hopper et Louella Parsons, qui répandent des commérages indiscrets et perfides sur les gens du cinéma à Hollywood (*Gossips*). Ces Commères pouvaient défaire du jour au lendemain une carrière.

Commission de contrôle Organisme français chargé de délivrer les avis pour le tournage et l'exploitation des films. Cette commission réglemente l'emploi des enfants dans un film. Elle classe également les films par catégories de spectateurs.

Commission des activités antiaméricaines Traduction officielle de *House Committee on Un-American Activities*. Aux États-Unis, commission formée de représentants qui ont pour mission d'enquêter et de dévoiler les activités subversives, plus précisément communistes, dans le pays. En 1947, sous la présidence de J. Parnell Thomas, la Commission cherche à prouver que les communistes ont infiltré l'industrie du cinéma, nommément la Screen Writers Guild, et que les films produits contiennent une propagande prosoviétique. Les membres de l'industrie sont sommés de se présenter devant le comité, de prouver leur loyauté envers les États-Unis et de dénoncer leurs collègues. Dix membres de l'industrie refusent alors de témoigner, et les quinze patrons des Majors les condamnent et les bannissent de leur société; ➤ **Hollywood Ten**. Les patrons sont priés d'élimi-ner la subversion. Toute personne qui serait communiste ou associée à des communistes est jugée anti-patriotique et placée sur une liste noire. La Commission a tenu des séances jusqu'en 1954. On estime que plus de 3 000 personnes de l'industrie ont été victimes des enquêtes de cette commission. ➤ **maccarthysme**.

Commission supérieure technique de l'image et du son [CST] Association fondée en 1946 regroupant la majorité des professionnels du cinéma français. Cette commission décide des mesures techniques, de leurs normes et spécifications, et de leur contrôle. Elle est placée sous l'égide du Centre national de la cinématographie [CNC]. Aux États-Unis, son équivalent est la Society of Motion Picture and Television Engineers [SMPTE] et, en Angleterre, la British Kinematograph, Sound and Television Society [BKSTS].

communication [1] Toute action amenant le passage ou l'échange de messages entre un sujet émetteur et un sujet récepteur (*communication*). [2] Ensemble des techniques et des moyens mis en œuvre pour réaliser la communication avec un public (*communication*). Les médias, comme la télévision, la vidéo et le cinéma, font partie de la communication, organisée industriellement. ➤ **industrie des communications**.

COMOPT Code international désignant le processus par lequel le son optique est inscrit sur une piste du film. Une copie COMOPT est une copie standard munie d'une piste sonore optique.

Compact Disc Read Only Memory ➤ **cédérom**.

Compact Disk ➤ **CD**.

compétition Dans l'expression «en compétition», film concourant pour un prix dans un festival (*in competition*).

complément de programme Film de court métrage présenté avec un film de long métrage dans une séance de cinéma (*fill up*).

complexe Ensemble de plusieurs pièces d'un décor particulier (les appartements et les étages) contiguës entre elles et permettant le déplacement facile de la caméra.

complexe multisalles Salles de cinéma regroupées dans un même immeuble et sous une même raison sociale (*cineplex*). Kinepolis est le plus grand complexe au monde et se trouve en banlieue de Bruxelles; il comprend 29 salles équipées en THX, dont une pour la projection en Imax; tous les films y débutent à la même heure. SYN. mégacomplexe, multiplexe.

compositeur Personne qui compose une partition musicale spécialement pour un film ou une œuvre audiovisuelle (*music composer*). ➤ **adaptateur [1]**.

compositing ANGLICISME Série d'opérations d'incrustation d'éléments de diverses sources dans une image. Le compositing produit des images composites et se fait de plus en plus par ordinateur.

composition [1] Partition musicale écrite spécialement pour un film ou une œuvre audiovisuelle (*score*). ➤ *mickey mousing*. [2] Agencement de tous les éléments entrant dans l'image afin de lui donner une signification particulière (*composition*). ➤ **code, forme**.

composition sonore Organisation des différents éléments constituant la bande son d'un film: les paroles, les bruits, la musique et les silences. La composition sonore est sous la responsabilité du concepteur sonore. VOISIN: montage sonore.

compteur Sur la caméra, indicateur permettant de connaître à tout moment la quantité de film disponible, non impressionnée (*footage counter*). SYN. palpeur.

Computer Aided Movie System [CAMS] Marque de commerce d'une grue télécommandée de type Louma. La commande de mise au point d'une CAMS dépend d'un système informatisé.

concept Idée générale ou sujet d'un film (*concept*).

concepteur, trice Mot apparu récemment dans le cinéma pour désigner la personne chargée de certains secteurs de l'industrie comme le décor, les costumes, le son et les effets spéciaux (*designer*). On emploie de plus en plus le terme «concepteur de décor» au lieu de «décorateur», «concepteur de costumes» plutôt que «costumier», «concepteur sonore» en lieu et place de «ingénieur du son» ou de «chef opérateur du son». Un nouveau nom de métier apparaît officiellement dans les années 70, avec la spécialisation poussée et la sophistication technique dans les effets spéciaux: concepteur d'effets spéciaux. Le mot «concepteur» devrait être remplacé par le mot «créateur», qui lui est préférable.

conception assistée par ordinateur [CAO] Application d'un système informatique à des problèmes de conception ou de création artistique (*computer-aided, computer-assisted design*). Un programme de CAO permet de concevoir un dessin ou un produit. Il est largement utilisé pour les représentations en trois dimensions [3D].

condenseur Appareil optique sur certains projecteurs qui concentre la lumière sur la surface de la fenêtre de projection (*condenser lens*). SYN. lentille condensatrice.

conduite de montage Cahier dans lequel est indiquée la liste des plans dans l'ordre voulu afin de faciliter le travail du monteur (*report sheet*).

cône Accessoire d'éclairage métallique en forme de cône s'adaptant devant un projecteur, sur le porte-filtre (*cone*). Le cône resserre le faisceau lumineux. On distingue plusieurs formats de cônes, de longueur et de diamètre différents.

conformation Montage de la copie négative en prenant comme référence la copie de travail du film (*conforming, negative cutting*). La copie négative permet de reproduire le film en plusieurs copies pour son exploitation.

conseiller, ère technique Personne de métier conseillant, en principe, le réalisateur à ses débuts (*technical adviser*). Depuis plusieurs années, la quasi-totalité des plateaux de tournage ont des conseillers techniques en tous genres, selon le type de films à tourner.

conservation des films Action de conserver les films dans un état intact en préservant ses éléments: le support, la gélatine et l'image (*film preservation*). Outre l'indexation, l'entretien et l'entreposage des films, la conservation des films comprend plus précisément la conservation des copies, la conservation du négatif, le tirage des copies et la restauration des films. → **archives du film, cinémathèque, dépôt légal, stockage**.

console de mixage Table ou bureau servant au montage et au contrôle du son (*mixing console*, ARG. *tea-wagon*). La console est munie de potentiomètres et de correcteurs correspondant aux nombreuses entrées sonores. Elle permet de contrôler le volume, la tonalité, la réverbération et le filtrage de chaque bande sonore en les mélangeant. SYN. console de montage, console de son, pupitre de mixage, table de mixage.

console de montage → **console de mixage**.

console de son → **console de mixage**.

consultant en scénario Scénariste chargé par le producteur d'améliorer les scènes d'un scénario (*script doctor*). On trouve généralement plusieurs consultants travaillant sur un même scénario. → **polir [2]**.

continuité [1] Première ébauche du scénario d'une cinquantaine de pages (*continuity script*). [2] Cahier où sont consignés tous les dialogues (*dialogue continuity*). [3] → **bobine de choix**.

contraste Différence de luminosité entre les diverses plages de l'image ou du négatif (*contrast*). Selon les degrés de luminosité, on distingue le faible constraste (*low contrast*) et le haut constraste (*hight contrast*). SYN. pente. → **gamma**.

contrat Convention entre le producteur et les collaborateurs d'un film fixant le cachet et les modalités de travail (*contract*). → **star-système**.

contrecache Trucage améliorant le cache en impressionnant la partie noire dans un second temps, la partie déjà impressionnée

étant alors masquée (*counter matte*). → **écran divisé**.

contrechamp Portion de l'espace diamétralement opposée à une autre portion de l'espace (*reverse angle*). → **champ-contrechamp**.

contre-cinéma Cinéma non traditionnel, non orthodoxe (*counter-cinema*). Le contre-cinéma s'oppose au cinéma courant par sa narration (intransitive), sa distanciation, son hétérogénéité et son opacité. Il est de type autoréflexif. On classe les films d'avant-garde dans la catégorie du contre-cinéma.

contre-emploi Rôle qui ne correspond pas au physique, au tempérament ou à l'âge de l'interprète.

contre-griffe Griffe placée sur certaines caméras pour faire des trucages, permettant d'immobiliser et de maintenir parfaitement en place la pellicule (*registration pin*). SYN. griffe de fixité.

contre-jour Lumière éclairant un sujet par derrière (*back light*). Le contre-jour donne un effet lumineux appelé «décrochage». SYN. lumière par derrière.

contre-plongée Prise de vues effectuée avec l'axe de la caméra dirigé vers le haut (*low-angle shot*). Par la contre-plongée, on obtient des personnages grands et plus imposants. OPPOSÉ: plongée.

contretype Reproduction sur film négatif ou positif du négatif original d'un film (*dupe, dupe negative, dube neg, duplicate negative*). SYN. copie intermédiaire.

contretyper Tirer un contretype afin de garder le négatif original en toute sécurité (*dub*). Contretyper permet de tirer des copies.

Cooke Fabricant britannique d'objectifs réputés pour leurs focales variables.

copie Exemplaire d'un film (*print*). On distingue plusieurs copies selon les étapes de travail du film: la copie de travail, la copie zéro, la copie de série (ou copie d'exploitation, ou copie standard), la copie d'étalonnage (ou copie «Ô»), la copie-mère, la copie intermédiaire et la copie muette. On dit familièrement: copie film (*film print*). SYN. tirage. ⇀ **copie vidéo**.

copie antenne Tirage spécial d'un film pour la télévision ou la vidéo, dans lequel les contrastes sont plus prononcés (*television print*).

copie d'archives Copie d'un film déposée dans une cinémathèque.

copie de doublage Copie positive tirée pour le doublage. À la postsynchronisation, la copie de doublage est morcelée pour défiler en boucle; ⇀ *automatic dialogue replacement*. En Europe, on utilise la copie de travail pour la postsynchronisation.

copie de réduction [copie réduite] Copie d'un film dans un format inférieur que le format original: une copie 16 mm d'un film 35 mm (*reduction print*).

copie de seconde génération Copie d'un film ou d'une bande magnétique tirée à partir d'une copie originale dite de première génération (*second generation copy*).

copie de sécurité Copie sur un support de sécurité, généralement faite en triacétate de cellulose ou en polyester (*safety film, safe film*).

copie de série Copie destinée aux salles (*release print*). SYN. copie d'exploitation, copie standard. ⇀ **conformation**.

copie d'étalonnage Copie servant à l'étalonnage (G.-B. *grading print*, É.-U. *timing print*). SYN. copie «Ô».

copie de travail Copie utilisée pour le montage du film (*work print*). La copie de travail se fait sur une copie positive.

copie d'exploitation ⇀ **copie de série**.

copie film FAMILIER Copie.

copie flam Copie en nitrate de cellulose (*cellulose nitatrate film*).

copie intermédiaire Contretype négatif ou positif d'un négatif original (*intermediate*). SYN. film intermédiaire.

copie lavande [1] OBS. Dans les années 30, contretype intermédiaire, un positif à grain fin d'une pellicule noir et blanc (*lavender print*). [2] FAMILIER Positif noir et blanc à faible constraste (*lavender print*). Une copie lavande est tirée du négatif original et permet le tirage de contretypes. VOISIN: copie marron.

copie marron Interpositif doux destiné à la conservation des films en noir et blanc (*B & W dupe positive*). VOISIN: copie lavande.

copie-mère Copie permettant le tirage des copies d'exploitation (*master*).

copie muette Copie positive qui ne comporte que l'image positive (*mutte print*).

copie neuve Nouveau tirage d'une copie positive.

copie numérisée Copie d'images sur support film transformée en copie d'images sur support vidéographique (*scanning print*). Une copie numérisée peut être manipulée pour des effets spéciaux.

copie «Ô» ⇀ **copie d'étalonnage**.

copie réduite ⇀ **copie de réduction**.

copie standard ⇀ **copie de série**.

copie vidéo FAMILIER Copie d'un film sur support vidéo (*video copy*).

copie zéro Première copie avec l'image et le son, tirée du négatif monté (*answer print*).

coprod FAMILIER Forme abrégée de coproduction.

coproducteur, trice Producteur dans une coproduction (*coproducer*).

coproduction [coprod] Film produit par plusieurs producteurs, généralement de pays différents (*coproduction, joint production*).

cops FAMILIER ANGL. PLUR. Flics, poulets (ARG.). Les *cops* font partie des comédies burlesques de Mack Sennett, Charles Chaplin, Buster Keaton, Laurel et Hardy, entre autres. ⇀ **Keystone**.

copulant Substance chimique entrant dans l'émulsion et permettant la création d'images en couleurs de ce qui est filmé (*coupler*). Le copulant entre dans la fabrication de la pellicule tripack où chacune des trois couches possède ses copulants (jaune, magenta et cyan) correspondant aux couleurs primaires (bleue, verte et rouge). SYN. coupleur.

cores ANGL. PLUR. Courtes pièces musicales ou extraits de la trame musicale qu'on monte sur des moyeux de plastique (*cores*) pour le montage sonore.

Corgi and Bess ANGL. ARG. G.-B. Message du nouvel an (de la reine d'Angleterre).

corral ANGL. ARG. É.-U. Terme d'origine espagnole signifiant «basse-cour». Surnom donné à une partie de la cantine de la Warner Bros. réservée aux artisans des petits métiers du film (scriptes, figurants, machinistes, etc.).

correcteur du gamma Restauration du facteur de contraste du gamma permettant d'avoir le maximum de contraste entre les couleurs (*gamma corrector*).

co-staring ANGL. Terme n'ayant pas d'équivalent français. Au générique des films, annonce des interprètes de seconds rôles.

costumes PLUR. [1] Vêtements et accessoires que portent les interprètes dans un film (*costumes*). Les costumes sont conçus dans un souci de photogénie, d'homogénéité et de cohérence entre les acteurs, la photographie, le décor et le maquillage. Les costumes sont en général plus réalistes au cinéma qu'au théâtre. Ils ont parfois un rôle expressif ou symbolique. Ils sont fabriqués en plusieurs exemplaires pour être remplacés lors des reprises, en cas d'accident ou pour les besoins des scènes (un verre renversé, un lancer de tarte à la crème, etc.). Certains costumes sont demeurés célèbres, comme les robes de Vivien Leigh dans *Autant en emporte le vent* (1939) ou celles de Marilyn Monroe dans *Certains l'aiment chaud* (1959). L'art du costume se perd à partir des années 60, sauf pour certains genres de films comme le film historique et le film de science-fiction. [2] Dans un studio, le service (ou département chez les Majors) où sont conçus, fabriqués et entreposés les costumes (*wardrobe*). → **film à costumes.**

costumier, ère Personne travaillant sous les ordres du chef costumier, avec la collaboration de la couturière et de l'habilleuse (*costumer*). Le costumier est responsable de la fabrication et de la recherche des costumes, et des essayages.

cote Évaluation morale donnée à un film par un organisme catholique ou d'obédience chrétienne (*code rating*). → **censure, Commission de contrôle, Motion Picture Rating System.**

côté mat Flan de la pellicule où se trouve l'émulsion (*dull side*).

couche antihalo → **antihalo.**

couche sensible Surface qui contient les éléments sensibles constituant la pellicule (*sensitive layer*). SYN. émulsion, face émulsionnée, surface sensible.

couleur [1] Reflet de la lumière sur la surface d'un objet (G.-B. *colour*, É.-U. *color*). La couleur est l'impression visuelle particulière produite par la réflexion de la lumière. [2] Résultat d'un ensemble de radiations monochromes indépendantes ayant chacune une longueur d'onde; c'est cette longueur qui détermine la couleur. On distingue les couleurs primaires et les couleurs secondaires. La couleur est objective: la même couleur est attribuée à un objet; elle est subjective: sa perception varie selon les personnes. La restitution des couleurs est obtenue par addition (synthèse additive) ou par soustraction (synthèse soustractive). → **film couleur.**

couleur délavée Couleur affadie, peu saturée (*washed off color, washed out color*).

couleur dominante Défaut de couleur dans un film (*color cast*). La couleur dominante est le résultat d'un parasitage d'une couleur sur les autres. → **effilochage.**

couleurs complémentaires PLUR. Couleurs opposées aux couleurs primaires et qui, combinées, donnent le blanc (*complementary colors*). Une couleur complémentaire est obtenue par la synthèse de deux couleurs primaires. Les couleurs complémentaires sont le jaune, le magenta (ou pourpre) et le cyan (ou turquoise).

couleurs primaires PLUR. Couleurs opposées aux couleurs complémentaires et qui, mélangées, permettent toutes les autres couleurs (*primary colors*). Les couleurs primaires sont le rouge, le bleu et le vert.

coulisse de studio Partie amovible du décor.

couloir Partie de la caméra constituée d'une plaque métallique polie mesurant la longueur de trois images et dans laquelle est pratiquée une ouverture, la fenêtre d'impression (*gate*).

coupe Suppression en partie ou en totalité d'un plan au montage (*cut*). ➤ **coupe franche, coupure, plan de coupe**.

coupe-flux Plaque opaque et noire, mobile, qu'on déplace en partie ou en entier devant le faisceau lumineux du projecteur (*flag*). SYN. volet. VOISINS: drapeau, nez.

coupe franche Passage sans transition entre deux plans, sans utilisation de fondus et de trucages (comme le volet et le rideau) (*straight cut*). La coupe franche est à la base du montage; on emploie alors en français le terme «montage cut». Elle assure une continuité simple entre deux plans. Elle permet ainsi de passer d'une époque à une autre, d'un mouvement à un autre: dans un plan, une personne ouvre une porte donnant sur une pièce; dans le plan suivant, la personne est entrée dans la pièce et referme la porte. Quand le passage d'un plan à un autre ne heurte pas le regard, il est dit transparent. Jacques Demy l'utilise systématiquement dans *Lola* (1961); ➤ **ellipse**. En anglais, on emploie alors le terme *cut*. Quand le passage entre deux plans n'est pas évident, il est dit non transparent (*jump cut*). Il crée une discontinuité dans l'action: le personnage peut donner l'impression de passer subitement d'un endroit à un autre. Il peut créer un heurt, une rupture, une montée dramatique ou un effet comique. Jean-Luc Godard l'utilise abondamment dans ses films. ➤ **effet de liaison, montage**.

«Coupez!» Ordre du réalisateur donné à la fin d'une prise (*«Cut!»*). On arrête alors la prise de vues et l'enregistrement du son.

coupleur ➤ **copulant**.

coupure Suppression d'un ou de plusieurs plans dans un film pour des raisons esthétiques, commerciales ou morales (*cut*). ➤ **«*edited for television*»**.

courbe H et D Courbe sensitométrique de l'émulsion photographique (*H & D curve*). La courbe H et D est calculée d'après la densité et le logarithme du temps d'exposition. On l'utilise dans le contrôle du développement de la pellicule.

courbure de champ Aberration optique affectant l'image donnée par l'objectif (*field curvature*).

courte focale Objectif grand angulaire couvrant un champ très large (*short focal-lengh lens*).

court métrage [c.m., cm] Film dont la durée ne dépasse pas 30 minutes (*short, short film, short subject*, ARG. *shortie*). Son métrage est de moins de 900 mètres pour un film en 35 mm standard. En France, sa durée définie par le Centre national de la cinématographie [CNC] est supérieure à 3 minutes 39 secondes et inférieure à 58 minutes 27 secondes. Au début du cinéma, les films sont courts; les premiers films des frères Lumière durent 56 secondes; peu après, ils auront une durée d'une quinzaine de minutes, la durée d'une bobine. Dès 1905, les films peuvent durer un peu plus d'une heure. Avec le programme double, le court métrage disparaît des salles. À la fin des années 50, le programme double abandonné, il réapparaît en salle et accompagne l'unique film de long métrage projeté; c'est souvent un dessin animé. Un court métrage peut être un film de fiction, un film de non-fiction, un film à épisodes, un dessin animé, un documentaire, un film d'actualités, un film expérimental, etc. Dans l'industrie américaine, on distingue officiellement trois catégories de court métrage: *animated short film* (court métrage d'animation), *documentary short subject* (court métrage documentaire) et *live action short film* (court métrage de fiction).

court métrage de fiction Court film mettant en scène des acteurs et racontant une histoire (*live action short film*).

court métrage documentaire Court film documentaire (*documentary short subject*).

court métrage musical Visualisation de la musique sous forme de saynète ou de bande dessinée (*musical short*); ➤ **Walt Disney Company**. Très populaire aux États-Unis dans les années 50, le court métrage musical peut être considéré comme l'ancêtre du vidéoclip.

Coutant 16 Première caméra portable silencieuse de fabrication française, dite aussi Éclair 16. ➤ **Éclair**.

couteau LOC. FIG. Rôle peu important (*minor figure*). «Couteau» est souvent employé à la place des termes «second rôle» et «figurant»: deuxième couteau, second couteau.

couturière Femme exécutant des travaux de couture pour la production d'un film (*dressmaker*). Sous la direction du costumier, la couturière coud, coupe, finit et retouche les costumes. Elle peut être également habilleuse.

couverture Champ couvert par un objectif lorsque la distance de mise au point est précise (*coverage area*).

crab dolly ANGLICISME Marque de commerce devenue nom courant pour désigner un petit chariot-grue dont l'élévation maximum est de 3 mètres (*crab dolly*). SYN. chariot-crabe.

créateur ➤ **concepteur**.

créateur, trice de costumes Personne responsable de la conception des costumes portés par les personnages d'un film (*costume designer*). Appelé autrefois «costumier», le créateur de costumes doit prendre en compte l'époque (passée, présente ou future) dans laquelle se situe le film et le genre (une comédie, un film d'aventures, un film de science-fiction, etc.). Il choisit le tissu des costumes, détermine leur nombre, surveille leur fabrication et leur convenance pour les acteurs, conçoit ou commande les accessoires (les chaussures, les chapeaux, les bijoux, etc.). Il travaille étroitement avec le réalisateur, le directeur artistique et le directeur photo. Il est aidé dans son travail par un chef costumier, des couturières et des habilleuses. Parmi les créateurs de costumes importants, citons les noms d'Adrian, Travis Banton, Paul Iribe, Orry-Kelly, Paul Poiret et Clara West. De grands couturiers reçoivent des commandes de costumes pour le cinéma; certains sont attachés à des vedettes qu'ils habillent à l'écran: Hubert de Givenchy habille Audrey Hepburn et Pierre Cardin, Jeanne Moreau.

Creative Artists Agency [CAA] La plus importante agence d'artistes des États-Unis, fondée en 1975 par Bill Haber, Ron Meyer et Michael Ovitz. La CAA se caractérise par sa politique des packages. Ses agents ont un pouvoir quasi illimité et leurs packages, pour la mise en œuvre d'un film, peuvent atteindre plusieurs millions de dollars. Michael Ovitz quitte l'agence en 1995 pour devenir président de Walt Disney Company, entraînant le départ de plusieurs artistes comme Alec Baldwin et Kevin Costner. Licencié de Disney en 1996, Ovitz met sur pied deux ans plus tard une nouvelle agence: Artists Management Group. ➤ **casting**.

crédit Prêt mis à la disposition d'un producteur par une institution financière (*credit*). Le crédit permet le financement d'un film.

Cremer Marque de commerce d'un projecteur à lentille Fresnel. Cette marque est devenue un terme de métier. ➤ **spot**.

crénelage Déformation d'une image graphique qui se manifeste par un effet dit d'escalier, avec les contours abrupts et pointus définissant le sujet (*aliasing*). Le crénelage est fréquent lorsqu'on fait passer une image d'un système analogique à un système numérique. Il est alors un artefact.

Cricket Forme abrégée de Cricket Elemack.

Cricket Elemack [Cricket] Marque de commerce d'un support de caméra à colonne hydraulique montante ou descendante, rechargeable sur courant électrique. Ce support peut être actionné durant le tournage du plan. ➤ **Panther**.

critique de cinéma [1] FÉM. Ensemble des personnes exerçant le métier de critique dans divers médias: les quotidiens, les hebdomadaires, les mensuels, les trimestriels, à la radio et à la télévision (*critic*). [2] MASC., FÉM. Personne exerçant le métier de critique (*film critic*, FAMILIER *crix*). Les fonctions du critique de cinéma sont d'informer, d'évaluer et de promouvoir des œuvres cinématographiques. Son travail est à la fois combat, jugement et partage (des idées, des émotions, etc.). On compte parmi les premiers critiques de cinéma l'Italien Ricciotto Canudo et le Français Louis Delluc. Parmi les critiques qui ont renouvelé le discours critique, citons les noms de James Agee, Dudley Andrew, André Bazin, Serge Daney et Lino Micciché. → **FIPRESCI**.

critique de film FÉM. Jugement sur un film (*film review*). Ce jugement concerne inégalement le commentaire, l'analyse et l'étude des films.

croisement de regards Respect de la loi des 180 degrés dans une scène filmée en champ-contrechamp,

Croisette Célèbre promenade sur front de mer à Cannes. Par extension, la Croisette désigne Cannes et le festival qui s'y déroule en mai de chaque année.

croix de Malte Mécanisme placé sur les appareils de projection transformant le mouvement continu des images en mouvement saccadé par arrêts du film à intervalles réguliers (*Maltese cross, Geneva wheel*).

crosse Poignée fixée à une caméra très légère (*handgrip*).

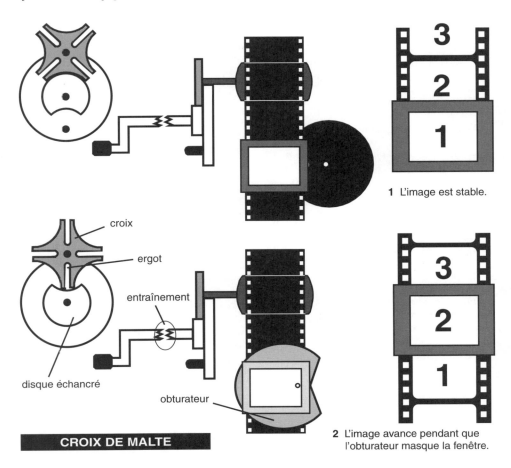

1 L'image est stable.

croix

ergot

entraînement

disque échancré

obturateur

2 L'image avance pendant que l'obturateur masque la fenêtre.

CROIX DE MALTE

crown-glass ANGLICISME Verre teinté verdâtre entrant dans la fabrication d'une lentille convexe et présentant une faible dispersion de l'image (*crown glass*). Au XVIIIe siècle, John Dollond utilise le crown-glass pour son objectif achromatique, dit doublet achromat. → **flint-glass**.

cryptage Opération consistant à crypter, c'est-à-dire à rendre invisible ou embrouillée une information transmise par un système de télécommunication (*scrambling*). Le cryptage est utilisé par les chaînes de télévision à péage. SYN. embrouillage.

CSC Sigle du Centro Sperimentale di Cinematografia.

CST Sigle de la Commission supérieure technique de l'image et du son.

cube Objet de forme parallélépipédique dont se servent les machinistes pour le travail de prise de vues (*apple box*). Le cube permet de caler un travelling, de rattraper une marche, de surélever des objets, etc. On trouve sur un plateau des cubes empilables de différentes hauteurs et de tailles croissantes. → **cale, support**.

cul de bouteille ARG. Objectif.

curling ANGLICISME Déformation longitudinale de la pellicule. La pellicule déformée tend à s'enrouler en boucles serrées. → **tuilage**.

cut ANGLICISME Mot couramment usité en français. Passage d'un plan à un autre sans effet de liaison comme le fondu enchaîné ou le volet. SYN. coupe franche. → **montage cut**.

«Cut!» ANGL. Ordre fréquemment employé en France et dans les pays francophones au lieu de «Coupez!».

cuve Récipient servant aux divers stades de développement de la pellicule (*developing tank*).

cyan Couleur bleu-vert, complémentaire du rouge (*cyan*). Le cyan est à la base des procédés soustractifs du cinéma couleur. SYN. turquoise.

cyberculture NÉOLOGISME Forme culturelle privilégiant les nouvelles technologies (*cyberculture*). [1] La cyberculture propose des expériences en interactivité, dans un mode numérique, qui sont des prolongements des arts traditionnels comme la peinture et la musique. Ces expériences conduisent à la création de mondes virtuels, à des déplacements à l'intérieur de ces mondes et à des modifications dans la composition de ces mondes. [2] Désigne un art de vivre dans des pseudo-mondes. [3] Ensemble des aspects, concepts et techniques issus de l'utilisation de l'ordinateur et de la réalité virtuelle.

cyberespace Traduction de *cyberspace*, mot anglais inventé par l'écrivain américain William Gibson. Ensemble des informations électroniques circulant dans le monde. Ces informations sont organisées en «villes» et «villages» électroniques et reliées par des «routes» et «autoroutes» électroniques, sur le modèle physique des lieux et des voies de communication des humains. Par extension, cyberespace désigne un espace artificiel (ou espace logique), par opposition à un espace physique. DÉRIVÉS: cyberculture, cybermonde, cyberfilm, cyborg, cyberpunk, etc. → **autoroute de l'information, Internet**.

cyborg NÉOLOGISME Personnage créé par des moyens électroniques comme l'infographie (*cyborg*). Le cyborg désigne communément une créature artificielle dans un film.

cycle Présentation d'un ensemble de films d'un même réalisateur ou d'un genre cinématographique particulier (*cycle*). → **hommage, rétrospective**.

cyclo Forme abrégée de cyclorama.

cyclorama [cyclo] Fond de décor courbe et uniformément blanc (ou bleu pâle) utilisé sur un plateau de tournage (*cyc, cyclorama*). Le cyclorama est surtout utilisé sur les plateaux de télévision et sert à divers effets et trucages.

Cynégraphe Appareil de prise de vues à bandes perforées breveté en mars 1895 par Jules Carpentier qui l'abandonnera pour se consacrer à la construction de l'appareil des frères Lumière, le Cinématographe.

dadaïsme   De la Première Guerre mondiale aux années 20, mouvement littéraire et artistique d'avant-garde qui met l'accent sur l'instinct, l'irrationnel et la spontanéité (*Dadaism*). En cinéma, il n'existe pas de mouvement dadaïste en tant que tel, mais une série de films qui relève de l'esprit du dadaïsme dans la création d'un univers de dérision. Les films de Man Ray (*L'étoile de mer* [1925] et *Emak Bakia* [1927]), René Clair (*Entr'acte* [1924]), Fernand Léger (*Le ballet mécanique* [1924]) et Marcel Duchamp (*Anemic Cinema* [1925], en collaboration avec Man Ray) traduisent le sens visuel des peintres et la sensibilité des écrivains dadaïstes qui considèrent ces œuvres comme des «anti-films».

daguerréotype   Nom donné aux premières photographies du Français Louis Daguerre qui, en 1839, met au point un procédé de fixation de l'image sur une plaque métallique inventé par Nicéphore Niepce six ans auparavant (*daguerreotype*).

Daiei   Forme abrégée de Dai Nihon Eiga.

Daily Variety ➤ *Variety*.

Dai Nihon Eiga [Daiei]   Compagnie de production japonaise dont le nom signifie «Films du Grand Japon». Fondée en 1942, la Daiei survit après la Deuxième Guerre mondiale en regroupant les compagnies Nikkatsu, Shinko et Daito; ➤ **Shochiku, Toho**. Elle connaît des succès internationaux dans les années 50 avec, entre autres, *Rashomon* (1951) d'Akira Kurosawa. La compagnie produit des films de qualité, destinés avant tout aux festivals; ainsi, plusieurs films de Kenji Mizoguchi se voient récompenser à Venise. De grandes vedettes et d'importants réalisateurs (Kon Ichikawa, Daisuke Ito) travaillent pour elle. La Daiei dépose son bilan en 1970, mais elle est reconstruite par les syndicats; elle distribue alors ses anciens films, mais elle abandonne presque toute production.

dans la boîte   Expression du métier désignant un film terminé, prêt à aller au tirage (*in the can*).

DAO   Abréviation de dessin assisté par ordinateur.

DAT   Acronyme de Digital Audio Tape.

date de péremption   Date limite d'utilisation d'une pellicule (*expiry date*). La date de péremption est donnée par le fabricant du film, au-delà de laquelle il ne peut plus garantir les performances de la pellicule. L'émulsion d'une pellicule se détériore avec le temps.

date de production   Année de la production d'un film une fois terminé (*production year*). On ne doit pas confondre la date de production et la date de sortie.

date de sortie   Année de la première projection publique d'un film (*release date*). La date de sortie est toujours retenue par les archives du film dans le classement des films. On ne doit pas confondre la date de sortie et la date de production.

david de donatello Prix remis chaque année à Florence aux professionnels du cinéma italien. Le david de donatello est l'équivalent de l'oscar américain et du césar français.

Dawn Forme abrégée de procédé Dawn.

débiteur Dans une caméra, une tireuse ou un projecteur, tambour denté qui fait avancer la pellicule de façon continue ou intermittente (*sprocket*). SYN. bobine débitrice, pignon débiteur. OPPOSÉ: récepteur.

déblayer le décor Enlever du plateau tout élément indésirable après la plantation du décor (*clear the stage*).

Debrie Société française fondée en 1900 par Joseph Debrie, fabricant de matériel cinématographique. La société Debrie met au point des caméras (la Parvo, la Super-Parvo), des projecteurs (le Jacky, le Debrie) et des tireuses, comme la célèbre tireuse Truca.

décadrage Mouvement lent qui décadre en décentrant l'action à l'image lors des prises de vues (*out of frame*). Une image décadrée désigne une image décentrée. OPPOSÉ: recadrage. → **scanneur**.

décalage Défaut de correspondance entre le son et l'image (*sound advance*). Le décalage équivaut à la longueur de pellicule qui sépare l'image projetée et le point sur la piste sonore marquant le synchronisme sonore.

décaleur de bande Dispositif permettant de faire avancer et reculer la bande sonore à volonté. Utilisé en auditorium, le décaleur de bande permet une mise en place parfaite du son.

décapage Élimination de la couche protectrice d'une pellicule de film (*scrubbing*).

déchargement Opération consistant à décharger de l'appareil de prise de vues la pellicule impressionnée (*unloading*). OPPOSÉ: armement (RARE), chargement.

déchets de film PLUR. Plans non utilisés, écartés au montage du film (*cut-outs*). SYN. chutes.

déchirure Rupture accidentelle importante de la pellicule dans la caméra, le projecteur ou la tireuse (*tear*).

déclencheur Dispositif destiné à mettre en marche le mécanisme d'une caméra (*trigger*). SYN. déverrouillage.

décodeur Appareil permettant le décodage des émissions de télévision à péage (*decoder*). Le décodeur permet de recevoir des émissions en clair, désembrouillées. Homologué, il est loué avec l'abonnement à la télévision payante par câble ou par satellite.

décomposition Détérioration extrême de la pellicule, dont la phase ultime est son autodestruction (*decomposition*).

décor Décoration d'un espace (lieu, emplacement, environnement), artificiel (en studio) ou réel (à l'extérieur), pour le déroulement de l'action du film (*set*). Le décor participe tant du genre cinématographique adopté que de l'ambiance du film, de son unité visuelle et de son style. Son élaboration, de la table à dessin à sa construction en studio ou à sa localisation à l'extérieur, doit tenir compte de critères esthétiques et pratiques. L'élaboration du décor est de plus en plus confiée à un directeur artistique qui doit, avec une équipe technique (ses assistants) et une main-d'œuvre spécialisée (menuisiers, peintres, plâtriers, staffeurs, etc.), être en symbiose avec le chef opérateur et le réalisateur. On distingue le décor naturel, qu'on peut adapter et modifier, et le décor artificiel, entièrement construit; → **extérieurs, repérage**. Il est parfois moins onéreux de construire un décor que de tourner dans un décor naturel. Avec l'image de synthèse, on dispose de possibilités multiples de fabriquer des décors virtuels. → **scénographie**.

décorateur, trice Personne responsable de la conception des décors (*set designer*). Le décorateur trace les plans du décor, en construit les maquettes, détermine les besoins en matériaux, en meubles et en accessoires, choisit les couleurs, etc., en tenant compte des lieux de tournage et de la mise en place (les déplacements de la caméra). Il travaille étroitement avec le directeur de la photographie, le réalisateur, le chef costumier et l'ensemblier. On le désigne également sous les noms de chef décorateur et d'architecte-décorateur, mais il est le plus souvent appelé «concepteur des décors».

découpage [1] Cahier dans lequel l'action du film est découpée en plans et en séquences (*script, shooting script*). Le découpage est l'un des moments de l'écriture filmique. Il précède le tournage; il fournit les repères visuels et sonores nécessaires à la continuité. [2] En cinéma d'animation, croquis avec lesquels le chef animateur met en scène les personnages et prévoit les mouvements et les durées (*layout*).

découpage technique Découpage dans lequel les indications techniques sont très précises quant aux décors, à l'éclairage, au cadrage et aux déplacements de la caméra, au jeu des comédiens, etc. (*shooting script*). Le découpage technique est élaboré par le réalisateur avant le tournage. ➤ **story-board**.

découper Procéder à un découpage .

découpeur OBS. Personne responsable du découpage.

découverte Toile peinte placée derrière une ouverture du décor et simulant l'arrière-plan (*background*). La découverte est un décor de fond. Elle peut être remplacée par une photographie. Un paysage de ville avec ses gratte-ciel derrière une fenêtre, comme dans *La corde* (1948) d'Alfred Hitchcock, est un exemple de découverte. ➤ **arrière-plan**.

décrochage Effet lumineux entourant le sujet filmé obtenu par une source lumineuse l'éclairant par derrière (*back light*). Le décrochage a un effet de halo. SYN. contre-jour, lumière par derrière.

décryptage ➤ **désembrouillage**.

dédicace Hommage d'un réalisateur à une ou plusieurs personnes (*dedication*). La dédicace est généralement placée après le générique de début, mais parfois aussi au générique de fin du film.

dédoublage Action de séparer les prises gardées pour le montage de celles rejetées (*laying*). Les prises gardées sont regroupées sur une bobine. SYN. dégroupage. ➤ **chutier**.

déesse Se dit d'une actrice devenue une idole du public (*goddess*). La déesse est une star dont le charme éblouit. Joan Crawford, Eva Gardner, Marilyn Monroe et Lana Turner sont des actrices devenues des déesses.

défilement [1] Déroulement continu ou intermittent de la pellicule à l'intérieur d'une caméra, d'un projecteur ou d'une tireuse (*run*). [2] En audiovisuel, trajectoire de déplacement de la bande magnétoscopique devant les têtes de lecture (*scrolling*).

défileur Lors des séances de mixage de la bande sonore, banc de lecture du son utilisé en synchronisme avec l'image (*dubber*).

définition Précision et finesse des détails dans une image (*resolution, definition*). La définition est un des éléments du langage cinématographique; elle renforce l'effet de réalité. SYN. netteté. OPPOSÉ: flou. Anglicisme à éviter: résolution.

dégradation Détérioration d'un film soumis à des copies durant les différentes étapes du tirage (*degradation*).

dégradé ARCH. Disparition progressive de l'image. SYN. ACTUEL: fondu au noir.

dégroupage ➤ **dédoublage**.

De Luxe Color Pellicule couleur tirée par De Luxe Laboratories, compagnie fondée au début du siècle à Fort Lee, dans le New Jersey, dont les laboratoires sont situés actuellement à Los Angeles. De Luxe Color ne constitue pas un procédé de couleur original; la pellicule utilisée est probablement la Eastman Color. ➤ **Métrocolor, Warnercolor**.

démagnétiseur [1] Appareil servant à effacer une bande en vue de la préparer à servir pour un nouvel enregistrement (*degausser*). [2] Appareil servant à éliminer un champ magnétique indésirable lors d'un enregistrement sur bande magnétique (*head demagnetizer*). Le démagnétiseur permet de redonner une certaine brillance au son.

dématriçage Opération de décodage de la piste sonore en Dolby Stéréo (*decoding*). Lors du dématriçage, un décodeur analyse le son donné par deux canaux optiques pour le transmettre aux quatre canaux sonores.

1/2 e Abréviation de plan de demi-ensemble.

dénouement Fin du récit, quand tout est résolu et révélé aux spectateurs (*conclusion*). En théorie cinématographique, le dénouement est appelé «occurrence dramatique». → **climax**.

densité [1] Degré d'opacité de l'image du film (*density*). [2] Éléments se trouvant dans l'image (*density*). [3] Opacité relative d'un filtre (*filter density*).

densité fixe Trace sur la piste sonore optique traduisant la longueur du son (*variable area*). Une élongation transversale figure l'intensité du son, et une élongation longitudinale, les longueurs d'onde. SYN. élongation variable.

densitomètre Appareil mesurant la densité de l'image du film (*densitometer*). Un mécanisme photoélectrique mesure la lumière transmise par l'image.

densitométrie Mesure de la densité des images d'un film (*densitometry*). La densitométrie permet de connaître l'opacité relative des émulsions photographiques exposées.

département ANGLICISME De *department*. À l'époque des grands studios, administration autonome d'une Major où les différents corps de métier conçoivent les films. On distingue différents départements: le département des scénarios, le département du décor, le département de la distribution, le département de publicité, etc.

dépassement Excédent du montant des sommes prévues au devis d'un film (*overspending, overspend on budget*).

déphaseur électronique Accessoire électronique reliant le magnétoscope ou le moniteur à la caméra lorsqu'on filme un écran de télévision. Le déphaseur électronique a la même fonction que le déphaseur mécanique.

déphaseur mécanique Pièce entre le moteur et sa fixation sur la caméra pour filmer un écran de télévision. Le déphaseur mécanique permet de maintenir la synchronisation avec la vitesse de la caméra et de la télévision (20 images par seconde en France, 30 images par seconde en Amérique).

déplacement Action par laquelle une personne ou un objet passe d'un point à un autre (*movement*). On distingue le déplacement de l'acteur dans le cadre et le déplacement de la caméra qui caractérisera le plan.

dépoli N. Verre à l'intérieur de la caméra où se forme l'image par les rayons lumineux réfléchis par le miroir de l'obturateur (*ground glass viewfinder*). Sur ce verre sont tracés les repères de format qui indiquent les limites du cadre de l'image.

dépolissage Première étape de l'opération de dérayage consistant à rendre mat le côté brillant de la surface de la pellicule (*depolishing*).

dépôt Particules provenant de l'émulsion déposées dans le couloir du projecteur (*deposit, shedding*). Ces particules peuvent détériorer le film. SYN. ARGOTIQUE: gâteau.

dépôt légal Obligation de remettre une copie de toute production cinématographique à un organisme responsable désigné par l'État, telle une cinémathèque (*registration of copyright*). → **Institut national de l'audiovisuel**.

dépouillement Cahier où est consigné, scène par scène, tout ce qui est nécessaire au tournage (*breakdown*). Le dépouillement contient des notes et des observations générales à l'intention de tous les artisans du film: les interprètes, les figurants, les costumiers, les accessoiristes, les machinistes, les maquilleurs, etc.

dépoussiéreur Papier tendre, parfois imbibé de liquide antistatique, placé sur deux rouleaux entre lesquels le projectionniste fait défiler le film avant sa projection. Le papier retient les poussières accumulées sur la pellicule.

dérayage Opération consistant à rendre moins visibles les rayures d'un film lors de sa restauration (*descratching*). Le dérayage s'effectue en deux temps (le dépolissage et le repolissage) à l'aide de solvants appropriés. SYN. polissage (*polishing*).

dérive chromatique Variation chromatique plus ou moins prononcée des trois couches colorées d'une émulsion (*chromatic distortion*).

déroulant Bande de papier déroulée devant la caméra, sur laquelle défile un texte expliquant l'action ou montrant le générique (*roller titles, rolling titles*).

déroulement [1] Dans le projecteur, passage de la pellicule d'une bobine à une autre (*continuous projector*). [2] Par extension, séance de cinéma (le déroulement du film) et narration (le déroulement du récit).

dérouleur Large plateau horizontal placé à coté du projecteur, sur lequel est enroulée la pellicule (*unwinder*). Le dérouleur peut contenir 4 1/2 heures de film en 35 mm (ou 5 000 mètres de pellicule). Il est surtout utilisé dans des complexes multisalles dont les cabines de projection sont reliées entre elles, avec projecteurs programmés par ordinateur. Il permet la projection d'un film sans changement de bobines ou la projection d'un même film dans plusieurs salles en même temps. ➤ **enchaînement**.

désanamorphoser Rétablir une image anamorphosée dans son format d'origine (*unsqueeze*). OPPOSÉ: anamorphoser.

désaturation Perte de la pureté d'une couleur (*desaturation*). La désaturation est une détérioration du film causée par l'âge de la pellicule, par un défaut de développement de la pellicule ou par les générations d'une copie. Elle est parfois voulue par le réalisateur; à voir: *Le choix de Sophie* d'Alan Pakula (1982) où les scènes au passé sont légèrement voilées, peu contrastées. ➤ **préflashage**. OPPOSÉ: saturation.

désembrouillage Opération consistant à rendre lisible une information (une image ou un son) embrouillée (*descambling*). SYN. décryptage.

désexcitation Phénomène de vieillissement affectant les particules métalliques d'une bande vidéographique enregistrée (*drop-out*). La désexcitation se traduit par des éclairs lumineux ou noirs à l'écran.

déshuilage Action d'enlever tout gras déposé sur la pellicule lors de la rénovation d'une copie de film (*dewaxing*). Le déshuilage est un relavage chimique, qui se pratique à chaud ou à froid.

dessin animé Film obtenu par la méthode du cinéma d'animation (*cartoon*). Il existe des dessins animés dans tous les styles, fabriqués à l'aide de plusieurs techniques, selon les cinéastes, appelés animateurs. La fabrication d'un dessin animé demande une grande somme de travail et de nombreux collaborateurs. C'est en 1908 qu'on découvre le principe à la base du dessin animé: le déplacement d'un objet ou d'un mouvement dessiné, d'un plan à l'autre, avec de légères variantes. Le Français Émile Reynaud est le premier à s'intéresser aux possibilités de l'animation, c'est toutefois Émile Cohl, un compatriote, qui est le véritable créateur du dessin animé. L'Américain Earl Hurd est le premier animateur à utiliser les feuilles de celluloïd transparentes: les feuilles sur lesquelles se trouve un dessin sont superposées sur un décor fixe et unique. ➤ **école de Zagreb, Walt Disney Company**.

dessin assisté par ordinateur [DAO] Programme informatique appliquant l'art du dessin à l'ordinateur (*computer-aided drafting*). Le DAO est utilisé à petite échelle dans le dessin animé. ➤ **conception assistée par ordinateur**.

dessinateur de fonds Terme très peu usité en français; on emploie en lieu et place et couramment le terme anglais *layout man*. Personne responsable de la mise en place du dessin animé.

dessin sur film Dessin peint ou gravé directement sur la pellicule (*direct animation, handmade film*). L'animateur canadien Norman McLaren a été l'un des tout premiers cinéastes à utiliser cette technique dans *Color Box* (1938). VOISIN: peinture sur film. ➤ **animation sans caméra**.

désynchronisation Arrêt du synchronisme entre le son et l'image (*out-of-sync*). La désynchronisation est généralement accidentelle. OPPOSÉ: synchronisation.

détecteur Appareil pour le doublage qui transcrit, en synchronisme avec l'image et le son, les dialogues et les ambiances du film (*detector*). Grâce au détecteur, on indique par des signes conventionnels («o», «O», «-», «->», etc.) les respirations, les ouvertures et les fermetures de bouche, les changements de plans, etc.

Deutsche Industrie Norm [DIN] Organisme de normalisation allemand, connu pour ses normes en photographie. L'acronyme DIN est donné comme nom de l'indice de la sensibilité d'émulsion d'un film. DIN est membre de l'ISO.

deux à deux ➤ **chenille [1]**.

deuxième équipe Équipe légère chargée de tourner les plans ne nécessitant pas la présence du réalisateur et du directeur photo (*second unit*). La deuxième équipe tourne généralement les plans de coupe (les paysages, les villes, les foules, etc.). Elle est souvent spécialisée dans le tournage des effets spéciaux. Anglicisme à éviter: seconde équipe.

développement Opération de laboratoire soumettant la pellicule à divers traitements afin de rendre ses images visibles (*developing, processing*). La pellicule est plongée dans un révélateur, puis rincée, fixée, lavée et séchée. On distingue deux sortes de développement: le développement chromogène et le développement poussé. SYN. traitement du film.

développement chromogène Développement d'une pellicule couleur (*color developing*).

développement poussé Développement prolongé dans un révélateur afin d'augmenter la sensibilité de la pellicule (*forced developing*).

développeur Technicien de laboratoire responsable du développement.

développeuse Machine destinée au développement de la pellicule (*developing machine*).

déverrouillage ➤ **déclencheur**.

devis Estimation du coût d'un film (*cost estimate*). Au cinéma, on emploie plutôt le terme «budget» (*budget*), qui est un anglicisme. ➤ **dépassement**.

dévisser ARG. Pour le cadreur, action de faire faire à un objet une rotation sur lui-même dans le sens des aiguilles d'une montre. On peut ainsi faire apparaître une étiquette publicitaire sur une bouteille sans la changer de place. OPPOSÉ: visser.

DGA Sigle de la Directors Guild of America.

diacétate Forme abrégée de diacétate de cellulose.

diacétate de cellulose [diacétate] Matériau utilisé pour des pellicules ininflammables (*cellulose diacetate*). ➤ **nitrate de cellulose, triacétate**.

dialectique filmique Notion théorique désignant le jeu et l'organisation des différents paramètres cinématographiques que sont le découpage, le montage, la durée des plans, la netteté des images, les couleurs et les sons (*cinematic dialectic*). Ces paramètres élaborent parfois des systèmes narratifs extrêmement complexes; à voir: les films de Michelangelo Antonioni. La dialectique filmique est inséparable de la structure du film, mais indépendante de son contenu. Le théoricien Noël Burch utilise cette notion dans ses travaux. Dans ses écrits, S.M. Eisenstein avait amorcé une approche de la dialectique filmique.

dialogue Ensemble des phrases prononcées par les interprètes et synchronisées sur le mouvement des lèvres (*dialogue*). Le dialogue peut être enregistré en direct, post-synchronisé ou doublé. Dans la narration, il peut être séparé de l'action par une voix off, le personnage parlant au passé ou ravivant un souvenir. En voix hors-champ, il annonce l'apparition prochaine d'un personnage dans le champ de la caméra. De l'avènement du parlant jusqu'aux années 50, le dialogue est souvent lourd et envahissant. Par la suite il sera mieux intégré à l'espace filmique. Il permet les mots d'auteur, comme ceux caustiques et brillants d'Henri Jeanson, Billy Wilder et Woody Allen.

dialoguiste Personne responsable de l'écriture des dialogues du film (*dialogue writer*, ARG. *dialogian*).

diaphotie Apparition d'images fantômes à l'écran de télévision causée par le transfert d'une ligne sur une autre. La diaphotie provient de la trop grande proximité des lignes transportant les signaux.

diaphragme Disque formé de lamelles mobiles, situé à l'intérieur de l'objectif, servant au réglage de la pénétration d'une quantité de lumière (*diaphragm*). On parle de réglage de diaphragme.

diascope Projecteur à diapositives.

diégèse Terme théorique de la sémiologie, introduit par Christian Metz dans ses travaux, désignant tous les éléments essentiels à la narration (*diegesis*). Les éléments de la narration (l'action, le dialogue, l'espace et le temps, etc.) sont autant déterminés par les plans et leurs mouvements que par la mise en scène et la scénographie. → **narration**.

diffuseur [1] Pièce ou matière, comme une glace teintée, une gaze, un tissu de Nylon, de la gelée, qu'on place en face d'une source de lumière pour adoucir l'éclairage (*diffuser*). [2] Pièce ou matière, comme celles indiquées plus haut, placées sur l'objectif de la caméra pour atténuer les détails du sujet filmé (*filter*). [3] Dans un projecteur, surface hémisphérique réfléchissante d'une lampe (*reflector*). SYN. réflecteur. [4] Toute surface pouvant réfléchir la lumière: un panneau de bois blanc, un panneau recouvert de papier d'aluminium ou un tissu blanc tendu (*reflector board*). SYN. panneau diffuseur, panneau

réflecteur. [5] Hémisphère utilisant un matériau translucide placé devant la cellule pour mesurer la lumière incidente. SYN. sphère d'intégration. [6] Opérateur de télécommunications spécialisé dans la gestion des réseaux de diffusion de programmes audiovisuels (*broascaster*). Par extension, chaîne de télévision responsable de la diffusion et de la distribution de programmes. → **éditeur [2]**.

diffusion [1] Action de diffuser la lumière des projecteurs à l'aide de filtres (*diffusion*). → **diffuseur**. [2] Procédé consistant à adoucir l'image par l'atténuation de ses détails (*soft focus*). Dans les scènes de nudité ou d'amour des films japonais, on met de la gelée sur la lentille pour brouiller des détails. [3] Distribution de films auprès du public (*release*). [4] Présentation de films à la télévision (*film presentation*). → **diffusion en rafale, passage**. [5] Action de faire connaître et apprécier le cinéma. [6] Radiodiffusion et télédiffusion (*broadcasting*).

diffusion en rafale Traduction suggérée de *stripping*, dans le vocabulaire de la télévision. Programmation à la télévision d'un feuilleton à la même heure, sur plusieurs jours consécutifs, de 3 à 5 jours.

Digital Audio Tape [DAT] Marque de commerce d'un procédé d'enregistrement du son sous forme numérique sur un support magnétique commercialisé par Sony en 1987. DAT est également le nom donné au lecteur et à la cassette utilisant ce procédé. Il comprend un appareil et un support miniaturisés qui donnent un son de grande qualité. Le DAT existe en version professionnelle portable pour l'industrie du cinéma: le PORTADAT.

Digital Theater System [DTS] Marque de commerce d'un système de reproduction de son numérique commercialisé en 1993 aux États-Unis et au Canada par Universal Pictures. Destiné à la distribution, le DTS utilise un cédérom à six pistes sonores dont le lecteur est relié synchroniquement au projecteur; le son ne se trouve donc pas lu sur la pellicule. Lancé pour la sortie du *Parc jurassique* de Steven Spielberg, il a l'avantage de faciliter le passage sans encombre d'une version en langue originale à une version en langue étrangère. Dolby a également mis au point un système semblable.

Digital Video Disk [DVD] → **disque compact vidéonumérique**.

Digital Video Express [Divx] → **disque compact vidéo express**.

DIN Acronyme de Deutsche Industrie Norm.

Diorama Spectacle mis au point en 1822 par Louis Daguerre et Charles Bouton. Le Diorama est un dérivé du Panorama. Une ouverture est pratiquée dans les murs d'une salle en forme de rotonde; lors de la rotation de la salle, l'ouverture présente un tableau fixé à l'intérieur de la rotonde; la rotonde pivote sur son axe et un deuxième tableau apparaît dans l'ouverture, comme dans un fondu enchaîné, par un jeu d'éclairage, les deux faces du tableau étant peintes et éclairées par transparence ou réflexion. Le Diorama est un des ancêtres du Cinématographe.

directeur, trice Spécialiste qui a sous sa direction plusieurs employés formant une équipe dans un domaine de la réalisation, du tournage et de la production d'un film. Il peut s'agir d'un directeur artistique, d'un directeur de la photographie, d'un directeur de production, d'un directeur de cascades, etc.

directeur, trice artistique Terme de plus en plus usité en français pour désigner anciennement le décorateur ou le concepteur des décors (*art director*). En français, mais rarement usité: directeur de la scénographie. Aux États-Unis, le directeur artistique a une responsabilité plus large que celle d'un décorateur, car son travail s'étend à tous les éléments visuels du film.

directeur, trice de la photographie [directeur photo] Spécialiste responsable de la prise de vues (*director of photography*). Le directeur de la photographie s'occupe de l'éclairage, de la composition des couleurs, des lentilles, des filtres et de la pellicule employés, de l'emplacement et des déplacements de la caméra et de l'intégration des effets spéciaux; il participe également au choix des lieux de tournage. Il agit souvent comme caméraman pour des petites productions, comme les documentaires. Il est généralement assisté par un caméraman qui manipule la caméra. → **cadreur, pointeur**. Il est le grand responsable de la qualité de l'image apparaissant à l'écran. Parmi les noms importants de directeurs de la photographie, citons ceux de Nestor Almendros, Billy Bitzer, Raoul Coutard, Sven Nykvist, Gregg Toland et Haskell Wexler. SYN. MOINS USITÉ: chef opérateur.

directeur de la scénographie RARE → **directeur artistique**.

directeur, trice de production Spécialiste responsable de la gestion et de l'administration d'un film (*line producer, production manager*, RARE *unit producer*). Le directeur de la production passe les contrats, met quotidiennement au point l'horaire de tournage, voit à la location des extérieurs, du matériel et des accessoires, à l'engagement des surnuméraires, à l'organisation du transport, aux réservations d'hôtel et aux services d'un traiteur, en veillant à ce que les coûts soient toujours les plus bas possible. → **producteur délégué**.

direction du regard Orientation du regard de l'interprète durant une scène (*direction of look, direction of glance*). La direction du regard est très importante surtout dans les scènes en champ-contrechamp.

directeur photo Forme abrégée de directeur de la photographie.

directionnalité Caractéristique des microphones décrivant la sensibilité des sons en fonction de leur provenance (*directionality*). → **micro bidirectionnel, micro omnidirectionnel**.

directivité Dans la prise de son, caractère de la variation de la sensibilité (ou du niveau sonore) en fonction de la position de la source du son par rapport à l'axe dans l'agencement du microphone (*directivity*). La directivité dépend également du type de micro (directionnel, bidirectionnel, omnidirectionnel, micro canon ou microcravate).

director's cut ANGL. Expression uniquement usitée dans l'industrie américaine du cinéma. Montage du film assemblé par le cinéaste. À Hollywood, le film appartient au studio et au producteur qui, dès lors, peuvent contrôler le montage. Selon les conditions de la convention de la Directors Guild of America, le réalisateur a environ six semaines pour monter son film et il doit travailler étroitement avec le directeur de la production. → ***camera cut, final cut***.

Directors Guild of America [DGA] Association professionnelle américaine qui regroupe les réalisateurs, les assistants réalisateurs, les directeurs de production, les adjoints aux directeurs de production et les régisseurs de scène, du cinéma et de la télévision. → ***director's cut***.

diriger Assurer la mise en scène d'un film (*direct*). On parle de direction d'acteurs. SYN. mettre en scène, réaliser.

discothèque Endroit où sont conservés les enregistrements musicaux sur disques, CD, bandes, etc. (*record library*). SYN. musicothèque. → **sonothèque**.

discours Terme de la critique et de la théorie cinématographiques. Ce qui est exprimé par les images et les sons (*discourse*). Le discours désigne le plus souvent le sujet traité dans le film: les messages, les idées ou les énoncés que révèlent les images ou les séquences d'un film. Ce qu'on perçoit n'est pas le réel, mais un discours sur le réel. → **énonciation**.

Disneyland Parc d'attractions de la compagnie de production Walt Disney situé en Californie. Un autre Disneyland se trouve en Floride, à Orlando. Diznelando est le parc créé à Tokyo et Euro Disney est celui situé près de Paris, à Marne-la-Vallée.

dispersion Séparation de la lumière dans les différentes longueurs d'onde de son spectre (*dispersion*).

dispositif de cadrage → **appareil de cadrage**.

dispositif d'enchaînement Système permettant le passage automatique de la fin d'une bobine d'un projecteur avec le début d'une bobine dans l'appareil voisin (*change-over device*). → **double poste**.

disque [1] Plaque circulaire de matière thermoplastique sur laquelle sont enregistrés des sons dans la gravure du sillon (*disk*). Le procédé d'enregistrement du disque est analogique. Lorsque le procédé d'enregistrement est numérique, on emploie alors le terme «disque audionumérique» (ou «disque compact»); → **CD**. [2] Support utilisé pour la postproduction, l'archivage et l'édition à grande diffusion des produits audiovisuels (*disk*).

disque audionumérique → **disque compact**.

disque compact → **CD**.

disque compact interactif → **CD-I**.

disque compact vidéo express [Divx] Nouvelle mouture du disque compact vidéonumérique mise au point en 1998 par une firme californienne et la chaîne de vente d'appareils électroniques américaine Circuit City. Communément appelé Divx (*Digital Video Express*), le disque compact vidéo express fonctionne sur son propre lecteur muni d'un modem (qui le lie à une ligne téléphonique) et d'une puce de sécurité qui enregistre le nombre de fois qu'est lu le disque; sauf durant les premières 48 heures, chaque visionnage est facturé au propriétaire de l'appareil; la facturation est mensuelle. Le coût de l'appareil est de 50 $ à 100 $ US plus élevé que le lecteur DVD, mais l'appareil peut lire les DVD. Le coût d'achat d'un disque compact vidéo express est par contre très bas: 5 $ US, de 10 à 20 fois moindre que celui d'un disque compact vidéonumérique. Pour la location, on facture le client au nombre de jours d'utilisation, inscrit au moment de la location (entre 5 et 20 $ US); le client n'a pas à rapporter le Divx au vidéoclub, le disque désactivé après la date n'étant plus réutilisable. Les compagnies Panavision, RCA et Zenith doivent mettre en marché les appareils Divx dans les premiers mois de l'année 1999; JVC et Pionner à la fin de cette même année; Mitsubishi, Sony et Yamaha n'ont pas publiquement annoncé la date de mise en marché de leurs appareils Divx.

disque compact vidéonumérique [disque optique vidéo compact, DVD,

vidéodisque numérique] Standard de disque compact numérique contenant des images animées plein écran accompagnées de sons. Communément appelé DVD (*Digital Video Disk*), le disque compact vidéonumérique devrait remplacer dans les prochaines années la cassette préenregistrée et le disque laser. Il est mis en vente au printemps de l'année 1997, d'un commun accord entre Sony et Philips, en collaboration avec l'industrie hollywoodienne. De la taille d'un CD, il peut contenir 4,7 gigaoctets, 12 fois plus d'information qu'un cédérom. On peut y stocker un film de long métrage avec différentes pistes audio en plusieurs langues. Il offre une qualité du son et de l'image comparable à celle d'une salle de cinéma. Conçu pour être adapté au lecteur de CD courant et de cédérom (sa première appellation est *Digital Versatile Disk*), il a toutefois été mis en marché avec son propre lecteur. Il remplace le CD-I, qui n'a pas eu de succès.

disque laser Disque à lecture numérique contenant des images animées et des sons (*laserdisk*). Le disque laser est lu par un faisceau laser, d'où son nom. Il peut contenir plusieurs heures d'informations audio et vidéo. Il permet une édition critique de films comprenant la version originale de l'œuvre, les commentaires du réalisateur et des autres membres de l'équipe, des documents photographiques, sonores et vidéographiques, la reproduction d'un story-board et de la bande-annonce, des analyses par des spécialistes, des références à d'autres œuvres filmiques, etc. SYN. vidéodisque.

disque optique compact ➤ **cédérom**.

disque optique vidéo compact ➤ **disque compact vidéonumérique**.

distance de projection Espace séparant la fenêtre de projection du projecteur du centre de l'écran (*throw*).

distance focale [focale] Caractéristique d'un objectif déterminant la taille de l'image filmée (*focal lenght*). Elle est souvent synonyme d'objectif, d'où sont tirées des expressions comme «tourner en courte focale», «tourner en longue focale». La distance focale est représentée par le symbole «f:». ➤ **distance hyperfocale**.

distance hyperfocale [hyperfocale] Mise au point rendant nets, dans la profondeur de champ, tous les objets qui s'étendent de la moitié de cette distance jusqu'à l'infini (*hyperfocal distance*).

distorsion [1] En optique, aberration pouvant affecter l'image donnée par un objectif (*optical distortion*). On distingue la distorsion chromatique, la distorsion en coussinet, la distorsion en S et la distorsion trapézoïdale. [2] En acoustique, déformation du son lors de son enregistrement ou de sa reproduction (*sound distortion*).

distorsion chromatique Défaut d'équilibre dans la restitution des couleurs (*color contamination*).

distorsion en coussinet Déformation de l'image causée par le gonflement des bords de la pellicule (*cushion distortion*).

distorsion en S Déformation en S des lignes horizontales de l'image quand la caméra se déplace d'un lieu à un autre, d'un personnage à un autre ou d'un objet à un autre (*S distortion*).

distorsion trapézoïdale Distorsion de l'image projetée sur un écran par rapport à l'axe de projection (*keystoning*). Ce défaut se remarque particulièrement lorsque la cabine de projection est située très haut dans la salle; l'axe de projection ne se trouve plus alors perpendiculaire par rapport au plan de l'écran.

distributeur (1) [1] Pièce qui régularise l'entraînement du film dans le chargeur de la caméra. [2] Entreprise de distribution (*releasing organization*). SYN. maison de distribution.

distributeur, trice (2) Personne qui diffuse et lance un film (*distributor, releaser*). Le distributeur se place entre le producteur, qui lui vend un film, et l'exploitant de salle, qui le lui loue. Du temps des studios, les Majors sont leurs propres distributeurs. Le distributeur se spécialise dans certains genres: les films étrangers, les films éducatifs, les films d'art et d'essai, les films pornographiques, etc. Il participe souvent à la production d'un film par un préachat, une sorte d'avance sur les recettes; ➤ **à-valoir**

distributeur. Il achète également les droits pour la distribution en vidéocassettes, pour la télévision notamment, à laquelle il loue le film pour deux ou trois passages à l'antenne; ➤ **diffusion**.

distribution [1] Ensemble des interprètes d'un film (*cast*). ➤ **bout d'essai**. [2] Recherche et répartition des rôles (*casting*). La distribution des rôles est de plus en plus confiée à un directeur de casting. ➤ **agence**. [3] Activité d'un distributeur ou d'une maison de distribution dans l'acquisition, la location, le transport et la publicité des films (*release*).

divertissement Catégorie dans laquelle on entre le spectacle cinématographique comme un loisir (*entertainment*). ➤ **show-business**.

Divx Sigle de Digital Video Express.

17,5 mm Format de pellicule créé par Pathé en 1927, destiné à l'exploitation de la caméra Pathé-Rural. Le 17,5 est tout simplement une pellicule 35 mm coupée en deux.

DOC Acronyme de disque optique compact. ➤ **cédérom**.

docu FAMILIER Forme abrégée de documentaire.

docudrame Type de documentaire dans lequel sont intégrés des éléments de fiction pour aborder un sujet. Le docudrame est surtout produit pour la télévision. SYN. docufiction.

docufiction ➤ **docudrame**.

documentaire [docu] Film qui a le caractère d'un document (*documentary*). Le documentaire est essentiellement un film de non-fiction. On traite principalement dans un documentaire des événements, des gens et de leurs activités, en tentant de donner directement un sens, une perspective ou un but à la réalité observée. Le documentaire peut être un court, un moyen ou un long métrage. On peut y intégrer de la fiction; il est alors appelé «docudrame». Le mot «documentaire» apparaît en 1926 dans un article de John Grierson sur le film *Mona* de Robert Flaherty; Grierson y décèle un «traitement créatif de la réalité». Le cinéma des frères Lumière fait figure de documentaire; les premiers opérateurs rapportent des images des principaux événements se produisant dans le monde. Durant la Première Guerre mondiale, on voit apparaître le film de propagande. Dizga Vertov est un farouche défenseur du documentaire dans lequel il voit des possibilités esthétiques et visuelles illimitées; ➤ **Ciné-Œil**. Les mouvements d'avant-garde donnent des documentaires formalistes; ➤ **abstraction allemande**. John Grierson inaugure l'école du documentaire dans les années 30 en Angleterre; travaillant dans différents ministères britanniques et recevant des subventions, il forme des cinéastes qui donneront au cinéma britannique ses meilleures œuvres. Les États-Unis, dans l'entre-deux-guerres, lors du grand mouvement de syndicalisation des travailleurs et du New Deal, produisent d'excellents documentaires. Avec le nazisme, l'Allemagne produit un cinéma de combat et de propagande excessif. Après la Deuxième Guerre mondiale, les pays de l'Est favorisent la production de documentaires. Dans les années 50 naît le Free Cinema, qui s'inspire de l'école de Grierson. Ce dernier a fondé en 1939 l'Office national du film du Canada [ONF]; l'ONF produira une série télévisée en 1956 qui donnera le nom au mouvement du Candid Eye; de son côté, les expériences de l'équipe française de l'ONF aboutiront au Cinéma direct québécois. Jean Rouch, en France, déjoue les codes du documentaire avec *Moi un Noir* (1959), inaugurant ainsi le mouvement du cinéma-vérité. La France forme dans les années 50 et 60 d'excellents documentaristes comme Chris Marker, Alain Resnais et Agnès Varda. Parmi les cinéastes contemporains importants du documentaire, citons les noms de Raymond Depardon (France), Frederick Wiseman, Emile de Antonio et Robert Kramer (États-Unis), Johan van der Keuken (Pays-Bas) et Richard Dindo (Suisse). Un festival important lui est consacré, le Festival du Réel, qui se tient au mois de mars de chaque année à Paris. ➤ **film de montage, style documentaire**.

documentaire rock Genre cinématographique né à la fin des années 60, présentant des spectacles de groupes rock

(*rock documentary*). Le film d'Albert et David Maysles, *Gimme Shelter* (1970), est l'exemple d'un remarquable documentaire rock sur un spectacle des Rolling Stones à Altamont (Californie), monté avec diverses séquences de la tournée du groupe aux États-Unis. Martin Scorsese filme le concert d'adieu du groupe The Band dans *The Last Waltz* (1978), y poursuivant sa réflexion sur le monde du spectacle entreprise dans *New York New York* (1977). Depuis les années 80, les chaînes télévisées musicales, en retransmettant en direct les spectacles rock, mettent presque fin au genre.

documentariste Auteur de films documentaires (*documentary film-maker* [ou *filmmaker*]).

document-fiction Film de fiction destiné à alimenter un débat télévisé.

Dogma 95 Manifeste esthétique conçu par de jeunes cinéastes danois regroupés dans un collectif qui porte le même nom, fondé au printemps 1995 sous la houlette du réalisateur Lars von Trier. L'objectif du manifeste est de contrecarrer certaines tendances du cinéma contemporain, notamment dans l'utilisation des nouvelles technologies. Les signataires de Dogma 95 contestent la notion d'auteur, inspirée selon eux par un romantisme bourgeois décadent et faux. Parmi les dix commandements énumérés dans leur manifeste, ils prônent la disparition du nom du réalisateur au générique du film, l'exclusion de tout système d'éclairage, le rejet de l'emploi de la musique, le tournage de films exclusivement en couleurs et dans des décors naturels, la prise de son uniquement en direct et l'utilisation absolue de la caméra portable. Le premier film réalisé selon les principes du Dogma 95 est *Célébration* (1998) de Thomas Vinterberg.

Dolby Marque de commerce d'un système d'enregistrement et de reproduction sonore de qualité supérieure mis au point en 1967 (*Dolby System*). Le Dolby est le résultat de la compression des sons lors de leur enregistrement et de leur décompression lors de leur reproduction. Il doit son nom à son inventeur, Ray Dolby. ➤ **Dolby SR.D, Dolby Stéréo**.

Dolby Digital [Dolby SR.D] Marque de commerce d'un système de reproduction sonore numérique mis au point en 1991 et commercialisé en 1992 par Dolby Laboratories. Les sons sont amplifiés lors de leur enregistrement et atténués lors de leur reproduction. La piste sonore numérique est logée entre les perforations d'un film 35 mm. Le Dolby Digital est compatible avec une piste sonore analogique en Dolby Stéréo.

Dolby SR.D De Dolby Spectra Recording-Digital. ➤ **Dolby Digital**.

Dolby Stéréo Calque de l'anglais Dolby Stereo. Marque de commerce d'un système sonore en stéréophonie mis au point en 1977 par Dolby Laboratories. Ce système fonctionne pour le film 35 mm sur deux canaux optiques qui diffusent le son sur quatre pistes distinctes. ➤ **THX**.

dolly ANGLICISME Chariot complexe mis au point dans les années 40 afin de faciliter les mouvements de caméra, travellings et panoramiques, grâce à un dispositif pneumatique ou hydraulique. La dolly est manœuvrable sur deux ou quatre roues; ➤ **crab dolly**. Dolly est devenu un terme générique pour désigner tous les appareils qui lui ressemblent: la Stindt, la Peewee Chapman, la Hustler Chapman, la Hybrid Chapman et la Fisher.

Domitor Nom donné par Antoine Lumière à l'appareil qui deviendra le Cinématographe.

doublage Opération de substitution des dialogues dans une langue par des dialogues dans une autre langue (*dubbing*). Le doublage est fort critiqué par les cinéphiles qui lui préfèrent le sous-titrage. ➤ **postsynchronisation**.

doublage en boucle Postsynchronisation faite avec des copies de doublage (*ADR [automatic dialogue replacement]*). La copie de doublage est découpée en fragments, qui sont mis en boucle.

double bande Film se présentant sous la forme de deux bandes séparées: une bande image et une bande son (*double band, double-head*). Le montage d'une copie de travail s'effectue en double bande. → **projection double bande**.

double image Trucage optique consistant à monter deux images dans le même plan (*split screen*). L'image de deux personnages qui sont dans deux endroits différents et se parlent au téléphone est un exemple de double image. → **écran divisé, multi-image**.

double négatif Prise négative développée au laboratoire mais non retenue au montage du négatif.

double positif Prise positive tirée, gardée dans le bout-à-bout, mais non retenue dans la copie de travail. On distingue le positif image (*picture positive*) et le positif son (*sound positive*).

double poste Installation dans une cabine de deux projecteurs qui fonctionnent alternativement, un des projecteurs enchaînant le début d'une bobine avec la fin d'une autre dans l'appareil voisin. → **dispositif d'enchaînement**.

doubler [1] Faire le doublage (*dub*). [2] Remplacer un acteur par une autre personne pour le tournage des scènes dangereuses ou osées (*stand-in*). → **cascadeur, doublure**.

doublet achromat Imaginé en 1758 par l'opticien anglais John Dollond, ensemble convergent formé d'une lentille convexe en verre crown et d'une lentille concave en verre flint (*achromatic lens*). Le doublet achromat permet de corriger les aberrations chromatiques, soit la déformation des images projetées et l'irisation parasite. SYN. objectif achromatique.

doubleur-chant [doublure-chant] Personne qui en double une autre supposée chanter dans un film (*singing voice*). Les voix des personnages des *Parapluies de Cherbourg* (1964) de Jacques Demy sont celles de doublures-chant.

Double X [XX] Marque de commerce d'une pellicule négative en noir et blanc de Kodak fabriquée dans l'entre-deux-guerres.

doublure Personne remplaçant un interprète (*understudy, stand-in*). À cause de sa ressemblance avec l'interprète, la doublure prend sa place pour le réglage des éclairages, les prises de vues en amorce ou en silhouette. La doublure peut être également un cascadeur. → **doublure-chant**.

doublure-chant → **doubleur-chant**.

doux ADJ. Caractéristique d'un négatif ou d'une image présentant un faible contraste (*soft*). OPPOSÉ: dur.

dowager ANGL. ARG. Figurante âgée.

dragonne Lanière ou courroie fixée à la caméra qu'on enroule autour du poignet pour éviter de laisser tomber par mégarde l'appareil (*wrist-strap*). La dragonne est surtout adaptée pour les caméras amateurs.

drame Genre de films dont l'action, tragique ou pathétique, s'accompagne d'éléments réalistes (*dramatic film*). Ces éléments peuvent être parfois comiques; → **comédie dramatique**. La structure d'un drame commence par l'exposition d'une situation dramatique (un accident, une maladie grave, la perte d'un emploi, etc.), suivie par le récit de ses conséquences dans la vie quotidienne, et se termine par un dénouement, généralement positif. Les films d'Ingmar Bergman (*Persona* [1965]) et de Michelangelo Antonioni (*L'avventura* [1960]) sont des chefs-d'œuvre de maîtrise de drames exceptionnels. On distingue plusieurs catégories de drame: le drame biographique, le drame de guerre, le drame fantastique, le drame judiciaire, le drame historique, le drame musical, le drame policier, le drame psychologique, le drame sentimental, le drame social et le drame sportif. SYN. film dramatique.

drame judiciaire Film dont l'action se déroule principalement dans une cour de justice et en partie dans un bureau d'avocat ou une salle de délibération de jury (*courtroom drama*). *Le procès Paradine* (1947) d'Alfred Hitchcock, *Douze hommes en colère* (1957) de Sidney Lumet et *La vérité* (1960) d'Henri-Georges Clouzot sont des drames judiciaires. En France, André Cayatte en fait une spécialité, avec, entre autres, *Justice* *est faite* (1950) et *Nous sommes tous des assassins* (1951). SYN. film judiciaire.

drapeau Panneau noir fixé sur un projecteur en vue de contrôler son flux lumineux (*flag*, ARG. PLUR. *elephants ears*). SYN. feuille. ARG. nègre. VOISIN: coupe-flux.

DreamWorks SKF Nouveau studio américain fondé en août 1994 par David Geffen, Jeffrey Katzenberg et Steven Spielberg. Sans bâtiment ni équipement, la nouvelle firme produit 10 films par année. DreamWorks SKF élabore également des plans de production d'émissions de télévision, de disques (y compris les vidéodisques et les cédéroms), de logiciels, de jouets et de création d'arcades avec la compagnie Sega et les studios Universal (GameWorks). Le coût de production moyen par film prévu est de 35 millions de dollars; les fondateurs espèrent économiser environ 4 pour cent sur les coûts courants de production par l'utilisation des nouvelles technologies.

drive-in ANGLICISME De *drive-in movie, drive-in theater*. Salle de cinéma en plein air où le spectateur assiste à la projection d'un film dans sa voiture (ARG. *ozoner*). Le drive-in est très populaire aux États-Unis après la Deuxième Guerre mondiale. Au Québec, la traduction du terme est «ciné-parc».

droite caméra Tout ce qui correspond à la droite du champ couvert par la caméra. OPPOSÉ: gauche caméra.

droits PLUR. Redevances tirées de l'exploitation d'un film (*royalties*). Secteur important à cause des sommes en jeu, mais aux règles aléatoires selon les pays et les types de production, les droits appartiennent généralement au producteur qui, s'il n'est pas lui-même distributeur, les cède pour un temps limité à un distributeur pour une certaine somme en avance et un pourcentage sur les recettes; → **à-valoir distributeur**. La musique et les chansons des films sont des droits à part, exploités par leurs créateurs. Pour la télévision et les enregistrements sur support vidéographique, les droits sont également cédés pour un temps limité (entre 2 et 7 ans) au distributeur (si celui-ci n'est pas le producteur) qui les acquiert. → **catalogue, droits d'auteur, passage**.

droits d'auteur PLUR. Droits légaux et exclusifs appartenant à un auteur ou à un groupe d'individus pour le contrôle durant un temps limité de l'exploitation et de la reproduction d'une œuvre, qu'elle soit littéraire, musicale, cinématographique ou autre (*copyright*). Au cinéma, les droits d'auteur sur un film appartiennent durant 75 ans à la compagnie productrice (comme aux États-Unis); ou ils appartiennent durant 50 ans à un individu (souvent le réalisateur, comme en Europe).

DTS Sigle de Digital Theater System.

Dufaycolor Marque de commerce d'un procédé de reproduction des couleurs mis au point dans les années 30, en Grande-Bretagne, à partir des travaux du Français L. Dufay. Par méthode additive, on utilise dans le Dufaycolor une trame trichrome (rouge-orangé, bleu-violet et vert) à la base de l'émulsion. Une image en noir et blanc est enregistrée et projetée à travers cette trame. Ce procédé est rapidement abandonné parce qu'il ne permet pas le tirage en couleurs des copies. → **réseau coloré**.

dumping ANGLICISME Pratique des Majors consistant à inonder le marché extérieur des États-Unis en distribuant exclusivement leurs films dans des circuits de salles avec lesquels ils sont affiliés; les films, rentabilisés aux États-Unis et au Canada, sont ainsi cédés à bas prix à des associés (*dumping*). Le dumping s'est exercé en Europe après la Deuxième Guerre mondiale, et en Amérique latine depuis les années 20. → **réservation en lot**. Un même genre de dumping est également pratiqué par l'Union soviétique avec les pays socialistes (Pologne, Hongrie, Cuba, etc.).

dunning OBS. Procédé de trucage qui permet de filmer des interprètes dans un studio sur un fond préalablement filmé ailleurs (*Dunning process, Dunning-Pomeroy self-matting process*). Le dunning a été mis au point à la fin du muet par C. Dodge Dunning. Utilisé pour le noir et blanc, le dunning demande un décor et des interprètes éclairés en jaune-orangé; le fond de scène est constitué d'une surface bleu-violet; le tout est filmé par une caméra bipack munie d'un négatif vierge et d'un positif viré en jaune-orangé. La réflexion de la lumière orangée venant des acteurs joue le rôle d'un cache mobile sur la pellicule positive, tandis que l'image des interprètes est enregistrée sur le négatif. Le dunning ne peut pas s'appliquer à la couleur. ➤ **projection frontale, travelling matte**.

dupli Forme abrégée de duplicata.

duplicata [dupli] [1] Copie intermédiaire (*duplicate*). [2] Copie d'un film à n'importe quelle étape de sa production (*duplicate*).

duplication [1] Action de reproduire un enregistrement sur un support (*duplication*). La duplication doit créer une copie exacte de cet enregistrement. [2] ➤ **clonage**.

DuPont Marque de commerce d'une pellicule noir et blanc fabriquée dans les années 50 et 60 par DuPont de Nemours. Cette pellicule sera largement utilisée en Italie.

dur ADJ. Caractéristique d'un négatif ou d'une image présentant un fort contraste (*hard*). OPPOSÉ: doux.

durcissement Procédé visant à durcir et à tanner la couche gélatineuse du film (*hardening*). Le durcissement permet de rendre la pellicule plus résistante à l'abrasion et aux rayures. SYN. tannage.

durée Temps de la projection en 24 ou 25 images par seconde d'un film 35 mm en son entier (*running time*). La durée normale d'un film se situe entre 90 et 120 minutes. Les premiers films des frères Lumière sont des bandes de 56 secondes; les films muets ont par la suite une durée d'environ 15 minutes (une bobine); ils passeront à 70 minutes en 1905. Le premier cinéaste à imposer un film long est D.W. Griffith avec *Naissance d'une nation* (1915), d'une durée de 170 minutes. Avec l'avènement de la télévision durant les années 50, les écrans sont envahis par les superproductions en

couleurs et souvent en CinémaScope de près de trois heures: *Quo Vadis?* (1951) de Mervyn LeRoy, *Géant* (1956) de George Stevens et *Ben Hur* (1959) de William Wyler. Certains cinéastes travaillent à l'extrême la durée de leurs films: Jacques Rivette avec une première version de *Out one: Noli me tangere* (1971) d'une durée de 12 heures et 40 minutes, présentée une seule et unique fois en copie de travail, et avec une deuxième version d'une durée de 4 heures et 15 minutes exploitée en salle sous le titre *Out one*. En revanche, la quasi-totalité des films de Jean-Luc Godard atteignent rarement les 90 minutes courantes. La durée détermine la catégorie d'un film: un court métrage pour une durée de moins de 30 minutes, un moyen métrage pour une durée se situant entre 30 et 60 minutes et un long métrage pour une durée de plus de 60 minutes.

DVD Sigle de Digital Video Disk.

Dyaliscope Format du CinémaScope en France. Le Dyaliscope est de 2:35:1.

dye transfer ANGLICISME Littéralement: transfert de colorant. Opération de tirage utilisé notamment dans le procédé Technicolor (*dye transfer*). La gélatine en relief des trois matrices positives trichromes est imbibée de colorant (cyan, jaune et magenta) qui revêt alors la surface du *blank*. ➤ **imbibition, virage par mordançage**.

Dynalens Marque de commerce d'un stabilisateur de caméra placé sur les objectifs afin d'éliminer les vibrations dans les déplacements à bord d'un véhicule ou dans les prises de vues avec zoom.

dynamique N. En acoustique, valeur exprimée en décibels de l'écart entre les niveaux les plus forts et les niveaux les plus faibles d'un son enregistré ou à être enregistré par un appareil (*dynamic range*).

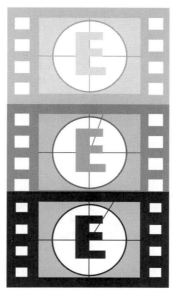

Ealing comedy ANGL. Appellation donnée aux films comiques produits par les studios britanniques Ealing. ↝ **comédie anglaise**.

Eastman Color [Eastmancolor] Marque de commerce d'une pellicule couleur mise au point par la firme Kodak en 1952, dont le procédé est le monopack soustractif trichrome. L'Eastman Color est largement utilisé en Europe à cause de son coût d'utilisation moins élevé que celui du Technicolor, qu'il remplace le plus souvent; il se dégrade toutefois plus rapidement que le Technicolor.

Eastman Kodak [1] Compagnie fondée, en 1884, par George Eastman. Eastman Kodak Company est le premier fabricant mondial de pellicules. La compagnie met en marché sous le nom de Eastman une pellicule pour films professionnels et, sous le nom de Kodak, des pellicules destinées généralement au marché amateur. ↝ **Eastman Color, Ektachrome, Kodachrome**. [2] Marque de commerce d'une pellicule noir et blanc de la compagnie Eastman Kodak.

écart de réciprocité Invalidation de la réciprocité entre le temps de pose et d'éclairement lorsque le temps de pose est soit extrêmement bref (moins d'un millième de seconde), soit extrêmement long (plusieurs secondes) (*reciprocity failure*).

échelle des plans Importance spatiale assurée à un objet dans le plan par rapport à la distance réelle ou apparente entre cet objet et la caméra. L'échelle des plans correspond à la grosseur des plans. Par rapport au décor, on la caractérise par le plan général, le plan d'ensemble et le plan de semi-ensemble; par rapport à un ou plusieurs personnages, par le plan moyen, le plan américain, le plan rapproché, le gros plan et le très gros plan.

écho Effet produit par le prolongement du son entre son point de départ (son direct) et son point d'arrivée (son réfléchi) (*echo*). L'écho produit deux sons distincts. ↝ **effet d'écho**.

Éclair Marque de commerce d'appareils de prise de vues 16 mm et 35 mm fabriqués par la compagnie française Éclair International Diffusion. La première caméra de cette compagnie est l'Éclair-Grillon, lancée en 1912. Dans les années 50, Éclair met sur le marché des caméras légères, portables et à visée reflex, qui seront largement utilisées en Europe; elles contribueront à la naissance et au développement du cinéma-vérité. ↝ **Caméflex, Coutant 16**.

éclairage [1] Action d'éclairer le champ d'un plan dans un film (*lighting*). Activité essentielle du cinéma, l'éclairage consiste à éclairer les scènes d'un film, les interprètes et les décors par diverses sources lumineuses, naturelles ou artificielles. Le rendu des images à l'écran dépend de l'éclairage. L'éclairage est sous la responsabilité du directeur de la photographie; ce dernier travaille étroitement avec le réalisateur et le directeur artistique, et doit maîtriser tous les aspects techniques et esthétiques de l'éclairage. L'éclairage évolue avec la technique cinématographique: avec les prises de vues en studio, l'avènement du parlant, l'augmentation de la sensibilité des pellicules, l'avènement de la couleur, le matériel d'éclairage (les projecteurs à arc, les floods, les lampes et les réflecteurs) et l'utilisation des effets spéciaux. Il fait partie intégrante de la mise en scène et participe à sa cohérence et à son sens. [2] Manière d'éclairer de façon naturelle ou artificielle le décor d'un film (*light*). SYN. lumière.

éclairage ambiant Degré d'obscurité nécessaire à la projection d'un film (*ambient light*). SYN. éclairage de la salle.

éclairage de la salle → **éclairage ambiant**.

éclairage de studio Matériel nécessaire à l'éclairage artificiel en studio (*studio lighting*). On utilise en studio un matériel plutôt lourd et encombrant, l'éclairage par décharge électrique (avec des lampes à arc, lampes aux halogénures, lampes à décharge, etc.). Pour les extérieurs, on utilisera un matériel plus léger et portable, l'éclairage par incandescence (avec des floods, lampes à halogène, lampes à quartz, etc.).

éclairagiste Spécialiste responsable de l'éclairage, de son installation et de son bon fonctionnement (*lighting engineer*).

éclairement Quotient du flux lumineux que reçoit une surface par la mesure de cette surface (*illumination*). L'éclairement se calcule en lux. → **photométrie**.

éclairer D'un point de vue technique et artistique, régler l'éclairage d'une scène pour la prise de vues (*light*).

éclatement des perforations Déchirure de la pellicule dans l'angle des perforations. VOISIN: piqûre des perforations.

école de Brighton Groupe de cinéastes britanniques qui, entre 1886 et 1906, apportent par leurs expériences techniques des innovations formelles au film, entre autres, le gros plan et le montage parallèle. D.W. Griffith sera fortement influencé par l'école de Brighton. Parmi les cinéastes importants de ce groupe, citons les noms de Cecil Hepworth, George Albert Smith et James Williamson.

école de cinéma → **enseignement du cinéma**.

École de cinéma de l'Institut fédéral d'État de la cinématographie → **VGIK**.

école des Buttes-Chaumont Ensemble de réalisateurs de la télévision française qui, de 1959 à 1968, travaillent dans les studios des Buttes-Chaumont, à Paris, et qui signent des dramatiques de grande qualité. Parmi les réalisateurs importants de l'équipe de ces studios, citons les noms de Marcel Bluwal, Claude Lorenzi, Michel Mitrani, Jean Prat, Claude Santelli et Paul Seban. Du fait de leur appartenance au Parti communiste français [PCF], ces réalisateurs étaient surnommés «les Barons rouges». Certains d'entre eux passeront au cinéma, comme Michel Mitrani (*Les guichets du Louvre* [1974]).

école de Zagreb Ensemble de la production du dessin animé yougoslave. Le premier dessin animé yougoslave est réalisé en 1922. Dans les années 30, plus d'une centaine de productions sont réalisées, la plupart des films publicitaires, mais également des films éducatifs et de propagande. On fonde en 1956 le Zagreb Film, qui permet à un grand nombre de cinéastes de développer leur talent et leur imagination. De nombreux prix dans les festivals reconnaissent la qualité de la production du Zagreb Film, composée de films satiriques, parodiques et sociocritiques, signés Nikola Kostelac, Vatroslav Mimica, Vako Kritl et Dusan Vukotic; ce dernier obtient un oscar avec *Ersatz* (1961). Une nouvelle génération apparaît à la fin des années 60, certains cinéastes avec des dessins plus formalistes (comme ceux de Vladimir Jutrisa et Aleksandar Marks) et d'autres, plus caricaturaux (comme ceux de Borivoj Dovnikovic, Nedelko Dragic, etc.). Une autre génération apparaîtra dans les années 80, formée de cinéastes tels Milan Blazetovic, Zlatko Pavlinic, Josko Marusic et Kresimir Zimonic.

École nationale du film → **Centro Sperimentale di Cinematografia**.

écouteurs PLUR. Parties du casque d'écoute appliquées sur les oreilles (*headphones*). Les écouteurs sont en quelque sorte de minuscules haut-parleurs.

écran [1] Surface blanche sur laquelle est projetée l'image (*screen*). Du pouvoir réfléchissant de l'écran dépend la qualité de l'image perçue. On distingue plusieurs types d'écrans, à la fois pour la projection en tant que telle (les écrans aluminisé, courbe, gaufré, large, mat, panoramique, perforé, perlé et plat), pour l'éclairage (l'écran réflecteur, le filtre) et pour la production d'effets spéciaux (les écrans bleu, divisé, translucide et noir). En animation, on distingue le procédé d'écran d'épingles. [2] Cinéma. On distingue le grand écran, pour le cinéma, et le petit écran, pour la télévision. [3] Contenu de l'image reproduite sur une surface vidéographique: un tube cathodique ou un moniteur (*screen, monitor*).

écran à cristaux liquides Écran composé de deux bandes conductrices en contact avec du cristal liquide, disposées sur des supports transparents et légèrement espacés (*liquid crystal display*).

écran aluminisé [écran métallique] Écran composé d'une multitude de paillettes de poudre d'aluminium (*metallic screen*). L'écran aluminisé possède une grande puissance de réflexion car la dispersion de la lumière y est contrôlée et les contrastes, intensifiés.

écran bleu Écran uniformément bleu permettant le cache mobile (ou travelling matte) (*blue screen*). L'écran bleu est apparu dans les années 50 avec le Technicolor et le CinémaScope. C'est une méthode de trucage plus avantageuse que la projection frontale et la projection par derrière; ce type d'écran ne requiert pas de caméra spéciale et permet de travailler sur plusieurs effets spéciaux à la fois à l'étape du tirage. SYN. fond bleu.

écran cathodique Surface du tube cathodique ou d'un moniteur (*cathodic screen*). L'écran cathodique est notamment utilisé en télévision.

écran courbe Écran prévu au départ pour la projection d'un film en Cinérama (*wrap-around screen*). L'écran courbe est largement utilisé dans les salles de cinéma afin d'offrir une image plus large environnante. OPPOSÉ: écran plat.

écran de contrôle Récepteur témoin de caméra qui permet de vérifier la scène tournée (*monitor*). SYN. écran témoin, moniteur.

écran d'épingles Procédé de cinéma d'animation mis au point par Alexandre Alexeieff (*pin screen*). Par ce procédé, il est possible de créer des images sur une planche recouverte de milliers d'épingles (jusqu'à 500 000). Selon que les épingles sont plus ou moins enfoncées, on obtient des zones claires et des zones foncées, grâce à un éclairage latéral qui s'accroche à leur pointe. Chaque prise correspond à un nouveau tableau qui a globalement changé. Le premier film à écran d'épingles d'Alexeieff, commencé en 1932 et terminé en 1934, est *Une nuit sur le mont Chauve*. Jacques Drouin, cinéaste d'animation à l'Office national du film du Canada [ONF], a repris et développé cette technique dans un style personnel; à voir: *Le paysagiste* (1976).

écran divisé Écran scindé en deux parties ou davantage, qui présentent chacune une image différente (*split screen*). L'écran divisé est souvent employé au cinéma pour montrer généralement deux personnes se parlant au téléphone. Il est réalisé par l'utilisation du trucage cache-contrecache. SYN. image double. ➤ **multi-image**.

écran gaufré Écran couvert d'une multitude de prismes minuscules permettant une réflexion précise de l'image projetée (*lenticular embossed screen*). SYN. écran lenticulaire, écran prismatique.

écraniste ARCH. Dans les années 10, terme employé pour désigner le metteur en scène. Créé par le théoricien Ricciotto Canudo, il a été remplacé, comme bien d'autres mots, par le terme «cinéaste». ➤ **cinégraphiste, cinéplaste, visualisateur**.

écran large Écran plus allongé que l'écran standard (*wide screen*). ➤ **Cinéma-Scope, Todd-AO**.

écran lenticulaire ➤ **écran gaufré**.

écran mat Écran enduit d'une matière gélatineuse qui rend une brillance uniforme et identique quel que soit l'angle de vision du spectateur (*matte screen*). L'écran mat convient surtout pour les films en noir et blanc.

écran métallique ➤ **écran aluminisé**.

écran panoramique [1] vx Écran large du CinémaScope (*panoramic screen*). [2] Sur l'enregistrement d'un film en vidéocassette ou en vidéodisque, indication du respect du format original du film (*letterbox, widescreen*). OPPOSÉ: plein écran.

écran perforé Écran composé d'une multitude de minuscules trous (*perforated screen*). À cause de la qualité de sa réflexion, l'écran perforé ressemble à l'écran mat. Il permet au son d'être diffusé par des haut-parleurs placés derrière lui.

écran perlé Écran composé d'une multitude de petites perles très précisément calibrées (*pearl screen*). L'écran perlé a un pouvoir réfléchissant élevé et donne une image très précise; la dispersion de la lumière y est contrôlée. Son rendement est supérieur dans une salle étroite.

écran plat [1] Écran prévu pour la projection d'un film en format standard (*flat screen*). OPPOSÉ: écran courbe. [2] Écran de faible épaisseur pour la projection des images vidéo (*flat screen*).

écran prismatique ➤ **écran gaufré**.

écran réflecteur Drapeau, fait de matière translucide, placé devant une source d'éclairage afin d'adoucir la lumière sans en altérer la température de couleur (*scrim*).

écran témoin ➤ **écran de contrôle**.

écran translucide Écran utilisé pour la technique de la transparence au cinéma (*process screen*).

écriture cinématographique Notion littéraire appliquée au cinéma et désignant la part d'invention, d'expression et de technique dans l'art de filmer. L'écriture donne à ce qui est représenté à l'écran ses véritables significations. Le cinéma étant un art créateur en lui-même, l'écriture dépend de l'utilisation que l'on fait de ses matériaux (des plans, des couleurs, du son, etc.) et des techniques cinématographiques (de l'enregistrement photographique et sonore, des trucages, des effets spéciaux, etc.). La valeur et le sens du film dépendent de l'écriture: de l'agencement des signes et du mode de lecture qu'impose l'œuvre elle-même. En France, cette notion est employée dans les analyses de Marie-Claire Ropars-Wuilleumier, qui la distingue de la notion de style.

écurie ARG. Dans le monde du spectacle, ensemble des acteurs appartenant à une firme, à une Major ou à une agence.

Edison Company Une des toutes premières compagnies de cinéma, dont les films sont tournés grâce au Kinetograph et présentés au public grâce au Kinétoscope, en 1893. Les premiers films sont tournés dans un studio qui sera appelé Black Maria; c'est le premier studio de cinéma qu'on connaisse. La compagnie mettra au point en 1894 la pellicule 35 mm avec quatre perforations sur chaque bord de la pellicule; ce format sera adopté en 1909 comme standard de l'industrie cinématographique. Dirigée par Thomas Alva Edison, la Edison Company produit en 1903 *L'attaque du Grand Rapide* d'Edwin Stanton Porter, un des premiers films ayant un découpage narratif. Thomas Edison crée en 1909 la Motion Picture Patents Company [MPPC] en vue de contrôler l'industrie entière du cinéma (la fabrication des pellicules et des appareils, le contrôle de la distribution et de l'exploitation); une longue guerre s'ensuit avec les producteurs indépendants (dont plusieurs fuiront en Californie et y fonderont Hollywood); elle se soldera par la défaite de Edison, car la MPPC est déclarée illégale par la Cour fédérale en 1917. La compagnie Edison en subit les conséquences et disparaît en 1918. ➤ **Vitascope**.

«edited for television» ANGL. Aux États-Unis, présentation d'un film remonté spécialement pour la télévision. Cet avertissement avant la présentation du film signifie généralement que des coupures ont été apportées soit pour que le film entre dans le temps imparti par la case horaire, soit pour retrancher des scènes à connotation sexuelle explicites.

éditeur [1] RARE Distributeur. [2] En audiovisuel, toute personne morale ou physique qui diffuse ou distribue des informations auprès du public (*editor*).

editing ANGL. Synthèse de tous les éléments visuels et sonores du film. *Editing* est différent de *cutting* (l'action de monter et de coller les fragments du film) et de *montage* (la relation de sens imposée par le montage); ces trois termes sont traduits en français par «montage».

édition OBS. Distribution et diffusion de films.

effet de battement [effet vibratoire] Effet ondulatoire dans la reproduction du son (*thump*).

effet d'écho Bruit indésirable ou parasite dans les enregistrements magnétiques (*print-through*). Cet effet est causé par la migration du son d'une spire à l'autre.

effet de laboratoire Trucage obtenu au laboratoire et au tirage (*laboratory effects* PLUR.).

effet de liaison Technique permettant de passer d'une scène à une autre, dans l'espace et le temps (*transitional effects* PLUR.). Pour éviter un hiatus au moment du passage, on crée un effet dit de liaison, qui harmonise les éléments photographiés. On utilise alors des trucages: le fondu en ouverture, le fondu enchaîné, le volet, la fermeture de l'iris et le chassé. L'effet de liaison évite la coupe franche.

effet de pluie Effet que donnent les rayures sur une pellicule à la projection du film (*rain effect*).

effet de réalité Terme de la théorie cinématographique. Illusion produite par un film sur le spectateur qui confond dès lors ce qui est présenté avec la réalité (*reality effect*). L'effet de réalité provient de l'illusion du mouvement créée par le cinéma, de la précision et de la profondeur de l'image, de la richesse des matériaux picturaux et sonores, qui trompent ainsi la perception du spectateur. De plus, les éléments de l'histoire racontée s'accordent avec l'imaginaire du spectateur ou le complètent; tout ce qui est présenté alors à l'écran apparaît vraisemblable. L'effet de réalité crée une identification du spectateur, d'une part avec les personnages du film, d'autre part avec un point de vue exprimé sur la réalité. Jean-Louis Baudry et Christian Metz ont été les premiers théoriciens à définir l'effet de réalité au cinéma.

effet Koulechov Expérience mise au point par le cinéaste russe Lev Koulechov en vue de montrer l'importance et l'impact émotionnels que produit le montage (*Kuleshov effect*). Le cinéaste affirme que l'expression de l'acteur peut être créée par le montage, tout comme le sont l'espace ou l'action. Il vérifie cette hypothèse avec un plan du visage inexpressif du célèbre acteur Mosjouskine; monté avec des fragments de pellicule représentant une assiette de soupe, un cercueil et un enfant, ce plan suscite l'admiration des spectateurs qui y voient l'art admirable de l'acteur de pouvoir jouer tour à tour la faim, la tristesse et l'attendrissement paternel.

effet Larsen [Larsen] Sifflement causé par des oscillations parasites lorsqu'une chaîne électroacoustique réagit à l'entrée d'un microphone (*acoustic feedback, Larsen effect*).

effets lumineux PLUR. Effets d'éclairage obtenus par une composition de la lumière provenant de lampes, de spots, de projecteurs, etc. (*lighting effects*). SYN. jeux de lumière.

effet «phi» Illusion de mouvement créée par le cerveau qui perçoit un mouvement continu là où il n'y a que des images fixes séparées par des noirs (*phi effect, phi phenomenon*). Cette théorie de la perception, aujourd'hui contestée, a expliqué l'illusion du mouvement à la base du cinéma. Phénomène d'ordre psychologique, l'effet «phi» est le résultat des effets de la persistance rétinienne qui sont masqués par les noirs des temps d'obturation; sans ces noirs, les images rémanentes s'accumuleraient au point de créer un halo persistant autour de chaque mouvement.

effets optiques PLUR. Modifications apportées à l'image enregistrée, obtenue en laboratoire, au tirage (*optical effects*). On peut changer les éléments existant à l'image, en rajouter de nouveaux ou en retrancher. Ces effets peuvent être également produits par ordinateur.

effets sonores PLUR. Effets acoustiques entrant dans la composition de la bande sonore (*sound effects*). Ces effets sont créés artificiellement à l'enregistrement, au réenregistrement, à la postsynchronisation et au mixage des dialogues, des voix off, de la musique et des bruits. Les effets sonores donnent une crédibilité et un impact aux scènes, y intègrent et y accentuent l'action. Ce terme est de plus en plus usité, au lieu de «bruits». → *Foley artist*.

effets spéciaux PLUR. Techniques et procédés photographiques et acoustiques, mécaniques, électriques ou numériques, utilisés au tournage ou au laboratoire, transforment l'apparence et le contenu d'une image ou d'un son (*special effects*). Par les effets spéciaux on crée des éléments artificiels au film et on donne l'illusion d'une réalité impossible ou fantastique; → **effets optiques, effets sonores, effets visuels**. Ce terme est synonyme de «trucage», mot qu'il remplace de plus en plus; on distingue les trucages mécaniques, les trucages optiques et les trucages du décor. La magie du cinéma offre très tôt un champ aux effets spéciaux, réalisés alors directement au tournage et mécaniquement avec la caméra (le fondu au noir, le ralenti, l'accéléré, etc.). Les premiers effets spéciaux apparaissent avec le Kinétoscope de Thomas Edison, pour *L'exécution de Marie, Reine d'Écosse* (1895) d'Alfred Clark. Le maître fondateur des effets spéciaux demeure le Français Georges Méliès qui s'inspire des trucages du théâtre; → **cache, découverte**. Durant la période du muet, l'animation, les maquettes et les miroirs apportent un supplément de crédibilité aux trucages; dans *Metropolis* (1927), le réalisateur Fritz Lang utilise d'une façon convaincante et puissante ces trucages; → **cache mobile, dunning, travelling matte, procédé Schüfftan**. L'avènement du parlant verra la création d'un département d'effets spéciaux dans les studios; les trucages optiques, réalisés au tirage et au laboratoire, y deviennent de plus en plus importants; → **arrêt sur image, fondu enchaîné, chassé, double image, escamotage, image composite, multi-image**. Willis O'Brien, un haut technicien de la RKO, utilise tous les trucages existant à l'époque pour *King Kong* (1933) de Merian Cooper et Ernest B. Schoedsack. La couleur et le CinémaScope ont un fort impact sur leur utilisation; ainsi, les effets spéciaux sont impressionnants dans *Les dix commandements* (1956) de Cecil B. De Mille et *Ben Hur* (1959) de William Wyler. Stanley Kubrick leur redonne vitalité et finesse avec *2001: l'odyssée de l'espace* (1968). Dans le courant du cinéma d'horreur et de science-fiction des années 70, la méthode de fabrication renouvelle la nature des effets spéciaux, grâce à l'utilisation de l'ordinateur, de la vidéographie, du numérique et de l'infographie. George Lucas en profite pour fonder Industrial Light and Magic [ILM], une firme spécialisée qui ne cesse de grandir depuis vingt-cinq ans; à voir: les films de la série de *La guerre des étoiles*. Parmi les grands spécialistes des effets spéciaux, citons les noms de Douglas Trumbull, John Dystra et Richard Edlund. Un nouveau nom de métier apparaît dans les années 80: concepteur d'effets spéciaux. Les années 90 voient ce domaine envahi par la virtualité; → **clonage, compositing**, *matte painting*, **morphage, warpage**.

effets visuels PLUR. Au cinéma, effets dérivés de la photographie, réalisés mécaniquement à la caméra ou devant la caméra (*visual effects*).

effet vibratoire → **effet de battement**.

effilochage Sur un film couleur, empiétement des couleurs les unes sur les autres (*color fraying*).

effluve Trace arborescente que laisse une décharge d'électricité statique sur la pellicule (*static mark*). L'électricité statique provient du frottement de la pellicule contre les pièces métalliques de la caméra ou contre les spires.

égalisation Action d'égaliser par moyen électronique la courbe de réponse d'un dispositif de restitution des sons (*equalization, EQ*). L'égalisation est un réglage de la qualité du son. Elle se fait parfois à l'enregistrement des sons, mais généralement au mixage et au tirage.

égaliseur Appareil électronique servant à l'égalisation des sons (*equalizer*).

Eidiphore Marque de commerce d'un procédé très complexe de téléprojection, d'invention suisse. L'Eidiphore offre une image d'une grande luminosité, comparable à celle d'un projecteur cinématographique. C'est toutefois un système de projection complexe et onéreux.

Ektachrome Marque de commerce d'une pellicule couleur 16 mm fabriquée par Eastman Kodak. Lancée en 1958, cette pellicule de film inversible est utilisée jusque dans les années 80 par les professionnels de la télévision pour les reportages et les nouvelles télévisées. Elle est également utilisée par les amateurs. ➤ **Kodachrome**.

élargir Augmenter le champ de la prise de vues ou le faisceau lumineux du projecteur (*woden*). SYN. ouvrir. ANT. pincer, serrer.

électricien Technicien travaillant sous les ordres du chef électricien, responsable de l'installation, du branchement et du réglage des projecteurs et du matériel électrique (*electrician*, ARG. *sparks*).

Elemack Marque de commerce italienne d'une plate-forme montée sur rails ou sur pneumatiques pour l'exécution des travellings simples. L'Elemack fonctionne sur quatre roues solidaires et à géométrie variable. Elle sert de support aux petites grues. ➤ **chariot, Elemack Spyder**.

Elemack Spyder Marque de commerce italienne d'un support mobile de caméra permettant de se déplacer sur un sol lisse ou sur des rails et de choisir la hauteur de l'appareil. On commande la montée par un pompage manuel direct; la descente est rendue possible par le poids de la caméra. ➤ **grue**.

Elemech Marque de commerce allemande d'un support de caméra équipé d'une colonne montante électrique amovible. Cette colonne peut être remplacée par une colonne montante manuelle. ➤ **chariot, grue**.

élément [1] Catégorie de matériel entrant dans le tirage: le négatif, l'interpositif, le contretype, l'internégatif et la copie (*element*). [2] Amorce placée à la fin d'une copie standard (*tail leader*).

ellipse [1] Omission de plusieurs plans dans une scène ou une séquence (*ellipsis*). L'ellipse la plus connue est celle du saut dans le temps narratif; elle est un raccourci narratif qui peut faire passer sous silence des événements que le spectateur doit le plus souvent reconstituer. Dans le vocabulaire de la syntaxe cinématographique, elle est alors appelée «occurrence». [2] Coupure dans la continuité narrative par le jeu des raccords. Une déambulation raccourcie par de brèves ellipses est un exemple d'ellipse. On l'appelle alors «ellipse interne». Un des premiers cinéastes à l'utiliser systématiquement est Jacques Demy, dans *Lola* (1960). ➤ **coupe franche**.

ellipse interne ➤ **ellipse** [2].

Elmo Fabricant japonais de projecteurs Super 8 et 16 mm.

élongation variable ➤ **densité fixe**.

embase Partie plate ou renflée du pied de la caméra, sur laquelle est posée la tête qui supporte la caméra. ➤ **support**.

embobinage Enroulement d'un film sur un noyau ou sur une bobine (*wind*). ➤ **bobine enrouleuse**.

embrouillage Terme officiellement recommandé en lieu et place de «cryptage». Opération consistant à rendre illisible ou embrouillée une information (une image ou un son) transmise par un système de télécommunications (*scrambling*).

émergent ADJ. Se dit d'un rayon lumineux sortant du dispositif optique.

émission pilote Première émission d'une série à produire (*pilot program*). L'émission pilote est généralement d'un durée plus longue que l'émission projetée, entre une heure ou deux heures; elle contient l'embryon des développements possibles d'une future série. Présentée à une heure d'écoute maximum (ou prime time), elle est ainsi soumise à l'appréciation du public, pour être ensuite retenue ou rejetée. SYN. programme pilote, prototype.

empâtage Application d'un révélateur sur la piste sonore optique d'un film couleur lors de son développement (*coating*).

emplacement de la caméra Détermination de l'endroit où sera placée la caméra par rapport au sujet filmé, en tenant compte de sa distance et de son angle de prise de vues (*camera set-up*). SYN. position de la caméra.

emploi [1] Rôle confié à une personne (*role*). [2] Rôle caractéristique du physique, du tempérament ou de l'âge de l'interprète: un jeune premier, une femme fatale, un voyou, etc. (*part*). On dit: avoir le physique de l'emploi. OPPOSÉ: contre-emploi.

émulsion Mélange chimique des particules, solides ou liquides, sensibles à la lumière, tenues en suspension dans la gélatine (*emulsion*). On distingue deux grandes variétés d'émulsion: l'émulsion noir et blanc et l'émulsion couleur. Une émulsion peut être vierge, exposée ou développée. Selon la qualité de la pellicule, l'émulsion sera lente, rapide, à grains fins, à bas ou à haut contraste. SYN. couche sensible, face émulsionnée, surface sensible.

en attente Moment d'attente avant le tournage (*stand-by*). On dit: être en attente.

enceinte acoustique Caisse dans laquelle est incorporé le haut-parleur (*loudspeaker baffle*). L'enceinte acoustique est destinée à accroître et à améliorer la restitution des sons. On ne doit pas confondre l'enceinte acoustique et la baffle.

enchaînement Opération consistant à passer sans heurt de la fin d'une bobine d'un projecteur au début de la suivante dans un autre projecteur (*change-over*). ➤ **dérouleur, double poste, dispositif d'enchaînement**.

en clair Expression désignant une émission de télévision non brouillée, non cryptée (*decoded*). Une chaîne passe en clair pour la diffusion de certaines émissions afin d'en faire la publicité et recruter ainsi de nouveaux abonnés. ➤ **télévision à péage**.

encoche Découpe ou espace à la tête d'un négatif dans une tireuse, qui permet de déclencher le mécanisme réglant la quantité de lumière nécessaire au tirage de la copie (*notch*).

encocheuse Pièce utilisée pour encocher la pellicule (*punch*). SYN. poinçonneuse.

«encre de lumière» Expression forgée par Jean Cocteau pour désigner le cinéma: la lumière est l'écriture du film.

en différé À la radio et à la télévision, ce qui est préalablement enregistré (*recorded, pre-recorded*). OPPOSÉ: en direct.

en direct À la radio et à la télévision, transmission immédiate (*live*). OPPOSÉ: en différé.

endoscope Appareil composé d'un tube optique muni d'un système d'éclairage qui permet des prises de vues en microcinématographie (*endoscope*). L'endoscope peut filmer les cavités naturelles du corps humain.

enduction Action d'enduire un support d'une couche d'émulsion (*emulsion coating*).

en ligne [1] Se dit d'un magasin dont la bobine débitrice et la bobine réceptrice sont placées en parallèle (*in line*). [2] ➤ **montage en ligne**.

énonciation Terme théorique de la linguistique. Acte de filmer par lequel le film se détermine (*enunciation*). L'énonciation est identifiée au discours du film, mais non aux personnages en tant que tels. Elle renvoie à une instance – l'auteur – qui montre ce qui est à l'écran; le film est dès lors pris comme un message, une forme de communication. L'énonciation passe par des indices tels les mouvements de la caméra, le montage des plans, le type de narration, etc.; ces indices suscitent des émotions, des jugements, des attitudes particulières. Elle donne une place au spectateur et permet son adhésion à la fiction.

enregistrement Action d'enregistrer des images ou des sons avec un appareil (*recording*). L'enregistrement des images désigne communément la prise de vues par la caméra. ➤ **enregistrement sonore**.

enregistrement sonore Action d'enregistrer des sons pour les conserver et les reproduire (*sound recording*). Le son est enregistré grâce à un microphone, qui peut être fixé à une perche ou à une girafe. ➤ **prise de son**.

enroulement Mode d'embobinage du film en fonction du sens de l'émulsion (à l'intérieur) et de l'emplacement des perforations (*winding*). ➤ **enroulement B**.

enroulement B Mode de perforation et d'enroulement du film 16 mm.

enrouleur ➤ **bobine enrouleuse**.

enrouleuse ➤ **bobineuse**.

enseignement du cinéma Formation dans un établissement public ou privé des divers métiers du cinéma: la direction photo, le montage, la réalisation, la production, etc. L'enseignement du cinéma prépare professionnellement les personnes désireuses de travailler dans les milieux du cinéma et de la télévision. Plusieurs établissements d'enseignement sont célèbres dans le monde, entre autres, la Fondation européenne des métiers de l'image et du son [FEMIS] à Paris et qui a remplacé l'Institut des hautes études cinématographiques [IDHEC], le Centro Sperimentale de Cinematografia à Rome, devenu en 1998 l'École nationale du film, la University of California in Los Angeles [UCLA], l'École de cinéma de l'Institut fédéral d'État de la cinématographie [VGIK] à Moscou, la National Film and Television School [NFTS] à Londres et l'Institut national supérieur des arts du spectacle [INSAS] à Bruxelles.

ensemblier Personne responsable des meubles et des objets destinés au décor (*set decorator*). L'ensemblier travaille sous la direction du chef décorateur et dirige les accessoiristes. ➤ **accessoiriste**.

entracte [1] Temps qui sépare les bandes-annonces et la projection du film proprement dite, entre la projection du court métrage et du long métrage (*intermission*). L'entracte est généralement consacré à la publicité. Autrefois, il donnait lieu à des numéros de music-hall. ➤ **attractions**. [2] Pause entre deux parties d'un film d'une longueur inhabituelle (*intermission*).

entraînement du film Action d'entraîner le film dans les différentes pièces composant la caméra afin d'assurer son exposition (*film feed*).

entrée Accès à une salle de cinéma (*admission*). L'achat d'un billet donne un droit d'entrée. ➤ **prix d'entrée, box-office**.

entrefer Partie d'un circuit magnétique où le flux d'induction ne circule pas dans le fer (*air-gap*). ➤ **longueur d'entrefer**.

entrefils ➤ **fil à fil**.

entrepôt Bâtiment où est déposé et conservé du matériel servant à la fabrication d'un film, comme les décors, les costumes, les accessoires, le matériel électrique, etc. (*warehouse*). VOISIN: magasin.

épiscope Appareil de projection par réflexion (G.-B. *opaque projector*, É.-U. *episcope*). L'épiscope permet de projeter sur un écran des images opaques, cartes postales ou photographies.

épisode [1] Se dit d'une partie d'un film comprenant plusieurs courtes histoires (*episode*). *La ronde* (1950) de Max Ophuls est un exemple de film constitué d'épisodes. On ne doit pas confondre un film constitué d'épisodes et un film à épisodes. [2] Série d'événements présentés de manière brève, non développés (*sequence*). Cette série est constituée de plusieurs plans décrivant des actions qui se déroulent, sur le plan narratif, sur une longue durée. Elle permet de condenser l'action, de la rendre plus serrée. ➤ **ellipse**.

épopée fantastique Sous-genre du cinéma fantastique décrivant une action qui se déroule dans des lieux et des temps inhabituels (*heroic fantasy*). L'épopée fantastique est de style baroque et mélange le conte de fées, la légende, la magie et le mysticisme. *Conan le Barbare* (1981) de John Milius en est un bon exemple.

époque [1] Partie d'un film projetée en tant que long métrage. Un film est divisé en plusieurs époques afin de faciliter son exploitation. Le film *Les enfants du paradis* (1945) de Marcel Carné est divisé en deux grandes époques, chaque époque ayant son titre particulier. [2] ➤ **film d'époque**.

épreuves PLUR. Prises retenues lors du tournage et tirées afin d'être projetées le lendemain à l'équipe du film. Le terme est peu usité en français; il est remplacé par celui de «rushes».

équilibrage Action de répartir la copie de travail du film sur des bobines d'environ 300 mètres.

équipe [1] Ensemble des personnes travaillant sur un film (*production unit*). On emploie alors l'expression «équipe principale» (ou «équipe de production»). ➤ **deuxième équipe**. [2] Ensemble de techniciens spécialisés dans un domaine de la production et de la réalisation (*crew*). Différentes appellations distinguent alors les équipes affectées à une activité particulière: l'équipe image, l'équipe son, l'équipe décor, etc.

équipe de production ➤ **équipe**.

équipe principale ➤ **équipe**.

éraseur ANGLICISME De *eraser*. Machine de démagnétisation. Avec son fort champ magnétique, l'éraseur permet d'effacer les bobines de son pour qu'elles puissent être réutilisées.

Ernemann Marque de commerce d'un fabricant allemand de caméras et de projecteurs du début du cinéma jusqu'à nos jours.

escamotage Phase d'un film au tournage, au montage ou en projection, correspondant à l'avance d'une image. L'escamotage est au début du parlant un procédé d'effet spécial réalisé au tirage.

espace [1] Dimension physique d'un lieu, d'une pièce ou d'un paysage (*space*). SYN.

décor. [2] Dimension géométrique du jeu de lignes, de masses, de coupes et de leurs relations qui donne à l'image son poids de réalité et sa valeur esthétique (*space*). L'espace n'est jamais statique, car il se développe et se caractérise dans la continuité des images par les positions de la caméra et les angles de prises de vues. Le spectateur en tire une information qui lui permet une adhésion à la fiction par l'impression de réel que crée l'espace; on emploie alors le terme «espace cinématographique». L'espace filmique désigne l'espace en deux dimensions du cinéma. En théorie cinématographique, on distingue: a) l'espace diégétique, qui concerne les modes de représentation, de construction et de signification du film, b) l'espace narratif, qui se rapporte au fonctionnement et à la fonctionnalité du récit, et c) l'espace spectatoriel, qui appréhende la place du spectateur, sa perception et son savoir vis-à-vis du film comme moyens de communication.

espace cinématographique ➤ **espace** [2].

ESF Sigle de l'European Script Fund.

Esquimau Marque de commerce de sucettes glacées de la compagnie française Findus-Gervais vendues à l'entracte, entre deux séances. En France, pour les amateurs de cinéma, l'esquimau est devenu une glace mythologique. ➤ **friandise**.

essai [1] Opération par laquelle on s'assure du bon fonctionnement de toutes les pièces d'un appareil (*test*). [2] Fragment de pellicule qui a été exposée et développée en vue de vérifier les conditions de tournage, du bon fonctionnement des appareils et de la qualité du tirage (*test strip*). ➤ **essais caméras**.

essais caméras PLUR. Opérations permettant la vérification du bon fonctionnement du matériel de prise de vues fourni, du réglage des objectifs et de l'adaptation du matériel aux conditions de tournage (*camera test*). Les essais caméras sont généralement effectués par les assistants opérateurs avant le tournage de chaque film. ➤ **banc d'essai**.

essais sons PLUR. Essais de sons et de voix effectués par l'ingénieur du son en vue de vérifier le rendu du son et l'audibilité des dialogues (*sound test*).

Essanay Maison de production fondée en 1907 par George K. Spoor et G.M. Anderson et achetée en 1917 par Vitagraph. Le nom vient de la prononciation en anglais («S and A») des lettres S et A, S pour Spoor et A pour Anderson.

Estar Marque de commerce d'une pellicule Kodak commercialisée dans les années 70. À cause du polyester qui y remplace l'acétate courant, l'Estar possède des qualités exceptionnelles de résistance aux déchirures. Cette pellicule est fort utilisée pour le tournage des effets spéciaux qui demande plusieurs enregistrements de mêmes fragments de pellicule. ➤ **Plestar**.

esthétique Caractéristique plastique des productions de l'image. L'esthétique désigne la conception et la fabrication de tous les éléments du film, leur sens et leur harmonie. Par l'esthétique, on peut reconnaître les traits distinctifs de chaque film. En théorie, une approche esthétique du film recouvre une réflexion sur le film en tant que message artistique; elle sous-tend une conception de la beauté, du goût et du plaisir du spectateur.

étalonnage Opération de tirage déterminant l'intensité et la couleur de chaque plan pour une copie positive correcte, dite alors copie étalonnée (G.-B. *grading*, É.-U. *timing*); ➤ **film équilibré**. L'étalonnage est indispensable à la continuité artistique du film, qui n'est jamais techniquement parfaite et homogène lors du tournage. Par l'étalonnage, on recherche l'éclairage approprié à chaque film: le rendu des couleurs (la quantité et le dosage chromatiques). ➤ **lumière unique, tireuse**.

étalonner Procéder à l'étalonnage.

étalonneur, euse Technicien responsable de l'étalonnage. L'étalonneur travaille étroitement avec le directeur photo afin d'obtenir la qualité d'image appropriée au film.

États généraux du cinéma français Assemblée des professionnels du cinéma français qui s'est tenue en mai 1968 à Paris et en juin 1968 à Suresnes (en banlieue de Paris) à la suite des événements de mai 68 en vue de discuter de la situation de l'industrie et d'y proposer des changements radicaux (autogestion, suppression de la censure, etc.).

étendue des luminences Valeur du rapport entre la partie la plus lumineuse du sujet filmé et la partie la moins lumineuse. L'étendue des luminences permet de mesurer le contraste de l'image obtenue. ➤ **facteur de contraste**.

étoile Personne connue dont le talent brille d'une manière particulière au cinéma (*star*). L'étoile est généralement une personne riche et célèbre. SYN. star, vedette.

étouffoirs PLUR. Du temps de la pellicule en nitrate, dispositifs placés entre les débiteurs et les bobines afin d'éviter que le feu se propage aux bobines lorsqu'il se déclare devant le couloir de la fenêtre de projection.

Eurimages Fonds européen d'aide au cinéma créé par le Conseil de l'Europe. Participent à ce fonds les États européens qui en expriment la volonté. En 1995, 24 pays sur 36 avaient participé à sa création. Créé dans le but de mettre en évidence la valeur et la diversité du cinéma européen, Eurimages offre une aide à la coproduction de films. Deux programmes d'aide à la distribution et aux salles sont offerts aux distributeurs et aux exploitants. Les trois premiers films soutenus par ce fonds en 1995 sont *Underground* d'Emir Kusturica, *For ever Mozart* de Jean-Luc Godard et *La promesse* de Luc et Jean-Pierre Dardenne.

European Script Fund [ESF] Fonds de 2 millions d'euros (environ 2,5 millions de dollars US) financé par la Communauté européenne en vue d'aider les cinéastes, les scénaristes et les producteurs dans le développement de projets de films (écriture du scénario, montage financier, repérages, recherches et documentation, etc.). L'aide accordée par l'ESF prend la forme d'un prêt, remboursable le premier jour de tournage. Tous les genres (fictions, documentaires, films expérimentaux, téléfilms) et tous les formats (court, moyen et long métrages) sont admis. *Toto le héros* (1991) de Jaco Van Dormael est l'un des tout premiers films à avoir bénéficié de cette aide. Les bureaux de l'ESF sont situés à Londres.

euro-pouding Expression dévalorisante désignant une coproduction européenne avec casting international, belles images et budget élevé. Ce genre de coproduction prestigieuse est synonyme de cinéma commercial à prétention culturelle, de cinéma haut de gamme. Les critiques citent souvent le film *L'amant* (1992) de Jean-Jacques Annaud comme exemple type d'un euro-pouding.

excentrisme Mouvement d'avant-garde russe exploitant l'excentricité et la bizarrerie dans le jeu de l'interprète. La source de l'excentrisme est, entre autres, le cabaret, les arts du cirque, le folklore, la pantomime et le burlesque américain. Les cinéastes Grigori Kozintsev, Georgij Krysitskii, Léonid Trauberg et Sergueï Youtkévitch fondent en 1921 le FEKZ (Fabrique de l'acteur excentrique), laboratoire de l'excentrisme.

exclusivité Film sorti exclusivement dans certaines salles avant sa sortie générale (*first run*). On emploie alors le terme «salles d'exclusivité». Le système d'exclusivité est mis en place dans les années 50, au moment de l'avènement de la télévision. Un film est ainsi distribué dans un nombre limité de salles de cinéma; le prix d'entrée est plus élevé que dans les salles de quartier où le film est ensuite distribué après sa première sortie; la durée d'une exclusivité est généralement de deux semaines. Le système d'exclusivité cessant dans les années 70, l'exclusivité désigne dorénavant la première sortie du film.

exploitant Forme abrégée de exploitant de salles.

exploitant de salles [exploitant] Personne propriétaire et gestionnaire de salles (*exhibitor*). L'exploitant présente des films fournis par les distributeurs. Le terme est également employé pour désigner une chaîne de salles.

exploitation [1] Activité commerciale consistant à tirer profit de la présentation d'un film au public (*exhibition*). [2] Par extension, ensemble des exploitants.

exposition Action d'exposer le film à la lumière dans une caméra ou une tireuse (*exposure*). L'exposition dépend, à la prise de vues, de la performance de la caméra (de sa vitesse, des lentilles et du choix d'ouverture) et de la sensibilité du film. Un film bien exposé est un film qui a reçu un éclairement suffisant pour qu'une image latente se forme sur l'émulsion. On peut se servir de l'exposition pour des recherches esthétiques, comme la création d'une ambiance particulière (mystérieuse, glaciale, etc.). SYN. impression, insolation, lumination. ➔ **sous-exposition, surexposition**.

expressionnisme Forme abrégée de expressionnisme allemand.

expressionnisme allemand [expressionnisme] Mouvement artistique allemand né après la Première Guerre mondiale en cinéma, en littérature, en musique et en peinture (*German expressionism*). Ce mouvement représente notamment une réaction aux concepts bourgeois de la représentation de la réalité et de l'art conventionnel. Pour la période s'étendant de 1919 à 1933, l'expressionnisme allemand désigne un mouvement cinématographique qui présente la réalité sous le visage de l'angoisse, de l'horreur, de l'inquiétant et du chaos. Le monde profondément noir qui y est montré préfigure le nazisme. Les cinéastes de ce mouvement apportent un soin particulier à l'image (angles obliques, caméra subjective), aux décors (contrastes, jeux de perspective, ombres et silhouettes dramatiques), aux costumes, au maquillage (masques) et au jeu (jeu théâtral, gesticulations forcées). Par leurs scènes de rêve et de délire, leur vision déformée et subjective et leur caractère troublant, les œuvres de l'expressionnisme auront un fort impact en Allemagne et une grande influence dans le monde entier. Parmi les titres de films importants de l'expressionnisme allemand, citons *Le cabinet du Dr Caligari* (1919) de Robert Wiene, *Nosferatu le vampire* (1922) de F.W. Murnau et la série des *Dr Mabuse* (de 1922 à 1933) de Fritz Lang.

Ext. Forme abrégée de extérieurs (*ext*).

extérieurs [Ext.] PLUR. [1] Lieux de tournage hors du studio, dans un décor réel. ➤ **repérage**. [2] Scènes de studio simulant un décor en plein air. ANT. intérieurs.

extra ANGLICISME De *extra*. Figurant ou petit rôle dans un film. Le nom des extras ne figure pas au générique.

extraction trichrome Utilisation d'un négatif pour chacune des trois couleurs primaires obtenues par le procédé soustractif des couleurs, comme le procédé du Technicolor (*color separation*).

extrait Courte séquence significative d'un film (*extract*). À la télévision, où il est fort utilisé, l'extrait sert à la publicité de l'œuvre ou à illustrer un commentaire sur le film. ➤ **clip [2]**.

extrêmes PLUR. Dans le dessin d'animation, les positions du début et de la fin d'un mouvement (*keys*). Les extrêmes sont les phases principales que dessinera l'animateur après avoir minuté la durée du mouvement (un saut, par exemple) et déterminé son ampleur, en sachant qu'il faut au moins 12 dessins à la seconde. ➤ **intervalliste**.

Eyemo Caméra légère et portable 35 mm mise en marché en 1926 par la firme américaine Bell and Howell. La Eyemo est généralement employée pour les reportages à la télévision.

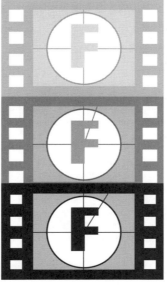

f: Symbole de la distance focale employé pour indiquer l'ouverture relative du diaphragme par rapport à la lumière. Les ouvertures les plus courantes sont f:1, f:2, f:4, f:8, f:16, f:22, f:32, f:45 et f:64. Elles représentent une progression géométrique: plus une valeur augmente, moins il y a de lumière qui traverse l'objectif, et plus une valeur diminue, plus il y a de lumière qui traverse l'objectif. ⇸ **f-stop, t-stop**.

fabricant ARCH. Dans les premiers temps du cinéma, manufacturier du film.

fabrique ARCH. Studio de tournage.

Fabrique de l'acteur excentrique [FEKZ] Mouvement d'avant-garde fondé en 1921 à Pétrograd (Leningrad en 1924; Saint-Pétersbourg en 1992) par Grigori Kozintsev, Georgij Krysitskii, Léonid Trauberg et Serguei Youtkévitch (*Society for Eccentric Actors [FEX Group]*). Tout en se mettant au service de la révolution politique, les animateurs de la FEKZ tentent de fusionner théâtre et cinéma dans le jeu de l'acteur en s'inspirant du cirque, du cabaret, du music-hall, du burlesque et des films à épisodes américains. Ils créent en 1924 un collectif au sein des studios de Leningrad, le Feksfilm. Le film emblème du groupe est *La nouvelle Babylone* (1929) de Grigori Kozintsev et Léonid Trauberg.

face émulsionnée ⇸ **émulsion**.

facteur de contraste Caractéristique d'un film développé établissant un rapport entre le contraste du sujet à filmer et le contraste de l'image obtenue (*contrast factor*). ⇸ **filtre à contraste**.

facture Manière dont est construit le film, qui lui donne son style, sa forme.

faire le poil ARG. S'assurer qu'aucun poil, déchet ou poussière ne se trouvent au niveau de la tête de lecture de la caméra.

faire le point Assurer la netteté de l'image à enregistrer ou à projeter (*focus*).

faire un ciseau ARG. Déplacer la caméra dans le sens contraire du déplacement du personnage à cadrer. En faisant un ciseau, on accélère le mouvement. SYN. mouvement croisé.

faire-valoir Dans un film, personnage qui met en valeur un autre personnage (*sidekick*). Un faire-valoir est souvent représenté par un personnage gentil, souvent astucieux, qui est l'ami du héros du film.

faisceau lumineux Ensemble de rayons lumineux (*beam of light*). On peut créer plusieurs sortes de faisceaux selon les besoins de la scène et du plan: un faisceau d'ambiance, un faisceau moyen, un faisceau étroit, etc.

Famous Players [1] Compagnie de production et de distribution fondée en 1912 par Adolph Zukor, appelée alors Famous Players Film Company, qui fusionne en 1916 avec la Jesse Lasky Feature Play Company. Elle devient alors la Famous Players-Lasky Corporation, qui fusionne à son tour, en 1918, avec la Paramount Pictures, une compagnie de distribution de films. Son président est Adolph Zukor. La nouvelle compagnie signe des contrats avec des acteurs comme William S. Hart, Pola Negri, Adolphe Manjou et Gloria Swanson, et des réalisateurs comme Victor Fleming et Ernst Lubitsch. En 1927, elle devient la Paramount Pictures, une des plus importantes Majors d'Hollywood. [2] Filiale de Viaparamount, du géant de la communication Viacom, compagnie propriétaire d'une chaîne de salles de cinéma aux États-Unis et au Canada, et distributrice de films.

fan ANGLICISME Admirateur inconditionnel (*fan*). Le fan est une personne qui voue un culte frénétique, entre autres, aux vedettes de cinéma.

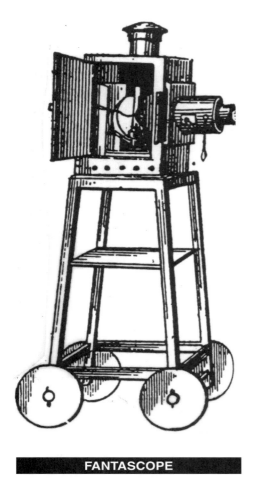

FANTASCOPE

Fantascope Marque de commerce de l'un des premiers appareils ancêtres du cinéma, breveté en 1799 par Étienne-Gaspard Robert, dit Robertson. Le Fantascope est une grande lanterne magique, munie de trois lentilles, qui assure des projections par transparence et, grâce à son déplacement sur rails, des projections également mobiles. Les séances où l'on projette les dessins du Fantascope sont appelées «fantasmagories». Le Fantascope ressemble à un autre appareil de la même époque, le Mégascope.

fantasmagorie → **Fantascope**.

Fantasound Système optique en stéréophonie mis au point par la compagnie Radio Corporation of America [RCA] pour le film *Fantasia* de Samuel Armstrong (1940), produit par Walt Disney et qui comporte quatre pistes optiques.

fantoche De l'italien *fantaccio*. Figurine articulée utilisée par le cinéaste Émile Cohl, pionnier du cinéma d'animation.

farce ANGL. Terme employé aux États-Unis pour désigner un film comique, le plus souvent court, dans lequel personnages, situations et jeu des acteurs sont exagérés en vue de provoquer le rire. L'ingrédient principal de la farce est le «coup de bâton» (*slapstick*), un effet comique originaire de la *commedia dell'arte*, qui donnera la comédie «tarte à la crème» (*slapstick comedy*). Les comédies de Mack Sennett sont des farces, souvent grossières, qui mettent en scène des personnages extravagants dans des situations tout aussi extravagantes. Des acteurs-réalisateurs comme Charles Chaplin, Buster Keaton et Harold Lloyd donneront plus de raffinement à la farce. Les comédies mettant en scène les Marx Brothers et W.C. Fields sont également considérées comme des farces. → **burlesque**.

fatty ANGL. FAMILIER Surnom signifiant «gras» donné au comique Roscoe Arbuckle dont la taille était impressionnante. Fatty Arbuckle a joué dans les films de Mack Sennett.

fausse bougie Accessoire simulant l'effet de lumière (bougie, lampe à pétrole, torche électrique, etc.).

fausse teinte [FT] Variation de l'intensité et de la qualité de la lumière provoquée par le passage d'un nuage devant le soleil.

fauteuil pliant Siège à dossier et à bras, à une place, en toile noire (*folding chair*). Sur le dossier d'un fauteuil pliant, on voit inscrit le nom du réalisateur ou celui de la vedette du film, qui s'y repose entre deux prises. Le fauteuil pliant est devenu un objet mythique du cinéma et est encore utilisé aujourd'hui.

faux raccord Erreur de liaison dans l'espace et le temps entre deux plans successifs et contigus (*jump cut*). Il y a un faux raccord lorsqu'il n'existe pas d'homogénéité entre les mêmes éléments (éclairage, couleur, décors, accessoires, costumes, sons, etc.) dans la continuité des plans. Si on ne respecte pas une certaine logique spatiale dans le tournage de deux plans successifs, il y aura également faux raccord; ➤ **loi des 30 degrés**. Le faux raccord crée une discontinuité dans le récit. Un des faux raccords les plus connus est celui, provoqué intentionnellement, par Jean-Luc Godard dans *Pierrot le fou* (1965): le personnage Ferdinand, interprété par Jean-Paul Belmondo, allume la mèche de bâtons de dynamite; au plan suivant, la mèche qu'il essaie d'éteindre est plus longue que celle précédemment montrée. SYN. saute d'images.

FDA Sigle du Filmverlag der Autoren.

FDT Sigle du Film Data Track.

feature film ANGL. Ce mot, traduit en français par «long métrage», désigne, aux États-Unis, au début des années 10, un film de plus de cinq bobines (chaque bobine a alors une durée d'environ 15 minutes). Les producteurs de l'époque ont utilisé ce terme dans le but d'attirer l'attention (d'où le mot *feature*) du public sur les acteurs, le récit ou le genre du film. À l'époque du programme double, *feature film* désigne le film principal qui, par son budget élevé, ses vedettes connues et sa durée (plus de deux heures), se distingue du film de série B; ➤ ***A-picture***. SYN. ANGL: *theatrical film*.

Fédération internationale de la presse cinématographique [FIPRESCI] Regroupement d'associations de critiques du monde entier fondé en 1930. La FIPRESCI défend la liberté de la critique et promeut le cinéma comme moyen d'expression artistique et culturelle et de formation civique. Elle remet un prix, le Prix de la critique internationale, dans les principaux festivals compétitifs internationaux; il s'agit d'un diplôme remis au lauréat. Elle organise également des colloques sur des sujets intéressant la critique.

Fédération internationale des archives du film [FIAF] Regroupement de plus de 120 cinémathèques dans le monde fondé en 1938. Le but de la FIAF est de coordonner et de rendre efficace le travail des conservateurs. Cette organisation permet d'échanger des documents et des films pour des expositions et des projections, de faire le point et d'établir des normes au sujet de la conservation de films, de promouvoir l'art cinématographique en rendant accessibles à tous, amateurs comme professionnels, étudiants comme professeurs, simples spectateurs comme cinéphiles, les œuvres connues et inconnues du septième art.

Fédération internationale des associations des producteurs de films [FIAPF] Regroupement de producteurs de films du monde entier fondé en 1933 et réorganisé en 1948. En 1950, la FIAPF reconnaît, organise et classe certains festivals internationaux de films. Des représentants de tous les festivals compétitifs importants, comme ceux de Cannes, Venise, Berlin, Karlovy-Vary, Montréal et Moscou, en sont membres; ils reçoivent une cote: «A»; ➤ **festival A**.

feed-back ANGLICISME [1] Terme couramment employé en français. Réponse attendue à une action, comme la présentation d'un film ou la campagne publicitaire pour un film. [2] Par extension, retombées financières d'un film.

FEKZ RUSSE Acronyme de la Fabrika ekscentriceskogo aktöra (Fabrique de l'acteur excentrique).

FEKSFILM ➤ **Fabrique de l'acteur excentrique**.

FEMIS Acronyme de la Fondation européenne des métiers de l'image et du son.

femme fatale Séductrice dans le film noir américain. À cause de leur allure grave et romantique, et de leur personnalité envoûtante, Lauren Bacall, Joan Bennett et Rita Hayworth ont souvent joué les femmes fatales. → **vamp**.

fenêtre de cabine [fenêtre de visée, fenêtre d'observation] Dans une cabine de projection, ouverture vitrée par laquelle passe le faisceau lumineux du projecteur (*booth porthole*). La fenêtre permet au projectionniste de surveiller et de contrôler la projection de l'image. SYN. hublot de cabine.

fenêtre de prise de vues [fenêtre d'exposition, fenêtre d'impression] Partie de l'appareil de prise de vues située sur le même plan focal que l'objectif (*camera aperture, camera gate*). Tout en délimitant le cadre de l'image, la fenêtre permet d'impressionner la pellicule lorsque l'obturateur est ouvert.

fenêtre de projection Pièce métallique comportant une ouverture située dans le couloir de l'appareil de projection (*projection aperture, projection gate*). La fenêtre est interchangeable, adaptée au format du film.

fenêtre de visée → **fenêtre de cabine**.

fenêtre d'exposition → **fenêtre de prise de vues**.

fenêtre d'impression → **fenêtre de prise de vues**.

fenêtre d'observation → **fenêtre de cabine**.

fente de chargement Fente dans laquelle on introduit l'amorce du film pour son entraînement dans le projecteur (*loading slot*).

fente de lecture Ouverture étroite et perpendiculaire à l'axe de la piste sonore, éclairée à la hauteur de la cellule photoélectrique, permettant de lire les détails de la piste (*optical slit, sound gate, sound scanning slit*). On distingue la fente mécanique, la fente projetée et le lecteur à piste projetée.

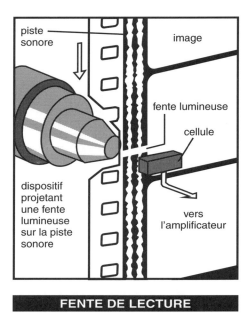

piste sonore — image

fente lumineuse

cellule

dispositif projetant une fente lumineuse sur la piste sonore

vers l'amplificateur

FENTE DE LECTURE

fente mécanique Fente de lecture employée aux débuts du cinéma sonore.

fente projetée Fente de lecture dans la plupart des appareils de projection. La lampe excitatrice éclaire une fente et un petit objectif projette sur la piste l'image réduite de cette piste.

fermeture à l'iris Disparition de l'image au centre d'un cercle qui se rétrécit, dont la forme rappelle celle de l'iris de l'œil (*iris out*). La fermeture à l'iris est un effet spécial mécanique, réalisé à la caméra, abondamment utilisé au temps du muet. Des cinéastes modernes l'ont toutefois utilisée; à voir: *La maman et la putain* (1973) de Jean Eustache. OPPOSÉ: ouverture à l'iris.

fermeture en fondu Disparition progressive de l'image jusqu'au noir complet (*fade-out*). SYN. fondu au noir.

Ferraniacolor Procédé d'une pellicule négative-positive couleur mis au point par la société italienne Ferrania à partir du procédé de l'Agfacolor allemand devenu du domaine public après la Deuxième Guerre mondiale.

festival A Festival compétitif reconnu par la Fédération internationale des associations des producteurs de films [FIAPF] (*A-festival*).

festival de films [festival du film] Manifestation nationale ou internationale, compétitive ou non, organisée périodiquement et présentant par catégories particulières des films récents ou anciens de différents pays (*film festival*). En 1932, Venise est la première ville à présenter un festival de films. Trois festivals internationaux réputés et très courus ont lieu en Europe, ceux de Berlin, Cannes et Venise. Les festivals de Locarno, Los Angeles, Moscou et Montréal (le Festival des films du monde) sont également des festivals importants sur l'échiquier mondial. On distingue des festivals pour le cinéma d'auteur indépendant ou marginal, comme ceux de Rotterdam et City Park (le Festival du film de Sundance). On distingue également des festivals pour tous les genres de films (les documentaires, les films expérimentaux, fantastiques, les courts métrages, les films d'animation, les films pour les enfants, etc.); parmi ceux-ci, citons le Festival du Réel (de Paris) pour le documentaire, les festivals d'Oberhausen et de Clermont-Ferrand pour le court métrage, et les festivals d'Annecy, Cracovie et Ottawa pour l'animation. Les festivals compétitifs membres de la Fédération internationale des associations des producteurs de films [FIAPF] sont réglementés et classés en différentes catégories; ⇀ **festival A.**

festival du film ⇀ **festival de films.**

Festival du film de Sundance Festival fondé en 1985 par le cinéaste Robert Redford et consacré aux films indépendants. Son nom original anglais est le Sundance Film Festival. Il se tient au mois de janvier de chaque année à Park City, dans l'État de l'Utah. Il a remplacé le Festival du film américain qui avait été mis sur pied par la Utah Film Commission. Outre une section compétitive, on y compte trois sections parallèles: Premières, Cinéma mondial et American Spectrum. Depuis 1990, les Majors y envoient leurs films jugés difficiles grâce à la création de leur nouveau secteur de distribution de films indépendants (la Fox avec Fox Searchlight, Time Warner avec Fine Line Features, PolyGram avec Gramercy, etc.). Parce qu'il serait devenu un simple relais de l'industrie hollywoo-

dienne, le festival est contesté par les cinéastes indépendants, qui ont créé en 1994 un festival parallèle: le Slamdance Film Festival.

Festival du film de Venise Festival international fondé en 1932 (*Venise Film Festival*). Son nom original italien est Mostra Internazionale d'Arte Cinematografica; sa forme abrégée est Mostra. Le Festival du film de Venise est le premier festival de films créé au monde. Compétitif, il débute le dernier mercredi du mois d'août de chaque année. On y remet deux principaux prix: le lion d'or et le lion d'argent. Plusieurs autres prix sont remis dont celui du jury et ceux pour l'interprétation; ⇀ **volpi.** Ce festival comprend également des sections parallèles, entre autres, Panorama des nouvelles productions italiennes. Il est l'un des trois plus importants festivals de films au monde avec ceux de Cannes et de Berlin.

Festival international du film de Berlin Festival international fondé en 1951 (*Berlin International Film Festival*). Son nom original allemand est Internationale Filmfestspiele Berlin; sa forme abrégée est Berlinale. Compétitif, il débute le deuxième jeudi du mois de février de chaque année. On y remet deux principaux prix: l'ours d'or et l'ours d'argent. Plusieurs autres prix sont remis dont ceux pour l'interprétation. Ce festival comprend également des sections parallèles: Panorama, Nouveaux films allemands et le Forum international du jeune cinéma. Un marché du film lui est attenant. Il est l'un des trois plus importants festivals de films au monde avec ceux de Cannes et de Venise.

Festival international du film de Cannes Festival fondé en 1939 (*Cannes International Film Festival*). À cause de la Deuxième Guerre mondiale, il se tiendra à partir de 1946. Il est annulé en 1948 et 1950; il sera interrompu avant sa fin, au moment des événements de mai 68. Jusqu'en 1996, il débutait le deuxième jeudi du mois de mai de chaque année; depuis 1997, il débute le deuxième mercredi du mois de mai. C'est un festival compétitif. On y remet deux principaux prix: la palme d'or et la palme d'argent, qui ont été créées en 1955. Plusieurs autres prix prestigieux y sont également remis, entre autres, le Prix spécial du jury, le Prix de la mise en scène et les Prix d'interprétation féminine et masculine. Le festival comprend des sections parallèles: Un certain regard, la Quinzaine des réalisateurs, la Semaine internationale de la critique et les Cinémas en France (cette section disparaît en 1999). En 1998, s'est ajoutée une nouvelle section, Cinéfondation, vouée aux courts métrages réalisés par des étudiants en cinéma du monde entier. A également été ajouté la même année, le Marché international des techniques et de l'innovation du cinéma [MITIC]. Un marché du film important lui est attenant. Il est l'un des trois plus importants festivals de films au monde avec ceux de Berlin et de Venise. → **bunker, Croisette.**

festivalier, ère N. Personne qui assiste ou participe à un festival (*festivalgoer*).

Fête du cinéma En France, journée consacrée au cinéma. La Fête du cinéma a été instituée en 1985. Durant cette journée, on accorde des entrées à rabais dans les salles: un billet pour plusieurs séances. Cette journée a pour but d'endiguer la baisse de fréquentation des salles.

feuille [1] Panneau de contreplaqué monté sur un châssis, utilisé pour un décor en studio (*sheet*). [2] → **drapeau.**

feuille de service Page quotidienne sur laquelle sont indiqués tous les renseignements sur la journée de tournage du lendemain: le nombre de plans et leur numéro respectif, la liste des interprètes, des costumes et des accessoires à utiliser, etc. (*call sheet*). Rédigée par le régisseur ou le premier assistant, approuvée par le réalisateur et le producteur et ensuite photocopiée, cette liste est distribuée la veille de chaque jour de tournage. SYN. tableau de service.

feuille de sous-titres Liste de tous les sous-titres avec indications de métrage du début et de la fin de chaque bobine (*subtitle cue sheet*).

feuilleteur Cahier inventé en 1769 par l'artiste allemand Philippe Jacob Lautenberg, dont chaque page comporte le dessin d'une figure (*flip book*). Les mouvements de la figure sont décalés sur chacune des pages; en faisant tourner les pages, on voit la figure en mouvement. Le feuilleteur applique le principe de la persistance rétinienne.

feuilleton → **film à épisodes.**

feuilleton télévisé Suite d'émissions exploitant en plusieurs tranches d'égale longueur un sujet dramatique (*television serial*, ARG. É.-U. *chapter play*). Ces sujets peuvent être un personnage historique, une saga familiale, l'histoire d'une région ou d'un peuple. On adapte pour la télévision des romans à succès (*serialization*). Le feuilleton *Roots* (*Racines*), produit en 1977 pour la télévision américaine, lance le genre. Un feuilleton télévisé occupe une case exceptionnelle dans la programmation d'une chaîne. Il est tourné avec les moyens du cinéma, en 35 mm. On ne doit pas confondre le feuilleton télévisé et la série télévisée. On dit au Québec: télésérie. → **diffusion en rafale.**

FIAF Acronyme de Fédération internationale des archives du film.

FIAPF Sigle de la Fédération internationale des associations des producteurs de films.

fibre optique Matière constituée de silice ou de matière plastique utilisée dans le transport de rayons optiques (*optical fiber*). → **câble en fibre optique.**

FICA Acronyme de Film Conditioning Apparatus.

fiche Pièce amovible destinée à être engagée dans une douille pour établir un contact (*jack*).

fiche de montage OBS. Du temps du muet, feuille établie par le metteur en scène destinée aux ouvrières chargées du montage (*editing sheet*). La fiche de montage dressait la liste des plans à monter, la nature des virages et des teintages.

fiche d'étalonnage → **carton d'étalonnage.**

fiction Forme abrégée de film de fiction (*fiction*).

fidélité des couleurs Degré d'exactitude d'un procédé couleur capable de reproduire les couleurs de la scène originale (*color fidelity*).

figurant, ante Personne représentant un personnage, mais ne l'interprétant pas (*extra*). Le rôle du figurant est généralement effacé. Le figurant peut également remplacer l'interprète principal dans des scènes en amorce ou en silhouette. Les noms des figurants ne sont pas inscrits au générique. SYN. extra. ➤ *dowager*.

figuration [1] Rôle de figurant. [2] Ensemble des figurants d'un film.

fil Matériau entouré d'un isolant servant à la circulation de l'électricité (*wire*). Par superstition, on appellera «fil» toute corde ou ficelle qui se trouve sur le plateau au lieu du mot «corde». ➤ **fils**.

fil à fil Méthode qui désigne au laboratoire le début et la fin d'un fragment de film à tirer (*paper to paper*). SYN. entrefils.

filage [1] Défaut de l'image lors d'un mouvement rapide de caméra en panoramique (*ghost travel*). À cause d'un mauvais synchronisme entre l'obturateur et le mécanisme d'avance intermittent du film, le filage laisse une traînée lumineuse sur l'image. ➤ **filé**. [2] Répétition complète d'une scène avec les acteurs, les figurants, les costumes, les accessoires, les appareils de prise de vues et de prise du son, mais sans l'enregistrement de l'image et du son (*run through*).

filé Panoramique rapide laissant des traits horizontaux indéchiffrables sur l'image (*whip pan, whip shot*). À l'époque du muet, le filé est abondamment utilisé pour passer d'une séquence à l'autre.

filiale Société distincte juridiquement mais étroitement contrôlée par la société mère (*subsidiary company*). Tous les grands studios américains ont des filiales dans le monde entier.

fill-in light ➤ ***fill light***.

fill light [*fill-in light*] ANGL. Lumière d'ambiance. Ce terme anglais est usité en français en lieu et place du terme «lumière de bouchage». OPPOSÉ ANGL.: key light.

film Mot d'origine anglaise signifiant «couche», «membrane», «pellicule». [1] Bande perforée servant de support aux images et aux sons cinématographiques (*film*). Le film de celluloïd est inventé par George Eastman et mis au point par Thomas Edison en 1891; avec sa couche de nitrate, il est extrêmement inflammable et se désintègre rapidement. Le film d'acétate en 1950, puis le film de diacétate et de triacétate dans les années 60 améliorent les conditions de projection et de conservation du celluloïd; ➤ **Estar**. Les dimensions de l'image sont relatives au format du film: 1:33:1 (format standard); 2:35:1 (Cinéma-Scope); 2:40:1 (Panavision); 2:20:1 (70 mm); ➤ **ratio, standard**. On distingue le film vierge, le film exposé (ou impressionné) et le film développé. Selon la nature de l'émulsion, on distingue le film noir et blanc, le film orthochromatique, le film panchromatique et le film en couleurs (ou film couleur). Selon les possibilités techniques, on distingue le film à faible sensibilité, à sensibilité moyenne, à haute sensibilité, le film à haut et à bas contraste, le film muet, le film sonore et le film holographique. Selon le nombre d'émulsions, nous avons le film monopack, bipack, tripack et multicouches. Selon l'usage de l'émulsion, on distingue le film négatif, le film positif, le film inversible et le film intermédiaire. On distingue plusieurs formats, ou largeurs, de film; les plus connus sont le 8 mm, le 9,5 mm, le Super 8, le 16 mm, le Super 16, le 35 mm (ou format standard), le 65 mm et le 70 mm. Selon la durée de la copie, on distingue le film de court métrage, de moyen métrage et de long métrage. [2] Œuvre cinématographique (*film, movie*, FAMILIER *flick*). On distingue le film d'auteur et le film commercial, le film de fiction et le film documentaire, le film expérimental et le film éducatif. [3] Ensemble des œuvres cinématographiques (*film*). On distingue les œuvres par leur genre (un drame, une comédie de mœurs, une comédie musicale, un film d'horreur, un film de science-fiction, etc.), par leur domaine (le film amateur ou d'amateur, le film d'actualités, le film de montage, le film publicitaire, etc.) ou par leur pays d'origine (le film américain, le film français, le film iranien, le film italien, le film mexicain, etc.). [4] Par extension, ensemble des activités liées au cinéma: production, réalisation, conservation, enseignement, culture, esthétique, etc. (*film*). DÉRIVÉS: filmer, filmage, filmeur, filmographie, filmologie.

film absolu Terme créé par le théoricien Béla Balázs en vue de désigner les films d'avant-garde documentaires des années 20 dans lesquels une vision subjective déjoue la réalité extérieure montrée (*absolute film*). Comme exemple de film absolu, Balázs cite *Le pont* (1928) de Joris Ivens. On étend ce terme aux films de l'abstraction allemande. Selon le théoricien P. Adams Sitney, dans son livre *The Visionary Film* (1979), tout film expérimental est un film absolu.

film abstrait ➤ **abstraction allemande**.

film à costumes FAMILIER Film historique, dit aussi film de reconstitution (*costume film*). ➤ **péplum**.

film à épisodes Film exploitant en plusieurs épisodes un sujet inspiré de la littérature populaire: aventures, histoire d'amour, suspense, etc. (*serial*). La durée de l'épisode se situe entre 40 et 60 minutes. Louis Feuillade est l'un des grands maîtres du film à épisodes (*Fantomas* [1911-1913], *Les vampires* [1915-1916], *Judex* [1916]). Né en France, avec *Nick Carter, le roi des détectives* (1908-1909) de Victorin Jasset, c'est en Amérique qu'il acquiert ses lettres de noblesse avec *Les mystères de New York* (1914-1915), 36 épisodes réalisés par Donald Mackensie; c'est la société française Pathé qui l'introduit aux États-Unis. Les réalisateurs de films à épisodes trouvent leur inspiration dans les *comics* où sont mis en vedette des personnages comme Flash Gordon, Dick Tracy, Jungle Jim, Lone Ranger et Batman, qui, plus tard, feront également les délices des spectateurs de la télévision. Le film à épisodes y est le plus souvent présenté en matinée et destiné aux enfants. Sa production diminue dans les années 50, pour cesser complètement à la fin de la décennie. Steven Spielberg rend hommage au genre avec son héros Indiana Jones (*Les aventuriers de l'Arche perdue* [1981], *Indiana Jones et le temple maudit* [1984] et *Indiana Jones et la dernière croisade* [1989]). On ne doit pas con-

fondre le film à épisodes, le film de série et le film à sketches. SYN. feuilleton. VOISIN: ciné-roman. ➤ *cliffhanger*.

filmage Action de filmer, de tourner un film (*filming shooting*).

film à grand spectacle Film à grand déploiement, produit grâce à des moyens financiers énormes, avec des décors immenses, une figuration importante et une mise en scène fastueuse. SYN. superproduction.

film à message ➤ **film à thèse**.

film animalier Documentaire sur la faune, la vie et l'habitat des bêtes (*wildlife film*). Le film animalier est surtout produit pour la télévision. La compagnie Walt Disney est une grande productrice de documentaires animaliers, destinés avant tout aux enfants. ➤ **film d'animaux, film scientifique**.

film-annonce ➤ **bande-annonce**.

film à petit budget Film dont le budget est inférieur à celui de la moyenne des films produits (ARG. *cheapie*). Aux États-Unis, une production à petit budget est souvent associée à un film indépendant. SYN. production à petit budget. ➤ *Cinderella film*.

film à sketches Film comprenant une suite de courts métrages ayant le même thème, signés par un ou plusieurs réalisateurs (*film made up of sketches*). On cite comme exemples de film à sketches *Kwaidan* (1964) de Masaki Kobayashi, *Stranger Than Paradise* (1984) de Jim Jarmush, *Paris vu par...* (1965) de Jean-Daniel Pollet, Jean Rouch, Jean Douchet, Éric Rohmer, Jean-Luc Godard et Claude Chabrol et *Paris vu par... vingt ans après* (1984) de Chantal Akerman, Bernard Dubois, Philippe Garrel, Frédéric Mitterand, Vincent Nordon et Philippe Venault. On ne doit pas confondre le film à sketches, le film de série et le film à épisodes.

film à suspense Film s'appuyant sur le suspense et les actes criminels (*mystery film*). Le film à suspense n'est pas considéré comme un genre particulier et on le classe dans le film policier. Sa construction s'appuie sur une gradation dans la perpétration d'un meurtre ou d'une série de crimes, dans la recherche de leurs causes; on essaie de retrouver le meurtrier. Ce type d'œuvre existe depuis le cinéma muet, mais c'est au parlant qu'on lui donnera sa forme exemplaire grâce à l'adaptation de romans noirs mettant en vedette des personnages comme Nick Carter, Sam Spade, Philip Marlowe et Hercule Poirot. Les films à suspense sont généralement sombres, pessimistes, offrant une vision dérangeante et critique de la nature humaine; parmi ceux-ci, citons *Laura* (1944) d'Otto Preminger, *Les diaboliques* (1954) de Henri-Georges Clouzot, *La maison du Dr Edwards* (1945), *Sueurs froides* (1958) et *Psychose* (1960) d'Alfred Hitchcock. Les cinéastes britanniques tourneront des films à suspense comiques, avec, notamment, le personnage tiré des romans d'Agatha Christie, Mlle Marple, interprétée par Margaret Rutfherford.

film à thèse Terme péjoratif désignant une œuvre qui livre un message clairement et, généralement, avec simplisme, caractérisé par une morale religieuse, politique, philosophique ou sociale (*thesis film*). On dit des œuvres d'André Cayatte qu'elles souffrent des défauts des films à thèse, qu'elles sont démonstratives et emphatiques. Le film à thèse fleurit dans la production réaliste-socialiste de l'Union soviétique après la Deuxième Guerre mondiale, jusque vers 1955, et de 1969 à 1975; sa production est paralysée par la censure et appauvrie par une vision manichéenne de la réalité. On trouve le même genre d'œuvres dans les anciens pays socialistes ainsi qu'en Chine. ➤ **cinéma militant, film de propagande**.

film beur Film réalisé par un immigré arabe de la deuxième génération en France. C'est dans les années 80 que sont apparus les premiers films beurs. Ils décrivent la vie, la plus souvent misérable, des immigrés vivant dans les banlieues; ➤ **banlieue-film**. Le ton de la comédie est une des caractéristiques du film beur. Parmi les titres importants de films beurs, citons *Le thé au Harem d'Archimède* (1984) de Mehdi Charef; *Le thé à la menthe* (1984) d'Abdelkrim Bahloul et *Bâton rouge* (1985) de Rachid Bouchareb.

film biographique Film reconstituant la vie et l'œuvre d'une personne célèbre (*biographical film, biog, biopic*). Des individus de tous les milieux et de toutes les époques inspirent le film biographique: des saints, des héros bibliques, des rois, des empereurs, des hommes d'État, des écrivains, des peintres, des musiciens, des chanteurs, des savants, des sportifs, des découvreurs, des hors-la-loi, des gangsters, etc. À cause des moyens mis en œuvre, le film biographique est souvent une superproduction. Son genre est plutôt dramatique et tragique. Les États-Unis sont le pays par excellence du film biographique. La Warner Bros. sera une des toutes premières compagnies à se spécialiser dans le genre avec les vies de Pasteur, de Zola et de Juarez mises en scène par William Dieterle. Orson Welles détourne la biographie du magnat de la presse William Randolph Hearst dans *Citizen Kane* (1941). Ken Russel réalise des biographies filmées baroques à l'authenticité historique douteuse: *La symphonie pathétique* (1971) sur Piotr Tchaïkovski, *Mahler* (1974) sur Gustave Mahler, *Litztomania* (1975) sur Franz Liszt et *Valentino* (1977) sur Rudolph Valentino. Certains cinéastes n'abandonnent ni leur style ni leurs obsessions en s'y adonnant, comme Maurice Pialat avec *Van Gogh* (1991). Parmi les titres importants du genre, citons *Napoléon* (1925) d'Abel Gance, *La passion de Jeanne d'Arc* (1928) de Carl Th. Dreyer, *L'impératrice rouge* (1934) de Joseph von Sternberg, *Les onze fioretti de Saint-François d'Assise* (1950) de Roberto Rossellini, *Napoléon* (1954) de Sacha Guitry, *Salvatore Giuliano* (1961) de Francesco Rosi, *Ludwig: requiem pour un roi vierge* (1972) de Hans-Jürgen Syberberg, *Raging Bull* (1979) de Martin Scorsese, *Adieu Bonaparte* (1986) de Youssef Chahine et *Thérèse* (1986) d'Alain Cavalier. SYN. biographie filmée. ➤ **film d'époque, film historique**.

film black ANGLICISME Catégorie cinématographique désignant une production cinématographique issue de la communauté noire afro-américaine (*black movie*). On emploie en français l'expression «film black» au lieu de celle de «film noir» en vue d'éviter la confusion avec le genre qu'est le film noir. Le film black naît aux États-Unis au début des années 20 avec les films d'Oscar Micheaux, romancier, scénariste, cinéaste et producteur, dans lesquels des acteurs de couleur tiennent des rôles principaux, ce qui ne se faisait pas dans la production courante. À partir des années 30, les Majors ébauchent un *All Black Cast*: des films interprétés uniquement par des noirs mais réalisés par des blancs. Jusqu'aux années 70, peu de cinéastes noirs signent des œuvres cinématographiques. Parmi les cinéastes noirs, Melvin Van Pebbles est le premier à être reconnu à la fin des années 60 et au début des années 70 (*La permission* [1967] et *Sweet Sweetback's Baadasssss Song* [1971]. On voit apparaître à cette époque des cinéastes comme Robert Gardner, Shirley Clark, Sharon Larkin et Julie Dash. Dans les années 80, on assiste à la blaxploitation avec des films destinés surtout aux adolescents, signés, entre autres, par Gordon Parks et Mario Van Peebles (fils de Melvin). À la fin de la décennie 80, Spike Lee s'impose comme le plus important réalisateur du film black et demeure depuis incontournable (*Do The Right Thing* [1989], *Jungle Fever* [1991]).

film catastrophe Film qui donne à voir, grâce à ses effets spéciaux, de multiples catastrophes naturelles comme des cataclysmes et des fléaux (*disaster film*). Le film catastrophe présente des personnages sommairement développés, les catastrophes prenant une large part du récit. Il connaît un énorme succès, surtout durant des années difficiles, économiquement et socialement, comme les années 30 (avec la Dépression) et 70 (avec la guerre du Viêtnam). Outre les États-Unis, le Japon est un grand producteur du genre. Le film catastrophe le plus connu est *La tour infernale* (1974) de John Guillermin.

film cinéplastique Dans le mouvement underground, film sans narration, abstrait (*cineplastic*). Un film cinéplastique est marqué essentiellement par son rythme et ses effets de couleurs. *The Flicker* (1965) de Tony Conrad est un exemple extrême de film cinéplastique: durant 45 minutes, des photogrammes noirs alternent avec des photogrammes blancs.

film classique → **classique**.

film commandité Film produit pour un commanditaire. Le film commandité est proche du film de commande. Il peut être également un film de type éducatif.

Film Comment Revue de cinéma américaine fondée en 1962 par Gordon Hitchens. À la fondation de la revue, les rédacteurs ont des goûts très éclectiques et défendent le cinéma d'avant-garde américain et le cinéma documentaire. À partir de 1970, sous la direction de Richard Corliss (devenu depuis rédacteur à l'hebdomadaire *Time*), ils se tournent vers la «Politique des auteurs» et la théorie. Cet engouement est de courte durée. Par la suite, ils se préoccupent de l'état du cinéma hollywoodien et européen. Leurs articles sont exhaustifs et leur ton plutôt neuf dans l'ensemble. Parution: mensuelle.

film commercial Film produit dans une intention lucrative et dans le but de plaire à un large public. OPPOSÉ: cinéma d'auteur. → **film grand public**.

Film Conditioning Apparatus [FICA] Méthode de conservation du film en couleurs mise au point par l'Institut du film suédois en 1983. Elle consiste à placer une bobine, préalablement conditionnée à un taux d'humidité de 25 pour cent, à l'intérieur d'un double sac hermétique scellé sous vide.

film couleur Forme abrégée de film en couleurs.

film criminel → **cinéma criminel**.

film-culte Film admiré par un groupe particulier de spectateurs qui peuvent le voir un nombre incalculable de fois (*cult film, cult movie*, FAMILIER *cult flick*). Le film-culte exploite le plus souvent les mauvais goût, le style kitsch ou pompier, en ayant parfois recours à des gadgets comme les lunettes pour les films en trois dimensions (3D) ou la plaquette odorante (pour le film *Polyester* [1981] de John Waters). La prédominance de certains genres y apparaît: le film de série B, le cinéma érotique ou pornographique et le cinéma expérimental. Le film-culte est souvent produit en marge des grands studios ou des compagnies importantes; il s'agit la plupart du temps d'un film à petit budget. Il est souvent projeté tard le soir, en guise de dernière séance.

L'exemple le plus célèbre du film-culte est *The Rocky Horror Picture Show* (1975) de Jim Sharman que certains spectateurs, souvent habillés comme les personnages à l'écran, ont vu jusqu'à 300 fois. ➤ **film psychotronique**.

Film Culture Revue de cinéma américaine fondée à New York en 1955 par Jonas Mekas, défendant particulièrement le cinéma expérimental et, plus précisément, le cinéma underground. ➤ *New American Cinema*.

film d'action Film qui multiplie les scènes d'action telles que les péripéties, généralement sous forme de poursuites et de cascades (*action film*). Le western est le premier du genre dont la narration est axée sur les scènes d'action. *L'inspecteur Harry* (1971) de Clint Eastwood est l'exemple type du film d'action. Le film d'action est généralement parsemée de scènes très violentes. Par son mélange d'ironie et de finesse, *Face/Off* (1997) de John Woo est reconnu être un film d'action moderne, qui empêche ce genre de films de disparaître.

film d'amour Genre cinématographique dont le sujet porte généralement sur les relations homme-femme (*romance*). Au centre du film se trouve l'amour, qui sera sentimentalement traité. Le film d'amour, dit-on, permet au spectateur d'échapper à la dure réalité de la vie et de participer à une escapade dans la fantaisie et l'émotion. Les cinéastes Frank Borzage, George Cukor, Henry King et Claude Lelouch sont connus pour avoir excellé dans le genre. ➤ *Boy Meets Girl, love story*.

film d'animaux Film utilisant ou mettant en vedette des animaux. Les films d'action, entre autres les westerns, utilisent souvent des animaux. La Keystone et la Gaumont tournent de nombreux films avec des chiens, des lions, des ours et des éléphants. Il existe une sorte de star-système canin avec Rin-Tin-Tin et Lassie. On donne quatre emplois majeurs à l'animal: a) celui-ci est un héros positif et sauve généralement les gens de catastrophes (le chien Lassie, le dauphin Flipper), b) il est un faire-valoir (la guenon de Tarzan, la vache de Fernandel), c) il est un animal étrange menaçant (une araignée géante, un animal préhistorique, dans les films de science-fiction) et d) il est un animal naturel menaçant (les oiseaux chez Hitchcock, le requin chez Spielberg). Avec la souris Mickey, le lapin Bugs, Fritz le Chat ou le chien Gromit, les cinéastes d'animation s'inspirent des animaux et leur donnent des fonctions humaines.

Film d'art (Le) Société française créée en 1908 par André Calmette et Charles Le Bargy en vue de réaliser des films exploitant des œuvres romanesques et théâtrales et de faire appel à des romanciers et des gens de théâtre. Les films sont distribués par Pathé. Cette société produit généralement des films à costumes, voués au gigantisme, et au service de ses vedettes (comme Sarah Bernhardt), qui donneront naissance au péplum italien. Par ses qualités, *L'assassinat du duc de Guise* (1908) d'André Calmette et Charles Le Bargy est une exception dans la production de la compagnie. De 1919 à 1929, la société produit des œuvres excellentes, comme *Au bonheur des dames* (1929) de Julien Duvivier. Puis elle disparaît. On retrouve l'influence des œuvres produites par Le Film d'art chez Abel Gance et D.W. Griffith.

film d'art [1] Œuvre filmique de haut niveau, distincte d'un film de divertissement, populaire et commercial (*art film*). Aux États-Unis, dans les années 50, les films d'art désignent généralement les films signés par des Européens (Vittorio De Sica, Roberto Rossellini, Luchino Visconti, etc.) et vus par une clientèle instruite. Le film d'art désignera dans les années 60 un film s'adressant à un public dit minoritaire (désigné ainsi par les producteurs hollywoodiens), réalisé par un cinéaste comme Robert Altman, Mike Nichols ou Arthur Penn. [2] Film de non-fiction utilisant les procédés graphiques des arts visuels et de l'infographie (*art film*). Il a son équivalent en vidéographie: vidéo d'art ou art vidéo. Le film d'art est apparenté au film expérimental; ➤ **film d'artiste**. Plusieurs festivals consacrés au film d'art ont lieu annuellement, dont un, réputé, le Festival international du film sur l'art, à Montréal.

film d'artiste Film de type expérimental réalisé par un artiste peintre. Le film d'artiste témoigne généralement des préoccupations esthétiques de l'artiste qui le réalise. Il apparaît dans les années 60, en même temps que les films du cinéma underground; il est subventionné par les galeries, notamment aux États-Unis. Il se développe également en France et en Grande-Bretagne. Les premiers artistes à signer un film de ce genre sont Marc Adrian, Robert Breer, Robert Lapoujade, Andy Warhol et Michael Snow. Le film d'artiste couvre un large champ esthétique: l'art conceptuel, l'art minimal, le happening, le *body art*, le *land art*, etc. Il se voit supplanté dans les années 80 par l'art vidéo, qui mêle installations, performances et pratiques multimédias. Parmi les noms de cinéastes importants du film d'artiste, citons ceux de Joseph Beuys, Christian Boltanski, Daniel Buren et Robert Morris.

film d'atmosphère Film dont la création d'ambiance, par les décors et l'éclairage, est importante, généralement pittoresque ou dramatique, créée artificiellement dans les studios. Le film d'atmosphère est caractéristique des films français tournés durant la Deuxième Guerre mondiale et immédiatement après, signés, entre autres, par Marcel Carné, Henri-Georges Clouzot, Christian-Jacques, Louis Daquin et Jean Delannoy. Alexandre Trauner est le décorateur le plus connu du film d'atmosphère. ➤ **gueules d'atmosphère**.

film d'avant-garde Film dont la technique renouvelle l'image et le son en subvertissant les formes traditionnelles établies (*avant-garde film*). Par ses recherches et ses expériences auditives et visuelles, le film d'avant-garde ouvre des voies inédites au cinéma. On le désigne également sous les termes «nouveau cinéma», «cinéma expérimental» et «cinéma autrement». ➤ **abstraction allemande, cinéma moderne, cinéma underground**.

film d'aventures Film multipliant des péripéties mouvementées (*adventure film*). Le film d'aventures, dont l'origine vient des films à épisodes américains, emprunte plusieurs ingrédients au film de poursuite, au film d'espionnage, au film de cape et d'épée et au western. Ces ingrédients sont, sur le plan thématique, la lutte entre le Bien et le Mal, le sens du droit et de la justice, la défense des opprimés et, sur le plan

formel, l'exotisme, le suspense et le comique. Dans un film d'aventures, le héros défend le Bien, risque sa vie soit pour sauver les siens, soit pour sauver sa fiancée. Ce héros est un homme exempt de contradictions, astucieux et athlétique, qui possède grâce et prestance. Politiquement ou sentimentalement, il est un héros symbolique, comme Tarzan, Zorro, Robin des Bois, James Bond ou Indiana Jones. De nombreux acteurs ont joué dans des films d'aventures, s'en faisant presque une spécialité, voire une exclusivité: Humphrey Bogart, Stewart Granger, Cary Grant, Errol Flynn, Charlton Heston et Sean Connery. Parmi les films les plus connus du genre, citons *Le voleur de Bagdad* (1924) de Raoul Walsh, *Le masque de fer* (1929) d'Allan Dwan, *Capitaine Blood* (1935) de Michael Curtis, *Le signe de Zorro* (1940) de Robert Mamoulian, *Gentleman Jim* (1941) de Raoul Walsh, *Le corsaire rouge* (1952) de Robert Siodmak, *Les contrebandiers de Moonfleet* (1955) de Fritz Lang, *Traquenard* (1958) de Nicholas Ray, *Hatari* (1962) de Howard Hawks et *Goldfinger* (1964) de George Hamilton. La suite, signée Steven Spielberg, mettant en vedette le personnage Indiana Jones, représente pleinement la tradition du film d'aventures. Genre majoritairement anglo-saxon, le film d'aventures est peu produit en dehors des États-Unis et de la Grande-Bretagne. En France, des cinéastes comme Philippe de Broca, Claude Chabrol et Claude Zidi l'ont pratiqué avec succès, en y ajoutant de l'humour et de la parodie.

film de chambre [1] ➤ *Kammerspielfilm*. [2] Genre non officiel. Dénomination qui tire son origine du *Kammerspielfilm* pour désigner un film contemporain ayant peu de personnages et se déroulant généralement dans un lieu unique (*chamber film*). Le film de chambre est une transposition à l'écran de l'idée de musique de chambre. Ses caractéristiques sont l'intimité du drame, la portée considérable du sujet et l'épure de la mise en scène. Par sa réalisation concise et mesurée, il est qualifié de film ascétique. Ingmar Bergman classe dans cette catégorie certaines de ses œuvres dont celles de la trilogie qui comprend *À travers le miroir* (1961), *Les communiants* (1963) et *Le silence* (1963). Plusieurs films de Satyajit Ray, entre autres *Kanchen-*

junga (1962) et *Le visiteur* (1991), empruntent à la musique de chambre une intimité élégiaque.

film de collage Équivalent du film d'animation directe avec des éléments découpés: papiers découpés, photographies, dessins, etc.

film de commande [commande] Film qu'un réalisateur tourne sur commande. Le film de commande est souvent synonymye de film impersonnel et de peu de valeur artistique. ➳ **film commandité**.

film de cow-boys ➳ **western**.

film de cul ➳ **film pornographique**.

film de détective Film dont l'intrigue consiste à trouver la solution d'un crime et dont le héros est un enquêteur privé ou un policier enquêteur (*detective film, private-eye film*). Classé comme sous-genre du film policier ou du film noir, le film de détective est de type film-enquête, proche du thriller. Il s'est développé surtout en Amérique, mais la France en est aussi grande productrice. Sa figure-référence demeure Sam Spade, du *Faucon maltais* (1941) de John Huston, interprété par Humphrey Bogart. Les héros du film de détective se nomment Harry Callahan, Sherlock Holmes, Arsène Lupin, Philip Marlowe, Hercule Poirot et, dans la veine comique, Jacques Clouseau. De héros positif, le détective se transforme dans les années 70 en protagoniste immoral et décadent, comme dans *Chinatown* (1974) de Roman Polanski. Parmi les films de détective importants des États-Unis, citons *Laura* (1944) d'Otto Preminger, *Le grand sommeil* (1946) de Howard Hawks, *La dame du lac* (1947) de Robert Montgomery, *Règlement de comptes* (1953) de Fritz Lang, *En quatrième vitesse* (1955) de Robert Aldrich, *Sueurs froides* (1958) d'Alfred Hitchcock, *Inspecteur Harry* (1971) de Don Siegel et *Le privé* (1973) de Robert Altman; de la France, citons *La nuit du carrefour* (1932) de Jean Renoir, *L'assassin habite au 21* (1942) de Henri-Georges Clouzot, *Police Python* (1975) d'Alain Corneau et *Inspecteur Lavardin* (1986) de Claude Chabrol.

film de fiction [fiction] [1] Film dont le contenu, les situations et les personnages, relèvent de l'imaginaire (*fiction, fiction film*). Par la fiction, on tente de créer une aura de vérité et des liens de similitude avec la réalité. D'après les théoriciens du cinéma, étant de l'ordre du discours, donc reposant sur un langage imaginaire, tout film peut être considéré comme un film de fiction, même un documentaire. ➳ **récit cinématographique**. OPPOSÉS: film documentaire (ou documentaire).

film de gangsters Film qui décrit la vie et la mort de gangsters, dans un décor urbain (*gangster film*). Le film de gangsters devient un genre typique lors de la prohibition de l'alcool aux États-Unis dans les années 30; il est inspiré notamment par les hauts faits d'un gangster connu de l'époque, Al Capone. Une autre source de ce film de genre est le roman noir américain et anglais. On classe souvent le film de gangsters comme un sous-genre du cinéma criminel ou du film noir. Son héros est un membre de la pègre, le plus souvent victime de sa mégalomanie, qui meurt dans une violence qu'il a lui-même entretenue; il est combattu par des policiers «incorruptibles». Le portrait du criminel qui y est dressé est souvent ambigu: ce dernier est à la fois auréolé de gloire et condamné par la société. On dit que le premier film du genre est *Les nuits de Chicago* (1927) de Joseph von Sternberg. *Scarface* (1932) de Howard Hawks, mettant en vedette Paul Muni, demeure le modèle du genre; Brian De Palma en donnera un remake en 1984; De Palma est un des auteurs, avec Clint Eastwood, Arthur Penn et Don Siegel, qui participeront à la résurgence d'un genre qui avait presque disparu dans les années 60. Parmi les films de gangsters importants, citons *Le petit César* (1931), avec E. G. Robinson, de Melvin LeRoy, *Rue sans issue* (1937), avec Humphrey Bogart, de William Wyler, *Les tueurs* (1947), avec Burt Lancaster, de Richard Siodmak, *L'enfer est à lui* (1949), avec James Cagney, de Raoul Walsh, *Quand la ville dort* (1950), avec Sterling Hayden, de John Huston, et *L'ennemi public* (1957), avec Michey Rooney, de Don Siegel. Pour la période contemporaine, citons les trois *Parrain* (1972, 1979 et 1990) de Francis Ford Coppola, *Les Affranchis* (1990) et *Casino* (1995) de Martin Scorsese. En France, dans les années 50, les films de gangsters sont nombreux; citons parmi ceux-ci *Touchez pas au grisbi* (1954) de Jacques Becker, *Du rififi chez les hommes* (1954) de Jules Dassin et *Les yeux sans visage* (1960) de Georges Franju. Au Japon, le cinéaste Takeshi Kitano renouvelle le film de gangsters par un mélange de cruauté et de poésie; ➤ *yakusa-eiga*.

film de genre Film fidèle aux codes du genre auquel il correspond. Le film de genre est souvent synonyme de film traditionnel.

film de guerre Film dont l'action principale se déroule durant la guerre (*war film*). Le film de guerre peut être de fiction ou documentaire. Il est proche du film de propagande. On inclut dans le film de guerre plusieurs catégories de situations: a) la préparation, le déroulement et la réalisation de combats, b) l'histoire de prisonniers de guerre, ciblée généralement sur leur évasion, c) la lutte et la résistance contre une armée d'occupation, d) la vie dans les camps et stalags, e) les activités d'espionnage et les missions à l'étranger, et f) les situations personnelles, familiales ou psychologiques, résultant de la guerre. Le film de guerre peut avoir comme but d'exalter l'héroïsme d'une nation ou d'illustrer la guerre comme un acte de sauvagerie et de barbarie. Il peut être axé autant sur l'aventure et le divertissement que sur la description de la nature contradictoire de la personne humaine. Il se fonde sur la dichotomie du Bien et du Mal. Le film de guerre existe depuis le début du cinéma; *The Battle* (1911) de D.W. Griffith est un des tout premiers films du genre. Généralement dramatique, il devient complexe, par exemple, par le mélange des genres avec une histoire d'amour, comme *La grande parade* (1925) de King Vidor. Certains films se singularisent par la puissance de leur traitement, comme *La grande illusion* (1937) de Jean Renoir. On peut y tenir un discours anti-guerre, comme *Les sentiers de la gloire* (1957) de Stanley Kubrick. On peut y décrire l'univers concentrationnaire, comme *La passagère* (1961-1963) d'Andrzej Munk. Il peut être centré sur la souffrance et la misère morale et financière, comme *Allemagne, année zéro* (1947) de Roberto Rossellini. On peut illustrer l'absurdité de la guerre sous forme de satire, comme *Les carabiniers* (1963) de Jean-Luc Godard, ou

sous forme carnavalesque, comme *Underground* (1995) d'Emir Kusturica. Le film de guerre est aussi diversifié et particulier que les pays et les guerres; citons, entre autres, *Land and Freedom* (1995) de Kenneth Loach sur la guerre d'Espagne, *Le vent des Aurès* (1966) de Mohamed Lakhdar Amina sur la guerre d'Algérie et *Voyage au bout de l'enfer* (1978) de Michael Cimino sur la guerre du Viêt-nam, qui possèdent, chacun, leur propre vision de la guerre et leur propre esthétique. La popularité du film de guerre ne se dément pas depuis près de 100 ans.

film de kung-fu [film-karaté] Genre cinématographique produit en Asie, notamment à Hong-Kong, à Taiwan, aux Philippines et en Chine, reposant essentiellement sur des combats d'arts martiaux, très violents, dans des récits manichéens mettant en scène des Bons et des Méchants (*kung fu film*, FAMILIER *karate film*). Le film de kung-fu possède un style et des codes particuliers selon chaque pays. Il remonte au milieu des années 30, où il est produit rapidement et fabriqué grossièrement, quoique certaines des œuvres se distinguent par leurs recherches esthétiques en lorgnant notamment vers le fantastique (les films de fantômes) et l'horreur. Le genre triomphe dans les années 60 et 70. L'époque durant laquelle se déroule le récit des films se situe sous l'occupation mandchoue, de la dynastie Qing (1664-1912). Les principales caractéristiques du film de kung-fu sont l'absence de femmes, la valorisation de l'amitié masculine, une mise en scène réglée comme un ballet avec sauts acrobatiques et des touches de comique. Raymond Chow est un important producteur de ce genre de films. Chang Cheh est considéré comme un grand maître du film de ce genre; vedette de films de kung-fu, Bruce Lee, acteur et réalisateur, est devenu une star internationale. Dans les années 80, avec la mort de Bruce Lee, le genre paraît s'essouffler; c'est que les films deviennent plus personnels tout en se soumettant aux codes du genre, comme le prouvent les succès de réalisations de plus en plus complexes comme celles signées Jackie Chang, acteur et réalisateur, et celles, plus formellement abouties, signées Tsui Hark, dans lesquelles les effets spéciaux sont énormément utilisés. Parmi les films importants du genre, citons *Viens boire avec moi*

(1965) de King Hu, *La rage du tigre* (1970) de Chang Cheh, *Dragon rouge contre dragon noir* (1976) de Hu Hsiao Tien, *Les démons du karaté* (1982) de Liu Chie Liang, *Le mort et le mortel* (1983) de Wu Ma et *Le temple de Shaolin* (1984) d'Allen Fong. → **woo sia pien, wushu.**

film de marionnettes Film d'animation utilisant des poupées entre trois dimensions et munies d'articulations métalliques (*puppet film*). Les mouvements des marionnettes sont modifiés légèrement entre chaque prise, chaque prise correspondant à un plan, selon le procédé d'animation image par image qui donne à la projection l'illusion de mouvement. SYN. OBSOLÈTE: film de poupées.

film de monstres Sous-genre du film d'horreur et du film de science-fiction mettant en scène un monstre ayant une forme humaine ou animale généralement reconnaissable, qui sème la terreur et la violence (*monster movie*). L'un des premiers films du genre est *Frankenstein* (1931) de James Whale. Le monstre animal le plus célèbre à l'écran est le lézard préhistorique Godzilla, qui sème la terreur dans le film japonais du même titre d'Inoshiro Honda, de 1954; → **Toho.** Symboles de la peur de l'inconnu et de la paranoïa, les monstres deviennent indéfinissables et encore plus effroyables, comme dans *Alien* (1979) de Ridley Scott; ils sont les doubles schizophréniques des personnages, comme dans *The Thing* (1982) de John Carpenter et *Le festin nu* (1993) de David Cronenberg.

film de montage Assemblage de fragments de films tournés ailleurs (*compilation film*). Le sujet du film de montage est de nature historique, politique, sociale ou culturelle. *Paris 1900* (1947) de Nicole Védrès est un film de montage très réussi comprenant des bandes d'actualité du début du siècle. On cite souvent comme chef-d'œuvre du genre *Mourir à Madrid* (1962) de Frédéric Rossif, dont le sujet est la guerre d'Espagne.

film de montagne Genre créé en Allemagne dans les années 20, qui se poursuivra dans les années 30, jusqu'à la Deuxième Guerre mondiale, dans lequel sont exaltées la beauté de la nature et la conquête des sommets (*mountain film*). Arnold Fanck en est le principal créateur avec, entre autres, *La montagne sacrée* (1926) et *Tempête sur le Mont-Blanc* (1930). Leni Riefenstahl joue dans des films de montagne et en réalise elle-même, comme *La montagne bleue* (1932). Le film de montagne peut être un documentaire ou une fiction.

film d'enfants Film qui met en vedette des enfants. Dès les débuts du cinématographe, les enfants apparaissent dans des films, comme dans *Repas de bébé* (1905) des frères Lumière. Clément Dary, quatre ans, devient en 1910 la vedette des courts métrages de Louis Feuillade. Mary Pickford commence à jouer dans des films à l'âge de six ans. La Fox tourne dans les années 20 un feuilleton en 96 épisodes avec des enfants de moins de quinze ans: *Our Gang*. Jackie Coogan est un enfant prodige, découvert alors qu'il avait cinq ans par Charles Chaplin et qui joue dans *The Kid* (1921); il rapporte une fortune à ses parents. De même que Shirley Temple, qui commence à jouer à l'âge de trois ans. Judy Garland et Mickey Rooney sont dans leur prime adolescence lorsqu'ils débutent au cinéma. En France, Robert Lynen joue le rôle-titre dans *Poil de carotte* (1932) de Julien Duvivier. Des enfants d'un pensionnat se révoltent dans le film mythique de Jean Vigo, *Zéro de conduite* (1932), auquel rendra hommage Luis Buñuel avec ses enfants de la rue dans *Los Olvidados* (1950). Le néoréalisme décrit les rapports des enfants avec le monde adulte, par exemple, dans *Le voleur de bicyclette* (1948) de Vittorio De Sica. Soumitra Chatterjee est le jeune Apu dans la trilogie de Satyajit Ray (*Panther Panchali* [1955], *Aparijito* [1956] et *Le monde d'Apu* [1959]). L'Espagne fait connaître dans le monde entier le petit Joselito (Joselito Jimenez). Jean-Pierre Léaud, en Antoine Doinel, est l'alter ego de François Truffaut enfant dans *Les quatre cents coups* (1959). Le cinéma américain utilise abondamment les enfants dans des comédies où ils sont rois (Macaulay Culkin, par exemple); Steven Spielberg en emploie dans presque tous ses films. Jacques Doillon se penche sur l'enfance dans *Le petit criminel* (1990), *Le jeune Werther* (1993), *Ponette* (1996) et *Petits frères* (1999). Dans plusieurs pays, une réglementation régit sévèrement l'emploi des enfants dans les films et la disposition de leurs cachets. Un film d'enfants n'est pas nécessairement destiné aux enfants; ➤ **cinéma pour enfants**.

film de non-fiction ANGLICISME Film dont les éléments fictifs sont réduits ou absents (*nonfiction film*). Le film de non-fiction est une catégorie cinématographique regroupant les films documentaires, d'actualités, éducatifs, ethnologiques, animaliers, d'animation, expérimentaux, etc.

film d'époque Film historique tourné avec des costumes (*period film*). ➤ **film biographique, film historique, péplum**.

film de poupées OBS. Film de marionnettes.

film de poursuite [film-poursuite] Film dont l'enjeu principal du récit est la poursuite d'une personne ou d'un groupe de personnes (*chase film, chaser,* ARG. *cat-and-mouse thriller*). Dès les débuts du cinéma, le film de poursuite est très populaire en exploitant la nature même du médium, le mouvement, comme dans les films de Ferdinand Zecca et de Buster Keaton. On table sur l'anticipation des actions (le suspense) pour captiver le spectateur. Le film de poursuite entre dans une catégorie voisine du film d'aventures, du film policier et du western. *Duel* (1971) de Steven Spielberg est le prototype actuel du film de poursuite, efficace et rapide, poussant jusqu'à l'absurde les limites du genre.

film d'épouvante ➤ **film d'horreur**.

film de prison Film dont l'action a un rapport avec l'incarcération (*prison film*). On distingue deux sortes de films de prison: a) ceux avec des criminels et b) ceux avec des prisonniers de guerre. Le film de prison a souvent pour but de peindre un microcosme de la société. Il est généralement tourné avec des intentions morales axées sur la formation de caractère, la dette envers la société et l'importance de la liberté. À cause des espaces exigus comme la cellule du prisonnier, il pose quelques défis de mise en scène. Parmi les films de prison importants, citons *Le pont de la Rivière Kwai* (1957) de David Lean, *Le trou* (1959) de Jacques Becker, *Le prisonnier d'Alcatraz* (1962) de John Franken-

heimer, *Merry Christmas, Mr. Lawrence* de Nagisa Oshima (1983), *Mémoires de prison* (1984) de Nelson Pereira Dos Santos et *Le party* (1989) de Pierre Falardeau.

film de propagande Film réalisé dans l'intention d'amener les spectateurs à adopter certaines idées politiques et sociales (*propaganda film*). Par le film de propagande, on cherche à persuader les gens de soutenir un parti, un gouvernement ou un de ses représentants. Le film de propagande présente une vue biaisée des sujets abordés et des événements présentés. Il se caractérise par son commentaire en voix off, souvent envahissant. Il se différencie du film à message parce qu'il ne présente qu'un seul point de vue. Le film de propagande débute dès la Première Guerre mondiale: D.W. Griffith se rend en Angleterre pour tourner un film antigermanique, *Les cœurs du monde* (1918). Le cinéma soviétique lui donne une impulsion; ➤ **agit-film**. On considère les films de Leni Riefenstahl comme des éloges à Hitler, au nazisme et à la race aryenne; à voir: *Le triomphe de la volonté* (1935); on dit que *Le jeune hitlérien Quex* (1933) de Hans Steinhoff, commandé par Goebbels, a énormément d'influence sur l'engagement de la jeunesse allemande dans l'hitlérisme; Veidt Harlan réalise un film odieusement antisémite, *Le Juif Süss* (1940). Durant la Deuxième Guerre mondiale, les gouvernements démocratiques, expressément les États-Unis, le Canada et l'Angleterre, commandent à leurs cinéastes des documentaires de propagande; Frank Capra, John Ford et Alfred Hitchcock en tournent; le cinéma commercial américain n'est pas en reste avec, entre autres, *Madame Miniver* (1942) de William Wyler et *Mission to Moscow* (1943) de Michael Curtiz. L'engagement des États-Unis au Viêt-nam suscite également la production de quelques films de propagande; avec *Les Bérets verts* (1968), John Wayne signe une œuvre défendant la guerre du Viêt-nam, alors que certains cinéastes américains prennent position contre leur pays et sympathisent avec les communistes du Nord-Viêt-nam, comme Robert Kramer avec *La guerre du peuple* (1969). ➤ **cinéma militaire, cinéma militant, film à thèse**.

film de psycho-killer Film généralement très violent, mettant en scène un tueur psychopathe (*serial-killer movie*). Le premier film du genre est *Psychose* (1960) d'Alfred Hitchcock. Dans les années 70, *Massacre à la tronçonneuse* (1974) de Tobe Hooper, inspiré d'une histoire réelle, provoque de nombreux commentaires et offense de nombreuses gens. À la fin des années 80 et au début des années 90, deux films du genre s'imposent: *Henry: Portrait of a Serial Killer* (1989) de l'Américain John McNaughton et *C'est arrivé près de chez vous* (1992) des Belges Rémy Belvaux, André Bonzel et Benoît Poelvoode. ⟶ **film gore, slasher**.

film de reconstitution ⟶ **film à costumes, film historique**.

film de référence ⟶ **film d'essai**.

film de répertoire Grand film, film important, film-phare de l'histoire du cinéma (*repertory film*). On le projette dans les salles de répertoire et dans les cinémathèques.

film d'errance RARE ⟶ **road movie**.

film de rue Le film de rue est une étiquette de genre peu usitée en français (*street film*). Il désigne, au temps du muet, un film allemand ayant le mot «rue» dans le titre. *La rue sans joie* (1925) de G.W. Pabst en est l'exemple type. Le récit du film de rue se concentre sur les classes sociales et les diverses activités humaines se déroulant dans l'univers de la rue. *La rue* (1923), un film allemand de Karl Grune et Karl Hasselmann, fera école. *Asphalte* (1929) de Joe May est également souvent cité comme exemple du genre.

film de science-fiction Film qui donne une aura d'authenticité scientifique à des créatures ou à des événements inventés (*science-fiction film, sci-fi film*). Certains spécialistes classent le film de science-fiction comme un sous-genre du film d'horreur. Le film de science-fiction donne une vision futuriste du monde en s'appuyant sur des situations actuelles: dans *Blade Runner* (1982), Ridley Scott extrapole les conséquences futures de la pollution et de la détérioration actuelles de l'environnement. La caractéristique principale du film de science-fiction est de concrétiser des événements impossibles; son but est de susciter des émotions fortes; il permet ainsi au spectateur de composer avec ses peurs et ses angoisses. Le film de science-fiction apparaît dès les débuts du cinéma, notamment avec Georges Méliès et *Le voyage dans la Lune* (1902). On distingue trois catégories de films de science-fiction: a) le film de voyages intergalactiques ou dans la quatrième dimension, comme *La guerre des étoiles* (1977) de George Lucas, b) le film d'invasion d'habitants étrangers (martiens, aliens), comme *Rencontres du troisième type* (1977) de Steven Spielberg, et c) le film futuriste, comme *Solaris* (1972) d'Andrei Tarkovski. On considère que le plus grand film de science-fiction est *2001: l'odyssée de l'espace* (1968) de Stanley Kubrick. ⟶ **opéra de l'espace**.

film de série Film qui reprend le ou les personnages d'un film précédent, de même que son genre (*sequel*). On connaît les séries de *La guerre des étoiles* (3 suites), de *Robocop* (4 suites) et des *Vendredi 13* (7 suites). On ne doit pas confondre le film de série, le film à épisodes et le film à sketches. SYN. suite. ⟶ *prequel*.

film de série B Film américain tourné dans les années 30 et 40 et projeté en second dans les programmes doubles (*B-picture*). En anglais, il est souvent appelé *programmer* parce qu'il complète le programme double. Le film de série B est tourné rapidement avec un budget serré, souvent dans des décors déjà utilisés; sorti sans fracas, il est le plus souvent signé par un cinéaste peu connu et des acteurs qui le sont aussi peu. Certains cinéastes signent des film de série B personnels, insolites et, même, politiquement engagés, dans lesquels ils expriment leur personnalité; citons les noms de André De Toth, Ida Lupino, Jacques Tourneur et Edgar G. Ulmer. Le film de série B disparaît dans les années 50 à la suite du décret de la Cour suprême des États-Unis concernant les Majors et la loi antitrust; ⟶ **Paramount decision**. Un film de série B désigne aujourd'hui une œuvre de qualité médiocre.

film de série Z Navet. Un film de série Z est considéré comme un film nul.

film d'espionnage Film ayant pour sujet l'espionnage et les diverses activités d'agents secrets (*spy film*). Le film d'espionnage est souvent classé comme un sous-genre du film policier. Il se distingue fortement du film policier par l'idéologie qu'il véhicule, venue des affrontements politiques entre nations et des guerres appréhendées – comme dans *Une femme disparaît* (1938) d'Alfred Hitchcock – ou réelles – comme dans *La maison de la 92ᵉ Rue* de Henry Hathaway. Après la Deuxième Guerre mondiale, le film d'espionnage prend un essor avec les communistes dans les rôles de méchants, comme dans *L'homme qui venait du froid* (1966) de Martin Ritt. On n'y néglige pourtant pas la fantaisie, comme dans *Ipcress danger immédiat* (1965) de Sydney Furie et *Le rideau déchiré* (1966) d'Alfred Hitchcock. La série des James Bond le cristallise comme film hybride, à la fois film de poursuite et histoire d'amour, comédie fantaisiste et film de guerre. Après la chute du mur de Berlin, le film d'espionnage ne renouvelle guère ses figures.

film d'essai Bande de pellicule spécialement conçue pour vérifier le bon fonctionnement des équipements, comme le projecteur (*test film*). SYN. film de référence, film étalon.

film de studio Film tourné dans un studio, et non dans des décors naturels (*studio film*). Dans un film de studio, l'artifice de la mise en scène est souvent accentué par les décors et un éclairage sophistiqué. La comédie musicale est caractéristique du film de studio.

film de terreur → **film d'horreur**.

film détourné Dans les années 70, film de série produit à Hong-Kong affublé d'un titre et de sous-titres tirés de textes littéraires intercalés dans les scènes d'action, qui prennent la forme d'un commentaire au deuxième degré, drôle et ironique. Le plus célèbre film détourné est *La dialectique peut-elle casser des briques?*

film d'évasion Film historique, d'action ou d'aventures, mélodrame, comédie ou péplum, qui a la prétention de faire oublier les soucis quotidiens du spectateur (*escapist film*). Le récit d'un film d'évasion est généralement simple, caractérisé par des personnages sommairement décrits. Le film d'aventures et la comédie sont généralement des films d'évasion. Ce genre de film est synonyme de film commercial. *L'homme qui voulut être un roi* (1975) de John Huston est un film d'évasion qui possède toutefois de grandes qualités (une interprétation forte, des images superbes en Panavision, une mise en scène subtile, etc.).

film d'exploitation Film qui exploite commercialement et abusivement un sujet (*exploitation film*). Généralement de piètre qualité, destiné avant tout à un public adolescent, le film d'exploitation est conçu pour rapporter rapidement de l'argent. Pour des films ayant pour thème le sexe, on parlera de sexploitation, et pour la culture noire, de blaxploitation. → **superproduction**.

film d'Holocauste Genre (ou sous-genre) récemment créé aux États-Unis pour désigner les films qui portent sur l'Holocauste, l'élimination de 6 millions de juifs européens par le pouvoir nazi (*Holocaust film*). Documentaire ou fiction, le film d'Holocauste rappelle la préparation de la Shoah, l'élimination massive des juifs, particulièrement dans les camps de concentration, et les répercussions de la souffrance et de la disparition à grande échelle d'êtres humains, en tout premier lieu chez les survivants. L'énormité même de l'Holocauste, pose un problème: celui de son irreprésentabilité. Le premier film ayant pour sujet l'Holocauste est *Unzere Kinder*, un film polonais en langue yiddish réalisé par Natan Gross et Shaul Goskind montrant un groupe d'enfants survivants; interdit par les autorités polonaises, le film est projeté pour la première fois en Israël, en 1951; il a été récemment restauré. *Nuit et brouillard* (1955) d'Alain Resnais et *Shoah* (1985) de Claude Lanzmann sont deux documentaires puissants et bouleversants sur le sujet. Avec *La liste de Schindler* (1993), Steven Spielberg tente de rendre sous forme de fiction la tragédie de l'Holocauste.

film d'horreur Genre cinématographique désignant des films reposant sur la frayeur, le dégoût et la monstruosité, et provoquant des chocs émotifs chez le spectateur (*horror film*, ARG. *slice-and-dice film, splatter film*). Le film d'horreur s'appuie sur le développement imaginaire des forces du Mal, des bas instincts et de l'agressivité animale, dans un monde traditionaliste et oppressif. Il est synonyme de violence et de mort, souvent gratuites, presque toujours irrationnelles. On y met en scène des personnages ou des animaux monstrueux dans des actions qui doivent susciter la peur et la terreur et agir sur le spectateur comme une catharsis, ce dernier sachant bien que, dans son fauteuil, rien ne lui arrivera réellement. De nombreux films d'horreur tablent sur l'inconnu – la mort, les esprits, l'espace intersidéral, la folie – pour créer de l'anxiété chez le spectateur. Le but de ces films n'est pas, en principe, de réveiller les bas instincts ou l'agressivité chez l'homme, mais de lui faire prendre conscience de leurs effets dévastateurs. Ils peuvent également évoquer l'oppression et la répression qu'engendre un système politique ou avertir du danger que provoquent l'énergie nucléaire et les mutations génétiques. Les personnages qui y sont créés sont mythiques, adaptés de la littérature, comme Frankenstein et Dracula. Le vampire, la sorcière, le mort-vivant, la momie vivante, le loup-garou et le tueur psychopathe sont des personnages emblématiques du film d'horreur; ils apparaissent au cinéma dès les années 1910. Les premiers films d'horreur de qualité sont tournés en Allemagne, dans la mouvance de l'expressionnisme allemand. Les studios américains, notamment la Universal Pictures, produisent des œuvres réussies dans le genre, qui deviendront de grands succès financiers. Après une éclipse partielle durant la Deuxième Guerre mondiale, le film d'horreur revient, auquel lui sera annexé le film de science-fiction. Les films britanniques et les films italiens de cette même époque se différencient des films américains du genre par leurs thèmes et leur style propres; ➤ **film gothique**, *giallo*. Dans les années 70, le film d'horreur sera envahi par une violence tous azimuts. Son exploitation commerciale dans les années 80 amènera une baisse de sa qualité, particulièrement dans les séries à succès comme *Halloween* (le premier de la série est de 1981) et *Vendredi 13* (le premier de la série est de 1981); ➤ **film gore**, *slasher*. Parmi les films d'horreur importants, citons *Dr Jekyll et M. Hyde* (1920) de John Robertson, *Nosferatu le vampire* (1922), de F.W. Murnau, *Le chat noir* (1934) de Edgar

G. Ulmer, *La féline* (1942) de Jacques Tourneur, *L'invasion des profanateurs de sépultures* (1956) de Don Siegel, *Carrie au bal du diable* (1976) de Brian De Palma, *The Thing* (1982) de John Carpenter et *Scream* (1997) de Wes Craven. Syn. film d'épouvante, film de terreur. ➤ **film de monstres**, *sleaze*.

Film Distribution Library ➤ **British Film Institute**.

filmdom ANGL. ARG. Monde du cinéma.

film d'opéra Genre cinématographique dans lequel un opéra est transposé à l'écran (*opera film*). Difficilement adaptable, l'opéra en film n'a guère eu de succès au cinéma. Sa transposition est limitée par les différences entre la scène de la représentation théâtrale et l'espace cinématographique, entre le livret et le scénario, et surtout par le chant qui remplace la parole et donne un effet d'irréalité aux situations dramatiques. Dès les premiers temps du cinéma, l'opéra inspire à Méliès un *Faust* (1903). Les films d'opéra sont alors de simples enregistrements de spectacles. À l'avènement du cinéma parlant, les tentatives pour adapter des opéras sont peu nombreuses, mais certaines sont réussies, comme *L'opéra de quat'sous* (1931) de Georg Wilhelm Pabst, d'après la pièce de Bertolt Brecht. Dans les années 50, les réalisateurs tentent de donner une spécificité cinématographique au genre. Jacques Demy réinvente une nouvelle forme d'opéra pour le cinéma avec *Les parapluies de Cherbourg* (1964). Parmi les films importants du genre, citons *Die Nibelungen* (en deux parties, l'une en 1923 et l'autre en 1924), *La veuve joyeuse* (1925) d'Erich von Stroheim, *La veuve joyeuse* (1934) d'Ernst Lubitsch, *Carmen Jones* (1954) de Otto Preminger, *West Side Story* (1960) de Robert Wise, *Moïse et Aaron* (1974) de Jean-Marie Straub et Danièle Huillet, *La flûte enchantée* (1975) d'Ingmar Bergman et *Don Giovanni* (1979) de Joseph Losey. ➤ **cinopéra**.

film dramatique ➤ **drame**.

film éducatif Film produit dans le but premier d'éduquer et d'enseigner un sujet particulier (*educational film*). Le film éducatif est destiné avant tout aux institutions scolaires. Il est produit ou subventionné par l'État, par l'intermédiaire de ses ministères et sociétés, ou par des multinationales (comme Shell et DuPont). Plusieurs cinéastes se sont fait la main avec ce genre de film; citons, entre autres, les noms de Jacques Demy, Alain Resnais et Agnès Varda. ➤ **film commandité, film scientifique**.

film en boucle [1] Film monté de telle sorte qu'il se déroule indéfiniment (*loop film*). Les films en boucle ont eu dans les années 70 un moment de faveur dans les sex-shops. [2] Séquence d'un film projetée en boucle lors des séances de postsynchronisation, de doublage et de mixage (*loop film*). On dit alors: mise en boucle (*looping*). ➤ *automatic dialogue replacement*.

film en couleurs [film couleur] Caractère d'un film reproduisant le spectre des couleurs dans ses images (*color film*). Les couleurs sont reproduites par différents procédés: le coloriage, le teintage, le virage, Agfacolor, Ansco Color, Cinécolor, Eastmancolor, Ektachrome, Ferraniacolor, Fujicolor, Keller-Dorian-Berthon (ou procédé KDB), Kodachrome, Kinemacolor, Gaspacolor, Gevacolor, Prizma, Rouxlor, Technicolor et Thompsoncolor. On distingue deux catégories de procédés couleur: la méthode additive et la méthode soustractive; ➤ **bipack, tripack**. Le premier film couleur est *La danse d'Annabelle* (1896) de Thomas Edison; il est peint à la main. *Le voyage sur la Lune* (1902) de Georges Méliès est également peint à la main. Charles Urban met au point un procédé bipack, le Kinemacolor, et produit plusieurs films en couleurs, dont *The Durbar at Delhi* (1911). Dans les années 30, grâce à la méthode soustractive, on met au point un développement plus moderne de la pellicule couleur; on voit alors apparaître plusieurs films couleur, dont le premier entièrement en Technicolor, *La foire aux vanités* (1935) de Rouben Mamoulian. C'est *Autant en emporte le vent* (1939) de Victor Fleming qui fait pleinement accepter au public et aux producteurs la couleur au cinéma. En 1950, la moitié des films produits à Hollywood sont en couleurs. Tous les films aujourd'hui le sont, à quelques exceptions près. La couleur permet de donner une plus grande illusion de la réalité que le noir et blanc; elle participe du genre du film, de son ambiance, de sa beauté;

elle peut suggérer un temps ou une époque; elle peut créer un effet psychologique, émotionnel ou psychique. Parmi les films remarquables par leur choix formel de couleurs, citons *Le désert rouge* (1964) de Michelangelo Antonioni, *Le dernier tango à Paris* (1972) de Bernardo Bertolucci, *Les moissons du ciel* (1978) de Terrence Malick, *Stalker* (1979) d'Andreï Tarkovski, *Kagemusha* (1980) d'Akira Kurosawa et *Nouvelle Vague* (1995) de Jean-Luc Godard. ➤ **analyse, *color assistant*, colorimétrie, colorisation, De Luxe Color, fidélité des couleurs, machine à colorier, Métrocolor, Orwocolor. Sepiatone, Sovcolor, synthèse, température de couleur, Warnercolor**.

film engagé ➤ **cinéma militant**.

film en version originale ➤ **version originale**.

film épique Genre cinématographique racontant les aventures d'un héros (guerrier noble et amoureux passionné) et représentant un sujet mythique ou légendaire (*epic film, epic*). L'histoire et les mythologies sont les ingrédients habituels du film épique, qui illustre principalement des conflits moraux. Tout film à grand déploiement, utilisant le CinémaScope, dans lequel on trouve plusieurs personnages et une énorme figuration, est dit film épique, comme *Les dix commandements* (1956) de Cecil B. DeMille. Il est généralement simpliste, sentimental et emphatique. Parmi les films épiques réussis, citons *Naissance d'une nation* (1915) de D.W. Griffith, *Lawrence d'Arabie* (1962) de David Lean et *Le dernier empereur* (1987) de Bernardo Bertolucci. ➤ **péplum, superproduction**.

film équilibré Film couleur dont la sensibilité est conçue pour obtenir la restitution correcte des couleurs lorsque la scène offre une température de couleurs déterminée (*balanced print*). SYN. copie étalonnée.

filmer [1] Enregistrer des images sur pellicule ou sur bande vidéo (*film, shoot*). [2] Réaliser un film (*film, shoot*). SYN. tourner.

film érotique Film dont le sujet est la sexualité (*soft-core, soft porn film*). Sa définition est floue et son contenu est variable selon les latitudes. Le film érotique se différencie principalement du film pornographique en tant qu'il simule les actes sexuels. Il est très contrôlé par les commissions de censure qui l'interdisent au moins de 18 ans. Il suit l'évolution des mœurs et devient au cours des années de plus en plus audacieux. Jusque vers les années 60, il est relégué dans les films amateurs 8 mm et 16 mm; son commerce en est alors souterrain, destiné à des publics spécialisés et très renseignés; on doit payer des coûts prohibitifs pour se le procurer. Avec la «libération sexuelle», la production officielle intègre des scènes dites érotiques, qui en choqueront plusieurs, comme *Les amants* (1958) de Louis Malle et *Je suis curieuse* (1967) de Victor Sjöman, qui subiront les foudres de la censure dans plusieurs pays. Le film érotique devient dans les années 70 un genre quasiment officiel avec la série des *Emmanuelle* (1973-1988). L'avènement de la vidéocassette dans les années 80 le propagera partout et le banalisera. SYN. film soft, film X.

film étalon → **film d'essai**.

film ethnographique Œuvre qui décrit la vie et les habitudes d'individus, de groupes humains, de peuplades ou de populations sous leurs aspects scientifiques (*ethnographic film*). Son caractère scientifique ou analytique en fait un document anthropologique sur une culture particulière ou des manières de vivre spécifiques. Le film ethnographique est généralement de type documentaire. Robert Flaherty (*Moana* 1926) et Jean Rouch (*Maîtres fous* [1954], *La chasse au lion à l'arc* [1965]) sont des auteurs d'importants films ethnographiques, riches et singuliers.

filmeur ARCH. Réalisateur au temps du muet.

film-événement Film attendu, qui fait date.

film exposé Film passé dans la caméra ou la tireuse, exposé à la lumière derrière l'objectif ou derrière un film développé (*exposed film*). SYN. film impressionné, pellicule exposée. OPPOSÉ: film vierge.

film extrême Film pornographique mettant en scène des personnages sado-masochistes et coprophages (*extreme movie*). Le film extrême est également appelé «film sale» (*dirty movie*).

film familial Film amateur tourné à la maison (*home movie*)

film flam Forme abrégée de film flamme. → **flam**.

film flamme → **flam**.

film-fleuve Film dont la durée dépasse les standards habituels. L'exemple de film-fleuve exceptionnel est *Out one* (1971) de Jacques Rivette, dont la première version (présentée une seule fois) durait 12 h 40; celle présentée en salle avait une durée de 4 h 20.

film français (Le) Hebdomadaire de l'industrie française du cinéma. L'information y est axée sur la production et l'exploitation des films, avec les résultats hebdomadaires du box-office.

film gaufré Film couleur fabriqué selon un procédé de cinéma en couleurs dont le support pressé possède un aspect gaufré (*embossed film*). La méthode de gaufrage est connue dans les années 20 sous l'appellation «procédé KDB»; → **Keller-Dorian-Berthon**. Le film gaufré est commercialisé pour les cinéastes amateurs en 1928 pour le Kodacolor et en 1933 pour l'Agfacolor. Il est difficile de tirer des copies d'un film gaufré tourné, car l'original est une pellicule inversible. *Jour de fête* (1947) de Jacques Tati a été tourné selon ce procédé, appelé alors «Thomson Color».

film gore ANGLICISME Film dont les scènes sont extrêmement violentes et sanglantes (*gore film*). Le film gore est apparu dans les années 60. On le retrouve surtout dans le cinéma fantastique et le film d'horreur, comme dans la série *Halloween* (*1* [1978] de John Carpenter, *2* [1981] de Rick Rosenthal, *3* [1983] de Tommy L. Wallace, *4* [1988] de Dwight H. Little et *5* [1989] de Dominique Othenin-Girard). Le film gore suggère le dégoût et la terreur dans la description d'une réalité traumatisante, comme dans *Eraserhead* (1976) de David Lynch ou le remake de *Cape Fear* (1992) par Martin Scorsese. Parmi les cinéastes qui se sont illustrés dans ce genre, citons les noms de Wes Craven, Sam Raimi et George Romero. SYN. ANGL. *slasher*. ➤ **film de psycho-killer**.

film gothique Traduction littérale de l'expression anglaise *gothic film*. [1] Sous-genre du film d'horreur. Un film gothique est généralement l'adaptation d'un récit «gothique» (*gothic novel*) dans lequel il est question de châteaux hantés, d'événements mystérieux et de personnages diaboliques. Proche du film d'épouvante et de terreur, mais moins violent, il s'en distingue par un mélange d'angoisse et d'érotisme. La Hammer Film Productions, de Grande-Bretagne, est une société spécialisée dans le film gothique. *Rebecca* (1940) d'Alfred Hitchcock est un excellent exemple de ce genre de film. ➤ *giallo*.

film grand public Œuvre destinée à une grande diffusion. Le film grand public est souvent synonyme de film commercial.

film historique Film illustrant une période historique donnée ou décrivant des événements ou des personnages historiques particuliers (*historical film*). Le film historique utilise parfois des personnages imaginaires et trafique souvent les événements. Il peut susciter le culte des grands hommes, faire l'apologie des valeurs nationales, avoir un but pédagogique, être un plaidoyer pour la guerre ou la paix ou prétendre être une réinterprétation officielle de l'histoire (il se classe alors dans le film de propagande). L'aspect visuel y est très important. Une mise en scène somptueuse, des personnages exceptionnels et une narration ample et majestueuse le classent dans la catégorie du film épique. Le film historique apparaît dès le début du cinéma; *L'assassinat du Duc de Guise* (1908) d'André Calmettes et Charles Le Bargy en est un des tout premiers. Mais c'est *Naissance d'une nation* (1915) de D.W. Griffith qui l'impose comme genre en raison de ses qualités cinématographiques (résonances politiques, souffle épique, charge émotive, etc.). Des réalisateurs transforment l'histoire de personnes célèbres en histoire d'amour, comme Robert Mamoulian dans *La Reine Christine* (1933) avec Greta Garbo, et Joseph von Sternberg dans *L'impératrice rouge* avec Marlène Dietrich. Le film historique peut avoir de fortes connotations politiques, comme *Le cuirassé «Potemkine»* (1925) de S.M. Eisenstein. L'exotisme fastueux le caractérise très souvent, comme dans *Lawrence d'Arabie* (1962) de David Lean et *Le dernier empereur* (1987) de Bernardo Bertolucci. Il peut être théâtralisé, le prouvent *La prise du pouvoir par Louis XIV* (1966) de Roberto Rossellini, *Ludwig: requiem pour un roi vierge* (1972) de Hans Jürgen Syberberg et *Non ou la vaine victoire de commander* (1990) de Manoel de Oliveira. Parmi les films historiques importants, citons *Napoléon* (1927) d'Abel Gance, *La Marseillaise* (1937) de Jean Renoir, *Vers sa destinée* (1939) de John Ford, *La bataille du rail* (1946) de René Clément, *Le guépard* (1963) de Luchino Visconti, *Barry Lindon* (1975) de Stanley Kubrick et *Kagemusha* (1980) d'Akira Kurosawa. SYN. film à costumes, film d'époque. ➤ **péplum**.

film holographique ➤ **cinéholographie**.

film impressionné ➤ **film exposé**.

filmique ADJ. Relatif à un film, au cinéma (*filmic*). Le terme désigne tout ce qui peut être filmé ou tout ce qui apparaît dans un film. On parle également d'espace filmique pour désigner l'espace en deux dimensions du cinéma.

film indépendant Film de langue anglaise produit, réalisé, distribué et mis en marché hors des cadres d'une Major américaine (*independent feature, independent film, indie film*). Le film indépendant est apparu au milieu des années 70. Il se distingue particulièrement par son budget, qui est cinq à dix fois moindre que celui d'un film produit par une Major. Sous cette appellation, on compte une grande variété d'œuvres: des films de fiction, des documentaires, des films expérimentaux, produits aux États-Unis, au Canada, en Grande-Bretagne, en Australie et en Nouvelle-Zélande. On y trouve tous les genres (films d'horreur, films de gangsters, etc.), mais en majorité des films à thèmes sociaux (les relations amoureuses, les relations parents-enfants, la culture des adolescents, la drogue, la folie, la marginalité, etc.). La sexualité y est peinte sans faux-fuyants. Le qualificatif «intellectuel» est régulièrement accolé au

film indépendant. Les films indépendants les plus cités sont *The Rocky Horror Picture Show* (1975) de Jim Sharman, *Eating Raoul* (1982) de Paul Bartel, *Blood Simple* (1984) de Joel Coen, *Stranger Than Paradise* (1985) de Jim Jarmusch, *Blue Velvet* (1986) de David Lynch, *Drugstore Cowboy* (1989) de Gus Van Sant, *Reservoir Dogs* (1992) de Quentin Tarantino, *Clerks* (1994) de Kevin Smith, *Safe* (1995) de Todd Haynes et *Lone Star* (1996) de John Sayles. La maison de production de films indépendants la plus connue est Miramax, fondée en 1979 par les frères Harvey et Bob Weinstein; → **Harvey Scissorhands.** Certains conglomérats s'intéressent aux films indépendants et s'associent aux producteurs pour les distribuer, comme Walt Disney Company avec Miramax, Polygram avec Gramercy, Time Warner avec Fine Line grâce à sa division New Line et Twenty-Century Fox avec Fox 2000 Pictures. Fondé en 1985 par Robert Redford, le Festival du film de Sundance (en Utah) est consacré au film indépendant. On ne doit pas confondre le film indépendant et le cinéma indépendant. → *maverick*, **petit film.**

film industriel Film généralement de peu de valeur artistique donnant des explications factuelles sur un sujet ou décrivant un mode d'emploi (FAMILIER *nuts-and-bolts film*).

film inversible Film dont le négatif subit une inversion par méthode chimique ou autre en vue d'obtenir un film positif (*reversal film*). Le film inversible permet d'obtenir directement des images positives à partir d'un négatif. À cause de la difficulté d'en tirer des copies, il est surtout utilisé dans le cinéma amateur. Le 16 mm Eastman Ektachrome est un film inversible qui permet la copie de films d'excellente qualité; on l'appelle «original bas contraste» (*low-contrast original*); on l'utilise abondamment pour les reportages télévisés avant l'utilisation massive de la caméra vidéo.

film judiciaire → **drame judiciaire.**

film-karaté → **film de kung-fu.**

film large Film dont la largeur dépasse le format standard, qui est celui du 35 mm (*wide film*). → **CinémaScope, écran large, Todd-AO.**

film lent Film de faible rapidité (*slow film*). Le film lent a largement besoin de lumière pour produire une image satisfaisante. OPPOSÉ: film rapide.

film monochromatique Film noir et blanc sensible à la couleur bleue et insensible au vert et au rouge (*monochromatic print*). Le film monochrome est utilisé durant les premiers temps du muet.

film muet Film dépourvu d'une bande sonore (*silent film*). → **cinéma muet.**

film narratif Film racontant une histoire (*narrative film*). Le film narratif est le plus souvent synonyme de film de fiction traditionnel; il est ainsi mis en opposition à un film de type expérimental dans lequel la narration est non linéaire.

film négatif [1] En photographie, image dont les couleurs sont complémentaires à celles du film positif qui en est tiré (*négatif*). Les blancs dans un film négatif sont traduits par des noirs et vice-versa, et les couleurs primaires sont remplacées par les couleurs secondaires et vice-versa. [2] En cinéma, film dont la pellicule est vierge, non développée (*negative film*).

film nitrate [1] → **nitrate.** [2] → **flam.**

film noir Expression créée par des critiques français pour désigner une production hollywoodienne typique des années 40 et 50 (*film noir*). Le film noir est classé comme un genre cinématographique dans lequel sont privilégiées la violence, la mort et la sexualité par l'intermédiaire de personnages cyniques; on y trace un tableau sombre du monde. Le prototype du film noir est *Le faucon maltais* (1941) de John Huston. Inspiré des romans de Raymond Chandler et Dashiell Hammett, le film noir met généralement en scène un détective privé, cynique et individualiste, s'accommodant de certaines pratiques douteuses (la violence et le chantage). Quoique linéaire et dépourvu de mystère, il utilise les retours en arrière, comme dans *La griffe du passé* (1947) de Jacques Tourneur, ou la caméra subjective, comme dans *La dame du lac* (1947) de Robert Montgomery. Les personnages féminins y sont souvent des femmes fatales, comme Elsa Bannister, interprétée par Rita Hayworth, dans *La dame de Shanghai* (1948) d'Orson Welles. Épuré ou expressionniste, le film noir ne dédaigne pas les exotismes, comme dans *La soif du mal* (1958) d'Orson Welles. Des cinéastes contemporains tentent de renouveler le genre: Roman Polanski avec *Chinatown* (1974), Joel Coen avec *Miller's Crossing* (1981) et David Lynch avec *Lost Highway* (1996). En France, le film noir occupe une place importante dans la cinématographie de l'après-Deuxième Guerre mondiale, avec des films comme *Dédée d'Anvers* (1948) d'Yves Allégret et *Les Diaboliques* (1955) d'Henri-Georges Clouzot; Jean-Pierre Melville est le cinéaste français le plus atypique du genre. Placé dans la catégorie du film criminel, le film noir est souvent confondu avec le film de gangsters né avant lui, dans les années 30. On ne doit pas confondre le film noir et le film black.

film nudiste Au début du cinéma, film montrant des corps nus, généralement de femmes, mais pas encore l'acte sexuel (vx *nudie*, ARG. *skinflick*). ➤ **stag film**.

Filmo Caméra 16 mm légère et portable lancée en 1924 par la firme américaine Bell and Howell. La Filmo est destinée avant tout aux amateurs, et en seront dérivés de nombreux modèles en 16 et 8 mm. Les cinéastes reporters l'utiliseront énormément.

filmo Forme abrégée de filmographie.

filmographie [filmo] Liste raisonnée des films d'un auteur ou d'un genre (*filmography*).

filmologie RARE Domaine d'études qui a pour objet le cinéma (*filmology*). On emploie plutôt l'expression «études cinématographiques».

film orthochromatique [ortho] Film dont la pellicule noir et blanc est sensible au vert et au bleu, mais occulte le rouge du spectre des couleurs (*orthochromatic print, ortho*). À partir de 1918, le film orthochromatique est utilisé à cause de la rapidité de son émulsion et de son semblant de haut contraste (qui est, en fait, obtenu par le maquillage); il remplace alors le film monochromatique. Les films silencieux d'Erich von Stroheim sont orthochromatiques. Le film panchromatique le rempla-

cera en 1926. Le directeur photo Greg Toland réutilisera le film orthochromatique pour le tournage de *Citizen Kane* (1941) d'Orson Welles.

filmothèque Collection de films constituée en dépôt d'archives (*film library*). On ne doit pas confondre la filmothèque et la cinémathèque.

film panchromatique [panchro] Film dont la pellicule noir et blanc est sensible à toutes les couleurs du spectre (*panchromatic print*). Le film panchromatique remplace en 1926 le film orthochromatique. Les ombres subtiles et la couleur de la peau naturelle (qui apparaissait auparavant très pâle à l'écran) y sont bien rendues. Son émulsion est peu rapide et demande un éclairage abondant. C'est Robert Flaherty qui l'utilise pour la première fois pour *Moana* (1926). ➤ **film superpanchromatique**.

film parlant OBS. Film possédant une bande sonore inscrite à côté des image (son optique) ou séparée (disque) et fonctionnant en synchronisme avec les mouvements de la bouche des acteurs (*talking picture*). VOISIN: parlant. ➤ **cinéma sonore**.

film pédophile Film pornographique utilisant des enfants comme interprètes, montrant des actes sexuels entre eux ou avec des adultes (*p(a)edophile movie*, ARG. *chicken porn film*). Dans presque tous les pays du monde, le film pédophile est prohibé par des lois très sévères.

film-phare Œuvre importante, représentative d'une époque ou d'un genre. *Les trois lumières* (1921) de Fritz Lang est l'exemple du film-phare de l'expressionnisme allemand; il contient tous les éléments narratifs et formels qui caractériseront les œuvres de ce mouvement. *À bout de souffle* (1959) de Jean-Luc Godard est un film-phare, car il annonce l'avènement définitif de la Nouvelle Vague.

film pilote Premier film d'une série à tourner (*pilot movie*). SYN. prototype.

film policier Genre (ou sous-genre) filmique de la catégorie du cinéma criminel (*law-and-order film*). Certains historiens et critiques classent dans cette catégorie deux grands types de films: le film de gangsters et le film noir. Le film policier met en scène un personnage moral, très semblable au shérif des westerns, qui défend l'ordre et la loi. Le policier y est droit, incorruptible et courageux, même si parfois il trouve dans ses rangs des confrères véreux et meurtriers. Le film policier démontre qu'on peut combattre la corruption et que le droit peut vaincre. Il apparaît dans les années 30 et annonce le film noir, après quelques films de gangsters très violents, comme *Scarface* (1932) de Howard Hawks. Il atteindra son apogée dans les années 40. Parmi les films policiers importants, citons *La bête de la cité* (1932) de Charles Brabin, *La maison de la 92ᵉ Rue* (1945) de Henry Hathaway, *L'inspecteur Harry* (1971) de Don Siegel et *Serpico* (1973) de Sidney Lumet. Le film policier français est plus sulfureux, centré sur le monde de la pègre; à voir: *Pépé le Mocko* (1937) de Julien Duvivier et *Borsalino* (1970) de Jacques Deray. Il s'inspire des romans de Simenon et de Léo Mallet, ainsi que de nombreux romans américains. L'un des grands interprètes du film policier français est Jean Gabin.

film porno Forme abrégée de film pornographique.

film pornographique [film porno] Film qui met en scène des corps nus et qui montre des actes sexuels (*hardcore film, hard porn film, pornographic film, blue movie*). Il se différencie du film érotique par ses images sexuelles explicites. Le film pornographique existe depuis les tout débuts du cinématographe; ➙ **film nudiste**, *stag film*. Il se divise en deux catégories, ce qui ne change cependant rien au contenu: le film amateur, généralement distribué dans les sex-shops et les clubs-vidéo, et le film professionnel, réalisé avec plus de moyens financiers et pouvant être exploité dans des salles commerciales. Il se subdivise en sous-catégories, ou spécialités: le film hétérosexuel, le film homosexuel, le film lesbien, le film bisexuel et le film extrême (avec personnages coprophages, sado-masochistes), dit aussi film sale. Il comprend une frange de films au commerce souterrain, prohibés dans presque tous les pays, comme le film pédophile et le *snuff movie*. Sa présentation est généralement interdite au moins de 18 ans. Il est parfois

complètement illégal, comme dans les pays socialistes avant la chute du mur de Berlin, ou très retouché comme au Japon; ➙ **diffuseur** [2]. Il est extrêmement contrôlé par des commissions de censure ou de surveillance dans tous les États du monde; ➙ **cote**. Avec la «libération sexuelle» des années 70, on le présente dans des circuits commerciaux où des prototypes sont élevés au rang de modèles, comme *Gorge profonde* (1972), *L'enfer pour Miss Jones* (1973) et *Derrière la porte verte* (1975), tous réalisés par Gérard Damiano. Le film pornographique se voit imposer une lourde taxe, notamment en France. Certains cinéastes intègrent des scènes dites pornographiques dans leur œuvre, comme Nagisa Oshima dans *L'empire des sens* (1976). L'avènement de la vidéocassette dans les années 80 étend le marché du genre jusqu'alors limité aux grands centres urbains et le rend très accessible soit par achat, soit par location. Le plus grand producteur du genre est Vivid Video, de Los Angeles; ses ventes annuelles atteignent 25 millions de dollars; le coût de production moyen d'un film de cette société est de 200 000 $. Environ 2,5 millions de personnes, aux États-Unis, regardent tous les mois un film pornographique. L'industrie américaine du porno génère annuellement des revenus de 4,2 milliards de dollars; les revenus augmentent entre 10 et 15 pour cent chaque année. Des chaînes télévisées, comme Canal Plus en France, Playboy Channel et Spice Channel aux États-Unis, le présentent régulièrement le soir et le week-end. Les établissements hôteliers offrent également la location de films pornos sur une des chaînes du téléviseur, dans les chambres. Le film pornographique est décrié par des ligues de morale, souvent de droite, mais également par de nombreuses féministes. Un festival international lui est consacré, le Hot d'or, qui se tient à Cannes, en France. SYN. film de cul, film hard, film pour adultes, film X, film XXX. ➙ **film pédophile**, *gonzo porn, pink cinema, snuff movie*.

film positif [1] En photographie, image obtenue par tirage du négatif (*positive*). [2] En cinéma, film de prise de vues inversible (*positive film*). Les valeurs lumineuses correspondent à ce qui est filmé (les blancs sont traduits par des blancs, et les couleurs, par les mêmes couleurs).

film pour adultes Film pornographique (*adult film*).

film-poursuite Forme abrégée de film de poursuite.

film principal Film qui, par ses qualités, son budget et ses vedettes, se distingue du film de série B qui l'accompagne dans un programme double (*main feature*). ➤ **A-picture, programmer**.

film psychotronique Film démodé, au goût douteux et au ton généralement débile (*psychotronic film*). Le film psychotronique devient généralement un film-culte. Quelques exemples de films psychotroniques: *Plan Nine From Outer Space* (1959) d'Ed Wood, *Mondo Cane* (1962), un film de montage italien, et *Polyester* (1981) de John Waters. ➤ **camp, kitsch, gonzo porn**.

film rapide Film de rapidité élevée (*fast film*). La pellicule d'un film rapide a besoin de peu de lumière pour produire une image satisfaisante. SYN. pellicule rapide. OPPOSÉ: film lent.

film rare Film ancien, incunable.

film réduit Film dont le format est plus petit que le format standard, le 35 mm (*reduction print*).

film religieux Genre dont les films ont pour sujet la religion (*religious film*). Le film religieux est produit dès les débuts du cinéma. Il demeurera pendant longtemps l'apanage de petites compagnies de production. Il devient un genre spectaculaire, avec ses centaines, voire parfois ses milliers de figurants, comme *Ben Hur* (1926) de Fred Niblo, dont William Wyler fera un remake en 1959. La religion est traitée très sérieusement par Otto Preminger dans *Sainte Jeanne* (1957). Les cinéastes européens modernes donnent au film religieux le poids de la grâce en l'éloignant de sa lourdeur réaliste et de l'imagerie saint-sulpicienne, comme Robert Bresson avec *Le procès de Jeanne d'Arc* (1962) et Pier Paolo Pasolini avec *L'Évangile selon saint Matthieu* (1964). Des sujets religieux ne donnent pas nécessairement des films religieux reconnus comme tels, comme *Je vous salue Marie* (1985) de Jean-Luc Godard

et *La dernière tentation du Christ* (1988) de Martin Scorsese.

film réversible ARCH. Film inversible. Rare, le terme est une traduction littérale de l'expression anglaise *reversal print*.

film sale ➤ **film extrême**.

film scientifique Documentaire portant sur un sujet scientifique (*science film*). Le film scientifique a pour but la vulgarisation scientifique. Le documentaire scientifique couvre des domaines comme la biologie, la zoologie, la chirurgie, l'astrophysique, la chimie moléculaire, l'écologie, etc. Il est le plus souvent dédié à l'enseignement; ➤ **film éducatif**. Il a permis des mises au point d'outils et le développement de méthodes scientifiques: le revolver photographique, la microcinématographie, le cinéma radioscopique, le ralentisseur, la microscopie électronique et la caméra femtoseconde. Il apparaît dans les années 20 avec les films (une centaine) de Jean Comandon. Jean Painlevé est l'un des plus grands cinéastes du genre, mêlant recherches scientifiques et recherches formelles (*L'hippocampe* [1934] et *Le vampire* [1945]). *Microcosmos* (1996) de Claude Nuridsany et Marie Perennou obtient un grand succès en salle, avec sa vision anthropomorphique, étrange et fascinante du microcosme des insectes. ➤ **film animalier**.

Films du Carrosse (Les) Société de production de films fondée par François Truffaut en 1957, pour la réalisation du court métrage du cinéaste, *Les mistons*. Après avoir produit, outre les films de son fondateur, ceux d'autres cinéastes (Jean Cocteau, Claude de Givray, Jean-Luc Godard et Jean-Louis Richard), Les Films du Carrosse ne produiront par la suite que les films de François Truffaut.

film social Genre cinématographique dans lequel les films traitent des problèmes sociaux dans une perspective morale (*social consciousness film*). Le film social est souvent une œuvre simpliste. Il est souvent confondu avec le film à thèse. On y aborde des sujets comme le chômage, la délinquance juvénile, l'injustice légale, la prostitution, les difficultés du monde agricole et la syndicalisation des travailleurs. Les années 30 voient aux États-Unis la multiplication de films à conscience sociale de qualité; parmi les meilleurs, on distingue *Les temps modernes* (1936) de Charles Chaplin, *Furie* (1936) de Fritz Lang et *Rue sans issue* (1937) de William Wyler. Après la Deuxième Guerre mondiale, les films sociaux américains sont de faible qualité malgré l'apport de cinéastes comme Martin Ritt avec *L'homme qui tua la peur* (1957) et Stanley Kramer avec *La chaîne* (1958), deux films qui osent affronter des sujets tabous comme les relations interraciales. Le néoréalisme italien produit des films sociaux d'une profonde valeur morale, à la mise en scène soignée et rigoureuse. En France, les films de Claude Sautet sont dits de description sociale malgré leur représentation de la bourgeoisie française. Les films du Tiers Monde ont une grande portée sociale, comme les œuvres de Glauber Rocha, cinéaste brésilien; ➤ **cinéma Nôvo**. Dans les années 80, certains sujets comme la drogue donnent des films sociologiques, généralement médiocres, comme *Moi, Christine F., 13 ans, droguée, prostituée* (1981) d'Ulrich Edel. À l'extérieur de l'industrie, peu intéressée à produire des films sociaux, le genre est surtout associé au film engagé, dit militant.

film sonorisé Film muet auquel on a ajouté une bande sonore, généralement de la musique. ➤ **sonoriser**.

film standard Film de format 35 mm (*standard film*).

film substandard Film dont le format est inférieur au format standard, soit celui du 35 mm (*substandard film*).

film superpanchromatique Film noir et blanc dont la couche panchromatique est améliorée (*superpanchromatic film*). ➤ **film panchromatique**.

film sur l'art Documentaire portant sur l'art et les artistes (*film on art*). Les films sur l'art constituent un genre cinématographique après la Seconde Guerre mondiale. Un des films précurseurs du genre est *Nos peintres* (1926) du Belge Gaston Schoukens. Le genre s'affirme avec *Le monde de Paul Delvaux* (1946) d'Henri Stock, *Guernica* (1949) d'Alain Resnais et Robert Hessens,

et *Le mystère Picasso* (1956) d'Henri-Georges Clouzot. L'arrivée de la télévision dans les années 50 favorise son éclosion; à voir: les films de Jean-Marie Drot. Le film sur l'art couvre tous les champs des pratiques artistiques: la peinture, la sculpture, l'architecture, le théâtre, la danse, la musique, la photographie, le cinéma et la vidéographie. Il est peu diffusé, mais des festivals prestigieux, dont ceux de Montréal et de Rotterdam, lui sont consacrés. Parmi les cinéastes de films sur l'art importants, citons les noms de Michael Blackwood, Philip Haas, André S. Labarthe et Albert et David Mayles.

film transparent Film qu'on met dans un projecteur pour mesurer à l'aide d'un luxmètre la quantité de lumière au centre et sur les bords de l'écran.

film ultrarapide Film dont la sensibilité de l'émulsion est très élevée (*ultra-hight-speed film, supersensitive film*).

Filmverlag der Autoren [FDA] Société allemande de commercialisation de films fondée en 1971 par Wim Wenders et 14 cinéastes de Munich. La Filmverlag der Autoren coproduit les œuvres avec la Produktion I im Filmverlag der Autoren et la télévision. La société dépose son bilan en 1974 après la production de 25 films, dont *L'angoisse du gardien de but au moment du penalty* (1971) et *Alice dans les villes* (1971) de Wim Wenders. Ce cinéaste met alors sur pied une autre maison de production, la Road Movies Filmproduktion, tout en gardant des parts dans la FDA.

film vidéo Œuvre tournée sur support vidéographique (*video film*). VOISIN: bande vidéo. On ne doit pas confondre le film vidéo et le vidéogramme.

film vierge Film qui n'a pas été exposé à la lumière, sur lequel aucune image n'a été imprimée (*undeveloped film*). SYN. pellicule vierge. OPPOSÉS: film exposé, film impressionné.

film X Film érotique. Le label «Film X» est généralement imprimé sur les affiches du film distribué ou sur les boîtiers du film en vidéocassette. Ce label est parfois attribué au film pornographique. ➤ *X-rated*.

film XXX Prononcé «trois ixe». Film pornographique. Le label «Film XXX» est généralement imprimé sur les affiches du film distribué ou sur les boîtiers du film en vidéocassette. Ce label n'est pas une dénomination officielle.

fils PLUR. Ensemble des câbles et fils électriques sur un plateau de tournage (*cable*).

filtre [1] Fine lame de verre ou de gélatine placée devant l'objectif pour modifier l'intensité de la lumière (*filter*). Le filtre peut corriger la lumière, absorber certaines radiations colorées ou créer des effets de couleur. On connaît le filtre gris (ou neutre), le filtre coloré, le filtre correcteur, le filtre brouillard, le filtre polarisant, le filtre ultraviolet (ou UV) et le filtre dégradé. [2] Feuille de gélatine placée devant un projecteur de lumière (*filter*). [3] Dispositif électronique, placé dans un matériel sonore, permettant d'éliminer ou de conserver certains composants du spectre sonore (*filter*).

filtre à contraste Filtre permettant de modifier le facteur de contraste (*contrast filter*). ➤ **filtre correcteur.**

filtre brouillard Filtre permettant de créer un effet de brouillard dans l'image (*fog filter, haze filter*).

filtre correcteur Filtre permettant d'augmenter ou de réduire le contraste de l'image noir et blanc par la diffusion de rayons lumineux (*correction filter*). ➤ **filtre à contraste.**

filtre de conversion Filtre placé devant ou derrière un objectif lors de tournages à l'extérieur avec un négatif inversible, un négatif n'existant qu'«en lumière artificielle» (*light balancing filter*). Le filtre de conversion assure l'adaptation d'une pellicule à un équilibre chromatique différent lors d'un tournage en lumière naturelle.

filtre dégradé Filtre qui absorbe sur sa surface les rayons lumineux (*graduate filter*). Un filtre dégradé peut être un filtre neutre ou un filtre coloré.

filtre gris Filtre qui absorbe la lumière sans modifier la qualité de lumière (*neutral density filter*). SYN. filtre neutre. ➤ **filtre universel.**

filtre neutre ➤ **filtre gris.**

filtre polarisant Filtre capable de polariser les faisceaux lumineux (*pola-screen*). Le filtre polarisant supprime les reflets lumineux. ➤ **filtre universel.**

filtre pour vitre Grande feuille grise ou colorée placée devant une fenêtre lors d'un tournage en décors naturels (*window filter*). Le filtre pour vitre permet d'équilibrer la lumière venant de l'extérieur avec celle créée artificiellement à l'intérieur. SYN. gélatine pour fenêtre.

filtre ultraviolet [filtre UV] Filtre qui absorbe les rayons ultraviolets (*ultraviolet filter*).

filtre universel Filtre tout usage qui n'altère pas la couleur (*universal camera filter*). Par exemple, le filtre gris et le filtre polarisant sont des filtres universels.

filtre UV Forme abrégée de filtre ultraviolet.

fin Mot placé généralement à la fin du film (*The End*).

final cut ANGL. Littéralement: coupe ultime. Copie du film avec les images et les sons montés. Aux États-Unis, le *final cut* a une valeur symbolique importante; comme il est réservé aux producteurs, peu de réalisateurs ont le privilège de l'avoir; Alfred Hitchcock est un des rares qui l'ait obtenu. Quand le réalisateur a un droit de regard sur le montage final, on parle alors du *director's cut*. ➤ *fine cut*, **montage final.**

financement Fonds assemblés par un producteur pour la production d'un film (*financing*). Ces fonds proviennent de diverses sources: prêts bancaires, avances sur recettes, crédits, aides gouvernementales, etc.

fine cut ANGL. Terme n'ayant pas d'équivalent français. Version considérablement montée d'un film, presque prête à l'approbation finale. Le *fine cut* est souvent synonyme de *final cut*.

FIPRESCI Acronyme de Fédération internationale de la presse cinématographique.

First Choice ➤ **Super Écran**.

First National Société américaine fondée en 1917 qui achète des films pour ses membres exploitants. En 1921, elle possède près de 300 salles dans presque toutes les grandes villes des États-Unis. Pour les alimenter, la First National devient rapidement productrice de films, notamment ceux de Charles Chaplin, King Vidor et Mack Sennett. La société est absorbée par la Warner Bros. en 1929 avec laquelle elle était alliée dès 1927. Son nom, qu'on garde par commodité aux génériques des films, disparaîtra en 1941.

fixage Étape du développement de la pellicule au cours de laquelle les cristaux de sel d'argent non révélés sont transformés en produits solubles (*fixing*). ➤ **lavage, séchage**.

fixité [1] Régularité et équidistance des photogrammes par rapport à la place des perforations (*stability*). [2] Stabilité de l'image projetée par rapport au cadre de la fenêtre de projection (*stability*).

fizzle ANGL. ARG. Du verbe *fizzle*, qui signifie «pétiller». Film qui ne rencontre pas l'intérêt suscité et fait un flop. Un *fizzle* ne fait pas ses frais.

flam [film flam, film flamme] Film sur support nitrate inflammable (*flam*). Le flam sera interdit à la fin des années 50 parce qu'il est extrêmement dangereux et dégage de fortes odeurs nitreuses lors de sa combustion. ➤ **acétate**. OPPOSÉ: non flam.

flanc de guidage Côté du film qui permet de poser correctement la pellicule sur les griffes d'entraînement du projecteur.

flapper ANGL. VX Type de femme représenté dans le cinéma muet américain des années 20. On la surnomme ainsi parce qu'elle claque les talons. Habillée de façon originale et provocante, le cheveu court, la *flapper* est une femme délurée, représentative des changements sociaux et économiques de l'après-Première Guerre mondiale. Les actrices Colleen Moore et Clara Bow sont des *flappers*. SYN. ANGL. *itgirl*.

flash [1] Éclair lumineux (*flash frame*). Il y a un flash quand un ou plusieurs photogrammes semblent surexposés. Le flash peut être produit accidentellement, mais peut être également créé à des fins dramatiques. SYN. image blanche. [2] Plan très bref, utilisé pour assurer une continuité visuelle du film (*flash*). Le flash a souvent un effet dramatique. [3] ANGLICISME En radio et en télévision, nouvelle brève, nouvelle-éclair (*newsflash*). ➤ **flash publicitaire**.

flashage Méthode de pré-exposition et de post-exposition de la pellicule qui adoucit la lumière et les contrastes en éclaircissant les zones d'ombre (*fogging*). Le flashage réduit la quantité de lumière ambiante lors du tournage. Il modifie la tonalité des zones sombres dans l'image, comme la dominante bleue typique aux ombres dans un film couleur. SYN. voile contrôlé. ➤ **latensification**.

flash-ahead ➤ *flash-forward*.

flash-back ANGLICISME Terme constamment usité en français en lieu et place de sa traduction recommandée: retour-arrière ou retour en arrière (*flash back*); il est invariable. Plan, scène ou séquence prenant place dans le passé, avant le présent statué par la fiction. Le flash-back est souvent utilisé en vue d'expliquer une situation, la psychologie ou les actions d'un personnage. Il sert soit à montrer objectivement l'essentiel d'une histoire, soit à rendre compte de la mémoire subjective d'un personnage. Il est souvent accompagné d'une voix off; ➤ **narrateur**. Le flash-back a été très populaire dans les films des années 30 et 40. Il a été utilisé d'une façon singulière par certains cinéastes, comme Orson Welles dans *Citizen Kane* (1941), Alain Resnais dans *Hiroshima, mon amour* (1959) et Bernardo Bertolucci dans *Le conformiste* (1971).

flash-forward ANGL. L'équivalent français «saut dans le futur» est peu usité. Plan, scène ou séquence prenant place dans le futur, après le présent statué par la fiction. Le *flash-forward* actualise les attentes, les appréhensions ou les projections subjectives d'un personnage. Irvin Kershner utilise de façon astucieuse le saut dans le futur dans *Les yeux de Laura Mars* (1978). SYN. ANGL. *flash-ahead.*

flash publicitaire ANGLICISME Court message publicitaire (*commercial*, G.-B. *advert*). Cette expression est surtout employée en télévision. SYN., ANGLICISME: spot publicitaire. → **message publicitaire.**

flasque Pièce de métal plate disposée en parallèle avec une autre pièce afin de contenir la pellicule enroulée (*flange*). Deux flasques enserrent la bobine. SYN. joue.

flicker fan FAMILIER ANGL. Amateur de cinéma, cinéphile.

flickers VX, PLUR. Terme donné par les Américains aux premiers films à cause de leur tremblement dans le mouvement des images.

flint-glass ANGLICISME Verre en cristal blanc d'Angleterre entrant dans la fabrication d'une lentille concave et présentant une forte dispersion de l'image (*flint glass*). Au XVIIIᵉ siècle, John Dollond utilise le flint-glass pour son objectif achromatique, dit doublet achromat. → **crown-glass.**

fliquesse En France, durant l'Occupation, surnom donné à la surveillante chargée de réprimer le chahut dans la salle de cinéma.

flood [lampe flood) ANGLICISME Lampe incandescente dont la lumière est douce et le rayon d'action, large (*flood lamp*). Propice aux éclairages d'ambiance, le flood convient parfaitement au tournage des films couleur. Soumis à une surtension, sa durée de vie est limitée. Le flood est désormais remplacé par la lampe à halogène. SYN. lampe survoltée.

flou ADJ. et N. [1] Image enregistrée ou projetée qui est hors foyer à cause d'un mauvais réglage de l'objectif (*blurred, out-of-focus*). Le flou vient d'un accident de tournage ou de projection. ANT. net. [2] Image hors foyer provoquée intentionnellement à des fins dramatiques (*soft focus*). Pour créer une image floue, on utilise le plus souvent des filtres ou des trames. ANT. piqué.

flux lumineux Lumière émise à partir d'une source (*luminous flux*). Plus la source est lumineuse, plus son flux est important. Le flux lumineux se calcule en lumens. → **photométrie.**

focale Forme abrégée de distance focale.

focale moyenne [focale normale] Objectif d'ouverture angulaire moyen correspondant au rendu perspectif de l'œil humain (*medium lens*). VOISINS: foyer normal, moyen foyer.

focale normale → **focale moyenne.**

focaliser En éclairage, concentrer le faisceau lumineux provenant d'un projecteur. → **mickey.**

Foley artist ANGL. É.-U. Terme désignant le bruiteur. Son origine vient de Jack Foley qui conçoit des techniques modernes de création d'effets sonores pour leur synchronisation à l'image. Aux États-Unis, on distingue: *Foleys* pour désigner ces bruits, *Foley mixer* pour le monteur des effet sonores et *Foley studio* pour le lieu de leur enregistrement. Le *foley artist* est souvent le monteur sonore du film.

follies ANGL. Aux États-Unis, revues musicales données sur scène. À voir: *Ziegfeld Follies* (1946) dont six numéros sont mis en scène par Vincente Minnelli.

Fondation européenne des métiers de l'image et du son [FEMIS] École créée en 1986 par le ministre français de la Culture, Jack Lang, en remplacement de l'Institut des hautes études cinématographiques [IDHEC]. On y enseigne toutes les techniques de l'image et du son, dans le domaine du cinéma et de la télévision. Son premier président a été le scénariste et cinéastes Jean-Claude Carrière.

fond bleu Écran bleu translucide éclairé par transparence permettant des trucages (*blue backing, blue screen*). En télévision et en vidéo, le fond bleu permet l'incrustation.

fond neutre Fond, généralement la pellicule d'un contretype, d'un internégatif ou d'un interpositif, sur lequel apparaîtra le générique du film (*title background*).

fond noir Durant les premiers temps du cinéma, fond de studio de couleur noire utilisé pour les trucages, comme les apparitions de fantômes ou de personnages qui se dédoublent en rêve (*black backing*).

fondre [1] Réaliser mécaniquement un fondu à la prise de vues (*fade*). [2] Diminuer progressivement l'intensité sonore jusqu'à l'extinction totale du son (*shunt*).

fondu Trucage conduisant à l'apparition ou à la disparition progressive de l'image (*fade, dissolve*). On distingue plusieurs types de fondu: l'ouverture en fondu, la fermeture en fondu, le fondu enchaîné, le fondu au noir, le fondu au blanc et le fondu en couleurs. Les fondus, largement utilisés dans le passé, ne le sont presque plus depuis les années 60, probablement à cause de l'influence de la télévision.

fondu au blanc Image devenant progressivement blanche (*fade-to-white*). Le fondu au blanc est rarement employé.

fondu au noir Image devenant progressivement noire (*fade-to-black*). Le fondu au noir est très souvent employé. SYN., ARCH.: dégradé.

fondu enchaîné Image disparaissant progressivement dans une autre image, laquelle apparaîtra progressivement à l'écran (*cross fade, lap dissolve, cross dissolve, mix dissolve*). Le fondu enchaîné est couramment employé. Le terme anglais *cross fade* est généralement utilisé pour désigner un fondu en couleurs.

fondu en couleurs Image disparaissant progressivement dans une couleur, laquelle apparaîtra progressivement à l'écran avec une autre image (*cross fade*). Le fondu en couleurs a été intelligemment utilisé dans *Le bonheur* (1965) d'Agnès Varda et *Cris et chuchotements* (1972) d'Ingmar Bergman.

formalisme Principe créateur qui accorde une attention prépondérante à la forme plutôt qu'au contenu (*formalism*). Le travail de la forme justifie le but et les moyens pris par le cinéaste dans la réalisation de son film. Le formalisme est très présent dans le film d'avant-garde, car ses auteurs accordent une plus grande importance aux qua-lités plastiques (à la fois visuelles et auditives) du film qu'à son expression en tant que discours. Un film qualifié de formaliste possède un récit non linéaire, non réaliste. Le terme «formalisme» apparaît dans les études sur le cinéma qui théorisent les éléments formels entrant dans l'expression cinématographique; on le retrouvera notamment dans les écrits de S.M. Eisenstein et de Béla Balázs.

format [1] Largeur d'un film exprimée en millimètres (*film size*). On distingue différents formats: le 35 mm (format standard officiellement choisi en 1909), le 16 mm (format substandard), le Super 16, le 65 et le 70 mm chez les professionnels, le 8 mm, le Super 8 et le 9,5 mm chez les amateurs. [2] Rapport des dimensions relatives de l'image à l'écran (*aspect ratio*). On distingue diverses dimensions de l'écran: 1 x 1,33 ou 1:33:1 (standard du film muet), 1 x 1 ou 1:37:1 (format du film sonore), 1 x 2,35 ou 2:35:1 (image projetée en scope), 1 x 2,55 ou 2:55:1 (format du CinemaScope en 35 mm et du Technirama), 1 x 1,66 ou 1:66:1 (image projetée en France appelée panoramique), 1 x 1,75 ou 1:75:1 (image projetée en Italie appelée panoramique), 1 x 1,85 ou 1:85:1 (format VistaVision), 1 x 1,39 ou 1:39:1 (format Imax et Omnimax), 1 x 2 ou 2:2:1 (le 70 mm), 1 x 1,37 ou 1:37:1 (format du 16 mm) et 1 x 1,66 ou 1:66:1 (format du Super 8). SYN. standard.

format panoramique [pano] Procédé d'écran large utilisant une pellicule 35 mm réduite sur sa hauteur. Plusieurs formats panoramiques se sont imposés dans le monde: le pano 1:66:1 (France), le pano italien (1:75:1) et le pano 1:85:1 (États-Unis et Canada).

format standard Format du film 35 mm régulièrement employé dans l'industrie (*standard film*). SYN. film standard.

format substandard Format du film 16 mm (*substandard film*).

forme Ensemble des caractéristiques formelles d'un film (*form*). La forme caractérise les diverses configurations de l'image et du son, structure l'expression ou le contenu du film. Théoriquement, la forme est

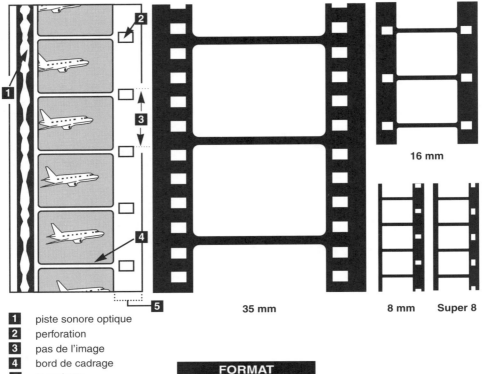

1	piste sonore optique
2	perforation
3	pas de l'image
4	bord de cadrage
5	manchette

16 mm

35 mm   8 mm   Super 8

FORMAT

l'organisation des unités signifiantes d'un film que sont les plans. Dans le langage courant, elle est une notion extensible désignant généralement le genre d'un film et ses particularités (comique, lyrique, tragique, etc.).

fouettage Panoramique qui part d'un point fixe pour se déplacer rapidement vers un autre point fixe à gauche ou à droite (*swish pan*).

Fox Forme abrégée de Twentieth Century Fox (sans trait d'union entre «Century» et «Fox» depuis 1984).

Fox Entertainment Group ⇝ **Twentieth Century Fox**.

Fox Films Corporation Société de distribution de films fondée en 1913 par William Fox, un teinturier, sous le nom de Box Office Attractions, avant de devenir en 1914 la Fox Film Corporation. La société veut produire des films et, en 1914, lance sa première production, *Life's Shop Window* de

Henry Behlmer. Avec l'actrice Theda Bara, la Fox Film Corporation crée la première vamp cinématographique. En 1927, elle fait venir à Hollywood le cinéaste allemand F.W. Murnau qui réalise pour elle *L'aurore*. Le début du parlant crée une instabilité financière, mais la société maintient sa production avec des films comiques et des vedettes comme Will Rogers, Janet Gayner et Charles Farrell. En 1935, elle fusionne avec la 20th Century qui en prend la direction. ⇝ **Twentieth Century Fox**.

Fox-Grandeur [Grandeur] Procédé en Natural Vision du film 70 mm, baptisé ainsi par la Twentieth Century-Fox qui en rachète les droits à la fin des années 20. Son format est 2:1:1. Le premier film avec ce procédé est *Happy Days* de Benjamin Stoloff, en 1930. Le procédé Fox-Grandeur est abandonné en 1931 parce que les propriétaires de salles ne veulent pas s'équiper en 70 mm.

Fox-Movietone Premier procédé de son optique mis sur le marché en 1927 par la

Fox Films Corporation, qui l'utilise pour ses courts métrages. ➛ **Movietone**.

fournisseur Société louant du matériel pour un film: les appareils de prise de vues, les costumes, les accessoires, etc. (*purveyor*).

foyer Point dans l'objectif où se rencontrent des rayons initialement parallèles, après réflexion, réfraction ou transmission (*focus*). On distingue les foyers fixes dont le nom correspond à une longueur focale donnée (court foyer, moyen foyer et long foyer) et les foyers variables (ou zooms) dont le champ peut varier dans un même plan. L'expression «faire le foyer» veut dire «faire la mise au point».

foyer doux Ensemble des techniques (filtres, trames, tulles) permettant d'adoucir l'image (*soft focus*). SYN. flou.

foyer fixe Objectif réglé sur les appareils amateurs qui tient compte de la distance et de la profondeur de champ afin que les objets éloignés soient toujours nets (*fix focus*).

foyer normal Objectif dont le rendu des images correspond à celui de l'œil humain (*normal focus*). L'objectif 50 mm du film 35 mm correspond à ce rendu. SYN. moyen foyer. VOISINS: focale moyenne, focale normale.

frais de séjour Allocation quotidienne pour les dépenses lors de tournage en extérieur (*living expenses*). ➛ *per diem*.

frange Imprécision des contours des parties contrastées d'une image couleur (*bleeding*). La frange se produit le plus souvent quand l'image a été composée avec des effets spéciaux.

Franscope Dispositif optique interchangeable avec l'Hypergonar, un ancien procédé d'anamorphose.

Free Cinema Mouvement du film documentaire britannique né à l'occasion d'un manifeste signé en février 1956 par des cinéastes de documentaires, en réaction contre le documentaire traditionnel et le film commercial. Le Free Cinema montre des vies ordinaires, sans pathétisme. Les œuvres sont personnelles, généralement poétiques, construites très librement. Parmi les principaux cinéastes du Free Cinema, citons les noms de Lindsay Anderson, Lorenza Mazzetti, Karel Reisz et Tony Richardson. Certains de ces réalisateurs tournent plus tard des longs métrages, passant alors à la fiction. ➛ **Jeunes hommes en colère, Nouvelle vague britannique**.

fréquence [1] Nombre de cycles par seconde de phénomènes périodiques (*frequency*). La fréquence est exprimée en hertz. [2] Nombre de photogrammes à la seconde défilant devant la fenêtre de prise de vues ou de projection (*frequency, frame frequency, frame rate*). SYN. cadence.

fréquence d'obturation Fréquence d'interruption de l'obturateur mesurée en secondes (*shutter frequency*). La fréquence d'obturation est de 48 fois par seconde et correspond à l'ouverture et à la fermeture de l'obturateur.

fréquence pilote Fréquence enregistrée sur le magnétophone de prise de son pouvant être relue au repiquage sur une bande magnétique perforée afin de synchroniser la bande image et la bande son enregistrées au tournage (*pilot frequency, control frequency, pilotone*).

fréquentation Indice du nombre de spectateurs fréquentant les salles de cinéma (*frequenting*). La fréquentation est établie à partir de statistiques indiquant le nombre de fois que les gens vont au cinéma.

Fresnel Projecteur dont la lentille utilisée est une lentille de Fresnel. ➛ **Cremer, spot**.

friandise Gourmandise salée ou sucrée vendue dans une salle de cinéma, à l'entrée, au comptoir ou par des ouvreuses entre deux séances (*candy*). En Amérique, la vente de friandises rapporte souvent l'essentiel des recettes de la salle. ➛ **esquimau, pop-corn**.

friture [1] Bruits parasites continus qui se produisent à l'audition du son lors de sa lecture (*frying nose*). [2] Grésillement produit par un projecteur à lampe à arc (*frying nose*).

froid ADJ. Caractéristique d'une couleur riche en radiations bleues (*cold*). ANT. chaud.

f-stop Mesure du calcul de l'ouverture photométrique de l'objectif ou du diaphragme de la caméra permettant de contrôler la quantité de lumière admise (*f-stop*). Cette mesure, appelée «ouverture relative», est obtenue en divisant la distance focale d'une lentille (une lentille de 50 mm, par exemple) par son diamètre effectif (qui est de 25 mm); le f-stop de la lentille sera alors f:2. → **t-stop**.

FT Abréviation de fausse teinte.

Fujicolor Marque de commerce de la pellicule couleur de la firme japonaise Fuji mise en marché en 1955. Le Fujicolor est un film monopack, soustractif et trichrome, fabriqué sous différents formats.

fusible Dispositif d'interruption d'un circuit électrique lorsque celui-ci est surchargé (*fuse*). Les fusibles sont classés selon la valeur des ampères.

fusil photographique Appareil mis au point en 1882 par le Français Étienne Jules Marey pour étudier la marche de l'homme et le vol des oiseaux (*gunlike camera*). L'objectif de l'appareil est réglé dans le canon

FUSIL PHOTOGRAPHIQUE

du fusil; la culasse contient un rouage d'horlogerie auquel est vissé un viseur. Le fusil photographique est maniable, rapide et précis; en pressant sur la détente, le rouage fait 12 tours à la seconde et déclenche l'entrée de la lumière grâce à un disque percé de 12 fenêtres. Il est l'un des ancêtres de l'appareil de l'appareil de prise de vues. SYN. revolver photographique. → **Chronophotographe**.

futurisme Mouvement artistique italien d'avant-garde du début du siècle exaltant le développement de la technologie, de la machine et de l'industrie (*Futurism*). On y compte peu de films, conçus alors comme «symphonies polyexpressives». *Vita futurista* [*Vie futuriste*] de Ginna (1915) et *Perfido Incanto* [*Cruel enchantement*] de Giulio Bragaglia (1916) sont deux œuvres emblématiques du futurisme.

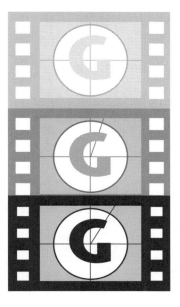

gag ANGLICISME Mot qui signifie «blague». Effet comique rapide et burlesque (*gag*). Un effet comique à répétition est appelé «gag à répétition» (*running gag*). Le cinéma comique muet est fertile en gags. ➤ **gagman**.

gag ANGL. [1] Effet spécial mécanique dans une scène, comme une collision ou l'explosion d'une voiture. [2] Performance particulière d'un cascadeur.

gagman ANGLICISME Personne qui conçoit des gags.

galet Tambour roulant sur lequel prend appui la pellicule dans son cheminement dans le projecteur (*roller*). On distingue le galet libre (*idle roller*), qui tourne librement sur son axe, et le galet denté (*sprocket whell*), qui assure l'avancement continu ou discontinu du film.

galette Bobine de film enroulée sur un noyau et qui n'est pas retenue par des flasques (*roll*).

galloping tintypes ANGL. ARG. ➤ *animated tintypes*.

galvanomètre Instrument permettant de mesurer les courants électriques de faible intensité (*galvanometer*). L'information que fournit le galvanomètre est transmise en lux.

gamelle ARG. Projecteur de forme arrondie utilisé pour les tournages. SYN. ARG. casserole.

gamma [1] Unité de mesure du facteur de contraste de l'émulsion d'un film (*gamma*). On parle alors de facteur de contraste gamma. ➤ **correcteur du gamma**. [2] ➤ **charte**.

Gaspacolor Marque de commerce d'un procédé soustractif de tirage de pellicule couleur breveté en 1932 par le chimiste hongrois Béla Gaspar. Le Gaspacolor ne sera pratiquement employé que pour le cinéma d'animation.

gâteau ARG. Débris d'émulsion, particules qui se déposent dans le couloir du projecteur. SYN. dépôt.

gauche caméra Tout ce qui correspond à la gauche du champ couvert par la caméra. OPPOSÉ: droite caméra.

gaufrage ➤ **film gaufré**.

Gaumont Compagnie fondée par Léon Gaumont en 1895. Gaumont lance, en 1896, le Chronophotographe (ou Chrono dit de Demenÿ), un appareil de prise de vues et de projection petit et peu onéreux, puis, en 1910, le Chronophone qui sonorise les films et, en 1918, le Chronochrome qui permet la couleur. La compagnie ouvre en 1905 le premier véritable studio de cinéma aux Buttes-Chaumont. Elle distribue des films et ouvre des salles de cinéma à Paris (dont le Gaumont-Palace en 1911) et en province. Des cinéastes, comme Émile Cohl et Louis Feuillade, travaillent pour la Gaumont. La Première Guerre mondiale et le parlant lui portent de rudes coups. En 1929, elle lance le projecteur Idéal Sonor pour les films parlants. Avec le succès du parlant, elle doit également réorganiser son réseau de salles. En 1930, elle fusionne avec Aubert-Franco-Films pour la création de Gaumont-Franco-Film-Aubert [GFFA] et reprend alors la production de films, qu'elle avait abandonnée en 1925; c'est ainsi qu'elle produit *L'Atalante* (1934), le chef-d'œuvre de Jean Vigo commercialisé sous le titre *Le chaland qui passe*. Elle doit toutefois déposer son bilan en 1935. En 1938, l'agence Havas reprend la société; ce sera la Société nouvelle des établissements Gaumont [SNEG]. Pendant la guerre, la SNEG relance la production du cinéma français et possède l'unique journal d'information cinématographique diffusé sur toute la France, *France-Actualités*. Après la Deuxième Guerre mondiale, la compagnie doit affronter la présence du cinéma américain; elle reçoit alors l'appui du gouvernement gaulliste et continue sa production. Y travaillent des cinéastes comme Jacques Becker, Sacha Guitry et Marcel Pagnol. Dans les années 60, elle a sous contrat des réalisateurs comme André Cayatte et Robert Hossein, et, surtout, le scénariste Michel Audiard. En 1974, à cause de l'essor de la télévision, elle met fin à ses actualités cinématographiques. Depuis 1970, Gaumont produit un cinéma qui tente de rejoindre la jeune clientèle française; elle produit les films de Georges Lautner, Édouard Molinaro, Georges Oury et Yves Robert. Elle possède une part importante du marché du cinéma français, tant dans la production, la distribution que l'exploitation. En 1982, la compagnie s'associe à Columbia Tristar pour la distribution vidéo sur le marché français. En 1992 est créée la Gaumont Télévision pour la production de documentaires et de téléfilms. La même année, Gaumont signe un accord avec Walt Disney Company pour la distribution des films de Buena Vista. En 1995, elle met en place le département Gaumont Multimédia pour le développement du dessin animé, de produits multimédias (jeux, cédéroms, site web, etc.) et la vente de produits dérivés. Parmi les réalisateurs qu'elle produit, on distingue Luc Besson, Bertrand Blier, Costa-Gavras et Jean-Marie Poirier. Son emblème: la lettre «G» enchâssée dans une marguerite.

Gaumontcolor → **Chronochrome**.

Gaumont-Petersen-Poulsen [GPP] Procédé de cinéma sonore issu des travaux des Danois Petersen et Poulsen, qui utilise une piste sonore séparée occupant toute la longueur d'un film 35 mm et défilant en synchronisme avec la bande image. Le procédé est lancé en 1928 pour être ensuite abandonné rapidement.

gélatine [1] Substance chimique utilisée dans la fabrication de la pellicule et des filtres (*gelatin*). [2] Par extension, filtre.

gélatine pour fenêtre → **filtre pour vitre**.

gel d'image Trucage optique consistant à multiplier un photogramme isolé dans un plan en mouvement (*freeze frame*). Le gel d'image ponctue une scène et lui donne une emphase dramatique. Dans *Les 400 coups* (1959) de François Truffaut, le dernier plan d'Antoine Doinel courant vers la mer est un gel d'image. SYN. arrêt sur image, image gelée, plan arrêté.

geler Immobiliser une image en mouvement (*freeze*). Le réalisateur peut geler une image pour un effet dramatique. En vidéo, l'utilisateur peut immobiliser une trame; l'image est alors gelée à 1/30 de seconde en NTSC et à 1/20 de seconde en PAL et SECAM.

gendaï-geki JAP. Genre cinématographique japonais racontant une histoire se déroulant à l'époque contemporaine, l'époque Taishô (1912). Les films de Kenji Mizoguchi, comme *Les musiciens de Gion* (1953) et *La rue de la honte* (1954), sont des *gendaï-geki*. ANT. *jidaï-geki*.

génération Tirage des copies (*generation*) On distingue la copie de première génération pour une copie tirée d'un négatif original et les copies de deuxième, de troisième, de quatrième génération, etc., pour la copie obtenue d'une génération précédente.

générique Partie située au début et/ou à la fin du film donnant le nom des collaborateurs et de leurs fonctions (*credits, credit title*). On distingue le générique de début (*open titles*) et le générique de fin (*end titles*). Le générique est la fiche d'identité du film. La hiérarchie des noms y est importante. Son aspect formel annonce le film à venir; à voir: les génériques, semblables, des films mettant en vedette l'espion James Bond et ceux de Woody Allen. Les choix typographiques et graphiques personnalisent le générique. Le dessinateur Saul Bass réalise plusieurs génériques célèbres, efficaces, dont celui, remarqué, de *Psychose* (1960) d'Alfred Hitchcock. → **texte générique d'introduction**.

genre Classement caractérisant un film (*genre*). Le genre regroupe un ensemble d'œuvres répondant pour leur contenu et pour leur forme aux mêmes règles. Ces règles sont des invariants particuliers qu'on retrouve d'un film à l'autre. Notion extensible et aléatoire, le genre possède des composantes tant culturelles que théoriques. On distingue de multiples genres cinématographiques: le western, la comédie musicale, la comédie dramatique, la comédie fantaisiste ou loufoque, la comédie satirique, la comédie sentimentale, la comédie policière, la comédie érotique, le mélodrame, le drame policier, le drame de mœurs, le drame psychologique, le drame historique, le film d'amour, le film d'aventures, le film fantastique, le film d'horreur, le film de science-fiction, le film poétique, le dessin animé, le documentaire, la chronique, le journal et le docudrame. On parle d'un film de genre. Certains genres peuvent être classés en sous-genres. → **forme**.

Géode Nom donné à la double sphère métallique abritant un écran sphérique de 1 000 mètres carrés, à la Cité des sciences et de l'industrie de la Villette, à Paris. Le pro-cédé de projection utilisé est celui d'Imax et d'Omnimax.

Gevacolor Marque de commerce d'une pellicule couleur monopack mise au point en 1947 par la firme belge Gevaert pour le cinéma professionnel. Depuis 1964, la pellicule Gevacolor est commercialisée par Agfa-Gevaert.

Gevaert [1] Firme belge, la Gevaert NV, qui fusionne en 1964, avec Agfa AG. [2] Pellicule noir et blanc à émulsion rapide de la société Gevaert NV.

giallo ITAL. Littéralement: jaune; adjectif donné au roman à sensation, vendu à bas prix, dans lequel se mêlent le suspense, le fantastique et l'horreur. Équivalent italien du film d'horreur de type gothique; → **film gothique**. Les cinéastes Dario Argentino, Lucio Fulci et Mario Brava, influencés par les productions de la société britannique Hammer Film, sont les grands représentants du *giallo*. Leurs films, sombres, à l'atmosphère cauchemardesque et terrifiante, sont devenus des films-culte. À voir: *Dimanche noir* (1960) de Dario Argentino, *La fille qui en savait trop* (1963) et *Opération Peur* (1966) de Mario Brava.

Gioscope Un des nombreux noms donnés au cinéma naissant.

girafe Grande perche mobile, montée sur un chariot et supportant à son extrémité un microphone (*boom*).

girl ANGL. Patronyme donné aux actrices aux débuts du cinéma car elles sont anonymes, leurs noms n'apparaissant pas aux génériques. → **star-système**, *Vitagraph*.

glace optique Plaque ajoutée à l'objectif pour amortir le bruit, dont une grande partie passe au travers des lentilles (*plane glass*). La glace optique ne doit pas absorber la lumière et doit être parfaitement plane.

glamour ANGL. Enchantement. Ce mot est souvent employé en français pour désigner tout le charme, la magie que dégage un acteur.

glycérine Trialcool liquide, incolore, utilisé pour simuler les larmes au cinéma (*glycerin*).

gobo Plaque métallique dans laquelle est pratiquée une découpe représentant une forme géométrique reconnaissable comme un arbre, une fenêtre, une étoile, etc. (*gobo*). On installe un gobo sur un projecteur pour obtenir un effet lumineux particulier.

Godzilla Monstre animal ayant la forme d'un lézard préhistorique et semant la terreur, dans le film japonais du même titre d'Inoshiro Honda, de 1954. «Godzilla» est la traduction du mot japonais «Gojira», formé de «gorira» qui signifie gorille et de «kujira» qui signifie baleine. Ce monstre célèbre sera incarné dans plus de 15 films.

Golden Globes Récompenses remises au mois de janvier de chaque année par l'Association de la presse étrangère d'Hollywood (*Hollywood Foreign Press Association*) aux productions cinématographiques et télévisées américaines. La première cérémonie des Golden Globes a lieu en 1943. En cinéma, les choix des journalistes annoncent ceux de l'Academy of Motion Picture Arts and Sciences [AMPAS] pour les oscars, remis deux mois plus tard. La récompense est symbolisée par un globe terrestre plaqué or. → **lumière de Paris**.

goldwynisme Mot inventé désignant les jeux de mots involontaires attribués au célèbre nabab hollywoodien et producteur Samuel Goldwyn, qui maîtrisera toujours très mal la langue anglaise (*Goldwyinism*).

go-motion ANGL. Terme n'ayant pas d'équivalent français. Système d'animation image par image où la caméra et les modèles peuvent bouger ensemble. Le mouvement des marionnettes ou des objets, programmé électroniquement, y est plus précis et naturel. Ce système, utilisé pour la première fois en 1981 pour le film *Dragonslayer* de Mathiew Robin, est perfectionné pour *Le retour du Jedi* (1983) de Richard Marquand. → *stop motion*.

gonflage Procédé de laboratoire consistant à agrandir les images d'un film sur une pellicule de format supérieur (*blow-up*). Par le gonflage on tire en 35 mm un film 16 mm. ANT. réduction. → **agrandissement**.

gonflage de gélatine Traitement en laboratoire d'un film en vue d'atténuer ses rayures (*gelatin blow-up process*).

gonfler Agrandir une image par gonflage (*blow up*).

gonzo porn ANGL. É.-U. Terme n'ayant pas d'équivalent français. Film pornographique réalisé et produit par des amateurs. Le *gonzo porn* se caractérise généralement par son aspect bizarre et son ton loufoque.

gore ANGL. ARG. Sang. Mot utilisé en français pour qualifier un film très violent, le film gore. → **Kensington Gore**.

Goskino Du temps de l'U.R.S.S., comité d'État à la production cinématographique contrôlant la production des films de toutes les républiques soviétiques. Le Goskino suit toutes les étapes de la production, du scénario au tournage. Il exerce une forte censure. Contrôlant les visas d'exploitation, il peut refuser la sortie d'un film déjà tourné. Il classe et détermine les genres de films à tourner, leur nombre de copies et les lieux de diffusion. Depuis la chute du régime soviétique, le Goskino existe encore officiellement, mais il a peu de contrôle sur la production cinématographique russe. → **Mosfilm**.

gouachage Dans le cinéma d'animation, étape de l'application de la gouache sur la feuille translucide (cellulo) où sont tracés les dessins (*painting*). Les cellulos s'empilant, une même couleur varie, et le gouachage devient alors très difficile.

gouache Peinture à l'eau utilisée dans le cinéma d'animation (*gouache*). En 1915, l'animateur américain Earl Hurd dépose un brevet pour l'application de la gouache sur une feuille translucide (cellulo) pour son film *Bobby Bump*.

gouacheur, euse Peintre responsable du gouachage, dans le dessin animé (*painter, colorer, opaquer*).

G.P. Abréviation de gros plan.

GPP Sigle de Gaumont-Petersen-Poulsen.

grain Granules d'argent constituant la couche sensible de la pellicule et transformés au contact de la lumière (*grain*). SYN. granulation. → **grain fin, gros grain**.

grain fin [1] Dimension très petite des granules d'argent de la pellicule (*fine grain*). → **gros grain**. [2] Positif (*fine grain master*). SYN. copie lavande, copie marron.

grammaire cinématographique [grammaire du cinéma] [1] Tous les éléments du film constitués comme une langue, avec leurs structures et leurs règles (*grammar of cinema*). La grammaire cinématographique suppose une équivalence entre une syntaxe de l'écrit et une syntaxe cinématographique. Les plans et le montage (les raccords, les coupes, les fondus, etc.) sont les éléments constitutifs de cette grammaire. [2] Ouvrage théorique visant à décrire le cinéma comme langage, en référence aux langues naturelles.

grammaire du cinéma → **grammaire cinématographique**.

gramophone Système de reproduction du son sur disque mis au point par l'Allemand Berliner en 1887, qui supplantera le phonographe de Thomas Edison (*gramophone*). SYN. phonographe à disques.

grand angle [grand angulaire] Objectif pour un cadrage vaste de l'image (*wide angle lens*). Le grand angle déforme les objets filmés au premier plan. La focale d'un grand angle est inférieure à 20 mm en format standard 35 mm, et à 12 mm en format 16 mm. → **Omnimax**.

grand angulaire → **grand angle**.

grand écran Cinéma (*big screen*). On distingue le grand écran (le cinéma) et le petit écran (la télévision).

grand ensemble Forme abrégée de plan de grand ensemble.

grande ouverture Ouverture maximum du diaphragme de l'objectif (*full aperture*). SYN. pleine ouverture.

grande syntagmatique Locution théorique créée par Christian Metz, qui désigne l'ensemble des grandes figures de montage repérables dans un film narratif classique et ayant trait à la bande image (*large syntagmatic*). La grande syntagmatique regroupe les segments autonomes d'un film, comme le plan-séquence, l'insert, la scène, le raccord, l'ellipse, etc. Par elle, soit que les segments du film sont unis, soit que le récit est fragmenté.

Grandeur → **Fox-Grandeur**.

grand film Œuvre importante, chef-d'œuvre. → **classique**.

granularité Apparence physique d'une image (*granularity*). La granularité dépend de la structure granulaire de l'émulsion. Plus les granules sont microscopiques, plus faible sera la granularité.

granulation Structure microscopique que prennent les granules d'argent sur une image photographique ou cinématographique (*graininess*). La granulation dépend de quatre facteurs: de l'émulsion, de l'exposition (sous-exposition ou surexposition), du format du film et du développement. → **grain**.

granulométrie Mesure de l'importance visuelle de la granulation (*granulometry*). → **grain**.

graphite Variété de carbone cristallisé constituant les électrodes dans les arcs à charbon des projecteurs (*graphite*).

Grasshopper Grue de type Louma fabriquée de matériaux composites qui la rendent plus légère. → **bras Python, Cams, Orionchrane**.

G-rated G pour *general audience*. Classement aux États-Unis d'un film pour tout public, sans aucune restriction d'âge.

greed ANGL. Mot signifiant avidité, cupidité. Ce mot a été souvent associé au monde hollywoodien, à ses coups bas, ses jalousies, son goût démesuré de l'argent. La poursuite effrénée de la richesse est stigmatisée dans le chef-d'œuvre mutilé d'Erich von Stroheim, *Les rapaces* (en anglais: *Greed* [1923]).

griffe Pointe métallique qui pénètre les perforations du film (*claw, pin*). Employée dans les caméras et les projecteurs, la griffe entraîne le film d'un pas, ou de deux pas dans certaines caméras, pendant la fermeture de l'obturateur, puis s'éloigne pour remonter à sa position initiale pendant l'ouverture de l'obturateur. VOISIN: griffe d'entraînement.

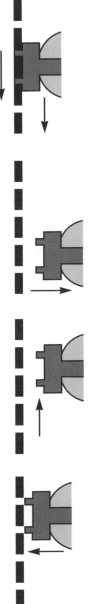

La descente des griffes provoque l'avance du film.

Les griffes se retirant, le film s'arrête.

Pendant que le film est immobilisé, les griffes remontent.

Les griffes viennent s'engager dans de nouvelles perforations, etc.

GRIFFE D'ENTRAÎNEMENT

griffe de fixité → **contre-griffe**.

griffe d'entraînement Griffe ressemblant à un bec d'oiseau ou à une griffe de chat qui pénètre les perforations du film pour le faire avancer dans la caméra et le projecteur (*pull-down claw*). On trouve la griffe d'entraînement dans les caméras professionnelles 35 mm et certains projecteurs. VOISIN: griffe.

gril Sur les petits plateaux, châssis métallique fait de tubulures servant à accrocher les projecteurs (*grid*). Le gril remplace les passerelles dont la structure est plus imposante.

gros calibre Une des traductions françaises proposées du mot *blockbuster*. SYN. rouleau compresseur. → **superproduction**.

gros grain Dimension très large des granules d'argent de la pellicule (*large grain*). Le gros grain a un aspect très visible à l'écran, particulièrement dans un film gonflé. → **grain fin**.

gros plan [G.P.] Plan cadrant un visage, une partie du corps d'un personnage ou un objet (*close shot, close-up*). En rapprochant le sujet ou l'objet, le gros plan force l'attention du spectateur, attire son regard sur l'attitude, l'émotion ou la réaction du personnage. Dans *La passion de Jeanne d'Arc* (1928) de Carl Dreyer, la multiplication des gros plans fouille les regards des personnages et donne au film une force et une vérité uniques. Pour un gros plan d'objet, on emploie plutôt le terme «plan serré». → **insert, très gros plan**.

groupage Opération consistant à rassembler toutes les prises sélectionnées lors du tournage, dans l'ordre de leur numéro. Les prises sont montées sur deux bobines en son synchrone; elles constituent alors les rushes. SYN. regroupage.

Groupe MK2 [MK2] Société française fondée à Paris en 1974 par le cinéaste Marin Karmitz. Le Groupe MK2 commence ses activités par la création d'un complexe de salles, le 14 Juillet Bastille, auquel s'ajoutent, entre 1976 et 1996, six autres «14 Juillet». Dans les années 90, la société élargit ses activités à la distribution, puis, très rapidement, à la production. Elle produit, avec des partenaires étrangers, des longs métrages du monde entier, entre autres, ceux du Roumain Lucien Pintilie, de l'Iranien Mohsen Makhmalbaf, du Mexicain Arturo Ripstein et du Taïwanais Hou Hsiao-hsien. Depuis 1985, MK2 produit presque tous les films de Claude Chabrol. En 1996, le groupe étend ses activités à la production et à l'édition de nouveaux formats de chaînes de télévision numériques par satellite.

groupiste Machiniste responsable du groupe électrogène (*generator man*).

grue Chariot mobile auquel est fixé un grand bras articulé au bout duquel se trouve une plateforme où prennent place les techniciens (le chef opérateur, l'assistant caméraman ou le pointeur, et, parfois, le réalisateur) (*crane*, ARG. *cherry picker, whirly*). La grue facilite le déplacement vertical de la caméra et des techniciens et peut s'élever jusqu'à 18 mètres de hauteur. Elle est utilisée pour filmer les plans de foule et les paysages. En 1929, on fait la mise au point de la première grue pour le film de Paul Fejos, *Broadway*. Parmi les différentes grues sur le marché, on distingue la dolly, qui est une petite grue, la Sam-Mighty, une très grande grue, et la Louma, une grue contrôlable à distance. → **bras Python, Grasshopper, Orionchrane**.

grue-camion Grue installée sur un camion qui permet d'exécuter un mouvement de changement de hauteur en même temps qu'un travelling. La grue-camion a une stabilité renforcée, une plus grande ampleur qu'une grue classique et un débattement supérieur à une grue ordinaire. Elle est largement utilisée aux États-Unis et en Grande-Bretagne.

grutiers PLUR. Personnel responsable de l'installation et de la manipulation de la grue (*crane crew*).

guest star ANGL. Terme signifiant «vedette invitée», abondamment usité en français. Interprète célèbre jouant un petit rôle dans un film afin de le valoriser. → **apparition, camée**.

gueules d'atmosphère PLUR. Comédiens jouant dans les films français entre 1930 et 1960. Venus principalement du théâtre (de la Comédie française aux théâtres de variétés des grands boulevards parisiens), ils marquent le cinéma français par leur voix, que des textes brillants servent pleinement. Parmi les gueules d'atmosphère célèbres, citons les noms d'Arletty, Jules Berry, Pauline Carton, Danielle Darrieux, Pierre Fresnay, Jean Gabin, Louis Jouvet, Michèle Morgan, Gaby Morlay, Viviane Romance et Madeleine Robinson. → **film d'atmosphère**.

gueuze ARG. Chez les machinistes, pièce en fonte servant à caler le support d'une caméra, le pied d'un projecteur, la coulisse d'un décor, etc.

gyroscope Appareil facilitant sur son axe une rotation de la caméra douce, stable, rapide, mais bruyante (*gyroscope*). Le gyroscope est utilisé sur les caméras pour stabiliser leurs mouvements. → **tête**.

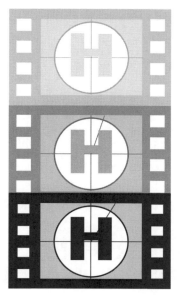

habilleuse Personne qui aide les interprètes à s'habiller (*dresser*). L'habilleuse entretient les costumes en les nettoyant et en les réparant. Elle travaille étroitement avec le chef costumier.

halo de diffusion [halo d'irradiation] Effet créé par la dispersion de la lumière, notamment sur l'émulsion des films rapides (*irradiation*).

halo de réflexion Effet indésirable créé par la diffusion de la lumière autour d'un sujet ou d'un objet (*halation*). Le halo de réflexion est causé par les rayons incidents qui, après avoir impressionné l'émulsion, la traversent et sont réfléchis sur les faces interne et externe du support; la pellicule se trouve donc ainsi de nouveau impressionnée. ➤ **antihalo**.

halo d'irradiation ➤ **halo de diffusion**.

halogènes PLUR. Substances chimiques de la famille du chlore (brome, iode, fluor). ➤ **halogénures d'argent, halogénures métalliques**.

halogénures d'argent Composés solides de bromure, d'iodure et de chlorure d'argent, constituant la couche de gélatine d'une pellicule.

halogénures métalliques Composés employés dans certaines lampes, dites lampes à décharge, appelées plus familièrement lampes halogènes.

Hammer Film Forme abrégée de Hammer Film Productions.

Hammer Film Productions [Hammer Film] Compagnie britannique fondée en 1948 comme unité de production de la compagnie Exclusive Films, dont les studios sont situés à Bray, dans le Berkshire. La Hammer Film Productions produit surtout des films d'horreur de type gothique, près d'une centaine dans les années 50 et 60, sous l'impulsion du cinéaste Terence Fisher. La compagnie utilisera pour la couleur du sang un produit brillant et uniforme, le «Kensington Gore». Les films de la Hammer, qui mettent principalement en vedette les acteurs Christopher Lee et Peter Cushing, seront mal accueillis par la majorité des critiques; ils auront pourtant un énorme succès et donneront ses lettres de noblesse à un genre plutôt méprisé. ➤ **film gothique**, *giallo*.

Hanna-Barbera Maison de production de dessins animés fondée par William Hanna et Joseph Barbera, auteurs dans les années 40 de la populaire série *Tom et Jerry*, qui leur vaudra 7 oscars. Après 1960, Hanna-Barbera produit des séries télévisées comme *Yogi l'ours* et *Les Pierrafeu*.

happy end ANGLICISME Littéralement: fin heureuse. Résolution des problèmes à la fin du film (*happy ending*). Un happy end correspond à une conclusion optimiste.

hardcore ANGLICISME Terme signifiant «noyau dur», de plus en plus usité en français. Genre cinématographique caractérisant le film pornographique. Le hardcore montre l'acte sexuel. Le genre apparaît en Amérique dans les années 60, puis est diffusé en Europe dans les années 70. Le marché de la vidéocassette le rendra disponible facilement dans les années 80. ANT. softcore.

hardware ANGLICISME Matériel utilisé en informatique: l'ordinateur, le clavier, les câbles, etc. Le hardware fait maintenant partie intégrante des moyens de production cinématographique. SYN. PEU USITÉ: matériel. → **animation**, *key animation*, **effets spéciaux, logiciel, software**.

harnais Système d'attache reliant la caméra à l'opérateur, destiné à assurer la stabilité de l'image (*body mount*). → **Steadicam**.

Harvey Scissorhands Surnom donné au producteur de films indépendants Harvey Weinstein, de Miramax, reconnu pour ses interventions nombreuses et sévères sur le scénario et le montage. Ce surnom vient du personnage du film de Tim Burton, *Edward Scissorhands* (*Edward aux mains d'argent* [1990]); la prothèse des mains d'Edward prenait la forme de multiples couteaux.

has-been ANGL. Abréviation de *one who has been*, qui signifie «quelqu'un qui est fini». Personne, le plus souvent un acteur, dont le nom a disparu des affiches de cinéma ou qui n'interprète plus que de petits rôles après des années de gloire. SYN. ex-vedette.

haut contraste Contraste marqué (*high contrast*). Le haut contraste délimite précisément dans l'image les zones sombres et les zones claires.

haute définition Technique améliorant la qualité de l'image télévisée grâce à un nombre élevé de pixels (*high definition*). La définition de l'image haute définition est supérieure aux standards en vigueur. Cette image, qui doit compter plus de 1 000 lignes, a un rapport 16/9. → **télévision haute définition**.

haute-fidélité Système enregistrant et reproduisant les sons de façon idéale (*hight fidelity*). Pour un système haute-fidélité, le son reproduit doit ressembler suffisamment au son original. → **stéréophonie**.

haut-parleur Appareil destiné à la reproduction du son (*loudspeaker, speaker*). Dans les salles de cinéma, on utilise le haut-parleur à compression à cause de son rendement puissant; il est placé derrière l'écran. Source sonore, le haut-parleur est rarement unique: une bonne diffusion du son suppose la présence de plusieurs haut-parleurs. Dans les salles modernes, équipées en stéréophonie, la multiplication des sources de son est primordiale; on emploie alors le terme «haut-parleurs d'ambiance»; → **THX**.

haut-parleurs d'ambiance PLUR. → **haut-parleur**.

haut-parleur témoin Haut-parleur se trouvant dans la cabine d'enregistrement du son (*monitor loudspeaker*). Le haut-parleur témoin permet d'entendre le son ambiant du plateau.

Hays Code → **code Hays**.

HBO Sigle du Home Box Office.

Heimlich film ANGL. Du mot allemand *heimlich* qui signifie «tranquille», «paisible». Catégorie récente créée aux États-Unis pour désigner un genre cinématographique qui présente une réalité amène, nostalgique, ayant généralement pour thème la famille. Parmi les cinéastes du genre, citons les noms de Barry Levinson, Garry Marshall, Penny Marshall et Rob Reiner.

Hélivision Marque de commerce d'un dispositif français pour la prise de vues en hélicoptère.

helmer ANGL. ARG. É.-U. Mot qui vient de la marine et qui signifie «timonier». Réalisateur. *Helmer* désigne parfois un producteur.

hémoglobine Produit utilisé pour simuler les blessures et le sang dans une scène (*haemoglobin*). Ce mot est employé très souvent dans un sens péjoratif. → **Kensington Gore**.

Henry Marque de commerce d'un appareil de montage vidéo de la société Quantel.

héros, héroïne Personnage jouant dans un film et attirant généralement la sympathie du spectateur (*hero, heroine*). Le héros possède des vertus traditionnellement glorifiées par la nation: la beauté, le courage, l'humilité, le désintéressement, etc. Le héros incarne le bon citoyen et l'héroïne, la femme idéale. Le caractère du héros change selon les cultures et les époques. OPPOSÉ: antihéros.

herse Instrument d'une table de montage permettant le déroulement parallèle de plusieurs bandes de film (*horse*). SYN. lyre.

hertz [Hz] Unité de mesure en secondes des fréquences sonores (*hertz*).

heures d'écoute maximale PLUR. → **prime time**.

high key ANGLICISME Éclairage d'une scène où dominent les lumières de base (*high key*). Ce style photographique donne une lumière très claire. On emploie généralement le high key pour les comédies. ANT. low key.

histoire Récit ou suite d'événements dans un film (*story*). L'histoire correspond à l'intrigue, à la narration, au sujet d'un film. SYN. fiction.

Hitchbook ANGL. Nom que François Truffaut donne à son livre sur Alfred Hitchcock, *Le Cinéma selon Hitchcock* (première édition 1966).

«hitchcocko-hawksiens (les)» Surnom donné par le critique André Bazin en 1955 aux jeunes critiques des *Cahiers du cinéma*, entre autres, à Charles Bitsch, Claude Chabrol, Jean-Luc Godard, François Truffaut, Jacques Rivette et Éric Rohmer, dont les préférences vont à Alfred Hitchcock et Howard Hawks; ces critiques défendent inconditionnellement ces metteurs en scène, emblématiques pour eux de la «Politique des auteurs».

HMI [lampe HMI] Marque de commerce d'une lampe mise au point par la compagnie allemande Osram et devenue nom commun (*HMI*). Le mot est formé à partir de «hydrargyre» (mercure), «medium» (arc) et «iodure». Par sa compacité, son rendement lumineux élevé et son faible voltage, la lampe HMI est fort utilisée pour les tournages de films et de vidéos. Elle offre un spectre lumineux proche de celui de la lumière du jour.

Hollyrom NÉOLOGISME Mot-valise formé de «Hollywood» et de «CD-ROM». Collaboration de plus en plus étroite entre l'industrie du cinéma américain et les entreprises du multimédia et du jeu vidéo (*Hollyrom*). → **Siliwood**.

Hollywood Banlieue de la ville de Los Angeles, devenue capitale du cinéma (ARG. *Hi-wood, tinseltown,* FAMILIER *movie village*) Vers les années 10, pour échapper aux poursuites financières et policières de l'Est des États-Unis, les producteurs de la Motion Picture Patents Company [MPPC] s'établissent dans cette paisible contrée alors habitée par une centaine de personnes. Les réalisateurs y trouvent un climat exceptionnel et des paysages variés de l'Ouest pour le tournage de tous les genres de films. Dès 1920, cinq studios y produisent 90 pour cent de la production filmique américaine. On y créera le star-système. Un monde amusant, fantastique, riche et unique s'y développe et en fait la capitale du rêve et de la fantaisie. Dans les années 30 et 40, les Majors (la Paramount, la Fox, la MGM, la Warner Bros. et la RKO) y produisent environ 600 films annuellement. Hollywood accueille avant et durant la Deuxième Guerre mondiale les cinéastes chassés par le nazisme. Les propriétaires des studios y sont rois et maîtres jusqu'en 1948 quand la Cour suprême des États-Unis oblige les Majors à renoncer à leurs salles; → **Paramount decision**. Le déclin de Hollywood s'accentue avec le maccarthysme (entre 1947 et 1952) et l'avènement de la télévision (dans les années 50). Dans les années 60, les grands directeurs des studios sont progressivement remplacés par des indépendants, qui possèdent encore un esprit mécène, puis par des hommes d'affaires employés par des conglomérats financiers qui tentent de contrôler tout le monde du spectacle et des communications (vidéos, jeux électroniques, disques, journaux et revues, chaînes de télévision, satellites de communication); → **industrie des communications**. Hollywood demeure encore aujourd'hui un lieu mythique. SYN. Babylone, Mecque du cinéma, usine à rêves.

Hollywood Reporter (The) Quotidien nord-américain couvrant l'actualité cinématographique, télévisuelle, théâtrale et celle de l'industrie du câble.

Hollywood Ten Nom donné au groupe de dix membres de l'industrie hollywoodienne qui refusent, en 1947, de répondre aux questions de la Commission des activités antiaméricaines au nom de la liberté d'expression inscrite dans la charte des droits de la Constitution des États-Unis. Ils sont accusés d'être communistes. Refusant de témoigner, ils sont emprisonnés. Placés sur une liste noire, ils ne pourront plus tard poursuivre leur carrière; certains pourront toutefois travailler sous des noms d'emprunt. Le groupe comprend les réalisateurs Herbert Biberman et Edward Dmytryk, le producteur Adrian Scott et les scénaristes Alvah Bessie, Lester Cole, Ring Lardner Jr., John Howard Lawson, Albert Maltz, Samuel Ornitz et Dalton Trumbo. → **maccarthysme**.

Hollywood Walk of Fame Trottoir des célébrités sur Hollywood Boulevard, à Hollywood, contenant les empreintes de pieds et de mains de 1 800 vedettes du cinéma, de la radio, du théâtre et de la télévision. Les premières empreintes apposées furent celles de l'actrice Norma Talmadge. On y trouve même les empreintes de Donald Duck et celles de R2D2 et C3PO, les robots de *La guerre des étoiles* (1977) de George Lucas. → **Mann's Chinese Theater**.

hologramme Image en trois dimensions [3D] sur film plastique ou sur plaque de verre, obtenue par la réflexion de rayons de lumière dite «cohérente», produite par des lasers (*hologram*). Issu de l'holographie, un procédé mis au point par le physicien Dennis Gabor en 1947, l'hologramme restitue totalement l'impression de relief. Les cinéastes-théoriciens français Claudine Eizykman et Guy Fihman travaillent depuis près de 20 ans sur le film holographique, une adaptation à la cinématographie de la technique holographique. → **cinéholographie**.

Home Box Office [HBO] Service de télévision à péage par câble et par satellite des États-Unis diffusant, produisant et coproduisant des films de court, moyen et long métrage. La rumeur veut que cette chaîne ait sauvé le cinéma américain dans les années 80, qui subissait de fortes pertes causées par une baisse de fréquentation dramatique des salles.

Home THX Program → **THX Lucasfilm Sound System**.

Home Video Channel [HVC] Service de télévision britannique diffusant des films par satellite.

hommage Témoignage de reconnaissance à une personnalité du cinéma, comme un acteur, un réalisateur, un chef opérateur ou un producteur (*tribute*). L'hommage est généralement organisé par un festival ou une cinémathèque, et est accompagné de projections de films. → **cycle, rétrospective**.

honey wagon ANGL. ARG. Toilettes et salles de maquillage et d'habillage mobiles.

honoraires PLUR. → **cachet**.

hors-champ Tout ce qui demeure à l'extérieur du cadre de l'image (*off-screen*). Tout ce qui n'apparaît pas à l'image est appelé hors-champ. Le hors-champ fait partie de la scène ou, du moins, est tout près du lieu d'action. Souvent matérialisé par un son, il peut jouer un rôle narratif important, surtout dans les films d'horreur ou de terreur; à voir: les films d'Alfred Hitchcock. VOISIN: son off. → **voix off**.

hors compétition Se dit d'un film qui ne concourt pas pour un prix dans un festival.

horse opera ANGL. ARG. Film de cow-boys, western.

Hot d'or Festival international du film pornographique qui se tient durant le Festival international du film de Cannes, mais qui ne lui est pas rattaché. Le Hot d'or est créé en 1992. On y remet les prix Hot d'or annuels pour les meilleurs acteurs masculins et féminins du film pornographique.

House Committee on Un-American Activities [HUAC] → **Commission des activités antiaméricaines**.

HUAC Abréviation de House Committee on Un-American Activities.

hublot de cabine ➤ **fenêtre de cabine**.

8 mm Format du film amateur. La largeur de la pellicule est de 8 millimètres. Le 8 mm apparaît en 1936; c'est un film 16 mm scindé en deux parties égales. Sa production devient rapidement massive et obtient un succès populaire grâce à la qualité de son grain et à son développement rapide. Avec la couleur, le 8 mm fait fureur dans les années 50. Il est remplacé dans les années 80 par la vidéographie et l'arrivée du caméscope. ➤ **super-8**.

hululement Défaut dans la reproduction du son causé par des variations périodiques dans la vitesse de défilement d'une bande sonore. Son nom vient de la ressemblance de ce défaut avec le cri particulier des oiseaux de nuit.

HVC Sigle du Home Video Channel.

Hypergonar Marque de commerce d'un dispositif d'anamorphose conçu au milieu des années 20 par le Français Henri Chré-tien. L'inventeur le propose à Hollywood en 1929, mais essuie un refus. En 1952, la Fox lui achète l'Hypergonar pour le tournage de *La tunique*, premier film en CinémaScope.

hypermédia Ensemble des techniques reposant sur le texte et l'image, fixe ou en mouvement, dont le point commun est le rapport interactif proposé à l'utilisateur, qui peut, grâce à elles, cheminer sans contrainte linéaire (*hypermedia*). Le vidéodisque et Internet sont la principale assise technique de l'hypermédia. ➤ **navigation**.

hypersensibilisation OBS. Cristaux de la couche d'émulsion devenus très sensibles après traitement effectué avant la prise de vues (*hypersensitising*). ➤ **latensification**.

hyposulfite Agent chimique principal du bain fixateur du développement de la pellicule (*hyposulfite*). L'hyposulfite est un agent fixateur qui se dissout et élimine les halosels d'argent de l'émulsion. SYN. thiosulfate de sodium.

Hz Symbole de hertz.

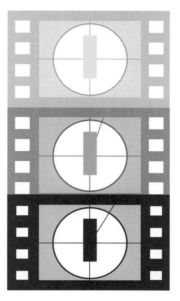

ICM Sigle du International Creative Management.

iconique [1] ADJ. Tout ce qui se rapporte à l'image, à la représentation visuelle (*iconic*). Le terme «iconique» est particulièrement employé par les théoriciens de cinéma qui tentent de définir la composition plastique ou picturale d'un film. [2] N. Mode de représentation de l'univers diégétique (*iconic*). → **analyse [2].**

iconoscope → **télévision [1].**

identification [1] Jeu où l'interprète se confond avec son personnage (*identification*). [2] Phénomène amenant le spectateur à s'identifier aux personnages à l'écran, particulièrement aux héros et aux héroïnes (*identification*).

IDHEC Acronyme de l'Institut des hautes études cinématographiques.

ILM Sigle du Industrial Light and Magic.

image [1] Ce qui est imprimé sur la pellicule (*image*). L'image est la représentation visuelle d'un objet, d'une personne ou d'une scène. Elle contribue à l'action du film, participe de sa mise en scène et infléchit sa qualité visuelle. Elle est régie comme une grammaire. Plusieurs éléments, qui obéissent à des règles, entrent dans sa composition: les angles de prise de vues, les plans, les mouvements d'appareil, les trucages, les scènes, les séquences, le cadrage, les lignes, formes et volumes, et les couleurs. La composition de l'image est sous la responsabilité du directeur photo et du caméraman. [2] Valeurs plastiques d'un film (*image*). [3] Reflet inversé apparaissant au foyer de l'objectif (*picture*). [4] Résultat d'un développement chimique d'une prise de vues (*image*). On distingue l'image latente, l'image révélée, l'image fixée et l'image développée. [5] En rhétorique, représentation mentale, symbole, métaphore ou vision à l'œuvre dans un film (*image*).

image aérienne Image enregistrée mais pas encore matérialisée sur un écran (*aerial picture*). L'image aérienne reste une image potentielle puisqu'elle n'est pas encore passée par un système optique pour être reproduite. OPPOSÉ: image réelle.

image blanche → **flash.**

image combinée → **image composite.**

image composite Toute image créée avec des éléments d'origine différente grâce à des trucages et des effets spéciaux (*composite image*). *Blade Runner* (1982) de Ridley Scott compte 90 images composites fabriquées à partir de 40 éléments différents. SYN. image combinée (RARE), plan multi-image. → **cache mobile, compositing.**

image d'archives → **plan d'archives.**

image de synthèse Image créée par ordinateur à base de calculs mathématiques (les algorithmes) définissant sa structure et sa texture sous forme de points colorés appelés pixels (*computer-generated image*). L'image de synthèse est fabriquée par un infographiste sans introduction d'images réelles. Une variété de mouvements et de volumes dans les effets spéciaux est créée par elle. *Histoire de jouets* (1995) de John Lasseter est le premier long métrage complètement fabriqué par des images de synthèse. L'image de synthèse peut être employée simultanément avec une image de prise de vues ordinaire. Dans *Le parc jurassique* (1993) de Steven Spielberg, sont mêlées des images de troupeaux de dinosaures et de paysages créées artificiellement et des images de prises de vues réelles de personnages. ➤ **animatique**.

image fractale Image créée par ordinateur sans intervention humaine (*fractal image*). L'image fractale a été fabriquée pour décrire les reliefs et les formes géométriques complexes. Elle modélise des figures comme des paysages (côtes, fjords, ravins, etc.).

image gelée ➤ **gel d'image**.

image latente Image non encore développée (*latent image*). L'image latente est l'image renversée du sujet qui apparaît sur l'objectif au moment de la prise de vues. OPPOSÉ: image révélée.

image-mouvement Ensemble d'éléments variables qui agissent les uns par rapport aux autres (*movement-image*). Chez le philosophe Gilles Deleuze, l'image-mouvement désigne l'unité cinématographique de base. Elle est une coupe dans le temps. Deleuze distingue trois grandes variétés d'image-mouvement: l'image-perception, l'image-affection et l'image-pulsion. La pensée opère sur les signes optiques et sonores de l'image-mouvement. À lire: *Cinéma 1: L'image-mouvement* (1983) de Gilles Deleuze. ➤ **image-temps**.

image neutre Image en couleurs essentiellement composée de noir, de blanc, de gris, et parfois d'une trame colorée (*neutral image*).

image numérique Image codée numériquement (*digital image*).

image par image Technique de base du cinéma d'animation (*frame by frame*). La technique image par image consiste à enregistrer une image à chaque tour de manivelle (*one turn, one picture*). Elle tire son origine du principe des instantanés successifs par délais réguliers appliqué par Louis Ducos du Hauron en 1864, dans le but de filmer la croissance des plantes. Elle a été brevetée par Louis Gaumont en 1890. Un des premiers films utilisant la prise de vues image par image pour animer des objets et des personnages vivants est *El Hotel eléctrico* (1905) de l'Espagnol Segundo de Chomón. Deux procédés d'image par image ont été mis au point: la pixilation et le *stop motion*. ➤ *go-motion*.

image plate Image ordinaire, non anamorphosée (*flat image*).

image plein écran ➤ **plein écran**.
image réelle Image matérialisée grâce à un système optique (*real image*). L'image réelle est l'image matérialisée sur un écran.

image rémanente Image subsistant après l'excitation visuelle de l'image originale (*afterimage*). ➤ **effet «phi»**.

image-temps Image située dans un rapport de subordination à l'image-mouvement qui est un rapport de subordination sensito-motrice par rapport à des situations optiques et sonores (*time-image*). Selon le philosophe Gilles Deleuze, qui en a élaboré la notion, l'image-temps procède à des réenchaînements entre l'image sonore et l'image visuelle. Elle surgit avec le cinéma moderne de l'après-guerre: le néoréalisme, la Nouvelle Vague, etc. À lire: *Cinéma 2: L'image-temps* (1985) de Gilles Deleuze.

image virtuelle [1] En optique, image qui ne pourra pas être matérialisée sur un écran par un système optique (*virtual image*). [2] En informatique, image qui se superpose à la réalité et qui permet de se dégager de ses contraintes (*virtual image*). L'image virtuelle peut être modifiée selon les volontés de l'utilisateur. ➤ **réalité virtuelle**.

Imax De la contraction des mots anglais *image* et *maximization*. Marque de commerce d'un système d'enregistrement et de projection mis au point par les Canadiens Graham Ferguson, Bob Kerr, Roman Kroitor et Bill Shaw. Lancé en 1970 par la société canadienne Imax Systems Corporation, le système Imax utilise la plus large pellicule de toute l'histoire du cinéma, une pellicule 65 mm, qui défile horizontalement dans la caméra et dont chacun des photogrammes compte 15 perforations; le défilement crée une impression de flottement, d'apesanteur. L'image Imax est 10 fois plus grande que celle du 35 mm. La caméra Imax a été conçue par le Danois Jan Jakobson. → **Imax 3D-SR, Omnimax, Tapis magique**.

Imax 3D-SR Procédé du cinéma Imax mis au point pour la restitution des images en trois dimensions. L'image de ce procédé est obtenue par la projection de deux séries d'images par deux projecteurs synchrones. La salle nécessaire à la projection en Imax 3D est plus petite que celle qui sert à la projection en Imax standard; elle ne peut contenir que 275 spectateurs, au lieu des 400 pour l'Imax standard. Comme pour tous les procédés 3D, le port de lunettes spéciales est requis.

imbibition Absorption de colorants par la gélatine par dye transfer, qui est un transfert de colorants (*imbibition*). L'imbibition est à la base du procédé Technicolor.

immersion virtuelle Technique destinée à faire du spectateur un participant privilégié du spectacle cinématographique (comme Imax et Showcan) et de la réalité virtuelle (*virtual immersion*). Le spectateur n'observe plus l'image à l'écran mais en fait – artificiellement – partie. Le Cinéma dynamique est un système de projection utilisant cette technique; on parle alors d'immersion partielle. En réalité virtuelle, l'immersion est totale et le spectateur intervient dans l'environnement proposé.

impression Effet obtenu par l'exposition de l'émulsion photographique à l'action de la lumière (*exposure*). → **exposition**.

impression de réalité En théorie du cinéma, le fait que, de toutes les formes d'art, le film est la forme qui donne le sentiment le plus fort d'assister à un spectacle réel (*impression of reality*). Le cinéma simule le réel, et les images sont les indices d'une réalité existante ou ayant existé. Le mouvement joue un rôle fondamental dans la création de cette impression parce qu'il est perçu comme actuel. L'impression de réalité mobilise le phénomène d'identification chez le spectateur. Sur cette notion, lire *Essais sur la signification au cinéma* (1975 et 1976) de Christian Metz et *L'image* (1990) de Jacques Aumont.

impression extensible Procédé d'adaptation des films muets à la cadence de projection des films actuels (*stretch printing*).

Impressionnistes PLUR. Groupe de cinéastes français des années 20 dont font partie Louis Delluc, Germaine Dulac, Jean Epstein, Abel Gance et Marcel L'Herbier (*Impressionnists*). Dans leurs recherches avant-gardistes, ces cinéastes accordent une grande importance à l'expression, au jeu de l'acteur et à la forme plastique (les flous, les surimpressions). Leurs films se veulent des symphonies d'images. À la mort de son théoricien, Louis Delluc, en 1924, le groupe disparaît. Parmi les films importants de ce groupe, citons *La souriante Madame Beudet* de Germaine Dulac (1922), *Cœur fidèle* de Jean Epstein (1923), *La roue* d'Abel Gance (1923) et *L'inhumaine* de Marcel L'Herbier (1923). → **cinéma pur**.

improvisation Action qui n'a pas été répétée ou qui n'a pas été écrite avant son enregistrement (*improvisation*). Certains auteurs privilégient l'improvisation afin de garantir la spontanéité et la vérité de l'instant. On dit des films de Jean-Luc Godard qu'ils sont largement improvisés, ce qui est en partie faux, même si le scénario n'est pas complètement écrit avant le premier jour de tournage. Des cinéastes comme le Français Jacques Rivette et l'Américain John Cassavettes donnent à l'improvisation une large part dans leur mise en scène. → **cinéma-vérité**.

INA Sigle de l'Institut national de l'audiovisuel.

inactinisme Inactivité des radiations lumineuses sur l'œil ou sur des substances comme celles constituant la pellicule de film. ANT. actinisme.

inches per second [IPS] ANGL. Mesure universelle de la quantité d'une bande magnétique se déroulant en pouces par seconde lorsque le magnétophone est en marche.

incrustation Trucage utilisé à la télévision et en vidéo, équivalent du cache-contrecache au cinéma (*chroma key*). Par l'incrustation, on insère des personnages ou des objets filmés sur un fond bleu pour ensuite les placer sur une autre image. ➤ *matte painting*.

incunable Film ancien (*incunabulum*). Un incunable est un film perdu qu'on a retrouvé. SYN. film rare.

indépendant N. [1] Cinéaste qui n'est pas produit par une Major hollywoodienne (*independent, independent film-maker* [ou *filmmaker*], *indie, indie film-maker* [ou *filmmaker*]). Parmi les cinéastes indépendants américains, on cite le plus souvent les noms de John Cassavettes et Hal Hartley. ➤ **film indépendant**. [2] Producteur de films indépendants (*independent producer*). Ce producteur est familièrement appelé *little guy*. [3] En Europe, cinéaste, producteur, distributeur ou exploitant travaillant hors des conglomérats de production et des grands circuits de diffusion. En France, une association regroupe les indépendants, l'Union des indépendants du cinéma.

indépendants PLUR. Producteurs qui ont fui New York entre 1909 et 1914 pour échapper aux poursuites financières et policières de Thomas Edison (*independents*). Ce sont eux qui fondent Hollywood. Ils y amènent leurs vedettes et leur personnel, et ils y produisent de meilleurs films, plus innovateurs du point de vue formel. Le producteur Carl Laemmle devient le chef de file de ces indépendants qui fonderont les premières grandes compagnies de production et de distribution de films qui ont comme nom Fox, Independent Motion Picture [IMP] qui deviendra la Universal, Mutual et Keystone (qui distribue les films comiques de la Mutual). ➤ **Motion Picture Patents Company**.

indice de pose ➤ **indice de sensibilité**.

indice de rapidité ➤ **indice de sensibilité**.

indice de réfraction Caractéristique de la vitesse de propagation de la lumière dans un milieu transparent (*refraction index*).

indice de sensibilité [indice d'exposition, indice de pose, indice de rapidité] Caractéristique de la sensibilité du film établie par les fabricants de pellicule (*exposure index, EI*). ➤ **ASA, DIN, ISO**.

indice d'exposition ➤ **indice de sensibilité**.

Industrial Light and Magic [ILM] Société fondée par le cinéaste George Lucas pour le tournage du premier film de la série de *La guerre des étoiles* (1977). Cette société est spécialisée dans les effets spéciaux. ➤ **LucasArts-ILM, THX**.

industrie de la communication [industrie des communications, industrie du multimédia] Nom donné récemment au secteur économique comprenant tous les domaines des médias, de l'information à l'informatique (*media industry*). On inclut dans l'industrie des communications l'édition, la presse, la radio, le téléphone, la télévision, le cinéma, le câble, le satellite, l'informatique, l'électronique, la vidéographie, le jeu vidéo et le disque (de vinyle, compact et laser). Cette industrie se caractérise par la production de masse en information grâce au multimédia. En 1998, les trois géants des communications sont Walt Disney Company, Time Warner et Bertelsmann-CTL (Compagnie de télédiffusion luxembourgeoise). Pour une critique de cette industrie, lire *L'art du moteur* (1993) et *La vitesse de libération* (1995) de Paul Virilio. ➤ **industrie du cinéma**.

industrie des communications ➤ **industrie de la communication**.

industrie du cinéma Ensemble des activités économiques menant à la réalisation et à la diffusion d'un film (*film industry*, FAMILIER *pic biz*). La naissance du cinéma est le résultat d'une lutte dont le but premier est plus financier qu'artistique. Le cinématographe devient rapidement un enjeu industriel et une bataille commerciale: faire des films équivaut à faire des affaires, d'où la production accélérée de films dès ses débuts. L'industrie établit en quelques années (moins de 20 ans) ses propres modes de fabrication et de fonctionnement et instaure ses degrés d'intervention: la réalisation, la production, la distribution et l'exploitation. Elle a ses lieux, ses méthodes, ses coutumes et ses divisions de travail. Hollywood consolide le système industriel, concurrentiel jusqu'en 1920, puis hégémonique jusqu'en 1950, grâce à un contrôle vertical. Chaque pays tente de construire une industrie cinématographique viable, généralement axée sur le modèle américain. La télévision (et son développement depuis les années 50), la vidéocassette (à partir des années 80) et les nouvelles technologies (fin des années 80) offrent de nouveaux débouchés à l'industrie. À cause de la concentration des trusts, l'industrie du cinéma se trouve, à la fin des années 80, englobée dans l'industrie de la communication.

industrie du multimédia ➤ **industrie de la communication**.

industrie du spectacle Équivalent de show-business (*show business*).

infini Pour un objectif à focale donnée, ensemble des distances d'un sujet photographié par lequel, dans la mise au point, tout se passe comme si le sujet était très éloigné (*infinity*). L'infini est symbolisé par le signe ∞.

inflammable ADJ. Se dit d'un support qui peut prendre feu (*inflammable*). ➤ **nitrate**.

influence Action morale ou intellectuelle qu'exerce une œuvre ou ensemble d'œuvres d'un cinéaste ou d'un mouvement (*influence*). L'influence de la Nouvelle Vague est fort puissante sur les cinéastes des années 70 et 80, comme Jim Jarmusch, Martin Scorsese et Wim Wenders. On parle également de l'influence psychologique ou psychique d'une œuvre, comme de sa violence, en rappelant qu'un assassin s'était inspiré, pour commettre son attentat contre le président des États-Unis Ronald Reagan, du personnage de Travis Bickle, de *Taxi Driver* (1975) de Martin Scorsese. On stigmatise l'influence néfaste de la télévision, surconsommée par les enfants.

infographie Procédé de création, de traitement et de reproduction de l'image assistés par ordinateur (*computer graphics*). Au cinéma, l'infographie est utilisée pour les effets spéciaux et l'animation. ➤ **image de synthèse**.

informatique Science du traitement rationnel de l'information, grâce à des machines automatisées comme l'ordinateur (*computer science*).

infrarouge Radiations non visibles, situées à l'extérieur du spectre des couleurs, au-delà du rouge (*infrared*). On peut, grâce à des émulsions spéciales, enregistrer des images sans lumière visible, comme dans le noir, la nuit.

infrason Son dont la fréquence sonore est faible et inaudible, mais qui peut être sentie par le corps si elle est puissante (*infrasound*). La fréquence de l'infrason est inférieure à 20 Hz.

ingénieur du son Personne responsable de l'enregistrement et du mixage des sons: paroles, bruits, musique et effets sonores spéciaux (*recording supervisor, sound man*, ARG. *knob-twister*). L'ingénieur du son peut être un monteur sonore. La création de ce métier remonte au cinéma parlant, en 1929; l'ingénieur du son se préoccupe alors non seulement de la prise du son, mais détermine tout ce qui concerne l'audition, y compris la diction des comédiens. Son travail consiste à surveiller la mise en place de la scène, à indiquer la place des micros, à enregistrer les bruits désirés et à éliminer les autres. Il doit composer une ambiance sonore. ➤ *Foley artist*. On emploie de plus en plus le terme «chef opérateur du son» au lieu d'«ingénieur du son». Le théoricien Michel Chion préfère parler d'ingénieur de la voix. Parmi les ingénieurs du son importants, citons les noms de Louis Hochet (pour les films de Jean-Marie Straub et Danièle Huillet), Jim Webb (pour les films de Robert Altman) et Pat Webb (pour les films de John Ford).

ingénue FÉM. Personnage de jeune fille naïve et pure (*ingénue*).

ininflammable ADJ. Se dit d'un support qui ne peut pas prendre feu (*non-flammable*). ➤ **diacétate, triacétate**.

inky dinky ANGLICISME Terme dérivé de *inky* pour «incandescent» et *dinky* pour «petit». Petit projecteur de 100 ou 200 watts (*inky-dinky*).

INSAS Acronyme de l'Institut national supérieur des arts du spectacle.

insert [insert image] ANGLICISME (1) Gros plan ou très gros plan d'un objet inséré entre deux plans, utilisé dans un but dramatique, dans le déroulement de l'action *(insert, insert shot)*. L'insert aide à comprendre l'action: une horloge, supposée être accrochée au mur d'une pièce, marque le temps sans que l'action se passe dans cette pièce. SYN. plan de détail.

insert [insert titre] ANGLICISME (2) Titre ou texte qui introduit une continuité visuelle (*insert title*). Ce type d'insert a la même fonction que l'insert image.

insert image → **insert [1]**.

insert titre → **insert [2]**.

insonorisation [1] Procédés mis en œuvre pour insonoriser une pièce (*soundproofing*). [2] Procédés mis en œuvre pour insonoriser l'appareil de prise de vues. On utilise alors un plimb qui permet de rendre l'appareil silencieux (*soundproofing*).

instabilité Image non stable à cause des mouvements de caméra (*jitter*). Généralement non désirée, l'instabilité est causée par un filmage caméra à l'épaule. Elle peut être toutefois voulue dans le but de créer un effet dramatique, comme dans *Breaking the Waves* (1996) de Lars von Trier.

Institut des hautes études cinématographiques [IDHEC] École de cinéma fondée en 1943 par Marcel L'Herbier, aujourd'hui remplacée par la Fondation européenne des métiers de l'image et du son [FEMIS].

Institut national de l'audiovisuel [INA] Service public à caractère industriel et commercial créé en 1974, chargé de la conservation de l'ensemble de la production audiovisuelle française privée comme publique, diffusée sur les antennes. L'INA est constitué de trois départements: a) le département des droits et archives (pour la collecte, la conservation, la restauration et l'exploitation du patrimoine audiovisuel), b) le département Innovation (pour l'analyse et la recherche en nouvelles technologies et en médias, et la création d'œuvres télévisuelles) et c) le département Inathèque (pour le dépôt légal des copies des programmes et documents diffusés par la radio et la télévision françaises). L'Institut national de l'audiovisuel publie également des ouvrages pédagogiques et historiques, une revue (*Les Dossiers de l'audiovisuel*), des vidéocassettes, des cédéroms et des disques. Au cours des années, plusieurs lois ont précisé la mission de l'INA. Des films réalisés pour la télévision, signés Chantal Akerman, Otar Iosseliani, Benoît Jacquot, Robert Kramer, Jean-Luc Godard et Raoul Ruiz, ont été produits par l'INA.

Institut national supérieur des arts du spectacle [INSAS] École belge formant les étudiants aux métiers du cinéma et du théâtre. Fondée en 1952, l'INSAS est installée à Bruxelles. Elle fait partie de la Communauté française de Belgique. Elle est une école supérieure de niveau universitaire.

Institut suédois du film Organisme d'État fondé en 1963 par le critique et homme d'affaires Harry Chein en vue d'encourager la production de films, l'enseignement du cinéma et la conservation d'archives cinématographiques en Suède. Cet institut aide de nombreux jeunes réalisateurs à faire leur premier film; ainsi Bo Widerberg et Jan Troell ont réalisé leur premier film grâce à l'Institut suédois du film. L'institut publie une revue mensuelle, *Chaplin*.

Int. Abréviation de intérieurs (*int*). Dans un scénario, cette abréviation est suivie de «jour» ou «nuit», selon le déroulement temporel de la scène. Elle indique une scène qui se déroule dans un espace fermé.

intégration verticale Le fait pour une compagnie de contrôler entièrement la production, la distribution et l'exploitation de ses films (*vertical integration*). L'intégration verticale débute à la fin des années 10, au moment de la fondation des Majors. Elle permet aux compagnies d'exercer des pratiques coercitives, comme la réservation en lot, à l'encontre des Minors. La Cour suprême des États-Unis déclare cette pratique financière illégale en vertu de la loi antitrust; les Majors se plient à la décision en 1951, ce qui amènera leur déclin progressif; ⇀ **Paramount decision**. En France, la compagnie Pathé exercera un même contrôle vertical entre 1907 et 1914.

intensité lumineuse Mesure de la quantité de lumière émise dans une direction particulière (*light intensity*). L'intensité lumineuse se calcule en candelas.

intensité sonore Mesure de l'intensité du son par rapport à une intensité acceptable de ton et de fréquence (*sound volume*). L'intensité sonore se mesure en décibels. SYN. volume sonore.

inter [1] Abréviation de internégatif. [2] Abréviation de bande internationale.

interactivité Possibilité donnée à l'utilisateur d'établir une relation de type dialogue avec un programme informatique et d'en déterminer le flux d'information (*interactivity*). Arrêter une image est une action simple d'interactivité. Programmer soi-même, modifier le programme, répondre à des questions et définir de nouveaux paramètres sont des actions complexes d'interactivité; ⇀ **réalité virtuelle**. En cinéma, changer la fin d'un film est une possibilité que donne l'interactivité; ⇀ **cinéma interactif**.

interdiction Action d'interdire totalement ou partiellement (pour une certaine catégorie d'âge) la projection publique d'un film (*banning*). ⇀ **censure, code Hays, Commission de contrôle**. L'exemple d'une célèbre interdiction en France est celle survenue à *La religieuse* (1966) de Jacques Rivette, film adapté du roman de Jacques Diderot.

intérieurs [Int.] PLUR. Lieux de tournages situés dans des espaces fermés, studios ou décors naturels (*interior*). ANT. extérieurs.

interimage ⇀ **barre de cadrage**.

interlock ANGLICISME Système par lequel l'image et le son sont enregistrés séparément mais synchronisés en même temps (*interlock*). L'interlock constitue un verrouillage parallèle des appareils d'enregistrement.

International Creative Management [ICM] Troisième agence d'artistes américaine en importance, après Creative Artists Agency [CAA] et William Morris Agency, fondée par Marvin Josephson. La ICM a des bureaux à Los Angeles, New York, Londres, Paris et Rome.

Internationale Filmfestspiele Berlin Nom original allemand du Festival international du film de Berlin.

International Organization for Standardization [ISO] Organisation internationale de normalisation. L'ISO regroupe, à l'échelle mondiale, l'ensemble des organismes nationaux de normalisation. Il émet des normes dans tous les domaines de l'activité économique et industrielle, à l'exception des domaines relevant de l'électricité et de l'électronique. L'AFNOR et le BSI sont membres de l'ISO.

internégatif Négatif intermédiaire, noir et blanc ou couleur, créé à partir d'un positif. Dans le tirage de copies, l'internégatif permet de protéger le négatif original (*internegative*). OPPOSÉ: interpositif.

internégatif couleur Copie couleur faite directement à partir du négatif original (*Color Reversal Intermediate [CRI]*). La fabrication d'un internégatif couleur élimine un interpositif et donne un résultat d'une grande qualité pour le tirage des copies d'exploitation.

Internet Nom du plus grand réseau informatique de la planète. On peut avoir accès librement à ce réseau multimédia mondial; toute personne possédant un ordinateur spécialement équipé d'un modem peut s'y connecter et échanger des informations avec le monde entier dans tous les domaines. Plusieurs ressources y sont accessibles, dont le World Wide Web [WWW], qui offre des documents sous forme d'hypertextes. L'industrie du cinéma y crée plusieurs sites pour la promotion de ses produits. Des amateurs cinéphiles qui veulent partager leur passion font de même. Grâce à ce réseau, des institutions gouvernementales ou indépendantes, comme les bibliothèques et les archives du film, mettent à la disposition des utilisateurs des renseignements et des documents sur l'histoire du cinéma. Des interprètes et des maisons de casting y affichent le press-book de leurs clients. Internet permet également de télécharger des documents comme des bandes annonces, des extraits visuels ou musicaux de films et, parfois même, des films entiers. ➤ **autoroute de l'information, cyberespace**.

interpositif Positif, noir et blanc ou couleur, à bas contraste créé à partir du négatif original (*interpositive*). SYN. positif intermédiaire, copie marron (pour le noir et blanc). OPPOSÉ: internégatif.

interprétation [1] Manière de jouer un rôle (*performance*). ➤ **prestation**. [2] Ensemble de la distribution d'un film (*casting*).

interprète Personne qui interprète (*performer*). SYN. acteur, protagoniste.

interpréter Jouer un rôle (*perform, play*). Interpréter signifie prêter son physique et sa voix à un rôle. Des prix d'interprétation pour les meilleurs rôles, principaux et secondaires, sont remis dans des festivals compétitifs et par des corporations. ➤ **césar, david de donatello, Golden Globes, lion, lumière de Paris, palme, oscar, ours**.

intertitre Plan ne comportant que du texte intercalé entre deux scènes (*intertitle*). L'intertitre est utilisé dans les films muets. Il n'est plus guère utilisé aujourd'hui. Pour un exemple de son utilisation actuelle, voir *Vivre sa vie* (1962) de Jean-Luc Godard. SYN. carton, titre (RARE).

intervalle Dessins représentant des positions intermédiaires d'un personnage en action ou d'un objet en mouvement lors du tournage d'un film d'animation (*inbetween*).

intervalliste Dessinateur des dessins intermédiaires (*inbetweener*). L'intervalliste relie les positions extrêmes du mouvement qu'a dessinées l'animateur.

intrigue De l'italien *intrigo*, qui signifie «embrouille», «complication». Ensemble des faits et des actions, incidents et rebondissements, dans le déroulement de l'histoire (*plot*). L'intrigue constitue l'action dans ses composantes principales (historiques, sociales et psychologiques) avec ses personnages et leur caractère. Elle est le résultat de l'interaction entre les personnages. Le nœud de l'intrigue signifie le moment critique du film; ➤ **climax, Macguffin**.

inversion [1] Trucage en laboratoire créant l'impression que les mouvements défilent à l'envers (*reverse action*). Un plongeur remontant sur son tremplin est un exemple d'inversion. [2] Effet obtenu au filmage quand la caméra est retournée à l'envers (*upside down shot*). [3] Mode de développement du film inversible (*inversion*).

inversion droite-gauche Renversement latérale de l'image lors du tirage (*flap over*). Par l'inversion, le sens du regard change d'orientation et tout ce qui apparaît à l'écran est renversé de gauche à droite. L'inversion peut être voulue ou accidentelle.

iodure d'argent Composé chimique sensible à la lumière entrant dans la composition de la pellicule (*silver iodide*).

iris Orifice du diaphragme (*iris*). L'iris s'ouvre et se ferme comme la pupille d'un œil. ➤ **fermeture à l'iris, ouverture à l'iris**.

irisation Production des couleurs de l'arc-en-ciel par réfraction de la lumière (ou réfrangibilité) (*irisation*). Un rayon de lumière qui traverse une lentille se décompose en couleurs. On parle d'irisation parasite pour les teintes colorées observées au bord de l'image.

itgirl ANGL. ARG. É.-U. Dans les années 20, femme délurée, provocante, sexy. SYN. *flapper*.

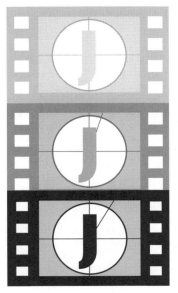

jaune N. Couleur complémentaire (*yellow*). Le jaune est composé de rouge et de vert.

jeu Action de jouer pour un comédien, pour un acteur (*acting, play*).

jeune cinéma allemand ➔ **Nouveau Cinéma allemand**.

jeunes hommes en colère [1] Héros dans les films britanniques réalisés entre la fin des années 50 et le milieu des années 60, signés par de nouveaux cinéastes, comme Jay Clayton et Karel Reisz, qui viennent du mouvement du Free Cinema (*Angry Young Men*). Personnages de la classe ouvrière, menant une vie médiocre et terne et ayant un travail ingrat et dangereux, ces héros tentent d'échapper à leur milieu; ils sont des jeunes hommes amers, brutaux, frustrés et révoltés. On les trouve dans des films comme *Les chemins de la haute ville* (1958) de Jay Clayton et *Samedi soir et dimanche matin* (1960) de Karel Reisz, œuvres d'un réalisme social noir. [2] Par extension, cinéastes (comme Lindsay Anderson, Tony Richardson et John Schlesinger) et auteurs de théâtre (comme John Osborne et Alan Sillitoe, dont les pièces sont adaptées au cinéma) qui mettent en scène les jeunes hommes en colère. De jeunes acteurs feront leurs premières armes dans ces films: Alan Bates, Tom Courtenay, Albert Finney et Richard Harris. Dans les années 80 et 90, des cinéastes comme Mike Leigh et Ken Loach sont les héritiers directs de ce réalisme social. Les historiens du cinéma donnent un autre nom à l'ensemble des films réalisés par les «Jeunes hommes en colère», de la fin des années 50 jusqu'au milieu des années 60: Nouvelle vague britannique.

Jeunes Turcs Dans les années 50, surnom donné aux jeunes critiques des *Cahiers du cinéma*, qui ont, entre autres, pour noms Claude Chabrol, Jean-Luc Godard, Éric Rohmer, Jacques Rivette et François Truffaut (*Young Turks*). Les jeunes Turcs condamneront le cinéma traditionnel français et défendront la «Politique des auteurs»; ➔ **«hitchcocko-hawksiens»**. Ils deviendront cinéastes et participeront au mouvement de la Nouvelle Vague.

jeux de lumière PLUR. ➔ **effets lumineux**.

jidaï-geki JAP. Genre cinématographique japonais apparu dans les années 10, racontant une histoire du temps passé, à costumes. *Les contes de la lune vague après la pluie* (1953), *L'intendant Sanshô* (1954) et *Les amants crucifiés* (1954) de Keni Mizoguchi sont des *jidaï-geki*. SYN. *meiji-mono*. ANT. *gendaï-geki*.

Johnson Office Surnom donné à la Motion Picture Association of America [MPAA] de 1945 à 1963 sous la présidence d'Eric Johnson. C'est en 1945 que la Motion Picture Producers and Distributors of America [MPPDA] change de nom et devient la Motion Picture Association of America.

joint ➔ **collure**.

joue → **flasque**.

jouer Du latin *jocare* qui signifie «badiner», «plaisanter». Interpréter un personnage dans un film, à travers ses actions, ses paroles, son physique et son caractère (*act, play*). Jouer au cinéma est très différent de jouer au théâtre; il n'y a pas de continuité d'action au moment du tournage, l'interprète est devant une caméra, qui peut alors le filmer de très près et grossir ses expressions et mimiques; la caméra ne peut filmer parfois qu'une partie de son corps; sa voix peut même être doublée. On parle du jeu de l'acteur, de son interprétation. Chaque genre cinématographique demande à l'interprète un jeu différent.

jour Indication temporelle dans le scénario (*day*).

jour de sortie Jour de la semaine où les films sortent (*day of release*). Le jour de sortie en France est le mercredi, tandis qu'en Amérique du Nord, il est le vendredi.

journal Genre cinématographique dans lequel le film prend la forme d'un journal personnel (*diary film*). Le journal de voyage est la forme la plus connue du genre. Proche de la chronique, il se caractérise par un filmage au quotidien, une volonté d'autobiographie et des préoccupations formelles. Comme exemples de journal, citons *Au rythme de mon cœur* (1983) de Jean-Pierre Lefebvre et *Babel* (1991), premier volet réalisé des quatre projetés de *Lettre à mes amis restés en Belgique* de Boris Lehman → **road movie**.

journal d'actualités → **actualités**.

journal de bord → **rapport de production**.

juice gang ANGL. ARG. Équipe d'électriciens sur le plateau.

Jump Cut. A Review of Contemporary Media Revue fondée en 1974 par John Hess, Chuck Kleinhans et Julia Lesage, dans la mouvance de la gauche américaine. Ouvertement marxiste et féministe, la revue publie de nombreux dossiers sur le cinéma gay et lesbien, sur le cinéma latino-américain, sur le cinéma africain, sur la place des femmes et des minorités au cinéma. Les articles sont rédigés par des universitaires, mais dans un langage accessible. Elle paraît six fois l'an sous format tabloïd, avant de devenir une publication annuelle sous format livre.

jus FAMILIER Courant électrique (*juice*).

K En thermocolorométrie, symbole de l'unité de mesure kelvin (*K*).

Kammerspielfilm Mot allemand venant de *kammerspiel* qui signifie «théâtre de chambre» et désignant une théorie mise au point par l'homme de théâtre Max Reinhardt en réaction au mouvement expressionniste. Dans les années 20, un certain type de films allemands du muet, les films de chambre, défendent ainsi l'intimisme et le naturel. *Le dernier des hommes* (1924), de F.W. Murnau est un exemple de *Kammerspielfilm*. → **film de chambre**.

KDB Sigle du Keller-Dorian-Berthon.

Keller-Dorian-Berthon [KDB] Procédé additif de cinéma couleur dit lenticulaire mis au point dans les années 20 par les Français Berthon et Keller-Dorian. Dans les années 30, le KDB est commercialisé pour le 16 mm sous d'autres noms (Kodacolor, Agfacolor). Il ne permet toutefois pas de tirer des copies, car son support est un film inversible. Il est abandonné avant la Deuxième Guerre mondiale. En 1947, Jacques Tati tourne *Jour de fête* avec ce procédé appelé alors Thomsoncolor; le film, reconstitué avec ses couleurs originales, n'est tiré qu'en 1995. → **film gaufré**.

kelvin Unité de mesure de la température absolue (*Kelvin scale*). Le kelvin sert à mesurer la température de couleur; cette température s'exprime par la fraction de 1/273,16 degrés Celsius; zéro K = -273,16 °C. La mesure de température absolue d'une bougie est 2 900 K, et celle de la lumière du jour, 5 900 K.

Kensington Gore Nom donné à la fabrication d'un liquide rouge brillant et uniforme utilisé pour la simulation du sang. Le Kensington Gore est utilisé par la compagnie britannique Hammer Film Productions pour ses films d'horreur. → **hémoglobine**.

key animation ANGL. Terme n'ayant pas d'équivalent français. Type d'animation utilisant l'ordinateur. Le dessinateur dessine les phases principales (les extrêmes) du mouvement et l'ordinateur les termine en les reliant, un peu comme l'intervalliste. → **animation par ordinateur**.

key light ANGLICISME Terme fréquemment utilisé en français au lieu de «lumière de base». Source lumineuse principale éclairant un personnage (de face et de côté), un décor ou l'ensemble d'une scène. Avec une lumière de base, les zones claires dominent les zones sombres. Dans les comédies musicales, la key light est la lumière dominante.

Keystone Forme abrégée de Keystone Company.

Keystone Company [Keystone] Maison de production de Mack Sennett fondée en 1912, qui produira environ 500 films avant de disparaître en 1923. Les films de la Keystone Company sont distribués par la Mutual. En 1915, la compagnie est incorporée dans la Triangle, fondée par D.W. Griffith, Thomas Ince et Mack Sennett. En 1917, Sennett quitte la Keystone pour la Paramount. Presque tous les comiques de l'époque travaillent pour la Keystone, entre autres, Fatty Arbuckle, Charles Chaplin, Buster Keaton et Ben Turpin. On parle des *Keystone Cops* pour les personnages de policiers, nombreux, ventripotents et incompétents, qui apparaissent dans les films de cette maison. → ***Bathing Beauties***, **burlesque**, *fatty*.

Kilfitt Marque de commerce d'objectifs à très longue focale fabriqués par la compagnie allemande Kilfitt.

kilo ARG. Chez les éclairagistes, unité de lumière équivalant à 1 000 watts.

Kinemacolor Marque de commerce du premier procédé additif couleur mis au point en 1906 par deux Anglais, Edward R. Turner et George Albert Smith. Le Kinemacolor remporte un vif succès avec le film sur le couronnement du roi George V, en 1912, *The Durbar of Delhi*. Sa cadence de projection est de 32 images par seconde. Il disparaît en 1914.

Kinematophone Marque de commerce d'un appareil créant des effets sonores durant la projection des films au temps du muet.

kinescopage Opération de transfert d'un film vidéo sur support pellicule dans les années 80 (*film transfer*). La définition de l'image vidéo étant plus faible, le résultat du kinescopage est souvent de moindre qualité. OPPOSÉ: télécinéma.

kinescope [1] Caméra servant à l'enregistrement sur film d'émissions de télévision (*tape-to-film transfer, kinescope*). [2] Film ayant enregistré des émissions de télévision (*transfer*). → **télécinéma**.

Kinetograph Marque de commerce d'un appareil de prise de vues mis au point par Thomas Edison et William Dickson. Les inventeurs du Kinetograph se sont probablement inspirés de la caméra d'Étienne-Jules Marey pour ses images chronophotographiques. Leur premier modèle de caméra est fabriqué en 1888; William Dickson lui donne son nom en 1889; on construit en 1893 des studios pour le tournage avec cet appareil, le Black Maria.

kinétographe Caméra réversible mise au point en 1896 par George William de Bedts, directement inspirée du Kinetograph d'Edison. De petite taille et pesant 5 kg, le kinétographe est également un appareil de projection. Une pellicule 35 mm perforée y est utilisée.

Kinétophone Marque de commerce d'un système combinant un projecteur, le Kinétoscope, et un phonographe, mis au point par Thomas Edison en 1893 pour la projection synchrone image-son (*Kinetophone*). Le Kinétoscope disparaît rapidement.

kinétoscope Appareil forain à défilement continu et à vision individuelle mis au point par Thomas Edison en 1893 pour exploiter les films du Kinetograph (*Kinetoscope*). Devenu nom commun, cet appareil inspire, entre autres, les frères Lumière pour leur Cinématographe. SYN. cinétoscope.

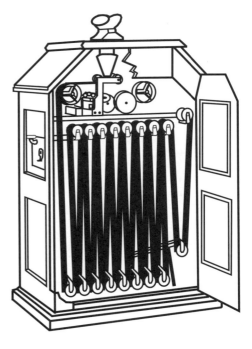

KINÉTOSCOPE

King Kong Gorille géant du film du même nom de Ernest B. Schoedsack et Merian C. Cooper, de 1933. King Kong devient un des nombreux mythes caractérisant le cinéma.

kino vx Abréviation de cinéma. Kino vient du mot grec *kinêsis* qui signifie mouvement.

Kino Glaz russe Ciné-Œil.

Kinopanorama Marque de commerce d'un procédé de projection sur écran large mis au point en 1957 par les Soviétiques en vue de concurrencer le Cinérama.

Kinoptic Marque de commerce d'objectifs à focale fixe réputés, mis au point par la société française Kinoptic.

Kinoteck Nom donné à la collection de partitions musicales établie en 1919 et publiée par l'Allemand Giuseppe Becce. On peut choisir sur catalogue les musiques selon les besoins narratifs du film (scènes comiques, dramatiques, d'amour, de poursuite, etc.). La Kinoteck deviendra très populaire. Par la suite, on désignera cette collection «musiques pour l'image».

kitsch Phénomène esthétique qui détourne les œuvres mondialement connues dans un but de dérision. On retrouve ce phénomène dans les films-cultes comme *Pink Flamingos* (1972) et *Polyester* (1981) de John Waters.

Knokke Ville belge, anciennement Knokke-le-Zoute, où se tient, entre 1949 et 1974, le plus important festival consacré au film expérimental. Ce festival révèle des auteurs comme Maya Deren, Oscar Fischinger, Holy Frampton, Peter Kubelka, Gregory Markopoulos, Norman McLaren, Werner Nekes et Jack Smith.

Kodachrome Marque de commerce d'un procédé de cinéma en couleurs soustractif et trichrome mis au point en 1935 par la firme Eastman Kodak. On utilise pour le Kodachrome un film inversible 8 mm, Super 8 ou 16 mm.

Kodacolor Marque de commerce d'un procédé de cinéma en couleurs négatif-positif de la firme Eastman Kodak.

Kodak [1] Marque de commerce d'un appareil photo mis au point par George Eastman à la fin des années 1880. [2] Nom que prend la firme Eastman-Kodak, véritable empire dans la fabrication de la pellicule, qui lancera plusieurs procédés de films en couleurs.

Koulechov ➤ **effet Koulechov**.

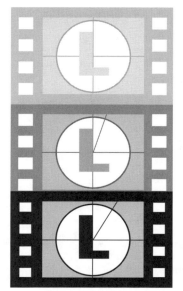

l Symbole de la longueur d'onde.

labo Forme abrégée de laboratoire (*lab*).

laboratoire [labo] Entreprise de développement, de tirage et de traitement de la pellicule (*laboratory*). Le laboratoire désigne également les lieux où sont effectués tous les travaux de post-production ayant trait au film, du sous-titrage à la fabrication des effets spéciaux.

lâcher la main OBS. Dans les premiers temps du cinéma, ralentir le mouvement du tournage à la manivelle. En cessant de tourner la manivelle, le mouvement d'entraînement de la pellicule dans l'appareil ralentissait petit à petit. Ce ralentissement provoquait un effet d'accéléré à la projection.

LAD Abréviation de Laid Aim Density.

Laid Aim Density [LAD] Méthode employée dans les laboratoires de développement pour assurer une régularité de production.

lame d'obturateur Dans un obturateur, lame munie de deux ou trois volets servant à couper la lumière (*shutter blade*). SYN. pale d'obturateur.

lampe Appareil d'éclairage servant à produire de la lumière soit dans un projecteur d'éclairage, soit dans un projecteur de film (*lamp*). On distingue différents types de lampe: la lampe à décharge, la lampe à iode, la lampe à halogène, la lampe à quartz, la lampe au xénon, la lampe sur- voltée, la lampe pulsée et la lampe tungstène.

lampe à cycle d'halogène Lampe à incandescence contenant une petite quantité d'halogène (*halogen*). Le rendement et la durabilité de cette lampe sont améliorés grâce au cycle d'halogène. Dans la famille des lampes à halogène, on distingue la lampe à iode, la lampe à quartz-halogène, la lampe à quartz-iode, la lampe à quartz et la lampe tungstène.

lampe à décharge Lampe à vapeur de mercure (*discharge lamp*). Dans la famille des lampes à décharge, on distingue le tube fluorescent, la lampe à l'halogénure et la lampe à haute pression (comme la HMI).

lampe au xénon Lampe dont la source de lumière provient d'un arc électrique formé de deux électrodes enfermées dans une ampoule contenant du xénon (*xenon lamp*).

lampe excitatrice Petite lampe dans le projecteur qui éclaire la piste sonore optique vis-à-vis de la tête de lecture (*exciter lamp*). SYN. lampe phonique.

lampe flood → **flood**.

lampe HMI → **HMI**.

lampe phonique → **lampe excitatrice**.

lampe pulsée Lampe d'éclairage de petite taille fonctionnant par impulsions dans certains appareils de projection (*pulse lamp*). La lampe pulsée a surtout été utilisée dans les années 60.

lampe survoltée Lampe de type flood dont la tension est supérieure à la tension correspondant à sa durée de vie normale (*flood lamp*). ➤ **photoflood**.

lancé de rayons ➤ **tracé de rayons**.

lancement Action de sortir un film sur le marché commercial (*promotion*). Le lancement s'accompagne de publicité achetée dans les médias et d'une campagne de presse.

langage cinématographique Structure et signes du cinéma considérés comme langage, c'est-à-dire comme système d'expression et de communication (*cinematographic language*). Le langage cinématographique désigne un ensemble des codes structurant les divers matériaux cinématographiques et composant la signification du film. Le film est porteur de sens et procède d'une intention communicative. Ses composantes générales sont le cadrage, la mise en séquence des images, les mouvements de caméra et les effets optiques et sonores.

langue [1] Langue utilisée dans un film, dans les dialogues, les génériques, les titres et les intertitres ou les sous-titres (*language*). On peut parler plusieurs langues dans une œuvre, comme dans *Le mépris* (1963) de Jean-Luc Godard, où l'on parle français, anglais, italien et allemand. [2] En analyse et théorie cinématographiques, code et organisation des signes cinématographiques (icône, indice, symbole) (*language*).

lanterne Partie de l'appareil de projection abritant la source lumineuse (*lamp house, lantern*).

lanterne de peur ➤ **lanterne magique**.

lanterne magique [lanterne de peur] Appareil projetant des images agrandies, peintes sur verre et placées sur une lanterne (*magic lantern*). La lampe magique est une chambre noire inversée. Sa conception et sa fabrication ont une longue histoire (du XVIIe siècle au XIXe siècle). Deux noms lui sont associés: le Hollandais Christian Huygens et le jésuite allemand Athanase Kircher. Nommée «lanterne de peur», la lampe magique sera très en vogue au milieu du XIXe siècle. Elle est un des nombreux appareils qui conduiront à la naissance du cinéma, son principe de projection inspirant le projecteur de cinéma.

laquage Traitement protégeant les copies de l'abrasion par l'application d'un vernis transparent sur la gélatine (*lacquering*).

largeur de bande Dimension (ou surface) d'une bande, cinématographique ou magnétoscopique (*bandwidth*). En cinéma, la largeur de bande est synonyme de format (*size*).

larsen FAMILIER ➤ **effet Larsen**.

laser Acronyme de Light Amplification by Stimulated Emission of Radiation. Générateur d'ondes électromagnétiques dont le rayonnement monochromatique cohérent permet d'obtenir une grande puissance énergétique très directive et un faisceau très fin (*laser*). ➤ **hologramme**.

latensification Traitement visant à renforcer l'image latente après la prise de vues (*latensification*). ➤ **hypersensibilisation, flashage**.

Laterna Magica [Magika] Spectacle mêlant la projection d'un film et l'action en direct, mis au point en Tchécoslovaquie pour l'Exposition universelle de Bruxelles en 1958. Ancêtre du spectacle multimédia, ce spectacle continue d'être présenté après l'Exposition et existe donc depuis près de quarante ans, maintenant connu partout en Europe et en Amérique.

lavage Étape dans le développement de la pellicule qui survient après que celle-ci soit rincée et fixée, mais avant qu'elle ne soit séchée (*washing*).

lay out ANGL. Terme très usité en français. En cinéma d'animation, maquette et agencement des dessins.

lay out man ANGL. Terme très usité en français. Dessinateur de fonds. Le *lay out man* est généralement un assistant réalisateur; il est responsable de la mise en place de l'ensemble du dessin animé. Son travail s'effectue à partir du story-board et des dessins de l'animateur.

lecteur à piste projetée Procédé inverse de la fente projetée. Un objectif projette l'image agrandie de la piste sonore sur une fente étroite placée devant la cellule. → **lampe excitatrice**.

lecteur optique Partie de l'appareil émettant un signal lumineux et en captant le retour afin d'enregistrer des informations codées sur un support imprimé et de les lire par la suite (*optical reader*).

lecteur sonore Partie de l'appareil de projection servant à la lecture de la piste sonore (*sound reader*). → **fente de lecture, lecteur à piste projetée**.

lecture On parle de lecture pour la lecture de la piste sonore sur un support, qu'il s'agisse du disque de vinyle, du disque compact, de la disquette ou de la bande magnétique (*reading*). En cinéma, le son est transcrit par des variations de la transparence d'une piste sonore située à la marge du film. Cette piste est éclairée d'un côté par une petite lampe, dite «lampe excitatrice»; de l'autre côté, une cellule photoélectrique reçoit un éclairement qui sera transformé en variations électriques, elles-mêmes amplifiées par l'amplificateur.

lecture mécanique Système de mesure de la lumière incidente transmettant l'information au galvanomètre (*physical reading*). La cellule photoélectrique qui permet alors de mesurer la lumière est alimentée au sélénium.

lecture numérique Système de mesure de la lumière incidente permettant de lire une information inscrite sur un écran numérique (*digital reading*). La cellule photoélectrique qui permet de mesurer cette lumière est composée de silicium ou de sulfure au cadmium. → **CdS**.

Légion de la décence Traduction courante de *Legion of Decency*. Organisation catholique fondée en 1934 par des évêques américains, destinée à surveiller la moralité des films et à conseiller les spectateurs. La Légion de la décence renforce le code Hays institué dans les années 30. Autre traduction: Ligue de la décence.

lentille [1] Pièce de verre à surface courbe utilisée dans les objectifs servant à la formation des images (*lens*). Chaque lentille se caractérise par sa focale (courte, moyenne, longue et très longue). [2] Par extension, objectif. → **réticule**.

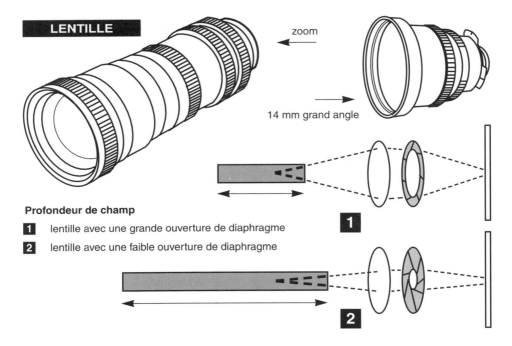

LENTILLE

zoom

14 mm grand angle

Profondeur de champ

1 lentille avec une grande ouverture de diaphragme

2 lentille avec une faible ouverture de diaphragme

lentille anamorphoseuse Lentille permettant une image anamorphosée (*anamorphic lens*). ➤ **lentille cylindrique**.

lentille concave Lentille présentant une surface sphérique en creux (*concave lens*).

lentille condensatrice ➤ **condenseur**.

lentille convexe Lentille présentant une surface arrondie en dehors (*convex lens*).

lentille correctrice [lentille de correction] Lentille dite de Schmidt corrigeant l'astigmatisme (*anastigmat lens*).

lentille cylindrique Lentille dont la surface cylindrique permet les anamorphoses (*cylindrical lens*).

lentille de correction ➤ **lentille correctrice**.

lentille de Fresnel Lentille à échelons inventée par le Français Augustin Fresnel qui, par ses grandes dimensions, concentre les faisceaux lumineux des projecteurs de prise de vues (*Fresnel lens*). L'augmentation ou la diminution du flux lumineux se fait par le déplacement de l'ampoule le long de son axe. ➤ **spot**.

lentille de Schmidt Du nom de l'opticien allemand Bernhard Schmidt, inventeur d'un télescope photographique à grand angle. Lentille correctrice (ou lentille de correction).

lentille sphérique Lentille à surface sphérique, distincte de la lentille anamorphoseuse (*spherical lens*).

letterbox ANGL. Littéralement: boîte aux lettres. Sur l'enregistrement d'un film en vidéocassette ou en vidéodisque, indication du respect du format original du film. Le format *letterbox* donne à l'écran une image de format rectangulaire semblable à celui d'une boîte aux lettres. Il se caractérise par les bandes noires horizontales enserrant l'image; ➤ **bretelles**. On suggère de traduire ce terme par «écran panoramique». SYN. ANGL.: *widescreen*.

lien ➤ **site**.

ligne Ensemble des pixels formant une ligne sur un écran de télévision (*line*). Une ligne, entrelacée avec d'autres lignes, compose l'image électronique. La définition de l'image dépend du nombre de lignes: 625 (400 000 pixels) en Europe et 525 (300 000 pixels) en Amérique.

ligne imaginaire Ligne que ne doit pas franchir la caméra lorsque sont filmés deux personnages en champ-contrechamp (*imaginary line*). Si cette ligne imaginaire est franchie, le plan en contrechamp causera un déséquilibre et une confusion chez le spectateur qui aura l'impression que le regard des personnages ne se croise pas. ➤ **loi des 180 degrés**.

Ligue de la décence ➤ **Légion de la décence**.

limpet ANGL. Littéralement: bernique, «moule qui s'accroche au rocher»; mot n'ayant pas d'équivalent français. Socle muni de ventouses qu'on peut coller sur une surface lisse (comme le capot d'une voiture) et sur lequel est fixée une caméra. Le *limpet* permet également la fixation d'accessoires divers autres que la caméra.

lion [1] Image faisant partie de l'emblème de la MGM. [2] Nom donné à la récompense décernée à l'issue du Festival international de Venise, symbolisée par une statuette représentant un lion ailé, emblème du protecteur de la ville, Marc l'évangéliste. Deux grands prix sont remis à ce festival: le lion d'or et le lion d'argent.

lip-sync ANGL. Forme abrégée de *lip synchronization*.

lip synchronization [*lip-sync*] ANGL. [1] Terme usité en français en lieu et place de «synchronisation labiale». Synchronisation des lèvres avec des paroles et des sons préalablement enregistrés en auditorium et diffusés sur un plateau de cinéma ou de télévision. Pour une illustration amusante de l'invention de cette technique, voir le film de Stanley Donen et Gene Kelly, *Chantons sous la pluie* (1952). ➤ **playback**. [2] ➤ **postsynchronisation**.

liste noire Liste de personnes n'étant pas employées par les maisons de production américaines entre 1947 et 1951, durant la période du maccarthysme (*black list*). Accusées de sympathies communistes, ces personnes, principalement des acteurs, des scénaristes et des réalisateurs, sont traquées par la Commission des activités anti-américaines et soumises à une véritable purge. C'est la chasse aux sorcières qui appelle à la délation (Elia Kazan dénonce des confrères). Certaines de ces personnes, comme Joseph Losey et Abraham Polonsky, sont pendant près de 20 ans boycottées par l'industrie hollywoodienne qui refuse d'avouer l'existence d'une telle liste. La liste noire disparaît en tant que telle en 1961. → **Hollywood Ten.**

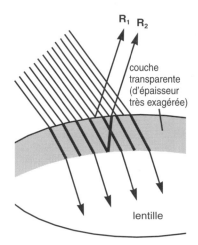

R₁ R₂

couche transparente (d'épaisseur très exagérée)

lentille

Les faisceaux réfléchis sur les surfaces externes (faisceau R1) et interne (R2) d'une «couche anti-reflets» se détruisent mutuellement: tout se passe donc comme si ces réflexions parasites n'existaient plus.

LOI DE RÉFLEXION

little guy ANGL. Aux États-Unis, surnom donné à un producteur indépendant.

Little Three (The) Au temps des studios, appellation désignant les trois compagnies hollywoodiennes ne faisant pas partie des Majors: la Universal, la Columbia et la United Artists. → ***Big Five, Big Eight, Minor.***

livre de bord → **rapport de production.**

l.m. Abréviation de long métrage. Cette abréviation s'écrit parfois «lm».

loge Petite pièce où les acteurs se maquillent et revêtent leurs costumes (*dressing room*). SYN. salle d'habillage.

logiciel Ensemble de programmes nécessaires au fonctionnement d'un ordinateur, à son niveau d'exploitation et à des applications dédiées (*software*). Le logiciel est utilisé au cinéma avec un ensemble de nouvelles technologies, comme l'infographie, les images de synthèse, les trucages numériques et le montage électronique.

loi de réflexion Loi de l'optique géométrique sur la propagation d'un rayon lumineux (*reflection law*). Lorsqu'un rayon lumineux heurte un obstacle, il subit une réflexion au lieu de se propager en ligne droite.

loi de réfraction Loi de l'optique géométrique sur la propagation d'un rayon lumineux à l'intérieur d'un même milieu transparent (*refraction law*). Lorsqu'un rayon pénètre dans un second milieu aux propriétés différentes, il subit une réfraction au lieu de se propager en ligne droite.

loi des 180 degrés Règle qui commande de filmer deux personnes qui se font face

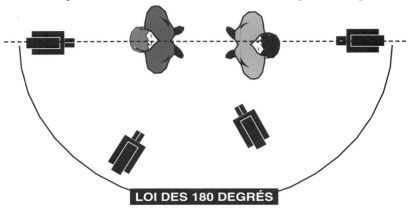

LOI DES 180 DEGRÉS

en contrechamp en ne dépassant la ligne imaginaire qui les réunit (*180-degree rule*). On filmera donc chacun des personnages du même côté de la ligne, pour que leur regard donne l'impression de se croiser. Cette loi vaut également pour le déplacement d'un personnage d'un plan à un autre; si, dans le plan, le personnage se déplace de gauche à droite, il doit, dans le plan suivant, être vu se déplaçant encore de gauche à droite, sinon, il donnera l'impression de revenir sur ses pas. La loi des 180 degrés a été établie dans les années 20, à Hollywood. Elle n'est pas toujours respectée scrupuleusement.

loi des 30 degrés Règle qui recommande, lors du passage d'un plan à un autre à une même distance d'une personne ou d'un objet, l'utilisation d'angles d'au moins 30 degrés (*30-degree rule*). Si cette règle n'est pas respectée, le spectateur aura l'impression de voir un faux raccord. Cette règle ne s'applique pas si, d'un plan à un autre, la distance entre la caméra et la personne (ou l'objet) est très nette.

loi sinusoïdale Loi des mouvements des phénomènes périodiques tenant compte des variations de l'amplitude, de la fréquence et de la phase de ces phénomènes sonores (*sinusoidal law*).

long métrage [l.m., lm] Film dont la durée dépasse 60 minutes (*feature film*). En France, la durée définie officiellement par le Centre national de la cinématographie [CNC] est de plus de 58 minutes et 29 secondes, l'équivalent de la longueur d'une bobine de film 35 mm standard de 1 600 mètres.

longueur d'entrefer Sur les appareils d'enregistrement et de reproduction magnétique, distance effective entre la surface de la bande et la tête de lecture magnétique (*air-gap lenght*).

longueur d'onde Distance parcourue par une onde pendant une période correspondant à la distance entre deux crêtes successives (*wavelenght*). Plus la fréquence est élevée, plus la longueur d'onde est courte. La longueur d'onde est exprimée en mètres et son symbole est «l», et ce, dans de nombreux domaines (son, électricité, électronique, optique, etc.).

Looney Tunes Nom d'une série de courts métrages d'animation produits et distribués par la Warner Bros., des années 30 aux années 50. Les *Looney Tunes* mettent en scène des personnages animaux au caractère symbolique facilement reconnaissable. La série est lancée afin de concurrencer la série de Walt Disney, *Silly Symphonies*. Le principal animateur des *Looney Tunes* est Fred «Tex» Avery; les animateurs Chuck Jones, Fritz Freleng et Robert McKimson ont également collaboré à la série. Les personnages les plus connus de ces courts métrages sont le cochon Porky, le canard Duffy, le lapin Bugs, le coyote Road Runner et Speedy Gonzales. La série a été popularisée à la fin des années 50 grâce à la télévision. En 1970, la Warner Bros., ayant interrompu la série depuis un an, la réactualise pour la télévision et pour les longs métrages pour les salles. La société produit une autre série semblable, *Merry Melodies*.

loueur ARCH. Personne ou société qui sort les films et assure leur publicité. SYN. ACTUEL: distributeur.

Louma Marque de commerce d'une grue mise au point en 1976 par Jean-Marie Lavalou et Alain Masseron. Cette grue, à laquelle est suspendue une caméra compacte et portable, est mobile, flexible et légère. La Louma, qui prend la forme d'un long tuyau orientable (ou bras télescopique) pouvant atteindre 7 mètres, est contrôlée à distance; on peut lui faire effectuer des mouvements extrêmement complexes.

loupe Lentille de visée donnant une image agrandie de celle perçue par l'objectif de la caméra (*magnifying glass*).

love story ANGL. Expression très usitée en français, qui signifie «histoire d'amour». Film centré exclusivement sur les rapports amoureux. À voir comme exemple de *love story*: *Love Story* (1970) d'Arthur Hiller. → **Boy meets girl**, film d'amour.

lubrification Action d'enduire une pellicule d'une matière lubrifiante afin qu'elle passe sans friction dans un projecteur (*lubricating*). SYN. waxage (*waxing*).

1 key light (ou lumière de base)

2 contre-jour (ou lumière par derrière)

3 lumière d'ambiance

LUMIÈRE

LucasArts-ILM Nom que George Lucas donne en 1988 à ses différents studios consacrés au cinéma, à la publicité, aux jeux vidéo et à ses services, situés à San Francisco. Fin 1995, LucasArts-ILM comprend les unités suivantes: LucasFilm (pour les suites), LucasArt (pour les jeux), LucasDigital (qui regroupe Industrial Light and Magic et Skywalker Sound), SoundDroid, EditDroid et AvidDroid (pour une technologie de montage électronique), THX Lucasfilm Sound System et le Home THX Program.

Lucasfilm Sound System ➤ **THX**.

luge Mini-base dont la forme rappelle la luge et qui permet, tout en étant très basse, de faire effectuer à la caméra de légers mouvements verticaux. ➤ **base**.

lumen Unité de mesure du flux lumineux (*lumen*). ➤ **candela, intensité lumineuse, lux, photométrie**.

Lumicolor Marque de commerce d'un procédé additif de couleurs mis au point par la société française Lumière en 1932. La particularité du Lumicolor était l'utilisation d'un support mince et souple. Ce procédé disparaît dans les années 30 avec l'arrivée des procédés soustractifs comme le Technicolor.

lumière [1] Ondes électromagnétiques qui rendent les objets visibles (*light*). Les ondes radio, l'infrarouge, l'ultraviolet, les rayons X et les rayons gamma font partie de la famille des ondes électromagnétiques. Les ondes se propagent sous forme de rayons qui suivent une certaine trajectoire. ➤ **laser**. [2] Éclairage, composition picturale (*light*). La lumière donne une unité et une valeur plastique au film; par elle, on crée une atmosphère particulière (âpre, diffuse, douce, dure, légère, violente, etc.). On peut se servir de la lumière pour lui donner une fonction narrative ou symbolique; à voir: la trilogie *Trois couleurs Bleu* (1993), *Trois couleurs Blanc* (1993) et *Trois couleurs Rouge* (1994) de Krzysztof Kieslowski. Le travail sur la lumière est confié au chef opérateur. On distingue la lumière artificielle, la lumière d'ambiance, la lumière de base, la lumière de derrière, la lumière douce, la lumière du jour, la lumière incidente, la lumière latérale, la lumière naturelle, la lumière réfléchie, la lumière directe et lumière indirecte. ➤ **couleur, étalonnage, filtre, trame**. [3] Orifice laissant passer la lumière dans une tireuse (*printer-light*). Par extension, la lumière désigne le niveau de réglage de l'intensité lumineuse dans une tireuse. ➤ **photométrie**.

lumière à effet [lumière d'effet] Source de lumière principale éclairant un personnage, un décor ou l'ensemble d'une scène (*effects lighting*). SYN. lumière de base.

lumière artificielle Lumière émise par des projecteurs, principalement lors d'un tournage en studio (*artificial light*). opposé: lumière naturelle.

lumière d'accessoire Lumière provenant d'un accessoire. La chandelle est un exemple de lumière d'accessoire. voisins: lumière de jour, lumière du soleil, lumière naturelle.

lumière d'ambiance Lumière qui doit combler l'ombre créée par les lumières de base (*fill light, fill-in light*). syn. lumière de bouchage.

lumière de base [lumière principale] Source lumineuse principale éclairant un personnage, de face et de côté, un décor ou une scène (*key light*). Les zones claires dominent les zones sombres. La lumière de base est particulière aux comédies musicales. Le terme anglais *key light* est de plus en plus usité en français. syn. lumière à effet. opposé: lumière d'ambiance.

lumière de bouchage rare ➤ **lumière d'ambiance**.

lumière d'effet ➤ **lumière à effet**.

lumière de Paris Prix décerné par l'Association de la presse étrangère en France aux productions cinématographiques françaises. Les lumières de Paris ont été créées en 1996 et remis pour la première fois en mars 1997.

lumière directe Éclairage dont les sources sont dirigées directement sur le sujet filmé. opposé: lumière indirecte.

lumière douce Lumière permettant d'éclairer à peu près sans ombre la scène à filmer (*soft light*).

lumière du jour [lumière du soleil] Lumière fournie par le soleil (*daylight*). syn. lumière naturelle.

lumière du soleil ➤ **lumière du jour**.

lumière incidente Lumière éclairant le sujet (*incident light*). opposé: lumière réfléchie. ➤ **posemètre**.

lumière indirecte Éclairage dont les sources sont dirigées vers des réflecteurs.

La lumière indirecte n'est pas dirigée sur le sujet filmé. opposé: lumière directe.

lumière latérale Lumière qui éclaire les deux côtés d'un sujet, dans un espace perpendiculaire à l'axe de l'objectif (*cross light, side light*).

lumière monochromatique Lumière d'une seule longueur d'onde, qui ne se disperse pas (*monochromatic light*).

lumière naturelle Lumière dont la source est de provenance autre qu'artificielle (*natural light*). La lumière naturelle varie selon l'heure, la saison et la météo. syn. lumière du jour, lumière du soleil.

lumière parasite Lumière qui, par accident, a voilé l'émulsion du film (*stray light*)

lumière par derrière ➤ **contre-jour**.

lumière réfléchie Lumière renvoyée par le sujet éclairé (*reflected light*). opposé: lumière incidente. ➤ **posemètre**.

lumière unique Étalonnage fixe pour un ensemble de rushes qui ne sont pas, dès lors, étalonnés plan à plan (*one-light print*). L'étalonnage par lumière fixe est une méthode économique du tirage des rushes.

luminance Quotient de l'intensité lumineuse d'une surface (*luminance*). Une bonne luminance se caractérise par des images lumineuses, contrastées, nettes et sans parasites. syn. à éviter: brillance, éclat. ➤ **chrominance, photométrie**.

lumination Quantité de lumière reçue par une couche sensible durant le temps d'exposition (ou temps de pose) (*lumination*).

Lunasix Marque de commerce d'un posemètre de la firme allemande Gossen, employé principalement en photographie.

lux Unité d'éclairage d'une surface (*lux*). ➤ **candela, intensité lumineuse, lumen, photométrie**.

luxmètre Appareil servant à mesurer l'éclairement (*luxmeter*). ➤ **posemètre**.

lyre ➤ **herse**.

M Abréviation de muet.

maccarthysme Nom donné à la politique de délation et de diffamation menée par le sénateur Joseph McCarthy de 1947 à 1951, aux États-Unis, contre les personnalités du monde de la culture et du cinéma en particulier, taxées de sympathies communistes (*maccarthysm*). On désignera par la suite cette politique «chasse aux sorcières». → **Hollywood Ten, liste noire**.

Macguffin [McGuffin, Maguffin] Mot inventé par Alfred Hitchcock pour désigner l'élément déclencheur d'une intrigue. Le Macguffin est d'une grande importance pour les personnages, mais beaucoup moins pour les spectateurs. Il est un prétexte pour exploiter et nourrir l'action du film. L'uranium dans les bouteilles de vin, dans *Les enchaînés* (1946) d'Alfred Hitchcock, est un exemple de Macguffin.

machine Dans les divers métiers de l'audiovisuel et du cinéma, synonyme d'appareil, d'équipement et d'outillage (*machine*).

machine à bruits OBS. À l'époque du muet, machine située derrière l'écran permettant d'imiter environ une cinquantaine de bruits (*sound effects machine*).

machine à colorier Du temps du muet, appareil à colorier les films en noir et blanc (*coloring machine*). Apparue aux alentours de 1905, la machine à colorier fonctionne sur le principe du pochoir, chaque couleur étant appliquée par brossage d'un colorant sur une copie neuve. Son coût d'utilisation est élevé.

machine à piétage Appareil servant à inscrire le piétage sur la pellicule (*footage machine*).

machine à trucages → **Truca**.

machiniste [machino] Personne responsable de la manutention et de l'installation du matériel lourd de tournage, machines et décors (*grip*). Le machiniste travaille sous la direction du chef machiniste. Sur le plateau, les machinistes assument des tâches précises comme le travelling, le déplacement de la grue, la conduite de la voiture-travelling, le déplacement d'une feuille de décor, la pose d'un praticable, etc.

machino FAMILIER Abréviation de machiniste.

«mac-mahoniens (les)» PLUR. Groupe de cinéphiles fréquentant le cinéma MacMahon à Paris dans les années 50 et grands admirateurs du cinéma américain. Les mac-mahoniens seront proches de la revue *Positif*, à laquelle d'ailleurs plusieurs collaborent. Leurs quatre auteurs préférés sont Raoul Walsh, Joseph Losey, Fritz Lang et Otto Preminger, qu'ils font découvrir au public français. Le cinéaste Bertrand Tavernier faisait partie des mac-mahoniens.

macrocinématographie Technique de prise de vues permettant d'enregistrer des images de taille similaire aux objets filmés (des insectes, par exemple) de façon telle qu'ils apparaissent fortement agrandis à l'écran (*macrocinematography*). On ne doit pas confondre la macrocinématographie et la microcinématographie.

magasin [1] Partie de la caméra étanche à la lumière dans laquelle est emmagasinée la pellicule vierge (*magazine*). Le magasin est constitué généralement de deux boîtiers, un boîtier débiteur et un boîtier receveur; on distingue alors le magasin débiteur (*feed magazine*) et le magasin récepteur (*take-up magazine*). Dans la plupart des caméras, les deux boîtiers sont placés en ligne (magasin coplanaire); dans certaines, les boîtiers sont en déport, dans une disposition coaxiale (*coaxial magazine*), tandis que d'autres ne comportent qu'un seul boîtier (*single chamber magazine*). ➤ **chargeur**. [2] Local pour recevoir et conserver du matériel, comme les accessoires et les costumes (*warehouse*). VOISIN: entrepôt.

magasins PLUR. Entrepôts de costumes (*wardrobe*), d'accessoires (*prop room*) et de décors (*scene dock*) pour les studios.

magenta Couleur complémentaire du vert (*magenta*). La couleur magenta, formée par le bleu et le rouge, est l'une des trois couleurs de base des procédés soustractifs de la pellicule couleur. SYN. pourpre.

magie Enchantement procuré par le cinéma (*magic*). La magie est le résultat de l'illusion créée par le film. Georges Méliès, qui est un prestidigitateur, associe des tours de magie à des trucages cinématographiques, soulignant ainsi un des deux aspects fondamentaux du cinéma, la magie, l'autre étant la création.

Magika ➤ *Lanterna Magika*.

Magirama Nom donné par Abel Gance à la technique de polyvision utilisée sur le tournage de *Napoléon* (1927).

Magnafilm Orthographe erronée du procédé Magnifilm.

Magnascope Marque de commerce d'un procédé d'écran large mis au point en 1925 par Paramount. Grâce à des objectifs spéciaux, le Magnascope agrandit l'image 35 mm de quatre fois son format original. L'image y est toutefois pauvre, à cause du grain grossi par les objectifs. Le premier film tourné avec ce procédé est *Chang* (1926) de Merian Cooper et Ernest Schoedsack. ➤ **CinémaScope, Cinérama, Magnifilm**.

magnat Homme riche et puissant de l'industrie du cinéma (*magnate, tycoon*). SYN. *mogol*, nabab.

magnéto FAMILIER Forme abrégée de magnétophone.

magnétophone [magnéto] Appareil mis au point par la firme allemande AEG en 1930 permettant l'enregistrement et la reproduction des sons sur bande magnétique (*tape recorder*). ➤ **DAT, Nagra, Perfectone**.

magnétoscope Appareil destiné à l'enregistrement et à la reproduction des images électroniques sur bande magnétique (*video recorder*). Les premiers magnétoscopes sont mis au point en 1956 par la firme américaine Ampex, suivis par ceux de Toshiba en 1959. On distingue trois procédés, incompatibles entre eux: le VHS, le Betamax et le V 2000; seul existe actuellement le VHS. On distingue cinq formats de film vidéo: le 1 pouce, le 3/4 de pouce, le demipouce, le 1/4 de pouce et le 8 mm. On se sert du magnétoscope pour enregistrer les films diffusés à la télévision, visionner les cassettes de films et regarder les films sur bande vidéo tournés en amateur. ➤ **caméscope**.

Magnifilm Marque de commerce d'un procédé d'écran géant mis au point en 1929 par Paramount. Le Magnifilm utilise une pellicule 56 mm et requiert des caméras et des projecteurs spécialement manufacturés pour ce procédé; il n'exige toutefois pas de nouveaux objectifs. Paramount produit uniquement deux courts métrages avec ce procédé. ➤ **Magnafilm**.

magoptic ANGLICISME Disposition normalisée des pistes sur les copies d'exploitation combinant piste sonore optique et piste sonore magnétique (*magoptic*).

Maguffin ➤ **MacGuffin**.

maison de distribution ➤ **distributeur**.

making of... ANGLICISME Documentaire consacré au tournage d'un film, avec des extraits significatifs du film. Conçu pour la télévision, le making of... sert le plus souvent de support publicitaire à la sortie du film. Il peut devenir un classique comme *Filming Othello* (1978) d'Orson Welles ou *Au cœur de ténèbres* (1991) de F. Bahr et G. Hichenlooper (sur le tournage du film de Francis Ford Coppola, *Apocalypse Now*). Le making of... est également produit pour le feuilleton télévisé.

Major Transcription anglaise de *the Major companies* qui signifie «les plus grandes compagnies». Cette appellation désigne les grands studios cinématographiques de Hollywood que sont la Paramount (ou Paramount Pictures Corporation), la MGM (ou Metro-Goldwyn-Mayer), la Warner (ou Warner Bros. ou Warner Brothers), la Fox (ou Twentieth Century-Fox) et la RKO (ou RKO Radio Pictures Incorporated); ces cinq Majors sont également appelées *The Big Five*, → **Big Eight**. Les Majors marquent l'âge d'or hollywoodien, des années 20 jusqu'aux années 50. Elles se distinguent des Minors, compagnies secondaires que sont la Columbia (ou Columbia Pictures), la Universal (ou Universal Pictures) et la United Artists (ou United Artists Corporation), également appelées *The Little Three*. Une Major, dirigée par un nabab, contrôle la production, la distribution et l'exploitation de ses films. Elle embauche acteurs, metteurs en scène et techniciens divers, payés hebdomadairement comme des salariés. Chacune des Majors développe un style qui lui est propre, donné particulièrement par ses chefs opérateurs et ses décorateurs. Le système des Majors périclite dans les années 50 après la législation antitrust de 1948 qui oblige ces compagnies à se départir de leurs salles. → **Paramount decision**.

mama [mamma] Panneau diffuseur orientable, en plastique ou en tulle, placé devant le projecteur de prise de vues, en vue d'adoucir la lumière.

mamma → **mama**.

manche Instrument placé derrière la caméra permettant les mouvements de rotation et les panoramiques (*handle*). → **manivelle**.

manchette Partie latérale de la pellicule du film, parallèle aux parties réservées à l'image et à la piste sonore (*pitch*).

manchon de chargement Sac de toile noir servant au chargement du film dans la caméra afin de ne pas l'exposer à la lumière (*barney*). Généralement doublé et à l'épreuve de l'eau, le manchon de chargement est muni de deux fermetures éclair et de deux manchons ajustés par des élastiques. SYN. sac de chargement, pantalon. → **changing bag**.

manivelle [1] Aux débuts du cinéma, instrument permettant l'avancement de la pellicule dans l'appareil de prise de vues (*handle*). La manivelle permet de remonter le ressort sur les caméras à moteur. Elle sera par la suite remplacée par un moteur incorporé à l'appareil. L'expression «premier tour de manivelle» signifie «premier jour de tournage». [2] Avant l'apparition du moteur, instrument permettant l'avancement de la pellicule dans l'appareil de projection (*handle*). [3] Instrument facilitant les mouvements de rotation de la caméra sur son axe et les panoramiques lorsqu'on n'utilise pas de manche (*crank*).

Mann's Chinese Theater Célèbre salle de cinéma sur Hollywood Boulevard, à Hollywood, devant laquelle se trouve le fameux trottoir contenant les empreintes de pieds et de mains de 1 800 stars du cinéma, de la radio, du théâtre et de la télévision. La salle est inaugurée en 1927. → **Hollywood Walk of Fame**.

mappage Fabrication des images de synthèse par l'application de textures sur un volume (*mapping*). Le mappage permet de reproduire des effets de texture comme le bois, le verre, le marbre, etc. → **morphage**.

maquette Modèle réduit d'un décor, d'un ensemble architectural ou d'un appareil avant sa construction (*model*). La maquette peut être également la reproduction miniature d'un animal (*miniature*). Raccordée à des décors réels, elle permet des effet spéciaux, comme dans *Metropolis* (1927) de Fritz Lang ou *King Kong* (1933) de Merian Cooper et Ernest B. Schoedsack.

maquettiste Spécialiste responsable de la construction des maquettes (*layout designer*).

maquillage [1] Ensemble des éléments (fard, fond de teint, mascara, etc.) et des techniques (grimer, farder, embellir, enlaidir, etc.) servant à maquiller (*make-up*). Les produits cosmétiques appliqués sur la peau des interprètes permettent un rendu photographique satisfaisant, en tenant compte de la pellicule utilisée. [2] Moyen de transformer l'apparence physique d'un interprète (*make-up*). Le maquillage est essentiel dans les films d'horreur et de science-fiction; à voir: *Frankenstein* (1931) de James Whale et *The Thing* (1982) de John Carpenter.

marché du film Lieu parallèle à un festival international du film où sont projetés les films offerts à la vente (*film market*). Le plus important marché du film est celui de Cannes, créé en 1961; plus de 1 000 projections y ont lieu et 5 000 personnes y assistent.

marché intérieur Zone économique correspondant généralement à un pays et désignant les règles ou les lois concernant l'exploitation des films dans ce pays (*domestic market*). Un film peut y être exploité dans une version qui sera différente de celle qui est destinée au marché outre-frontières. Aux États-Unis, les films susceptibles d'avoir la cote *R-rated* (qui restreint l'entrée aux moins de 17 ans) se verront amputés de certaines scènes qui retrouveront leur place dans les versions destinées aux marchés étrangers. Le Canada est compris dans le marché intérieur des États-Unis pour l'exploitation des films appartenant aux Majors.

Marché international des techniques et de l'innovation du cinéma [MITIC] Manifestation créée par la direction du Festival international du film de Cannes en 1998, consacrée aux nouvelles technologies. Durant cinq jours sont organisés des expositions, des projections et des débats sur les effet spéciaux et les nouveaux procédés de projection.

marionnette Poupée figurant un être humain ou un animal munie d'articulations métalliques, à laquelle on fait jouer un rôle dans un film d'animation (*puppet*).

marquage du temps ↝ **marquage temporel**.

marquage en clair ↝ **marquage temporel**.

marquage temporel [marquage du temps, marquage en clair] Référence en heure, minute, seconde et fraction de seconde, inscrite sur chaque plan tourné (*time code*). Le marquage temporel permet de synchroniser plus rapidement l'image et le son au moment du montage. Il évite également l'utilisation du clap lors du tournage.

marque Indication de coupe d'un plan donnée au monteur (*cue dot*). Cette indication est notée au crayon gras sur la copie de travail du film. SYN. repère.

marque au sol Indication tracée à la craie sur le sol en vue d'aider les interprètes à se déplacer (*cue mark, floor mark*). SYN. repère au sol.

MARQUE DE FIN DE BOBINE

marque de fin de bobine Signe ayant la forme d'un petit cercle, placé dans le coin supérieur droit sur 48 photogrammes, 8 secondes, puis 1 seconde avant la fin de la bobine de film (*change-over cue*). Durant la projection en double poste, cette marque indique au projectionniste le moment de l'enchaînement de la bobine avec la bobine suivante. SYN. repère de fin de bobine.

marque de départ Indication inscrite sur l'amorce de la bande image et celle de la bande son pour la projection en double bande (*start mark*). Cette marque assure le synchronisme entre l'image et le son. SYN. repère de départ.

marxisme Théorie politique et économique reposant sur les écrits de Karl Marx (*marxism*). Le marxisme est appliqué à la littérature dans les années 50 et au cinéma au milieu des années 60, en interaction avec la linguistique, la psychanalyse et le structuralisme. La lutte des classes, point central de cette théorie, doit être transposée dans les films. Les écrits de S.M. Eisenstein, redécouverts dans les années 60, fondent cette réappropriation du marxisme au cinéma, en particulier par la théorie du montage; on en trouve des traces dans des revues comme *Les Cahiers du cinéma*, *Cinéthique, Tel Quel* en France, *Jump Cut* aux États-Unis, *Champ libre* et *Chroniques* au Québec. Christian Metz l'intègre dans ses premiers écrits de sémiologie du cinéma. Cette théorie donne lieu à des polémiques, des simplifications et des condamnations sans appel. Plusieurs cinéastes s'en réclament, nommément Octavio Getino et Fernando Solanas pour *L'heure des brasiers* (1966-1968), Tomas Gutiérrez Alea pour *Mémoires du sous-développement* (1968), Jean-Luc Godard pour *Vent d'Est* (1969) et Gilles Groulx pour *Vingt-quatre heures ou plus* (1973). → **cinéma militant**.

masque [1] Image colorée jaune-orangé améliorant la restitution des couleurs dans les films positifs (*mask*). [2] Accessoire de maquillage pour la transformation de la physionomie d'un interprète (*mask*). [3] → **cache**.

mass media → **média**.

master scene → *master shot*.

master shot [master scene] ANGL. Terme couramment utilisé dans le métier, qui pourrait être traduit par «plan maître». Dans les premiers temps du parlant, plan entier d'une scène, généralement un plan général (ou plan d'ensemble) dans lequel on intercale d'autres plans de la scène tournés en même temps que ce plan. Le *master shot* pare alors aux problèmes posés par le parlant à ses débuts, tout en permettant d'éviter les délais fréquents provoqués par les diverses positions de la caméra. Il est le plan préféré des acteurs, car il leur permet de jouer une scène en entier, sans coupures. Le *master shot* donne lieu à ce qu'on appellera à Hollywood le montage invisible.

matériel Tous les éléments physiques employés en informatique: l'ordinateur, le clavier, l'écran, les câbles, etc. (*hardware*). L'informatique fait maintenant partie intégrante des moyens de production cinématographique. SYN. quincaillerie.

matériel plastique Matériel nécessaire au tournage d'un film, inscrit sur la feuille de service du régisseur: décors, accessoires, costumes, etc.

matinée Séance de l'après-midi (*matinée*). OPPOSÉ: soirée.

matrice Film positif en noir et blanc modifié de façon qu'il s'imbibe de colorant et permette ainsi de tirer des copies en couleurs (*matrix*).

matte painting ANGL. Terme usité en français. Incrustation d'une illustration (peinture ou dessin) dans une image de prise de vue réelle. Le *matte painting* est un trucage numérisé du procédé traditionnel du cache.

maverick ANGL. É.-U. Mot dont l'origine désignait un animal non marqué au tison et qui, au figuré, désigne un dissident, un franc-tireur, un non-conformiste. [1] Dans le cinéma américain, cinéaste indépendant, travaillant hors de l'industrie hollywoodienne. [2] Film indépendant, souvent sans créneau commercial reconnaissable. SYN. ANGL.: *indie, indie film, indie film-maker* (ou *indie filmmaker*). → **petit film**.

maxibrute ANGLICISME Mot dont l'origine vient du nom d'une marque de commerce d'un projecteur d'éclairage équivalant à neuf lampes à quartz à réflecteur parabolique (*maxibrute*). Chaque lampe est d'une puissance de 1 000 watts. → **brute**.

McGuffin → **Macguffin**.

mécanisme à rampe Dispositif employé sur certaines tireuses optiques afin de provoquer l'avance intermittente du film (*beater mechanism*). Cette avance est très précise grâce à l'emploi de contre-griffes qui bloquent le film au moment de l'exposition. SYN. mécanisme batteur.

mécanisme batteur → **mécanisme à rampe**.

mécanisme de la caméra Ensemble des pièces entrant dans le fonctionnement d'une caméra.

Mecque du cinéma Nom donné à Hollywood, capitale du cinéma à laquelle on voue un culte. → **Babylone, usine à rêves**.

média [1] Organe de transmission et de diffusion de l'information: journal, radio, télévision et cinéma (*media*). On parle de média de masse (*mass media*) pour l'ensemble de ces organes de communication. [2] Support d'une œuvre, comme la vidéographie (*media*). → **multimédia**.

mégacomplexe Complexe exploitant un très grand nombre de salles, plus d'une quinzaine. Dans la banlieue de Bruxelles, le mégacomplexe Kinepolis comprend 29 salles, dont une en Imax; le Kinépolis de Lomme en banlieue de Lille comprend 23 salles, avec de multiples services (garderie, club VIP, coin multimédia et arcades, etc.). SYN. complexe multisalles, multiplexe.

mégaphone Appareil en forme de cône servant à amplifier la voix (*megaphone*). Dans les films muets, on voit souvent les réalisateurs crier au mégaphone leurs ordres aux interprètes et à l'équipe technique. Il est devenu un objet mythique symbolisant le cinéma. SYN. porte-voix.

Mégascope Lanterne magique mise au point par l'Allemand Léonard Euler, dont le premier modèle est fabriqué en 1756 (*megascope*). Le mégascope peut projeter l'image de toutes sortes d'objets opaques de petite dimension, comme un bas-relief, un tableau ou une statuette. L'objet opaque doit être très éclairé pour que son image soit renvoyée au foyer d'une lentille convexe placée sur un des côtés de l'appareil, l'autre côté comportant une ouverture. Le mégascope est un des nombreux appareils précurseurs du cinématographe.

meiji-mono → *jidaï-geki*.

mélo FAMILIER Forme abrégée de mélodrame.

mélodrame [mélo] Genre originaire du théâtre anglais du XIXᵉ siècle désignant, dans un film, une intrigue et une action s'appuyant sur des émotions et des sentiments tragiques et pathétiques, dans l'espoir de les faire ressentir au spectateur (*melodrama*, ARG. *tearjerker, weepie*). Stéréotypé et codifié, le mélodrame est stigmatisé pour son discours manichéen, moralisateur et réducteur, qui reproduit et glorifie les règles sociales. L'accent des drames qui y sont exposés s'appuie sur l'emphase et la grandiloquence. Le mélodrame est considéré comme un genre médiocre. Il obtient une grande faveur durant l'époque du muet, particulièrement dans les films de D.W. Griffith, comme *À travers l'orage* (1920). Certains cinéastes, comme Vincente Minnelli et Douglas Sirk, l'ont enrichi en raffinant ses règles et en le pourvoyant d'un style baroque et flamboyant.

Merry Melodie → *Looney Tunes*.

message publicitaire Clip vantant les qualités d'un produit (*commercial*, G.-B. *advert*). Au cinéma, le message publicitaire est présenté avant le film et les bandes-annonces. Synonymes usités, qui sont des anglicismes à déconseiller: flash publicitaire, spot publicitaire.

mesure de lumière Quantité de lumière lue par une cellule (*light measure*). La mesure de lumière est indispensable pour connaître précisément la valeur d'éclairement des plages qui composent l'image. La mesure de lumière permet de contrôler le contraste et de rechercher le bon indice de pose donné par le diaphragme. On distingue alors a) la mesure globale pour connaître la quantité de lumière réfléchie par un ensemble de plages (paysage), b) la mesure sélective pour la lumière réfléchie par un sujet et c) la mesure à l'aide du gris neutre à 18 pour cent, valeur de réflexion d'un visage de type européen à peau blanche.

métaphore Figure de style qui établit une sorte de comparaison (*metaphor*). Ainsi, au cinéma, un plan peut symboliser une idée par comparaison avec un autre plan. La métaphore est produite par le montage et les rapprochements que ce dernier institue; ainsi, le montage des attractions, théorisé par S.M. Eisenstein, doit favoriser la métaphore. La métaphore peut souvent recourir au style poétique: dans *Farrebique* (1945) de Georges Rouquier, l'accouchement du personnage de Berthe est métaphorisé en plusieurs plans: des nids d'hirondelles, une rose qui s'ouvre en accéléré, un jeune poulain rejoignant sa mère. → **métonymie**.

Méthode (la) → **Actors Studio**.

métonymie Figure de style qui est une substitution d'un objet par un autre (*metonymy*). Ainsi, au cinéma, un objet présenté (ou une scène) dans un plan peut représenter un autre objet (ou une autre scène). Dans *L'inconnu du Nord Express* (1951) d'Alfred Hitchcock, les verres de la victime tombés dans l'herbe reflètent le fameux plan de Bruno étranglant Miriam (le meurtre est donc montré de façon indirecte); autre exemple: pour montrer le passé de la ville de Sarajevo dans *Veillées d'armes* (1994), Marcel Ophuls intercale des images de *De Meyerling à Sarajevo* (1940) de Max Ophuls.

métrage Longueur d'un film, exprimée en mètres (*footage*). Le métrage détermine la durée d'un film et sa catégorie, court, moyen ou long métrage.

métreuse Appareil permettant la mesure de la longueur d'un film (*film counter*).

Métrocolor De Metrocolor. Pellicule couleur développée dans les laboratoires de la Metro-Goldwyn-Mayer. Le Métrocolor ne constitue pas un procédé original. → **De Luxe Color, Warnercolor**.

Metro-Goldwyn-Mayer [MGM] L'une des Majors les plus puissantes à Hollywood, de 1930 à 1950. En 1920, Marcus Loew, propriétaire d'une chaîne de salles de cinéma, achète la Metro Pictures Corporation, une firme de production et de distribution. En 1924, il achète également la Goldwyn Pictures Corporation, fondée par Samuel Goldwyn, et s'associe avec Louis B. Mayer, propriétaire de la Louis B. Mayer

Pictures dont la compagnie est incluse dans la vente. Ces trois sociétés fusionnées donnent la MGM. L.B. Mayer dirige les studios avec Irving Thalberg, et le duo fait de la MGM l'une des firmes les plus efficaces d'Hollywood, produisant 40 films par année. La MGM embauche des interprètes comme John Barrymore, Joan Crawford, Clark Gable, Greta Garbo, Judy Garland et Spencer Tracy, et des cinéastes comme George Cukor et King Vidor. Ses trois plus grands succès sont *Le magicien d'Oz* et

Autant en emporte le vent, tous deux réalisés en 1939 par Victor Fleming, et *Chantons sous la pluie* (1952) de Stanley Donen et Gene Kelly. La production baisse à 30 films après la Deuxième Guerre mondiale, puis à 20 en 1960, la compagnie devant se plier au jugement de la loi antitrust de 1948 qui force les Majors à se départir de leurs salles; → **Paramount decision**. Durant ces deux décennies, MGM produit pourtant quelques grands succès comme *Ben Hur* (1959) de William Wyler et *Docteur Jivago* (1965) de David Lean. Dans les années 70, ses propriétaires délaissent de plus en plus le cinéma et investissent dans la télévision et l'hôtellerie. En 1981, ils achètent la United Artists, et la MGM porte alors le sigle MGM-UA. À la même époque, Ted Turner en devient un court moment propriétaire, puis la vend en gardant cependant la filmothèque, au nombre de films très impressionnant. En 1990, Giancarlo Parreti et un associé, Florio Fiorini, achètent la MGM-UA pour 1,33 milliard de dollars par l'intermédiaire du Crédit lyonnais néerlandais et amène la MGM au bord de la faillite. Le groupe PolyGram tente en vain de l'acheter en juillet 1995. Son emblème: un lion rugissant; sa devise: *Ars Gratia Artis*.

metteur en scène Mot emprunté au théâtre, guère usité actuellement au cinéma. Réalisateur en tant que responsable de la mise en scène (*director*). Il arrive que le réalisateur et le metteur en scène soient deux personnes différentes sur un même film, comme cela se produit pour les comédies musicales aux débuts du parlant. → **auteur, cinéaste**.

«mettre en boîte» [1] Mettre la bobine de film impressionné dans une boîte. SYN. décharger. [2] Terminer une scène ou un film (*in the can*, littéralement: «dans la boîte»).

mettre en scène Mettre en scène est synonyme de diriger des acteurs, de réaliser un film (*direct*).

MGM Sigle de la Metro-Goldwyn-Mayer.

MGM-UA ➤ **United Artists Corporation**.

mickey ANGLICISME Projecteur de 1 000 watts permettant de focaliser le faisceau lumineux (*mickey*).

Mickey la Souris Traduction française de Mickey Mouse, nom d'un personnage très célèbre de dessin animé inventé par Walt Disney. Mickey la Souris est devenu un des mythes caractérisant le dessin animé.

Mickey Mouse ➤ **Mickey la Souris**.

mickey mousing ANGL. ARG. Terme n'ayant pas d'équivalent français. Procédé consistant à ponctuer et à décrire des actions par des figures musicales exactement synchrones à ces actions. Le terme tire son origine des dessins animés mettant en vedette le personnage de Mickey la Souris (Mickey Mouse, en anglais), inventé par Walt Disney. Les gestes de Mickey la Souris sont constamment traduits en notes musicales; par exemple, les pas qu'effectue le personnage sont paraphrasés par une succession de pizzicati. On dit du *mickey mousing* qu'il est une utilisation simpliste et naïve de la musique.

micro Forme abrégée de microphone (*mic*, FAMILIER *mike*).

micro canon Micro pouvant capter le son d'une source éloignée (*shotgun microphone*).

microcinématographie Technique de prise de vues de sujets infiniment petits au moyen d'un microscope accouplé à une caméra (*microcinematography*). On ne doit pas confondre la microcinématographie et la macrocinématographie.

micro-cravate Micro miniature caché sur l'interprète et pourvu d'un émetteur (*lavalier microphone*).

microphone [micro] Appareil de prise de sons (*microphone*). Le microphone est utilisé durant le tournage pour l'enregistrement de la musique, la postsynchronisation et le doublage. Il capte les sons et les enregistre en les transformant en signaux électriques sur une bande magnétique. On distingue deux grandes familles de microphones: les microphones électrodynamiques et les microphones électrostatiques. Plusieurs types de microphones existent, entre autres: le microphone directionnel, le microphone omnidirectionnel, le microphone bidirectionnel, le micro canon et le micro-cravate. Le microphone peut être monté sur une perche ou une girafe, ou miniaturisé, accroché sur un vêtement ou caché sur une personne.

microphone à électrets Petit microphone, de la famille des microphones électrostatiques (*electret condenser microphone*). Robuste, le micro à électrets peut être incorporé au magnétophone.

microphone bidirectionnel Microphone captant deux sources sonores diamétralement opposées (*bi-directional microphone*). Le micro bidirectionnel est peu utilisé au cinéma.

microphone cardioïde Microphone de type directionnel (*cardioid microphone*). Très sensible, le microphone cardioïde réduit l'importance des champs sonores autres que ceux vers lesquels il est orienté. ➤ **microphone hypercardioïde**.

microphone directionnel [microphone unidirectionnel] Microphone captant le son provenant d'un champ restreint (*directional microphone*).

microphone électrostatique Microphone qui permet aux variations de pression de l'air d'être transformées en variations de tension électrique grâce aux variations de capitance d'un condensateur (*electrostatic microphone*). Très fragile et sensible, le micro électrostatique doit rester stable et ne peut être accroché à une perche.

microphone hypercardioïde Microphone qui fait partie des micros cardioïdes qui réduisent l'importance des sources sonores. Le microphone hypercardioïde réduit une source à un champ de captation très étroit.

microphone non directionnel ➤ **micro omnidirectionnel**.

microphone omnidirectionnel [micro non directionnel] Microphone captant le son de plusieurs origines (*omnidirectionnal microphone*). Le micro omnidirectionnel, qui a un champ de captation de 360 degrés, est utilisé pour les sons d'ambiance.

microphone unidirectionnel ➤ **microphone directionnel**.

mille [1] Enregistrement d'une fréquence sonore de 1 000 Hz (*sync beep*). La valeur de cette fréquence est d'une image, soit 4 perforations pour un film 35 mm. Le mille est placé en début et en fin de bobine magnétique et permet de vérifier la synchronisation de l'image et du son au mixage. Cette fréquence sert également à couvrir un dialogue qu'on veut censurer. [2] Projecteur de 1 000 watts. ARG. mimile.

millimètre ➤ **mm**.

mimile ARG. Mille.

minibrute ANGLICISME Mot qui vient du nom d'une marque de commerce d'un projecteur d'éclairage équivalant à neuf lampes à quartz à réflecteur incorporé (650 watts pour chaque lampe) (*minibrute*). ➤ **brute, maxibrute**.

mini-caméra Caméra miniaturisée (*minicam*). La mini-caméra est surtout utilisée pour les reportages à la télévision.

Minolta Marque de commerce de posemètres fabriqués par la firme japonaise Minolta.

Minor Transcription anglaise venant de *the Minor companies* qui signifie «les plus petites compagnies». Les Minors désignent les compagnies secondaires américaines que sont la Columbia (ou Columbia Pictures), la Universal (ou Universal Pictures) et la United Artists (ou United Artists Corporation), appelées *The Little Three*; ➤ **Big Eight, Big Five**. Une Minor se distingue d'une Major par le nombre de films tournés (10 à 12 par année) et par les budgets alloués (moins de 1 million de dollars par film autour des années 30). Les Minors atteignent leur apogée en tant que studios durant l'âge d'or du cinéma américain entre 1920 et 1950, en même temps que les Majors, sauf qu'elles ne contrôlent pas la distribution de leurs films; ➤ **Paramount decision**. Les Minors subissent dans les années 50 le même déclin que les Majors.

minutage Relevé de la durée utile de chaque plan lors du tournage (*timing*).

Miramax Forme abrégée de Miramax Films.

Miramax Films [Miramax] Maison de distribution de films indépendants créée en 1981 par les frères Bob et Harvey Weinstein. En 1989, Miramax devient une société de production. Réputée pour la qualité de ses films et ses succès financiers, la société produit des cinéastes américains et européens. Le premier grand succès des frères Weinstein est *Sexe, mensonges et vidéo* (1989) de Steven Soderbergh. Miramax est achetée en 1994 par Walt Disney Company, qui accorde une liberté complète à Bob et Harvey Weinstein. Les producteurs sont toutefois obligés de créer une autre société de distribution, Shining Excalibar Films, pour la sortie de *Kids* (1995) de Larry Clark, film interdit aux moins de 17 ans et que refuse Walt Disney. ➤ **Harvey Scissorhands**.

mire Image reconnaissable fixe, présentée sur un écran de téléviseur, permettant d'apprécier les performances et la qualité de la transmission (*test chart*).

mire de définition Image permettant d'apprécier la finesse de l'image par le pouvoir séparateur qu'ont les objectifs de fournir des images détaillées (*resolution chart*).

mire de fixité Graphisme servant à vérifier la fixité de la caméra. On filme la mire une première fois, puis on rembobine le film à son départ pour la filmer retournée; la caméra est fixe lorsque les deux passages de la mire sont rigoureusement stables l'un par rapport à l'autre.

mire de réglage En animation, feuille transparente sur laquelle sont superposés différents rectangles qui correspondent aux différentes grosseurs de lentilles (*field chart*).

miroir Dispositif à l'arrière de la lampe d'un projecteur destiné à renvoyer vers l'avant toute la lumière (*mirror*). Le miroir est également incorporé dans une caméra pour une visée reflex.

miroir froid Sur les appareils de projection, miroir permettant de diminuer les rayons infrarouges renvoyés par le film (*cold mirror*).

mise au foyer ➤ **mise au point**.

mise au point [mise au foyer] Réglage d'un appareil de prise de vues ou d'un projecteur, de manière que l'image soit nette et précise (*focusing*). La mise au point s'obtient par le calcul de la distance entre le sujet à filmer et la caméra, et par le déplacement de l'objectif par rapport à la pellicule. On distingue les mises au point arrière, avant et fixe. Certains appareils sont munis de mise au point automatique. On dit également: focusser, faire le focus, des expressions fautives venues directement de l'anglais. ➤ **diaphragme**.

mise en scène Ensemble des éléments filmiques de la représentation, du jeu des interprètes au choix du décor, en passant par la position de la caméra et des angles de prise de vues (*production*). Dans les années 50, avec la «Politique des auteurs» défendue par *Les Cahiers du cinéma*, la mise en scène désigne le style et la vision personnelle du cinéaste; elle devient alors écriture, le réalisateur exprimant par elle son propre univers (*mise-en-scène*). Plus que le contenu, la mise en scène est le sujet de l'œuvre. SYN. réalisation. ➤ **auteur, discours, énonciation**.

Mitchell Marque de commerce de caméras fabriquées par la société américaine Mitchell. Les Mitchell seront pendant 50 ans, entre 1920 et 1970, les appareils de prise de vues les plus utilisés de la profession, et ce, dans tous les pays, y compris l'U.R.S.S. et la Chine. Elles sont également les caméras les plus copiées. On dit de la caméra Mitchell BNC qu'elle est la «Rolls Royce de la prise de vues».

MITIC Sigle du Marché international des techniques et de l'innovation du cinéma.

mixage Opération consistant à mélanger sur une bande unique tous les sons du film enregistrés sur d'autres bandes: les dialogues, le bruitage, la musique, etc. (*mix, mixing*, ARCH. *dubbing*). L'ingénieur du son est le responsable du mixage. ➤ **doublage, postsynchronisation**.

mixer De l'anglais *to mix*, qui signifie «mélanger». Procéder au mixage sous la responsabilité d'un mixeur (*mix*).

mixeur Personne responsable du mixage: de l'équilibre, du mélange et de la correction des bandes sonores (*mixer*). Aux États-Unis, on distingue le mixeur qui travaille en auditorium (*dubbing mixer, re-recording mixer*), le mixeur responsable de l'enregistrement du son au moment du tournage (*floor mixer*) et le mixeur responsable de l'enregistrement de la musique du film (*music mixer*). Quand deux ou trois personnes travaillent au mixage, en stéréophonie tout particulièrement, ils sont sous la direction d'un chef mixeur.

mix out sound [MOS] Terme n'ayant pas d'équivalent français. Tournage en extérieur sans prise de son.

MK2 Forme abrégée de Groupe MK2.

mm Abréviation de millimètre. On mesure en millimètres la largeur d'une pellicule: 8 mm, 16 mm, 35 mm, etc.

m.m. Abréviation de moyen métrage. Cette abréviation s'écrit parfois «mm». ➤ **c.m., l.m.**

modélisation Programmation de personnages, d'objets et d'actions en vue de prévoir leur évolution et leur comportement dans un univers virtuel (*modeling*). La modélisation met en équation diverses techniques nécessaires à la représentation d'éléments dans l'espace et de leurs propriétés physiques, à leur manipulation et aux répercussions de leur gestion. Elle est devenue essentielle dans le traitement de la réalité virtuelle.

modéliste RARE Créateur de costumes.

modem Contraction de «mo(dulation)» et «dém(odulation)». Appareil permettant d'envoyer et de recevoir des informations entre deux ordinateurs grâce à un réseau téléphonique (*modem*). Le modem donne accès à l'autoroute de l'information.

modulateur de lumière Dispositif de volet mobile sur les tireuses additives permettant de contrôler la lumière (*light valve*). SYN. relais optique.

modulation Réglage et variation des émissions sonores: amplitude, densité, fréquence et intensité des sons (*modulation*).

mogol [mogul] ANGL. ARG. É.-U. Dérive de *mog(h)ol*, mot qui désigne un conquérant de Mongolie. SYN. magnat, nabab. ➤ **Major, producteur**.

mogul ➤ **mogol**.

moirage Irrisation de l'image qui lui donne un aspect chatoyant (*watering*). Le moirage est provoqué par un phénomène d'interférences lumineuses.

monde du cinéma FAMILIER Industrie du cinéma (*picturedom*).

moniteur ANGLICISME De *monitor*; en français: écran témoin. Petit appareil de télévision permettant de revoir la scène tournée; le moniteur est couplé à l'appareil de prise de vues. ➤ **combo**. On utilise largement le moniteur sur les tournages avec Louma ou pour les prises de vues aériennes.

monochrome ADJ. Se dit d'une image virée ou teintée d'une seule couleur (*monochrome*). On ne doit pas confondre achrome et monochrome.

monopack Film en couleurs comprenant plusieurs couches superposées d'émulsion sur un seul support (*monopack*). ➤ **bipack, traitement multicouche, tripack**.

monstration Terme théorique désignant le fait de montrer, de donner à voir (*monstration*). La monstration attire et oriente le regard. Elle est un acte de narration, proche de l'énonciation. Elle est plus évidente dans un documentaire que dans un film de fiction; voir à ce propos les films de Chris Marker dans lesquels l'acte de commenter les images est constamment souligné.

monstre sacré Grand comédien, star importante (*super star*). SYN. superstar.

montage Opération d'assemblage de divers éléments visuels et sonores du film (*cutting*). Le montage est la synthèse des éléments visuels et sonores du film (*editing*). Il désigne la conception esthétique et sémiologique du film car il en fonde le sens (*montage*). Le montage est la phase finale de la fabrication du film. Le montage n'existe pas aux débuts du cinématographe. Les Britanniques sont les premiers à le mettre au point; ➤ **école de Brighton**; D.W. Griffith le développe et les Soviétiques le théorisent; ➤ **effet Koulechov**. Le montage donne une continuité et une fluidité à la narration. Il condense le temps et l'espace. Il organise les éléments du film pour leur donner une signification en les juxtaposant ou en mettant l'accent sur certains d'entre eux. Il est producteur de sens. Il favorise la métaphore et la métonymie filmiques. Il produit des effets de style (hiatus, ellipse, etc.). Il crée des types de discours (de la propagande, par exemple). Il détermine la réaction des spectateurs et suscite des émotions (angoisse, excitation, frayeur, peur, rire, etc.). ➤ **copie de travail**, *cut, director's cut,* **film de montage**, *final cut, fine cut,* **montage alterné, montage cut, montage des attractions, montage électronique, montage en ligne, montage final, montage hors ligne, montage invisible, montage linéaire, montage musical, montage négatif, montage parallèle, montage virtuel, monteur, premier montage, salle de montage, table de montage**.

montage alterné Montage de deux actions parallèles dans une même séquence et se produisant dans la continuité temporelle (*cross-cutting*). L'un des plus célèbres montages alternés est celui de la séquence du *Parrain* (1971) montrant des actes successifs de violence commandés par le personnage du parrain et le baptême de son petit-fils. VOISIN: montage parallèle.

montage cut Expression créée en France pour désigner le montage d'un film en coupes franches.

montage des attractions Dans la théorie du montage de S.M. Eisenstein, plans montés indépendamment de la logique de l'action en vue de créer un effet particulier sur le spectateur (*montage of attractions*). ➤ **effet Koulechov**.

montage électronique [1] Montage d'une œuvre enregistrée, linéairement ou virtuellement, sur support vidéographique à partir d'un magnétoscope ou au moyen d'un ordinateur (*electronic editing*). [2] Montage d'un film transféré sur support vidéographique (*electronic editing*). Les plans sont montés chronologiquement par copie de bande magnétique à bande magnétique. ➤ **montage linéaire**. [3] Au moyen de l'ordinateur, montage des images et des sons numérisés du film (*electronic editing*). ➤ **montage virtuel**.

montage en ligne [1] En télévision, montage fait au moment de l'enregistrement, immédiatement en régie (*in-line editing*). [2] Montage directement effectué à partir d'une bande vidéo originale (*in-line editing*). [3] Conformation technique de la copie originale à partir du montage sur la copie de travail (*in-line editing*). Cette conformation est effectuée automatiquement ou manuellement. OPPOSÉ: montage hors ligne.

montage final [1] Copie du film avec les images et les sons montés (*final cut*). Le montage final est la dernière intervention effectuée sur le film. [2] Copie du film dont les images sont montées de façon à recevoir le son (*final cut*). [3] Mixage sonore prêt à être combiné aux images (*final cut*).

montage financier Opération consistant à rassembler les capitaux nécessaires au financement d'un film: les investissements directs, les prêts, les crédits, les placements publics, les avances et préventes (*financial deal*). ➤ **coproduction, distributeur, participation [1] [2], production**.

montage hors ligne En télévision, montage effectué à partir des copies cassettes de la bande d'enregistrement originale (*off-line editing*). OPPOSÉ: montage en ligne.

montage invisible Montage d'un plan à un autre sans que le spectateur s'en aperçoive ou en soit dérangé (*invisible cutting, invisible editing*). C'est prétendument le cinéaste allemand G.W. Pabst qui le met au point, mais c'est Hollywood qui l'impose durant l'âge d'or des studios, car importent avant tout l'action et les vedettes, et non le style personnel des réalisateurs (qui peut se remarquer dans le montage). Le montage invisible est requis surtout pour le dialogue en champ-contrechamp. Partir d'un plan de grand ensemble pour arriver à un plan moyen en passant par toutes les grosseurs de plans intermédiaires permet un montage invisible. On peut l'opposer au montage des attractions théorisé par le cinéaste russe S.M. Eisenstein. Le montage invisible est contesté par la critique française des années 50 et par les cinéastes de la Nouvelle Vague qui y voient la marque d'un cinéma académique. ➤ **cinéma classique hollywoodien**, *master shot*.

montage linéaire Montage d'une bande vidéographique dans l'ordre chronologique des plans (*linear editing*). En montage linéaire, on doit utiliser plusieurs bandes magnétiques et plusieurs appareils magnétoscopiques, ces derniers étant branchés à un magnétoscope où sont «collés» les plans, copiés à partir des différentes bandes. L'expression «montage linéaire» est apparue dans les années 80 lorsque ont été mis au point les appareils de montage électronique, avec numérisation des images et des sons, qui pouvaient permettre un autre procédé de montage: le montage virtuel; ➤ **Avid Media Composer**.

montage musical Montage et mixage des différents éléments de la partition musicale du film (*musical editing*). Le montage musical est étroitement lié à la durée des scènes et au rythme d'ensemble de l'œuvre. Il est sous la responsabilité du monteur ou du mixeur de musique.

montage négatif Montage sur copie négative de la copie de travail mise au point (*conforming, negative cutting*). SYN. conformation.

montage parallèle Montage qui agence deux ou plusieurs actions qui se déroulent parallèlement, dans des lieux et dans des temps différents (*parallel cutting, parallel editing*). D.W. Griffith met au point cette technique et l'utilise abondamment dans ses films.

montage positif Remplacement des copies standard pour des retirages (*positive cutting*).

montage virtuel Montage effectué sur moniteur vidéo à partir des rushes numérisés du film, à l'aide d'un ordinateur (*nonlinear editing, random access editing*). Mis au point dans les années 80, le montage virtuel permet de placer n'importe quel plan dans n'importe quel ordre sans que le monteur soit obligé de revoir chronologiquement toutes les séquences montées. Le monteur peut expérimenter diverses solutions de montage en utilisant certains effets spéciaux (fondus, volets, superpositions et caches mobiles), tout en mettant en place différentes bandes sonores. Sur certains appareils de montage électronique, il peut même projeter simultanément sur le moniteur deux séquences montées différemment. Moins cher que le montage classique sur une table de montage horizontale et sans danger pour la pellicule, le montage virtuel permet un gain de temps et une grande souplesse dans la manipulation des plans. La conformation du film sur copie de travail ou, parfois, sur copie négative, s'effectue à partir des numéros de bord du film conservés sur les images électroniques. Si le montage virtuel a été à ses débuts principalement utilisé pour la télévision, il est dorénavant fréquemment utilisé dans l'industrie du film. VOISIN: montage électronique. ➛ **Avid Media Composer, montage linéaire.**

monteur, euse Personne responsable du montage du film jusqu'à son mixage (*editor*). Ce métier est le plus souvent exercé par des femmes. On affirme très souvent que le succès d'un film dépendra de l'efficacité de son montage. Le monteur impose au développement de l'intrigue un rythme et finalement son impact sur le spectateur. Il donne au film son identité propre. Il travaille étroitement avec le réalisateur, discutant avec lui du choix, de la longueur et de l'ordre des séquences et des plans. En Europe, le monteur est plus libre de ses choix qu'aux États-Unis où le monteur doit rendre compte de son travail au producteur; ➛ *director cut*. Le monteur prépare également les bandes sonores pour le mixage, indique les effets spéciaux à effectuer en laboratoire et les inscriptions pour le générique et, au besoin, pour les titres et sous-titres, et prépare la copie de travail pour la conformation du négatif. Jusque dans les années 90, le monteur travaillait avec des ciseaux et du scotch. Actuellement, son travail s'effectue avec la vidéo et l'informatique, avec une bande magnétique reproduisant un code temporel photographié sur la marge de la pellicule; ➛ **montage virtuel.** Plusieurs cinéastes étaient monteurs avant de réaliser leur premier film, comme Robert Wise et Hal Ashby. Le travail du monteur est de plus en plus reconnu. Parmi les monteurs importants, citons les noms de Jolanda Benvenuti (qui travaille avec Roberto Rossellini), Agnès Guillemot (avec Jean-Luc Godard), Peter Przygodda (avec Wim Wenders), Halina Prugar (avec Andrzej Wajda), Thelma Schoonmaker (avec Martin Scorsese) et George Tomasini (avec Alfred Hitchcock). ➛ **chef monteur.**

monteur négatif Personne responsable de la préparation du matériel servant au montage négatif (*negative cutter*).

monteur positif Personnage responsable de la préparation et du collage du montage positif (*positive cutter*).

monteur sonore Technicien responsable du montage sonore (*sound editor*). Le monteur sonore rassemble et synchronise les dialogues, les bruits, les effets sonores spéciaux et, parfois, la musique. ➛ **bruiteur,** *Foley artist.*

monture Pièce servant à fixer l'objectif à la caméra (*mount*). On distingue des montures à ailettes, à baïonnette, à gorge et à vis.

Moritone Marque de commerce française d'une visionneuse à défilement saccadé largement utilisée en France. La Moritone est un appareil très bruyant. Elle est remplacée par des visionneuses à défilement continu. Elle est différente de la Moviola dont le défilement peut être réglé à différentes vitesses.

morph [1]Dans la production des effets spéciaux, trucage obtenu par la technique du morphage (*morph*). [2] Par extension, toute image traitée par cette technique (*morph*).

morphage Nouveau procédé de trucage, dit graphique ou numérique, permettant de créer virtuellement des images intermédiaires n'existant pas matériellement, pour passer d'une image à une autre en donnant l'impression d'un mouvement continu (morphing). Le morphage permet de fondre doucement une image dans une autre. Il est utilisé couramment depuis le début des années 90 pour les films fantastiques, comme *Terminator 2* (1991) de James Cameron. ➤ **clonage, mappage**.

MOS ANGL. Abréviation de *mix out sound.*

Mosfilm Le plus grand studio de production de l'ex-Union soviétique, appartenant à l'État. Créé à la suite du décret de la nationalisation de l'industrie du cinéma en 1919, signé par Lénine, Mosfilm assure la majeure partie du monopole du cinéma soviétique, les studios des autres républiques de l'U.R.S.S. produisant peu. Ses bâtiments, situés dans la banlieue de Moscou, sont plus ou moins à l'abandon depuis la chute du communisme. ➤ **Goskino**.

Moskva RUSSE Nom qui signifie «Moscou». Caméra de fabrication soviétique semblable à la Mitchell BNC.

Mostra Nom familier donné au Festival du film de Venise qui, en italien, signifie «exposition».

Mostra Internazionale d'Arte Cinematografica Nom original italien du Festival du film de Venise.

moteur Pièce mue à l'électricité servant à l'entraînement de la pellicule dans la caméra ou l'appareil de projection (*motor*). On distingue pour la caméra: a) le moteur régulé avec régulateur maintenant une vitesse constante d'enregistrement, b) le moteur quartz dont la régulation se fait grâce au quartz qui émet une fréquence stable et permet ainsi le son synchrone, c) le moteur à vitesse variable permettant des effets comme l'accéléré et le ralenti, d) le moteur marche arrière, avec vitesse constante ou variable, permettant de tourner à l'envers, e) le moteur image par image capable de prendre un seul photogramme à la fois et servant à l'animation, et f) le moteur à grande vitesse qui peut enregistrer jusqu'à 1 000 images par seconde. ➤ **variateur de vitesse**.

«Moteur!» Ordre donné par le réalisateur pour la mise en marche des appareils de prise de vues et de son (*«Motor!»*).

motif Sujet, idée, objet, phrase, thème musical, effet technique ou couleur spéciale servant à particulariser l'action d'un film, à lui donner une signification distincte ou à générer chez le spectateur une émotion précise (*pattern*). Comme exemples de motifs, citons le mot «Rosebud» dans *Citizen Kane* (1941) d'Orson Welles, le thème musical joué par le clown dans *La strada* (1954) de Federico Fellini et la couleur rouge dans *Pas de printemps pour Marnie* (1964) d'Alfred Hitchcock.

Motion Picture Association of America [MPAA] Première association de producteurs et de distributeurs américains fondée en 1922 sous le nom de Motion Picture Producers and Distributors of America [MPPDA]. La MPPDA est fondée pour répondre à la vague de réactions du public face aux scandales sexuels et à l'image de dépravation qui ternissent Hollywood; le décès d'une jeune fille dans un party chez Fatty Arbuckle est l'élément déclencheur de ces réactions. On veut nettoyer l'industrie qui ne veut pas voir baisser ses immenses profits. On nomme à la tête de l'association Will Hays, qui donnera son nom au code de la pudeur imposé officiellement à l'industrie en 1934. En 1945, l'association devient la Motion Picture Association of America; ➤ **Johnson Office**. Ses membres sont rapidement confrontés à trois problèmes de taille: a) la décision de la Cour suprême des États-Unis sur l'affaire Paramount obligeant les Majors à se départir de leurs salles, b) l'arrivée de la télévision qui provoque une baisse de fréquentation des salles et c) la chasse aux sorcières instituée par le sénateur Joe McCarthy. En 1966, Jack Valenti, ancien conseiller du président Johnson, devient le président de la Motion Picture Association of America et représente les studios dans les négociations ayant trait à l'industrie du cinéma américain. La dernière lutte de cette association, finalement perdue, concerne les accords du Gatt signés en décembre 1993. ➤ **code Hays, Motion Picture Rating System.**

Motion Picture Patents Company [MPPC] Monopole formé en 1908 par neuf compagnies (Edison, Biograph, Vitagraph, Essanay, Kalem, Selig, Lubin, Pathé et Méliès) avec la compagnie de distribution de George Keine, ce dernier ayant suggéré aux autres compagnies la création du trust. La MPPC fait cesser la fabrication d'appareils dont elle a les droits, imposant ainsi son monopole sur la production, la distribution et l'exploitation des films à la grandeur des États-Unis. William Fox, distributeur et producteur indépendant, la poursuit en cour fédérale en 1913. En 1917, la cour de Pennsylvanie déclare la MPPC illégale selon la loi dite Sherman Antitrust Act. Après avoir fait en vain plusieurs fois appel de cette décision, ce monopole doit se dissoudre en 1918. ➤ **Edison Company.**

Motion Picture Production Code Ancien nom du Motion Picture Rating System.

Motion Picture Rating System Nom du service de la Motion Picture Association of America [MPAA] créé en 1968, remplaçant le Motion Picture Production Code. Ce service détermine le classement d'un film aux États-Unis. Le classement s'applique tant aux films américains qu'aux films étrangers. On distingue cinq catégories de classement: *G-rated* (film pour tout public), *PG-rated* (film soumis à l'approbation des parents pour les 17 ans et moins ou, dans certains États, les 18 ans et moins), *PG13-rated* (film soumis à l'approbation des parents pour les enfants de moins de 13 ans), *R-rated* (film pour les moins de 17 ans ou,

dans certains États, de 18 ans, accompagnés d'un parent ou d'un tuteur), *NC17-rated* (film interdit aux 17 ans et moins ou, dans certains États, aux 18 ans et moins). Un producteur ou un distributeur peut en appeler de la décision et faire reclasser le film, généralement après avoir fait quelques coupures.

mouchard ARG. Rapport de production.

moudre ARCH. Tourner.

moulin ARCH. Appareil de prise de vues. La manivelle de l'appareil était comparée à un moulin à café.

mouvement croisé Déplacement de la caméra dans le sens contraire du déplacement du personnage à cadrer. Le mouvement croisé donne l'impression d'une accélération du mouvement du personnage. SYN. ciseau.

mouvement d'appareil Effet obtenu par la mobilité de la caméra autour de son axe ou le déplacement de la caméra dans l'espace (*camera move*). Le panoramique et le travelling sont obtenus par le mouvement d'appareil. Dans les premiers temps du cinéma, la caméra est immobile et le mouvement vient de la scène filmée (comme le train entrant en gare à La Ciotat). Le mouvement viendra quand la caméra bougera sur elle-même (panoramique) ou se déplacera (travelling) en suivant les personnages; on l'appelle alors «mouvement naturel». Il devient autonome dès la Première Guerre mondiale et la technique lui donne par la suite sa perfection et sa complexité, avec les nouvelles grues informatisées comme la Louma. En image de synthèse, les mouvements d'appareil sont simulés par un programme informatique et ne nécessite aucune contrainte physique.

Mouvement d'Oberhausen Nom donné aux 26 cinéastes qui publient un manifeste lors du festival d'Oberhausen, en février 1962. Les auteurs défendent une nouvelle conception esthétique et économique du cinéma et veulent sortir le cinéma allemand du marasme intellectuel et financier dans lequel il baigne. Ils exigent de nouvelles structures de production. Ce manifeste peut être considéré comme l'acte de naissance du mouvement appelé «Nouveau Cinéma allemand».

mouvement intermittent Alternance de fixité et de mouvement du film dans son cheminement dans l'appareil de prise de vues ou dans le projecteur (*intermittent movement*). Chaque photogramme du film est arrêté un bref instant devant l'obturateur (1/48e de seconde); en mouvement, il laisse place au photogramme suivant, qui sera également arrêté un bref instant. Le mouvement intermittent s'effectue grâce à des griffes (qui entraînent le film) et un cadre-presseur (qui plaque le film contre l'ouverture). ➤ **croix de Malte**.

mouvement naturel ➤ **mouvement d'appareil**.

Movielab Marque de commerce d'un laboratoire américain de tirage de copies.

Movietone Marque de commerce d'un système d'enregistrement et de reproduction du son optique mis au point en 1921 par Theodore W. Case et Earl I. Sponable. Le Movietone est acheté par la Fox Films Corporation, qui l'utilise en 1927 pour ses courts métrages d'actualités. Il devient le système généralisé du parlant utilisé par les Majors dans l'industrie du cinéma; son principal concurrent est le Photophone, utilisé uniquement par la RKO. ➤ **Fox-Movietone**.

movie village ANGL. FAMILIER Hollywood.

Moviola Marque de commerce américaine d'un appareil de montage de l'image et du son portable. Ancêtre de la table de montage, la Moviola désigne généralement n'importe quel type de visionneuse. Le défilement de la pellicule peut être réglé à différentes vitesses. Elle diffère de la Moritone dont le défilement est saccadé.

moyen foyer ➤ **focale moyenne**.

moyen métrage [m.m., mm] Film dont la durée se situe entre 30 et 60 minutes (*medium-length film*). Son métrage se situe entre 900 et 1 600 mètres pour un film en 35 mm standard. En France, le Centre national de cinématographie [CNC] ne reconnaît pas le moyen métrage dans son classement officiel des métrages, uniquement le court métrage et le long métrage.

moyens visuels PLUR. Ensemble des modes de communication visuels ou médiatiques. ➤ **multimédia**.

muet (le) Période de l'histoire du cinéma durant laquelle les films étaient dépourvus de bande sonore. VOISINS: cinéma muet, film muet.

MOVIOLA

multi-image [multiple image, plan multi-image] Trucage permettant de juxtaposer plusieurs images à l'écran (*multi-image*). Le trucage multi-image est employé dès les débuts du cinématographe avec

Exemple du procédé Polyvision pour le film *Napoléon* (1926) d'Abel Gance.

MULTI-IMAGE

Naissance d'une nation (1915) de D.W. Griffith. Abel Gance lui donne un traitement royal avec son procédé Polyvision pour le tournage en 1926 de *Napoléon*. Au parlant, on exploite minimalement ce trucage, sauf pour les scènes de dialogue au téléphone, appelé également «double image» (*split-screen*). Le multi-image connaît un regain de faveur dans les années 60 et est fort utilisé dans les films de spectacles rock, comme dans *Woodstock* (1970) de Michael Wadleigh.

multimédia   Relatif à plusieurs médias (*multimedia*). [1] Alliance des capacités de communication des divers médias (livre, télévision, disque, etc.) avec la puissance et l'interactivité de l'ordinateur. Dans le multimédia, l'information est visualisée et organisée grâce à un matériel et un logiciel permettant l'action au moment de sa présentation. [2] Synonyme d'œuvres électroniques associant le texte, les images, la musique et les sons, de provenance multiple (presse, cinéma, radio, vidéographie, infographie, etc.), qu'on peut découvrir par voie interactive. Les supports connus du multimédia sont le cédérom, la disquette, l'ordinateur, le téléviseur et le vidéodisque. ➔ **industrie des communications, industrie du cinéma**.

multimédia en ligne   Contenu informationnel livré à distance par des réseaux numériques de télécommunication à un équipement personnel ou groupé (*in-line multimedia*). Le multimédia en ligne permet la communication par voie interactive (l'intermédiaire de serveurs dans Internet, par exemple).

multimédia hors ligne   Média fonctionnant de manière autonome sur un équipement personnel installé à la maison ou dans un lieu professionnel (*off-line multimedia*).

multiplexe   N. Vaste ensemble comprenant de nombreuses salles de projection. La construction des multiplexes débutent dans les années 60, avec la fin des exclusivités et la baisse de fréquentation des salles. SYN. complexe multisalles, mégacomplexe.

musicien, enne   Personne qui exécute une partition musicale, composée ou adaptée pour un film (*musician*). ➔ **arrangeur**.

musicothèque   Discothèque (*record library*).

musique   Élément entrant dans la composition sonore du film (*music*). La musique de film comprend la partition musicale, les airs musicaux et les sons combinés avec la musique. On regroupe sous le terme de musique toutes les formes musicales: la chansonnette, la comédie musicale, l'opéra, le concert, le ballet et la danse. La musique joue un rôle multiple et important dans un film: elle peut être le sujet, la métaphore ou le modèle de l'œuvre. On lui assigne trois fonctions générales: a) de contrepoint, en apportant une dimension dramatique, comique, didactique ou poétique au film (la musique de Nino Rota dans *La Strada* [1954] de Federico Fellini), b) de leitmotiv, comme figure musicale attachée à un personnage, à une action, à un lieu ou à un objet (le leitmotiv lancinant dans *Le train sifflera trois fois* [1952] de Fred Zinnemann), et c) de mélodie, avec un air ou une chanson comme éléments narratifs (la chanson «As Time Goes By» dans *Casablanca* [1942] de Michael Curtiz). On utilise la musique dès les débuts du cinéma; elle couvre le bruit du projecteur tout en soutenant la narration. Durant le muet, elle est jouée par un piano, un orgue ou une petite formation; ➔ **Wurlitzer**. Elle est alors codifiée selon les besoins narratifs et se vend en feuilles; ➝ **Kinoteck**. On commande la création d'une musique originale pour les premières de films, à Joseph Kareil pour *Naissance d'une nation* (1915) de D.W. Griffith et à Arthur Honegger pour *La roue* (1923) d'Abel Gance, par exemple. Durant cette époque, des ensembles musicaux se forment et jouent uniquement dans les salles de cinéma. Le parlant bouleverse l'activité liée à la musique. Dans *Le chanteur de jazz* (1927) d'Allan Crosland, on réussit à synchroniser la musique et le dialogue. Les premières partitions musicales sont le plus souvent purement fonctionnelles: thèmes et leitmotive accompagnent l'apparition des personnages et soulignent l'action. Les Majors créent leur département musical et les orchestres se recyclent en auditorium. Les directeurs de ces départements imposent une musique souvent traditionnelle, grandiloquente et omniprésente; ainsi le fait Max Steiner, à la Warner Bros., en signant la musique d'*Autant en emporte le vent* (1939) de Victor Fleming. Parmi les noms importants de compositeurs de musique du cinéma américain, citons ceux de Bernard Herrmann, Erich Wolfgang Korngold, Alfred Newman, Miklos Rozsa, Dimitri Tiomkin et Frank Waxman. En Europe, la musique est utilisée d'une manière moins explicite et elle est plus raisonnée, comme le confirment les compositions signées Alain Aubert, Joseph Kosma et Jean Yatove. Avec le parlant, un nouveau genre naît et se développe, la comédie musicale, qui adapte des succès de Broadway et contribue au progrès de l'industrie du disque. Parmi les compositeurs importants du genre, citons George Gershwin, Oscar II Hammerstein, Jerome Kern et Cole Porter. Dans les années 50 et 60, des compositeurs plus personnels, comme Alex North, Elmer Berstein et Henri Mancini, donnent une nouvelle liberté à la musique. Le jazz commence à être utilisé dans les films, comme dans *Ascenseur pour l'échafaud* (1959) de Louis Malle dont la musique est composée par Miles Davis ou dans *The Cool World* (1963) de Shirley Clarke dont Mal Waldron signe la partition. La Nouvelle Vague renouvelle l'utilisation de la musique avec des compositeurs comme Georges Delerue, Antoine Duhamel et Pierre Jansen. Michel Legrand, avec le cinéaste Jacques Demy, célèbre la comédie musicale dans des films «enchan-

tés». Aux États-Unis, dans les années 70, la musique se fait envahissante dans les films de George Lucas et Steven Spielberg. Elle est utilisée d'une manière intelligente et dynamique chez les Italiens (Nino Rota) et les Anglais (John Barry). Certains musiciens, comme Michel Fano, la transforme en expérience musicale. Les biographies filmées permettent une utilisation ample de la musique, particulièrement celles concernant des musiciens célèbres, comme Chopin dans *La chanson du souvenir* (1945) de King Vidor et Tchaïkovski dans *La symphonie pathétique* (1971) de Ken Russell. Elle est traitée sur un mode non conventionnel dans *Chronique d'Anna Magdelena Bach* (1967) de Jean-Marie Straub et Danielle Huillet. L'opéra est une excellente source d'adaptation de la musique au cinéma; parmi les films d'opéra importants, citons *Don Giovanni* (1979) de Joseph Losey, *La Flûte enchantée* (1974) d'Ingmar Bergman, *Moïse et Aaron* (1974) de Jean-Marie Straub et Danielle Huillet, et *Persifal* (1982) de Hans-Jurgen Syberberg. La musique devient un genre quasi expérimental avec le cinopéra; à voir: les films de Werner Schroeter. Les chansons du répertoire servent d'éléments nostalgiques dans les films de Woody Allen, d'éléments distanciateurs dans ceux de Martin Scorsese; elles sont des inscriptions poétiques dans les films de Paul Vecchiali et de Jean-Claude Guiguet. La musique est exploitée ultérieurement sur disque et remporte occasionnellement de grands succès, comme le thème joué à la cithare d'Anton Karas dans *Le troisième homme* (1949) de Carol Reed ou celui d'Ennio Morricone ouvrant le film de Sergio Leone, *Il était une fois dans l'Ouest* (1969). Certains musiciens travaillent souvent avec les mêmes réalisateurs, comme Georges Van Parys avec René Clair, Maurice Jarre avec Georges Franju, Masuru Sato avec Akira Kurosawa et Nicola Pavioni avec Nanni Moretti. ➝ **clip, film sonorisé,** *mickey mousing*.

Mutoscope Marque de commerce d'un appareil mis au point en 1894 par William K. Dickson, un collaborateur de Thomas Edison. Le Mutoscope est un appareil dérivé du principe du feuilleteur. Une roue supporte une série de photographies représentant les positions successives d'un sujet en mouvement; une manivelle tourne la roue et les vues en papier sont arrêtées un bref instant par un tasseau; à travers une visionneuse, le spectateur voit ainsi une véritable scène animée à travers une visionneuse. La mise en route de l'appareil est déclenchée par une pièce de monnaie introduite dans une fente. Le Mutoscope favorisera la projection d'images licencieuses.

Mutual Forme abrégée de Mutual Film Corporation.

Mutual Film Corporation [Mutual] Compagnie de distribution de films fondée en 1912 par Harry Aitken, John R. Freuler et Samuel S. Hutchinson. La Mutual est l'une des rares sociétés indépendantes qui prospère aux États-Unis. Elle distribue, entre autres, les films de la Keystone, de la Biograph, de la Gaumont et de la Reliance. En 1916, Charles Chaplin signe avec la Mutual un contrat annuel de 760 000 $. En 1917, à la fin de son contrat, il la quitte pour la First National qui lui offre un contrat plus avantageux. Après plusieurs restructurations, la Mutual est absorbée par le Film Booking Office, qui deviendra plus tard la RKO.

Mylar Marque de commerce d'un support en polyester de la firme américaine Du Pont employé pour les bandes magnétiques. → **Estar**.

mythe [1] Représentation de faits ou de personnages, déformée, amplifiée ou simplifiée, dans un récit cinématographique (*myth*). Certains genres cinématographiques, comme le western, ont favorisé la création de nombreux mythes: le mythe des frontières, le mythe de la liberté et le mythe de la lutte du Bien et du Mal. Le cowboy, particulièrement, y devient l'incarnation du mythe de l'individualisme américain. [2] Interprète du cinéma dont la vie et la carrière sont idéalisées (*myth*). Devenu un mythe, l'interprète symbolise souvent un caractère ou une qualité (comme la beauté). De nombreuses stars sont devenues des mythes, comme Brigitte Bardot, Greta Garbo et Marilyn Monroe. [3] Tout objet ou personnage pouvant représenter symboliquement le cinéma (*myth*). Le chapeau de Charles Chaplin, le porte-voix du réalisateur, la souris Mickey et le gorille King Kong sont des exemples de mythes.

nabab Surnom donné à une personne riche et puissante d'Hollywood (*tycoon*). SYN. magnat, *mogol.*

Nagra Marque de commerce du premier magnétophone portable et synchronisé avec la caméra mis au point par le Suisse Stefan Kudelski au début des années 60. Doté d'une bande de 1/4 de pouce, le Nagra est l'un des appareils d'enregistrement les plus employés au cinéma. Trois grands modèles existent: le Nagra 4.2 pour le format analogique, le Nagra IV-STC pour l'enregistrement stéréophonique et le Nagra-D pour le format numérique. ⇥ **Uher.**

nanar Nom dérivé de «navet», inventé par les mac-mahoniens. Film de série B médiocre, le plus souvent kitsch. Le nanar peut devenir un film-culte.

narrateur Personne dont la voix donne corps à la narration dans un film, généralement documentaire (*commentator*); ⇥ **voix off.** En principe, le narrateur doit être neutre pour que le public adhère au discours et acquiert des connaissances objectives. Dans les films du cinéma-vérité et du Cinéma direct, le narrateur affiche une subjectivité qui est le point de vue de l'auteur; ⇥ **énonciation.** On trouve occasionnellement un narrateur dans les films de fiction, particulièrement pour des récits se situant dans un passé récent (qui est celui du personnage principal qu'on entend); ⇥ **flash-back.** Son utilisation peut être très complexe; à voir: *Citizen Kane* (1941) d'Orson Welles. Le narrateur peut être omniscient et non être un personnage en particulier; sa voix peut alors accentuer le style documentaire d'un film de fiction, comme dans certains films d'Henry Hathaway.

narration [1] Action d'un film, déroulement des faits, suite des événements racontés, manière de raconter une histoire (*narration*). Par extension, la narration désigne le récit. En théorie du cinéma, elle désigne l'acte d'énonciation; ⇥ **diégèse, discours, film narratif, monstration.** [2] Exposé des faits ou des événements dans un film au moyen d'une voix off.

National Film and Television Archive ⇥ **British Film Institute.**

National Film and Television School [NFTS] École de formation la plus réputée de Grande-Bretagne. Elle est située à 40 km de Londres, près des studios de Pinewood. La National Film and Television School admet des étudiants ayant déjà à leur compte des films et des vidéos. La formation professionnelle et technique offerte pour le cinéma de fiction, de documentaire et d'animation se situe particulièrement dans le domaine de la pratique. L'école est subventionnée par le gouvernement et les industries cinématographiques et télévisuelles.

National Film Board of Canada [NFB] Agence gouvernementale canadienne de production cinématographique créée en 1939. Son équivalent français est l'Office national du film du Canada. Le premier directeur du National Film Board, appelé commissaire, est le cinéaste documentariste britannique John Grierson. Le NFB est immédiatement reconnu dans le monde entier pour ses documentaires de grande qualité. À la déclaration de la Deuxième Guerre mondiale, l'agence se lance dans le film de propagande. En 1943, Norman McLaren y fonde le service de l'animation. La chasse aux sorcières déclarée aux États-Unis a des retombées sur le NFB et empoisonne les relations entre employés et commissaires. On déménage les bureaux du National Film Board of Canada d'Ottawa à Montréal, ce qui relance la dynamique de la maison; la production de langue française augmente alors considérablement. La série intitulée Candid Eye amorce un mouvement de réflexion sur la réalité sous l'impulsion des cinéastes Tom Daly, Wolf Koenig et Roman Kroitor. Elle a des répercussions chez l'équipe française avec le Cinéma direct québécois et des cinéastes comme Michel Brault, Arthur Lamothe et Gilles Groulx. En l'absence d'une industrie de long métrage canadienne, le NFB commence à produire des films de fiction, comme *Nobody Waved Goodbye* (1964) de Don Owen. À la fin des années 60, la série *Challenge for Change* participe d'un cinéma social et engagé avec des cinéastes comme Leonard Forest et Maurice Bulbulian. Dans les années 70 et 80 se multiplient les coproductions avec l'industrie privée, ce qui affaiblit le secteur documentaire et la portée sociopolitique qui faisaient antérieurement la renommée de la production maison. La création d'un programme destiné au cinéma de femmes redonne au NFB un peu de sa vitalité perdue. Le secteur de l'animation demeure le secteur le plus dynamique et ses cinéastes, tant francophones qu'anglophones (Francine Desbiens, Jacques Drouin, Suzanne Gervais, Pierre Hébert, Co Hoedeman, Caroline Leaf, Yves Leduc, etc.), raflent des prix partout dans le monde. Un des services du NFB, reconnu essentiel et qui est fort apprécié, est celui de l'aide au cinéma indépendant. En 1996, un pénultième rapport remet de nouveau en question son statut. La majorité de la production est tournée en vidéo et non plus sur pellicule.

Outre les noms des cinéastes importants de cette agence cités ci-dessus, citons ceux de Donald Brittain, John Kaczender, Colin Low, Terence Macarteney-Filgate, Grant Munro, Cynthia Scott, John N. Smith et Robin Spry.

National Film Theater ➙ **British Film Institute**.

National Television System Committee [NTSC] Standard d'enregistrement et de diffusion américain pour la télévision en couleurs. Le NTSC a été mis au point en 1953 par des ingénieurs de Columbia Broadcasting System [CBS] et de Radio Corporation of America [RCA]. Il est utilisé aux États-Unis, au Canada, au Mexique, dans de nombreux pays des Caraïbes et de l'Amérique du Sud, au Japon, en Corée et aux Philippines. L'image est codée sur 525 lignes. Quoique ayant servi de fondement aux standards PAL et SECAM, le NTSC n'est pas compatible avec eux.

naturalisme Représentation réaliste de la nature, êtres humains et actions, dans un film (*naturalism*). Le naturalisme est souvent associé à la description sordide de la réalité, à une société corrompue et névrosée. Les critiques et historiens affirment que *Les rapaces* (1923-1925) d'Erich von Stroheim est le premier film naturaliste de l'histoire du cinéma. Les films américains de Fritz Lang et les films mexicains de Luis Buñuel sont vus comme des œuvres naturalistes. Le cinéaste finlandais Aki Kaurismäki est apprécié comme auteur naturaliste.

Natural Vision [1] Procédé de film large commercialisé par la RKO de 1929 à 1930. [2] Procédé du cinéma en relief nécessitant deux appareils synchrones à la prise de vues et à la projection. Pour regarder un film en Natural Vision, les spectateurs doivent porter des lunettes polarisantes qui opèrent une sélection entre la vision de l'œil gauche et la vision de l'œil droit.

navet Film de piètre qualité (*rubbishy*, ARG. *turkey*). Le navet est un film raté. SYN. film de série Z. ➙ **film-culte, film psychotronique, nanar**.

navigation Déplacement d'un utilisateur dans un hypertexte ou dans un hypermédia (*navigation*).

NC17-rated ANGL. Aux États-Unis, classement d'un film interdit aux personnes de 17 ans et moins, et dans certains États, de 18 ans et moins. Ce classement remplace l'ancienne classification *X-rated*. Les médias écrits et électroniques ne diffusent aucune publicité pour un film classé *NC-rated*. Un producteur d'un film classé dans cette catégorie fera tout pour qu'il soit alors classé dans la catégorie *R-rated*, en coupant les scènes litigieuses.

négatif N. [1] De façon générale, épreuve photographique dont les parties claires correspondent à des zones sombres et dont les parties sombres correspondent à des zones claires (*negative*). [2] Pellicule cinématographique vierge, exposée ou développée, destinée à la prise de vues (*negative*). [3] Film obtenu à la prise de vues et après le développement dont les valeurs d'opacité relative sont inversées par rapport au sujet (*negative*). On distingue le contretype négatif, l'internégatif (ou négatif intermédiaire), le négatif combiné, le négatif image, le négatif original, le négatif son, le négatif sous-titre et le négatif titre.

négatif intermédiaire ➔ **internégatif**.

négatif combiné Négatif combinant simultanément l'image et le son et prêt à être développé (*combine negative*).

négatif image Négatif de toutes les images prêtes à être développées (*picture negative*).

négatif original Négatif servant à la reproduction des copies d'un film et à la production d'un internégatif (*original negative*).

négatif son Négatif de tous les sons prêts à être développés (*sound negatif*).

négatif sous-titre Négatif réservé au lettrage des sous-titres (*subtitle negative*).

négatif titre Négatif réservé au lettrage des titres et intertitres (*title negative*).

nègre ARG. [1] Panneau de contreplaqué peint en noir utilisé pour limiter le champ lumineux d'un projecteur. SYN. drapeau. [2] Tableau sur lequel est inscrit à la craie le texte que doivent dire les comédiens.

néon Gaz rare utilisé dans les tubes à décharge (*neon*). Par extension, tube à néon. ➔ **lampe**.

Néopilote Marque de commerce d'un procédé de pilotage mis au point par le Suisse Stefan Kudelski permettant la synchronisation parfaite de l'image et du son enregistrés sur une bande lisse.

néoréalisme Ensemble des films italiens tournés après la Deuxième Guerre mondiale, marqués par un retour à la réalité du pays, par opposition aux films précédents, fascistes, embourgeoisés, dits «à téléphones blancs», qui en occultent la représentation (*Neorealism*). Tournés en extérieur, souvent avec des acteurs non professionnels, les films du néoréalisme privilégient les images d'une Italie réelle: misérable, ruinée par la guerre, à la recherche de nouvelles valeurs morales et sociales. Ils sont portés par une mise en scène soignée, qui évite le plus possible l'improvisation, et empreints de rigueur morale et de responsabilité politique. Le film précurseur du néoréalisme, mouvement qui durera moins de 10 ans, est *Ossessione* (1943) de Luchino Visconti, qui est l'adaptation du roman de James M. Cain, *Le facteur sonne toujours trois fois*. Son porte-parole est Cesare Zavattini, scénariste de Vittorio De Sica. L'influence du néoréalisme se fait sentir plus tard dans les films des Italiens Ermano Olmi, Michelangelo Antonioni et Pier Paolo Pasolini, dans les films noirs américains, dans les films de l'Indien Satyajit Ray et, dans une certaine mesure, en France dans les films de la Nouvelle Vague. Parmi les films importants de ce mouvement, citons *Rome, ville ouverte* (1945), *Paisa* (1946) et *Allemagne année zéro* (1947) de Roberto Rossellini, *Le soleil se lève encore* (1946) de Luigi Vergano, *Le voleur de bicyclette* (1948) et *Miracle à Milan* (1951) de Vittorio De Sica, *La terre tremble* (1948) de Luchino Visconti, *Les années difficiles* (1948) de Luigi Zampa et *Riz amer* (1949) de Giuseppe De Santis.

netteté Précision et définition de l'image enregistrée ou projetée (*sharp, in focus*).

netteté des contours ➔ **acutance**.

9,5 mm Format réduit de la pellicule de film ininflammable. Le 9,5 mm est mis au point par la société Pathé en 1922. Il contient une seule perforation centrale. Destiné au public amateur, il est lancé avec une gamme d'appareils de petit format comme le Pathé-Baby.

New American Cinema Ensemble des films expérimentaux réalisés après la Deuxième Guerre mondiale aux États-Unis. L'appellation «New American Cinema» vient d'un groupe, le New American Group Cinema, créé en 1960, dont les théories sont propagées par la revue du cinéaste Jonas Mekas, *Film Culture*. Les films de ce mouvement sont réalisés par des cinéastes indépendants établis surtout sur la côte Est américaine, en réaction au cinéma commercial. Le film *Meshes of the Afternoon* (1943) de Maya Deren est, d'un point de vue technique, considéré comme la première œuvre du New American Cinema, un «film de chambre» assez proche du cinéma de Jean Cocteau. Le mouvement prend véritablement son envol durant les années 60 avec le cinéma underground, celui de la Film-Makers' Cooperative de Jonas Mekas et des auteurs comme Kenneth Anger, Stan Brakhage, Robert Breer et Gregory Markopoulos. On y inclut le réalisateur canadien Michael Snow. ⤳ **cinéma poétique, New Wave**.

New Wave Courant de films narratifs à l'intérieur du cinéma indépendant américain durant les années 80. Malgré son nom, ce courant a un rapport très lointain avec la Nouvelle Vague française. On y compte également des œuvres d'autres disciplines (peinture, musique, sculpture, installation vidéo). Les films sont souvent tournés en super-8 ou en 16 mm. Les thèmes abordés sont la politique, la violence urbaine et les diverses orientations sexuelles. Parmi les noms importants du New Wave, citons ceux de Scott et Beth B., Vivienne Dick, Becky Johnston, Erich Mitchell, James Nares et Amos Poe.

nez Pièce en forme conique opaque qu'on place sur un projecteur d'éclairage pour concentrer le faisceau lumineux (*snoot, snoot cone*). VOISIN: coupe-flux.

NFB Sigle du National Film Board of Canada.

NFTS Sigle de la National Film and Television School.

nickelodéon ANGLICISME De *nickelodeon*; l'origine du mot vient de *nickel*, mot américain pour la pièce de 5 cents couvrant le prix d'une entrée, et de *odeon*, mot grec signifiant théâtre. Aux débuts du cinéma, nom populaire donné aux salles de projection aux États-Unis, généralement petites et sales. On y projette des films d'une bobine ou deux, accompagnés par un piano, devant une centaine de spectateurs, durant une séance ne dépassant pas 50 minutes. Le premier nickelodéon ouvre en 1905 à Pittsburgh dans un ancien magasin. En 1910, on en dénombre 10 000 aux États-Unis.

nitrate Sel de l'acide nitrique, constituant chimique du support de pellicule (*nitrate*).

nitrate de cellulose Dérivé de la cellulose entrant dans la fabrication de l'émulsion de la pellicule photographique (*cellulose nitrate*). Le nitrate de cellulose, utilisé depuis une cinquantaine d'années, est interdit au début des années 60 parce que très inflammable. Dans le langage courant, on parle de film nitrate pour désigner un film fabriqué avec du nitrate de cellulose. ⤳ **diacétate, flam, triacétate**.

niveau Valeur de la tension électrique du signal d'un appareil, un microphone, par exemple (*level*).

nœud de l'action ⤳ **climax**.

noir et blanc Expression désignant un film en noir et blanc (*black and white*). SYN. monochrome.

nomination ANGLICISME Sélection de films ou d'artisans du cinéma (acteurs, réalisateurs, techniciens, etc.) par un jury ou un groupe professionnel en vue d'une récompense (*nomination*).

non flam Support d'un film en diacétate de cellulose (*non flam*). De qualité médiocre, un film non flam est ininflammable.

non-professionnel N. Acteur qui n'a jamais joué auparavant dans un film ou qui n'a pas de formation professionnelle (*non-professional*). Les cinéastes néoréalistes emploient de nombreux non-professionnels; Robert Bresson y a recours presque systématiquement. SYN. acteur amateur.

non-sens Comique défiant le bon sens (*nonsense*). Le cinéma des frères Marx constitue un excellent exemple de non-sens. → *slapstick*.

non synchrone ADJ. Se dit de tout élément, comme la parole et le bruit, désynchronisé avec l'image (*nonsynchronous*).

Nordic Amanda Nom officiel des différentes récompenses annuelles remises à des films scandinaves (danois, finlandais, islandais, norvégiens et suédois). La remise des prix a lieu à la fin du Festival international du film norvégien de Haugesund, qui se tient au mois d'août de chaque année.

Nouveau Cinéma allemand Expression donnée aux films réalisés par les cinéastes signataires d'un manifeste publié en 1962 au cours du festival annuel d'Oberhausen (*New German Cinema*). À la suite de ce texte, un comité du jeune cinéma allemand est créé et permettra à une nouvelle génération d'auteurs de faire leur premier film, entre autres Rainer Werner Fassbinder, Peter Fleischman, Werner Herzog, Alexander Kluge, Volker Schlöndorff, Jean-Marie Straub et Wim Wenders. Les chaînes régionales de télévision aident par des subventions à l'éclosion de ces jeunes talents. La majorité des films des signataires sont surtout des courts métrages, de sujets et de styles très différents. Les qualificatifs «froid», «austère», «amer», «ironique» et «stylisé» sont souvent utilisés pour décrire les œuvres de ce mouvement. Les historiens du cinéma donnent quelquefois un autre nom à cet ensemble de films réalisés au cours des années 60 et 70: le jeune cinéma allemand (*Young German Cinema*).

Nouveau Naturel Expression créée par les critiques du magazine parisien *Télérama* pour désigner le style réaliste de cinéastes français des années 70 comme Jacques Doillon, Jean Eustache, Pascal Thomas et Maurice Pialat. Les auteurs du Nouveau Naturel, proches du quotidien, dont les films sont généralement tournés en province, renouent avec la tradition réaliste d'un Jean Renoir et d'un Marcel Pagnol.

nouvelle-éclair → flash [3].

Nouvelle Vague Expression créée par Françoise Giroud du magazine *L'Express*, qu'un critique de film utilisera pour désigner les films d'une nouvelle génération de cinéastes français, anciens critiques aux *Cahiers du cinéma*, à savoir Claude Chabrol, Jean-Luc Godard, Jacques Rivette, Éric Rohmer et François Truffaut (*New Wave*). On inclut également dans ce mouvement, qui durera une dizaine d'années (de 1958 à 1968 environ), des auteurs comme Jacques Demy, Louis Malle, Alain Resnais et Agnès Varda; *La pointe courte* (1954) d'Agnès Varda est cité comme film précurseur du mouvement. Par leur approche personnelle des sujets, leur goût de la liberté et un vif sentiment existentiel marqué par le romantisme et un radicalisme politique, les cinéastes de la Nouvelle Vague se démarquent des auteurs du cinéma français littéraire et académique des années 40 et 50; → **cinéma de papa**. La structure innovatrice du récit, l'utilisation abondante de l'ellipse et les références directes aux auteurs «classiques» du cinéma (comme Fritz Lang et Alfred Hitchcock) caractérisent principalement leurs films. Le tournage hors des studios permet aux jeunes cinéastes de donner à leurs œuvres une grande spontanéité, du naturel dans le jeu des interprètes et une certaine improvisation. Les acteurs qui jouent dans leurs films deviendront plus tard des vedettes du cinéma français, entre autres Jean-Paul Belmondo, Jean-Claude Brialy, Catherine Deneuve et Jeanne Moreau; mais les deux acteurs emblématiques du mouvement sont Anna Karina et Jean-Pierre Léaud. On considère que le premier film de la Nouvelle Vague est *Le beau Serge* (1958) de Claude Chabrol. La portée du mouvement est universelle et perdure encore; on en trouve des traces dans les films de Bernardo Bertolucci, Gilles Groulx, Jim Jarmush, Quentin Tarantino et Wim Wenders, entre autres. Parmi les titres importants de films de la Nouvelle Vague, citons *Les cousins* (1959) de Claude Chabrol, *Les quatre cents coups* (1959) et *Jules et Jim* (1961) de François Truffaut, *À bout de souffle* (1960) et *Vivre sa vie* (1962) de Jean-Luc Godard, *Paris nous appartient* (1961) de Jacques Rivette et *Le signe du Lion* (1959) d'Éric Rohmer.

Nouvelle vague britannique Ensemble des films réalisés en Grande-Bretagne de la fin des années 50 jusqu'au milieu des années 60 par des cinéastes héritiers du réalisme social du théâtre britannique et du Free Cinema (*British New Wave*). Les trois principaux cinéastes de la Nouvelle vague britannique sont Lindsay Anderson, Kareil Reisz et Tony Richardson; on y compte également les réalisateurs Jay Clayton et John Schlesinger; ➤ **Jeunes hommes en colère**. Mettant en scène la jeunesse de la classe ouvrière, ils abordent dans leurs œuvres les thèmes de l'aliénation, de l'incommunicabilité, de l'échec des relations amoureuses, de la prostitution, de l'avortement et de l'homosexualité. Ils tournent leurs films dans les villes industrielles du nord de l'Angleterre, en utilisant une pellicule en noir et blanc très rapide et une lumière naturelle, ainsi que de jeunes acteurs qui deviendront célèbres par la suite: Alan Bates, Richard Burton, Michael Caine, Tom Courtenay, Julie Christie et Albert Finney. Leurs films sont des adaptations de romans et de pièces de théâtre signés par des auteurs venus de la classe ouvrière: John Braine, Shelagh Delaney, John Osborne, Alan Sillitoe et David Storey. Certains historiens du cinéma désignent *Les chemins de la haute ville* (1959) de Jay Clayton comme premier film de ce mouvement, tandis que d'autres citent *Les corps sauvages* (1959) de Tony Richardson. Parmi les films importants de la Nouvelle vague britannique, citons *Samedi soir et dimanche matin* (1960) de Karel Reisz, *La solitude du coureur de fond* (1962) de Tony Richardson, *Billy le menteur* (1963) de John Schlesinger et *Le prix d'un homme* (1963) de Lindsay Anderson.

novelization ANGL. Terme n'ayant pas d'équivalent français. Transformation et publication en roman d'une œuvre cinématographique ayant généralement eu un grand succès.

noyau Pièce cylindrique, de métal ou de plastique, sur laquelle on enroule la pellicule d'un film (*core*). ➤ **galette**.

NTSC Sigle du National Television System Committee.

nuit Dans un scénario, indication temporelle d'une scène se déroulant la nuit (*night*). ➤ **nuit américaine, nuit réelle**.

nuit américaine Scène de nuit tournée durant le jour (*day for night* ou *day-for-night*). On obtient cet effet de nuit par des filtres spéciaux placés devant l'objectif. OPPOSÉ: nuit réelle.

nuit réelle Scène de nuit tournée durant la nuit (*night for night* ou *nite for nite*). Une scène en nuit réelle doit être tournée avec une pellicule rapide et des lentilles qui suppléent au manque d'éclairage. OPPOSÉ: nuit américaine.

numérisation Transformation d'une information analogique en information numérique (*digitization*). La numérisation est utilisée dans la transmission et la commutation du signal téléphonique, et dans la transmission des images et des sons. On l'utilise de plus dans les activités de postproduction cinématographique et télévisuelle. On envisage une utilisation à plus grande échelle de la numérisation pour le tournage, la distribution et la diffusion des films. ➤ **bouquet numérique, copie numérisée**.

numéro de bord [numéro de piétage] Repère numérique inscrit dans la marge d'un film à raison d'une unité par pied (*footage number*). Le numéro de bord, imprimé ou photographié sur la marge de la pellicule positive, permet d'assembler un négatif conforme à la copie de travail issue du montage. En 35 mm standard, on compte un numéro au pied, en raison d'une progression de 16 photogrammes ou de 64 perforations. En 1989, un code-barres, introduit par la société Kodak, est ajouté en raison d'une progression de 24 perforations (*KeyKode number*). SYN. PEU USITÉ: piétage.

numéro d'émulsion Numéro accompagnant le nom de la pellicule fabriquée (*emulsion number*). Le nom de la pellicule est sous forme de code lui-même numéroté. Le code 5248, par exemple, est celui du format 35 mm de la pellicule Kodak 100 EI; la nième fois que l'on fait de la 5248 correspondra à un numéro d'émulsion.

numéro de piétage → **numéro de bord**.

numéro de plan Numéro du plan prévu ou tourné (*shot number*). Le numéro de plan est inscrit sur un clap. Noté dans le cahier de la scripte, il est encerclé s'il est retenu pour le tirage.

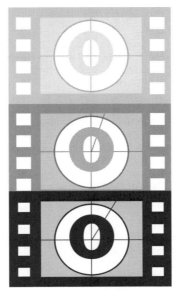

oater ANGL. ARG. É.-U. Film de cow-boys, western. Ce terme a été donné à ce genre de film à cause de l'avoine (*oats*) que mangent les chevaux. SYN. *oats opera*.

oats opera ANGL. ARG. É.-U. ➤ *oater*.

objectif Dispositif optique formé de lentilles de verre montées dans un boîtier (*lens*). L'objectif fait partie de la caméra et du projecteur et permet de former sur l'image ou sur l'écran l'image de la scène filmée. Sur une caméra, l'objectif se caractérise par sa distance focale (courte focale, focale normale, grand angle, très longue focale). ARG. caillou. ➤ **objectif primaire, œil-de-poisson, téléobjectif, zoom**.

objectif achromatique ➤ **doublet achromat**.

objectif primaire Objectif sur lequel on place un complément d'optique, un dispositif d'anamorphose, par exemple (*prime lens*).

objectif traité Objectif ayant reçu un traitement antireflets (*coated lens*)

obturateur [1] Dans une caméra, dispositif situé entre l'objectif et la fenêtre d'impression qui s'ouvre et se ferme alternativement (*shutter*). Lorsque l'objectif est ouvert, la lumière impressionne la pellicule pendant un court laps de temps appelé temps d'exposition. [2] Dans un projecteur, dispositif situé entre la source lumineuse et le film qui immobilise et redémarre la pellicule (*shutter*). Lorsque la pellicule est immobilisée, la lumière projette l'image impressionnée sur l'écran.

obturation Effet du mouvement provoqué par un obturateur dans une caméra ou un projecteur (*shutter blackout*). L'obturation correspond à la fermeture de l'obturateur. Pendant le temps d'obturation, aucune image ne peut être impressionnée ou projetée. SYN. occultation. ➤ **fréquence d'obturation, phase d'obturation**.

occultation ➤ **obturation**.

Odorama [OdoRama] Marque de commerce d'un procédé de cinéma odorant. Quand un numéro apparaît sur l'image à l'écran, le spectateur doit gratter une pastille sur laquelle est inscrit le même numéro et qui dégagera alors une odeur. L'Odorama a pris la relève du procédé Smell-O-Vision. Il a été lancé à l'occasion de la sortie de *Polyester* (1981) de John Waters. ➤ **AromaRama**.

œil-de-poisson De l'anglais *fisheye*. Objectif de très courte focale dont le champ de vision est de 180 degrés. SYN. ultra grand angulaire. ➤ **Omnimax**.

œilleton Pièce de caoutchouc placée près du viseur qui permet de voir l'image apparaissant dans le viseur (*eyepiece*). C'est sur l'œilleton que l'œil du caméraman se pose pour vérifier l'image en train d'être filmée.

Office national du film du Canada [ONF] Agence gouvernementale canadienne de production et de diffusion du film. Son équivalent anglais est le National Film Board of Canada. L'Office national du film est fondé en 1939 par le documentariste britannique John Grierson. Jusqu'en 1943, les cinéastes de langue française y tournent en anglais, leurs films étant ensuite doublés en français; la première équipe française porte le nom de «Studio 10». En déménageant d'Ottawa à Montréal en 1953, l'ONF permet l'essor d'une production en langue française; on y engage tous les cinéastes qui dans les années 60 donneront naissance au cinéma québécois, entre autres Denys Arcand, Gilles Carle, Fernand Dansereau, Jacques Godbout, Gilles Groulx, Claude Jutra, Jean-Claude Labrecque, Arthur Lamothe et Jacques Leduc. La production oneffienne se caractérise par un fort dynamisme et une grande liberté; ➝ **Candid Eye, Cinéma direct québécois**. En 1964, est créée une équipe française autonome qui se lance rapidement dans le tournage de longs métrages en français. En 1966, le studio d'animation de langue française est créé. Les années 70 voient une production de documentaires destinés à l'animation sociale et l'accès grandissant des femmes à la réalisation. À la même époque, la censure s'exerce sur des films politiques à tendance marxiste; on interdit ainsi les films *On est au coton* (1970) de Denys Arcand et *24 heures ou plus* (1976) de Gilles Groulx. De nombreux films de fiction sont tournés, notamment par Jean Beaudin, Marcel Carrière, Francis Mankiewicz, Clément Perron et Anne Claire Poirier. Les films réservés à l'enseignement se multiplient dans la décennie 80, ainsi que ceux portant sur la réalité internationale; la coproduction avec l'industrie privée s'intensifie et donne des œuvres signées Jean-Pierre Gariépy, Pierre Falardeau, André Forcier et Jean-Claude Lauzon. À la fin de cette décennie, les compressions budgétaires réduisent la permanence et augmentent le nombre de pigistes. Un des services de l'ONF, reconnu essentiel et fort apprécié, est celui de l'aide au cinéma indépendant; ➝ **cinéma artisanal**. Le statut de l'Office national du film du Canada est remis en cause en 1996, et depuis quelques années la majorité de sa production est tournée en vidéo et non plus sur pellicule. Outre les noms de cinéastes importants de cette agence cités ci-dessus, citons ceux de Bernard Devlin, Georges Dufaux, Raymond Garceau, Pierre Hébert, Jean Palardy et Michel Régnier.

ombre Zone sombre créée par un corps opaque placé devant une source lumineuse (*shadow*). La projection d'ombres est à l'origine de l'invention du cinéma. Le théâtre d'ombres chinoises est une projection par transparence; ➝ **lanterne magique**. On dit d'un cinéaste qu'il est montreur d'ombres.

Omnimax Marque de commerce d'un procédé canadien de projection hémisphérique mis au point en 1973 et reprenant le même support que l'Imax. La projection en Omnimax est obtenue par l'ajout d'un œil-de-poisson; l'image projetée est trois fois plus grande que celle du 70 mm classique. ➝ **Géode**.

one-shot ANGL. Expression n'ayant pas d'équivalent français. Plan d'une seule personne dans l'image.

ONF Sigle de l'Office national du film du Canada.

on location ANGL. Expression n'ayant pas d'équivalent français. Tournage en décors réels, à l'extérieur d'un studio. ➝ **repérage**.

opacité Densité de l'image (*opacity*). L'opacité dépend de la qualité de l'émulsion de la pellicule et de la lumière incidente.

opaque Qualité d'un matériel qui s'oppose au passage de la lumière (*opaque*). La copie positive d'une photo, l'épreuve, est opaque, tandis que la pellicule du film, en copie positive comme en copie négative, est transparente.

opéra de l'espace Équivalent français proposé mais guère usité de *space opera*. Terme ironique désignant un film de science-fiction qui intègre des situations irréelles, exagérées ou mélodramatiques, à sa trame narrative. En 1968, le film de Stanley Kubrick, *2001: l'odyssée de l'espace*, lui donne cependant ses lettres de noblesse comme genre.

opérateur [1] FAMILIER Terme désignant, selon le contexte, le chef opérateur (ou l'opérateur de prise de vues), et le projectionniste (ou l'opérateur-projectionniste) (*operator*). [2] Société industrielle et commerciale assurant la transmission de communications ou d'émissions par câble ou satellite (*operator*).

opérateur d'actualités Caméraman chargé de couvrir un sujet ou un événement d'actualités (*newsreel cameraman*). SYN. reporter caméraman.

opérateur du son Technicien responsable de l'enregistrement du son (*audio operator, sound recordist*, ARG. *dial twister*). SYN. preneur de son. ➤ **sondier, recorder**.

optique [1] Science qui étudie la lumière et les lois de la vision (*optical*). [2] FAMILIER Terme de moins en moins usité pour objectif.

orchestre Partie inférieure d'une grande salle de cinéma (G.-B. *front stalls*, É.-U. *orchestra*). ➤ **balcon**.

ordinateur Appareil servant à l'automatisation du traitement, du stockage et de la restitution de données informatiques (*computer*). La gamme des ordinateurs est très variée, allant de l'ordinateur personnel à l'ordinateur professionnel, dit «ordinateur de plancher». L'ordinateur est devenu un élément essentiel dans les domaines de la réalisation cinématographique et de la diffusion des films. ➤ **animatique, effets spéciaux, image fractale, image de synthèse, infographie, logiciel, matériel, montage virtuel**.

ordres PLUR. Commandements donnés par le réalisateur pour lancer le tournage d'un plan ou l'interrompre. Parmi les exemples d'ordres, citons «Action!», «Moteur!» et «Coupez!».

orgue Instrument de musique souvent utilisé du temps du muet pour accompagner les projections de films (*organ*).

orienter Pour le cadreur, action de déplacer un miroir vers la droite ou la gauche tout en conservant son inclinaison. Le miroir reflétera une partie du décor situé plus à droite ou plus à gauche.

Orionchrane Marque de commerce d'une grue de type Louma avec une section de bras carrée en forme de poutre. Le bras télescopique de l'Orionchrane peut être allongé ou réduit durant la prise de vues.

ortho Forme abrégée de film orthochromatique (*ortho*).

Orwocolor Procédé est-allemand de cinéma en couleurs, dérivé de l'Agfacolor.

OSCAR

oscar Récompense de l'Academy of Motion Picture Arts and Sciences de Hollywood (*Oscar*). Décernée depuis 1959 et jusqu'en 1998 le dernier lundi du mois de mars de chaque année, cette récompense est symbolisée par une statuette plaquée or. Créée en 1927, elle est remise pour la première fois la même année au film de William Wellman, *Les ailes*, consacré ainsi meilleur film américain. On lui donne officiellement le nom d'oscar en 1931; le premier oscar du meilleur film américain est alors décerné à *Grand Hôtel* d'Edmund Goulding. Tout film tourné en anglais et exploité aux États-Unis est admissible à toutes les catégories d'oscars, sauf à la catégorie de l'oscar du film étranger (film dans une autre langue que l'anglais); un film étranger peut toutefois être admissible à toutes les catégories, comme ce fut le cas pour *Z* (1968) de Costa-Gavras et *La vie est belle* (1998) de Roberto Benigni, mis en nomination pour l'oscar du meilleur film de l'année et l'oscar du meilleur film étranger.

ours [1] ARG. Premier montage d'un film. SYN. bout à bout. [2] Récompense décernée à l'issue du Festival de Berlin, symbolisée par une statuette représentant un ours. Les deux grands prix remis à Berlin sont l'ours d'or et l'ours d'argent.

ouverture à l'iris Fondu dans lequel l'image apparaît au centre d'un cercle qui s'agrandit et dont la forme rappelle celle d'un œil (*iris-in*). L'ouverture à l'iris est un effet spécial mécanique, réalisé à la caméra, largement utilisé au temps du muet. OPPOSÉ: fermeture à l'iris.

ouverture de l'obturateur Angle, exprimé en degrés, laissant passer les rayons lumineux dans la caméra (*shutter opening*).

ouverture en fondu Apparition progressive de l'image (*fade-in*).

ouverture photométrique Calcul de la quantité de lumière réellement transmise par l'objectif (*T-stop*). L'ouverture photométrique sert au réglage de l'exposition.

ouverture relative Quotient de la focale divisé par le diamètre de la cavité du diaphragme exprimant la quantité de lumière pouvant traverser l'objectif (*aperture ratio*).

ouvreuse Forme abrégée de ouvreuse de cinéma.

ouvreuse de cinéma [ouvreuse] FÉM. En France, personne responsable de l'ouverture des portes de la salle de cinéma, qui conduit les spectateurs à leur place (*usherette*). L'ouvreuse de cinéma vend des friandises durant l'entracte. On dit qu'elle n'a pour tout salaire que ses pourboires.

ouvrir → **élargir** (*open*).

ouvrir un micro FAMILIER Faire fonctionner un microphone (*open a mic*, ARG. *crack a mike*).

oxydation Réaction chimique d'un élément avec l'oxygène (*oxidation*). L'oxydation peut affecter les constituants chimiques de la pellicule lors de la fabrication de cette dernière.

oxyde de fer Constituant actif des bandes et des pistes magnétiques couramment employé (*iron oxide*).

oyama JAP. Nom donné aux acteurs japonais interprétant des rôles féminins au théâtre puis, au temps du muet, au cinéma.

P.A. Abréviation de plan américain.

package ANGLICISME Entente assurant la participation d'un groupe de personnes dans un film (*package*). Le package peut être proposé par un producteur ou par une agence à une maison de production, une Major ou un groupe de producteurs. Il peut y inclure des interprètes, un réalisateur, un directeur photo et un directeur de production. Institué par les grandes agences américaines comme Creative Artists Agency [CAA] et International Creative Management [ICM], le package se généralise de plus en plus aux États-Unis et en France; aux États-Unis, il peut valoir plusieurs millions de dollars.

PAF Acronyme de paysage audiovisuel français.

paiement à la séance Système de facturation à l'abonné du câble et du satellite pour le choix d'une émission qu'il choisit (*pay-per-view*). Le paiement à la séance est spécifique aux services de la télévision à péage offrant des films et des émissions sportives.

Paillard Bolex [Bolex] Caméra à l'épaule compacte, légère, très performante, fabriquée en Suisse par la compagnie Paillard Bolex et longtemps utilisée en Europe pour les reportages télévisés et les films scientifiques.

PAL Sigle de Phase Alternation by Line.

palace ANGLICISME Très grande salle, le plus souvent luxueusement décorée (*movie palace*). Le Gaumont Palace est le premier palace construit; il est inauguré à Paris en 1911. Le Roxy, à New York, est le plus grand palace au monde; inauguré en 1927, il peut contenir 6 200 spectateurs. Spacieux et confortable, le palace est décoré d'une manière flamboyante et fantaisiste, avec escaliers en marbre, fontaine dans l'entrée et voûte étoilée dans la salle. Différents styles sont adoptés: le style chinois, le style égyptien et le style «indien». En Europe, les ouvreurs sont habillés en smoking et portent des gants blancs, et des bars lui sont attenants. Avec la disparition de l'exclusivité et la baisse de fréquentation causée par la télévision durant les années 50, le palace sera transformé (divisé en 3 ou 4 petites salles) ou tout simplement détruit.

Palais des festivals Nom officiel du complexe accueillant les activités des différents festivals qui se déroulent à Cannes. Le Palais des festivals est particulièrement connu grâce au Festival international du film de Cannes. Construit en 1946 et inauguré en 1949, il a été détruit en 1989. Le nouveau Palais inauguré en 1983 est connu sous le nom de bunker.

pale d'obturateur ⇀ **lame d'obturateur**.

palme Récompense décernée à l'issue du Festival international du film de Cannes, symbolisée par une feuille de palmier. Cette récompense est créée en 1955, neuf ans après la création du festival. Deux grands prix sont remis à Cannes: la palme d'or et la palme d'argent. La première palme d'or est remise à *Marty* de Delbert Mann.

L'ALBUM OFFICIEL
DU 50ᵉᵐᵉ ANNIVERSAIRE

CANNES
MEMORIES

FESTIVAL INTERNATIONAL DU FILM DE CANNES

PALME

palpeur [1] → **compteur**. [2] Mécanisme sur un appareil de projection permettant l'arrêt de la projection en cas d'incident dans le déroulement du film (*sensor*).

Paluche Nom donné à la caméra vidéo minuscule mise au point par la compagnie française Aäton en 1973. Munie d'un infrarouge, la paluche peut filmer dans l'obscurité. Mesurant environ 20 centimètres de long, elle peut être fixée sur un vêtement ou un sac à main. Le boîtier de contrôle et le moniteur sont portés à la ceinture.

Panaflex Marque de commerce d'une caméra 35 mm fabriquée par la firme américaine Panavision.

Panaglide Marque de commerce d'un système de stabilisation de la caméra pour le tournage à l'épaule, fabriqué par la firme américaine Panavision. Le Panaglide ressemble à la Steadicam.

pan and scan ANGL. Expression qui signifie «panoramique et balayage»; couramment utilisée en français au lieu de «recadrage». Recadrage sur l'écran vidéo de l'image et des mouvements de caméra dans le but de garder l'essentiel de l'action d'un film. On obtient un *pan and scan* par la programmation d'objectifs dans une tireuse optique lors du tirage d'une copie sur support vidéo d'un film sur support pellicule. Le recadrage est également une réduction puisqu'il peut parfois couper près de 40 pour cent de l'image originale; de plus, il ajoute des plans et des mouvements de caméra qui ne sont pas dans le découpage original du film. Le *pan and scan* évite les bandes noires au-dessus et au-dessous de l'image vidéo; → **bretelles**. L'image donnée est alors plein écran. → **scannage**.

Panascope → anamorphose.

Panavision [1] Firme californienne fabriquant le matériel pour le tournage et la projection sur écran large du procédé Panavision. En fait, Panavision loue sous sa marque des caméras et des objectifs qui connaissent une grande diffusion. La caméra 35 mm Panaflex, réputée pour sa qualité, est l'une de ses caméras fréquemment louées. Mais sa caméra la plus prisée est la MovieCam, fabriquée en Autriche et valant un million de dollars US. → **Panflasher**. [2] Marque de commerce d'un procédé d'anamorphose sur film 35 mm.

pancarte VX Ardoise. → **tableau**.

Pan Cinor Marque de commerce d'un zoom fabriqué dans les années 50 par la compagnie française Berthiot, qui connaît une large diffusion. L'objectif à focale variable Pan Cinor permet des travellings optiques.

Panflasher Marque de commerce d'un dispositif lumineux fixé sur la caméra, qui jette un bref éclair sur la pellicule pour adoucir les noirs. Le Panflasher a été mis au point par le Québécois Daniel Jobin, et Panavision en a acheté les droits.

panneau Surface plane destinée à servir de support à des séries de lampes à incandescence (*lamp rack*).

panneau diffuseur → **panneau réflecteur**.

panneau-réclame → **réclame**.

panneau réflecteur [panneau diffuseur] Toute surface réfléchissant la lumière du soleil lors du tournage en extérieur (*reflector*). Cette surface est généralement recouverte de papier métallique ou d'un tissu blanc. SYN. diffuseur, réflecteur.

pannouille ARG. Petit rôle.

pano Abréviation familière de format panoramique et de panoramique.

Panoptikon Marque de commerce d'une caméra et d'un projecteur fabriqués par la compagnie Woodville Latham & Sons et utilisés pour la première fois à New York en 1895. La pellicule utilisée pour le Panoptikon est de 70 mm; elle est plus claire que la 35 mm de Thomas Edison, mais son passage dans le projecteur est souvent difficile et peut causer des bris.

Panorama Marque de commerce d'un dispositif de présentation de vues d'un paysage grandeur nature inventé par Robert Baker en 1787. Le Panorama offre un spectacle se déroulant dans un endroit circulaire clos à l'intérieur duquel se tient le spectateur; sur l'enclos est peint un paysage. Le plus célèbre des panoramas est celui de 1792, qui a été un véritable triomphe à Londres, intitulé «La flotte anglaise ancrée entre Portsmouth et l'île de Wight»; le spectateur se tenait dans un décor représentant le pont supérieur d'une frégate au milieu d'une mer peinte. Le Panorama fait partie de la préhistoire du cinéma.

panoramique [pano] Mouvement de caméra obtenu par la rotation de l'appareil sur son axe. Le panoramique balaie le paysage et suit les personnages et les objets mobiles. On distingue le panoramique horizontal (*pan, pan shot*), mouvement obtenu par la caméra qui pivote sur un axe de gauche à droite ou de droite à gauche, le panora-mique vertical (*tilt, tilt shot*), mouvement obtenu par la caméra qui pivote sur un axe de haut en bas ou de bas en haut, et le panoramique filé (*whip-pan*), très rapide, qui s'effectue d'un point à un autre. ➤ **basculement**.

panoramiquer Effectuer un panoramique, horizontal ou vertical (*pan*).

panoter NÉOLOGISME Donner à la caméra un mouvement pour effectuer un panoramique et un travelling.

Panrama Marque de commerce d'un procédé de projection hémisphérique mis au point en 1963 par le Français Philippe Jaulmes et présenté pour la première fois à Paris en 1981. La caméra filme avec un œil-de-poisson et le défilement de la pellicule dans le projecteur est horizontal. La Panra-ma est utilisé à la Géode, à Paris. ➤ **Omnimax**.

pantalon Autre nom donné, à cause de sa forme, au manchon de chargement, dit aussi sac de chargement.

Panther Marque de commerce allemande d'un support de caméra équipé d'une colonne montante électrique permettant de varier la hauteur de l'appareil de prise de vues durant le tournage d'un plan. En fait, le Panther est une copie du système Elemack.

paparazzi PLUR. De l'italien, pluriel de *paparazzo*. Photographe, généralement attaché à une agence, prenant des photos indiscrètes de personnalités connues, célèbres, sans respecter leur vie privée. Les personnalités du cinéma sont très souvent victimes des paparazzi. ➤ **photographe de cinéma**.

papiers découpés Technique d'animation utilisant des formes découpées dans du papier. Après l'enregistrement d'une prise (selon le système d'animation image par image), on déplace la forme placée devant la caméra en vue d'une nouvelle prise. La technique des papiers découpés est expérimentée pour la première fois par l'animateur français Émile Cohl.

PAR FAMILIER Abréviation de Paramount Pictures Corporation.

parabole ➤ **antenne parabolique**.

paradigme Mot de la théorie du cinéma qui vient de la linguistique. Unités substituables les unes aux autres (*paradigm*). Du point de vue du cinéma, le paradigme désigne un plan ou un ensemble de plans (scène) dont la composition joue sur des unités opposables. Dans *Alexandre Nevski* (1938) de S. M. Eisenstein, les plans marqués par la couleur blanche (ceux avec les teutoniques) prennent leur sens par rapport aux plans marqués par la couleur noire (ceux avec les défenseurs de la Vieille Russie). Ramener le paradigme uniquement au plan peut être réducteur; on peut prendre des ensembles, séquence entière ou film entier, comme paradigmes; ainsi, *Tirez sur le pianiste* (1960) de François Truf-

1 viseur

2 caméra

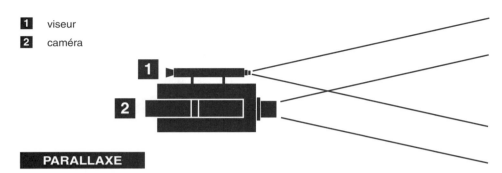

PARALLAXE

faut repose sur deux grands paradigmes: celui du film noir qui renvoie à celui de la parodie du film noir. → **code**.

parallaxe [1] Décalage entre l'image formée sur la pellicule et l'image vue dans le viseur d'une caméra (*parallax*). La parallaxe provient d'un défaut: l'axe de l'objectif et l'axe du viseur ne coïncident pas. Pour corriger ce défaut, on a mis au point la visée reflex qui permet que le champ couvert par l'objectif et le viseur soit le même. [2] Effet optique basé sur la perception stéréoscopique (*parallax*). Par la différence d'angle de perception entre l'œil gauche et l'œil droit, la parallaxe permet de situer un objet dans un espace en 3D.

Paramount Forme abrégée de Paramount Pictures Corporation.

Paramount decision Décret de la Cour suprême des États-Unis de 1948 qui déclare que la Paramount et les quatre autres Majors d'Hollywood violent la loi antitrust en étant propriétaires des moyens de production, de distribution et d'exploitation des films (intégration verticale). La MGM, la Paramount, la RKO, la Warner Bros. et la Twentieth Century-Fox doivent alors se départir de leurs salles, car elles avaient exercé des pratiques coercitives et restrictives à l'encontre de l'exploitation des films des Minors (la United Artists, la Columbia et la Universal) qui ne possédaient pas de salles. Les studios se plient à cette décision en 1951, ce qui amène leur déclin progressif et qui clôt leur âge d'or. Avec eux disparaîtront également le programme double et le film de série B.

Paramount Pictures Corporation [Paramount, PAR] Compagnie de production et de distribution de films fondée en 1914 par W.W. Hodkinson qui veut distribuer les films des compagnies Adolph Zukor's Famous Players et Jesse L. Lasky Feature Play Company. Ces derniers créent la Famous Players/Lasky qui absorbe la Paramount Pictures en 1916. En 1927, la nouvelle société devient la Paramount Famous Lasky Corporation et, en 1930, la Paramount Publix Corporation (qui fait ensuite faillite en 1933). En 1935, la Paramount renaît de ses cendres et, à partir de 1965, fait partie du conglomérat de la Gulf and Western. Durant l'époque du muet, cette Major devient la plus grande compagnie de production et d'exploitation de films, ayant sous contrat des auteurs comme W.D. Griffith et Erich von Stroheim, et des actrices comme Mary Pickford et Gloria Swanson. Avec le parlant, la compagnie produit des comédies avec des cinéastes comme Ernst Lubitsch et Billy Wilder, et des stars comme W.C. Fields, les frères Marx, Mae West, et, plus tard, des comiques comme Bob Hope et Jerry Lewis. En 1948, elle doit se départir de ses salles à la suite du décret de la Cour suprême des États-Unis déclarant illégale l'intégration verticale dans l'industrie cinématographique (production, distribution, exploitation des films); le décret est appelé «Paramount decision». Même après ce jugement, la Paramount garde son statut de Major en tant que producteur et distributeur de films, grâce, particulièrement, à des ententes avec des indépendants. En 1954, pour répondre au procédé du CinémaScope appartenant à la Twentieth Century-Fox, elle met au point son propre procédé, le VistaVision, mais l'abandonne rapidement. Au fil des ans, elle produit Alfred Hitchcock, Cecil B. DeMille, John Sturges et Francis Ford Coppola. En 1994, le groupe industriel Viacom s'en empare pour la somme de 9,7 milliards de dollars. Sa production de films et d'émissions pour la télévision est dorénavant connue sous le nom de Paramount Communications. Son emblème est le même depuis le muet: une montagne au cap enneigé auréolé d'étoiles.

parasites PLUR. Irrégularités dans la perception de signaux vidéo ou audio (*interference*). ➙ **brouillage**.

parasoleil [pare-soleil] Accessoire placé sur l'objectif pour le protéger des rayons de lumière parasites ou de la source trop lumineuse de certains éclairages (*camera hood*). Selon les marques de caméra, on distingue plusieurs tailles de parasoleil. ➙ **porte-filtres**.

parlant (le) N. VX Premiers films sonores opposés aux films muets (*talkies* PLUR.). Le premier film parlant est *Le chanteur de jazz* (1927) d'Alan Crosland. Le parlant favorise rapidement un nouveau genre cinématographique: la comédie musicale. VOISINS: film parlant, cinéma parlant. ➙ **cinéma sonore**.

parodie Genre sous lequel on rassemble les films qui imitent, en les grossissant, les traits d'autres films généralement plus sérieux (*parody*). Le genre parodique existe dès le muet: *Les trois âges* (1923) de Buster Keaton est une parodie d'*Intolérance* (1916) de D.W. Griffith. Les films de Woody Allen (comme *Prends l'oseille et tire-toi* [1969]) et de Mel Brooks (comme *Le jeune Frankenstein* [1974]) sont des prototypes de parodie.

paroi mobile Partie d'un décor, généralement un mur, montée sur roues ou sur charnières, pouvant être déplacée rapidement pour faciliter les mouvements de la caméra dans le décor (*floating wall*).

parole Mots exprimés sous forme de commentaires, de dialogues, de monologues ou de voix off au cinéma. La parole au cinéma est liée à l'apparition du cinéma parlant. Son importance est capitale, car son apparition bouleversera le cinéma. Tout en permettant au cinéma de s'affranchir du théâtre et du mime, la parole, synchronisée avec les lèvres des acteurs, unifiera la narration. On distingue quatre catégories de paroles: a) le dialogue, b) le monologue intérieur, c) la voix narrative (ou voix à la première personne) et d) le commentaire (subjectif ou objectif, du documentaire). ➙ **flash-back, voix off**. À lire sur ce sujet: *La voix au cinéma* (1985) de Michel Chion.

parolier Auteur des paroles des chansons écrites pour un film (*lyricist*).

partenaires PLUR. [1] Producteurs associés dans une entente de coproduction (*partners*). [2] Deux interprètes associés dans le tournage d'un film (*partners*).

participation [1] Partage des bénéfices du film entre les artisans (les techniciens, interprètes et auteurs) (*involvement*). La participation est une pratique courante dans le cinéma indépendant et le cinéma dit artisanal. [2] Capitaux fournis par un partenaire dans une production, généralement une avance sur l'achat des droits de télédiffusion par une chaîne télé (*share*). Ce type de participation est une pratique courante dans le cinéma, mais elle ne constitue pas une participation de type coproduction. [3] Dans le génériques d'un film, l'expression «Avec la participation de», «Avec l'aimable participation de» ou «Avec l'exceptionnelle participation de», le mot «participation» (*appearance*) indique l'apparition, généralement brève, d'une vedette dans le film. ➙ **camée**.

Parvo Caméra 35 mm moderne brevetée en 1923 par le Français Albert Debrie. La Parvo connaît une large diffusion dans les années 30.

pas de l'image Distances entre deux points homologues de deux photogrammes successifs (*frame pitch*). Le pas de l'image constitue l'unité d'avancée du film lors de chaque entraînement discontinu de la pellicule.

pas des perforations Distance entre le centre de deux perforations successives (*perforation pitch*). Le pas des perforations doit être constant.

passage [1] Projection d'un film dans une salle (*showing*). [2] Diffusion d'un film à la télévision (*showing*). Les droits d'exploitation pour la télévision sont cédés pour un temps limité (entre 2 et 7 ans) et le plus souvent pour un certain nombre de passages (généralement un maximum de 3). ⇀ **droits d'auteur**.

passerelle Structure au-dessus des décors destinée à supporter les projecteurs d'éclairage et les techniciens (*catwalk*). ⇀ **gril**.

Pathé Société cinématographique française fondée en 1896 par Charles Pathé et ses frères Émile, Jacques et Théophile. Avant la Première Guerre mondiale, Pathé devient la plus grande compagnie de production de films des deux côtés de l'Atlantique. De ses studios de prises de vues, à Vincennes, Ferdinand Zecca, homme de confiance de Charles Pathé, réalise de nombreux films, souvent des plagiats de Méliès, dans un large éventail de genres, dont le film de poursuite. Max Linder participe à près de 400 films produits par Pathé. En 1907, la compagnie devient distributrice et ouvre des succursales partout dans le monde, jusqu'en Russie et en Inde. L'année suivante, elle lance le film d'actualités et introduit en Amérique le film de série hebdomadaire (*serial*), ce qui l'aide à surmonter la concurrence des Américains. Elle met donc en place une intégration verticale de l'industrie et fabrique, en plus, des caméras et des projecteurs. La Première Guerre l'éprouve durement: la plupart de ses succursales à l'étranger ferment. La société produit peu, se concentrant dans l'exploitation de ses salles. Elle met au point en 1922 un format réduit de pellicule

ininflammable et des appareils de prises de vues pour le grand public; ⇀ **9,5 mm, Pathé-Baby**. En 1926, elle abandonne à Kodak la fabrication du film vierge et, en 1927, Charles Pathé vend la compagnie à Bernard Nathan. Pathé-Nathan fait faillite en 1939, mais renaît de ses cendres en 1944 sous le nom de Société nouvelle Pathé-Cinéma. Elle édite hebdomadairement le *Pathé-journal*, restructure son réseau de salles et produit des films comme *La femme et le pantin* (1958) de Julien Duvivier. Dans les années 60, elle participe à des coproductions, avec l'Italie particulièrement (*La dolce vita* [1960] de Federico Fellini et *Le guépard* [1963] de Luchino Visconti). Elle restructure encore une fois son réseau de salles (plus de 110 écrans) et se lance ensuite dans la production télévisuelle avec des séries comme *Arsène Lupin* et *Histoire de l'aviation*. Son emblème: un coq gaulois dressé sur ses ergots.

Pathé-Baby Marque de commerce d'appareils de prise de vues et de projection et d'un format réduit de pellicule de film, lancés en 1922 par la compagnie Pathé. Les appareils de prise de vues et de projection sont robustes et d'utilisation simple. Le support de la pellicule est de 9,5 mm.

Pathé-Rural Marque de commerce d'un appareil de prise de vues et de projection, et d'un format réduit de pellicule de film, lancé en 1927 par la compagnie Pathé et visant le monde rural. Le format est de 17,5 mm et représente la division par deux du format 35 mm. Les appareils et la pellicule Pathé sont interdits par l'occupant allemand en France en 1941.

patte d'oie Pièce en forme de Y posée sur le sol destinée à recevoir un trépied portatif à trois pointes (*crows foot*). SYN. base de pied.

pause [1] Interruption momentanée d'une émission de télévision (*pause*). [2] Arrêt du défilement d'une bande de visionnement afin de repérer une image (*stop action*).

paysage audiovisuel français [PAF] Expression désignant l'ensemble des chaînes de radio et de télévision en France. De statut de monopole d'État, le secteur radiophonique français passe dans les années 60 à un statut mixte, avec obligation des stations de diffuser à partir du territoire français. Dans les années 80, les chaînes de télévision privées (Canal +, M6, TF1, etc.), diffusées par ondes hertziennes et par câble, s'ajoutent aux chaînes publiques (Antenne 2, France 3, Arte, etc.). Le Conseil supérieur de l'audiovisuel (CSA) est chargé de faire respecter la réglementation du paysage audiovisuel en France.

PBS Sigle de Public Broadcasting Service.

peintre de plateau Personne responsable des retouches et des rectifications de peinture sur le plateau de tournage (*stage settings painter*). Le peintre de plateau collabore avec le chef décorateur et le chef opérateur.

peintre en décors Personne responsable de la peinture des décors, des fonds de scène et des reproductions de tableaux et des trompe-l'œil (*production painter*). Le peintre en décors est un proche collaborateur du chef décorateur.

peinture sur film Technique d'animation consistant à peindre directement sur la pellicule de film, sans avoir recours à un appareil de prise de vues (*handmade film*). Le Canadien Norman McLaren est un des tout premiers animateurs à utiliser cette technique. VOISIN: dessin sur film. ➤ **animation sans caméra**.

pellicule [1] En photographie et en cinéma, bande transparente servant de support à la couche sensible pour l'enregistrement, le tirage et la projection des images (*film*). On parle de pellicule vierge avant son passage dans une caméra et de pellicule impressionnée avec les images qui y sont fixées. On distingue également la pellicule négative, la pellicule positive, la pellicule lente et la pellicule rapide. ➤ **celluloïd**. [2] Film (*film*). ➤ **pelloche**.

pellicule double 8 Largeur d'une pellicule 8 mm destinée à la prise de vues, sur un film 16 mm comportant des perforations sur les deux côtés de la pellicule (*double run film*).

pellicule exposée ➤ **film exposé**.

pellicule impressionnée ➤ **film exposé**.

pellicule lente ➤ **film lent**.

pellicule rapide ➤ **film rapide**.

pellicule super-8 double Pellicule utilisant une bande 16 mm perforée de deux côtés au pas du super-8 (*double super-8, DS-8*). La pellicule super-8 double est l'équivalent de la pellicule double 8.

pellicule vierge ➤ **film vierge**.

pelloche FAMILIER Abréviation de pellicule et de film.

pelures ARG. PLUR. Fonds d'images utilisés dans la technique de la transparence.

Pentax Marque de commerce japonaise de posemètres.

pente ➤ **contraste**.

péplum D'un mot latin adapté du grec *peplon* qui signifie «robe de femme», antique vêtement sans manches. Genre cinématographique inspiré des récits de la mythologie grecque et latine (*peplos*). Dans un péplum, les interprètes sont vêtus à l'antique et incarnent des héros comme Hercule, Néron, Ben Hur et Cléopâtre. Le péplum est créé en Italie au temps de la Première Guerre mondiale. Le film *Cabiria* (1914) de Giovanni Pastrone inspire une lignée de films du genre. Emphatique et manichéen, le genre s'essouffle et ne revient qu'après la Deuxième Guerre, entre 1955 et 1965; à voir: *Ben Hur* (1959) de William Wyler et *Les légions de Cléopâtre* (1960) de Vittorio Cottafavi. ➤ **film à costumes, film épique**. Le péplum est devenu mythologique; ➤ **film-culte, film psychotronique**. SYN. PEU USITÉ: superspectacle.

perche Tube télescopique muni d'un micro à son extrémité et servant à enregistrer le son sur un plateau (*boom, fishpole*). ➤ **girafe**.

perchiste [perchman] Technicien responsable de la manipulation de la perche (*boom man*, ARG. *mike monkey*). Le perchiste dirige la perche vers l'interprète, mais il doit toujours la maintenir hors du champ de la caméra.

perchman ➤ **perchiste**.

per diem LAT. Expression employée couramment en lieu et place de «allocation quotidienne» et «frais de séjour».

Perfectone Marque de commerce d'un magnétophone portable de fabrication suisse utilisant une bande magnétique lisse 6,35. Le magnétoscope Perfectone enregistre les signaux sonores qui permettent la synchronisation ultérieure avec le film. → **Nagra**.

perforations **KS** (2,80 mm X 1,98 mm)

perforations **BH** (2,80 mm X 1,80 mm)

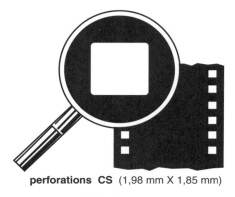

perforations **CS** (1,98 mm X 1,85 mm)

PERFORATIONS (films de 35 mm)

perforation Trou rigoureusement équidistant entre celui qui le précède et celui qui le suit, permettant l'avancement de la pellicule dans la caméra, la tireuse et le projecteur (*perforation, sprocket hole*). La perforation peut être circulaire (pour le 35 mm standard), carrée (pour le 16 mm) ou rectangulaire aux coins arrondis (pour le CinémaScope). → **perforation américaine, perforation Bell and Howell, perforation CS, perforation Kodak**.

perforation américaine Espacement entre les images, délimité par des perforations, mis au point en 1891 par Thomas Edison et son adjoint William K. Dickson. La perforation américaine immobilise et déplace par successions la pellicule, ce qui empêche les images de se confondre. Le cycle arrêt-entraînement (48 fois à la seconde) fait la synthèse du mouvement. Cette perforation circulaire deviendra le standard mondial des perforations; il faut 4 perforations par photogramme d'un film 35 mm.

perforation Bell and Howell [perforation BH] Perforation arrondie mise au point par la compagnie Bell and Howell pour le négatif 35 mm (*negative perforation*).

perforation CS Perforation rectangulaire aux coins arrondis utilisée pour le CinémaScope.

perforation Kodak [perforation KS] Perforation rectangulaire aux coins arrondis mise au point par la compagnie Kodak pour le positif 35 mm et les éléments du 70 mm (*positive perforation*).

période [1] Temps que met une onde pour parcourir un cycle complet (*period*). [2] Marque de subdivisions soulignant différents styles au cours de l'histoire du cinéma ou de la carrière d'un cinéaste (*period*). Le néoréalisme, la Nouvelle Vague, la période allemande et la période américaine de Fritz Lang sont des exemples de périodes.

période de mouvement Partie du film lorsque celui-ci est en mouvement dans le projecteur.

période de pointe → **prime time**.

périscope Instrument optique formé d'une lentille, attaché à une caméra, permettant le tournage dans des endroits difficiles ou inaccessibles, ou le tournage d'effets spéciaux (*periscope*).

permis de travail ➤ **autorisation de travail**.

perruque [1] Coiffure de faux cheveux, de chevelure postiche (*wig*). La perruque est un accessoire essentiel du coiffeur. [2] FAMILIER Accumulation de pellicule causée par un bris de la bande lors de son passage dans le projecteur ou de son rembobinage, alors que la bobine débitrice continue à se dérouler et que la bobine réceptrice n'enroule plus le film (*bird's nest*).

perruquier Personne responsable de la confection des perruques (*wigmaker*). Le perruquier est également responsable de la confection des mèches de cheveux et des postiches. Le travail de perruquier est souvent assumé par le coiffeur, d'où l'indication au générique d'un coiffeur-perruquier.

persistance rétinienne Capacité qu'a l'œil de retenir une image pendant un laps de temps d'environ un dixième de seconde (*persistence of vision*). Ce phénomène d'ordre physiologique est à l'origine de l'invention du cinéma: la succession des images à une certaine vitesse donne l'illusion du mouvement. La cadence de 16 images par seconde et de 24 images par seconde offre l'impression de continu.

personnage Personne qui figure dans un film et qui doit être interprétée par un acteur ou une actrice (*character*). On tente de caractériser un personnage par son physique, ses gestes, sa voix et, parfois, des tics. On distingue les catégories suivantes de personnages: le personnage principal, le personnage secondaire et le figurant. SYN. protagoniste, rôle. ➤ **interprète, partenaires** [2].

Perspecta Marque de commerce d'un procédé américain de stéréophonie mis au point au début des années 50 par Norman H. Crownhurst pour la MGM. Le premier film tourné avec ce procédé est *Les chevaliers de la Table ronde* (1953) de Richard Thorpe. Le Perspecta disparaît dans les années 60.

perspective Art de représenter sur un plan bidimensionnel des objets tridimensionnels (*perspective*). La perspective est fondamentale dans la construction de l'image cinématographique. Elle participe de l'impression de réalité. Centre l'œil du spectateur, elle attire son regard. La profondeur de champ s'y origine. Une perspective sans déformation de l'image est obtenue par une lentille 50 mm d'une caméra 35 mm. ➤ **angle normal, cadrage**.

pertes de tirage PLUR. Dégradation du son sur une copie usée.

petites vues PLUR. Expression populaire employée au Québec désignant le cinéma. Cette expression n'est plus guère usitée aujourd'hui.

petit film Film à petit budget (ARG. *cheapie*). Aux États-Unis, un petit film désigne un film indépendant. ➤ *Cinderella film, maverick*.

petit rôle Rôle de peu d'importance, rôle secondaire (*bit part*). ARG. pannouille.

petits métiers PLUR. Personnes exerçant une fonction de moindre responsabilité au cinéma: les machinistes, les peintres, les maquilleurs, les habilleuses, etc. Les petits métiers n'occupent aucune fonction de direction.

Petzval Marque de commerce de lentilles pour la projection.

P.G. Abréviation de plan général.

PG-rated ANGL. *PG* pour *parental guidance*. Aux États-Unis, classement d'un film qui peut être vu par des moins de 17 ans, ou, dans certains États, des moins de 18 ans, instruits par leurs parents sur le contenu à connotations violentes ou sexuelles de l'œuvre.

PG13-rated ANGL. *PG* pour *parental guidance*. Aux États-Unis, classement d'un film qui peut être vu par des enfants de moins de 13 ans, instruits par leurs parents sur le contenu explicitement violent ou sexuel de l'œuvre.

phase Décalage dans le temps de deux phénomènes périodiques qui évoluent selon une loi sinusoïdale (*phase*).

Phase Alternation by Line [PAL] Traduction littérale: ligne à phase alternée. Standard allemand d'enregistrement et de diffusion télévisés utilisé en Grande-Bretagne, en Nouvelle-Zélande, en Australie et dans la plupart des pays européens et d'Amérique du Sud. PAL comprend 625 lignes par image, lignes qui donnent une meilleure définition de l'image et des couleurs plus riches que les 525 lignes du NTSC. Il doit être transcodé en SECAM pour être lu en France et en NTSC pour être lu en Amérique du Nord. Les magnétoscopes européens offrent généralement les deux standards PAL et SECAM.

phase d'obturation ➤ **fréquence d'obturation**.

Phénakistiscope Jouet mis au point en 1829 par Joseph-Antoine Plateau créant l'illusion du mouvement. Le Phénakistiscope est composé d'un cercle troué de petites meurtrières à l'intérieur desquelles se trouvent des figures (un danseur, un clown); appliqué sur l'œil et tournant sur lui-même, l'appareil transforme les images en une suite continue de mouvements.

phénomène de stroboscopie Effet stroboscopique donné à l'image lorsqu'un panoramique est trop rapide (*strobe effect*). Le phénomène de stroboscopie dépend de la cadence de prise de vues et de la longueur focale.

phénomènes périodiques PLUR. Dans les domaines de l'électricité, du son, de la lumière et de l'optique, phénomènes qui se reproduisent régulièrement en fonction d'un cycle (*periodic effects*). ➤ **fréquence, hertz, onde**.

phénoménologie Branche de la philosophie qui, dans l'observation des choses, découvre les structures de la conscience et les essences (*phenomenology*). Edmund Husserl propose cette philosophie qui a des répercussions dans la théorie de la littérature et du cinéma. Phénoménologiques, les écrits d'Henri Agel, en France, et ceux de Stanley Cavell, aux États-Unis, tentent de cerner et de décrire les données de la perception du spectateur devant la représentation cinématographique.

Philips Société multinationale spécialisée dans l'électronique et l'éclairage. Philips met au point la cassette, le disque compact et, avec Sony et Matsushita, le disque compact interactif. En association avec la com-

PHÉNAKISTISCOPE

pagnie canadienne Seagram, elle acquiert PolyGram en 1998.

phono-cinéma Avant la Première Guerre mondiale, tentatives de synchronisation du phonographe et du cinématographe.

Phonofilm Système de son optique mis au point par Lee De Forest en 1922, utilisé jusqu'en 1927 par son inventeur dans un millier de films. L'industrie adopte un système semblable à celui de De Forest, ce dernier n'ayant pas réussi à convaincre les studios d'acheter le sien.

phonographe Système de reproduction du son sur rouleaux de cire mis au point par Thomas Edison en 1877 (*phonograph*).

phonographe à disques → **gramophone**.

Phonoscène Appellation commerciale désignant une courte saynète filmée et sonorisée à l'aide d'un enregistrement sur disque de cire. Dans les années 1900, les phonoscènes sont une spécialité de la société française Gaumont. La majorité des phonoscènes sont tournées par Alice Guy-Blaché, la première femme cinéaste de l'histoire du cinéma.

photo Forme abrégée de photographie.

photocolorimètre Instrument de mesure de la température de couleur d'une source lumineuse (*color temperature meter*).

photoflood ANGLICISME Lampe à incandescence conçue pour être utilisée en surtension (*photoflood*). De bonne actinicité, la lampe photoflood est utilisée pour le tournage de films en couleurs. → **lampe survoltée**.

photogénie Qualité de la peau dans la reproduction de la lumière (*photogenic* ADJ.). Au cinéma, la photogénie produit un effet supérieur à l'effet produit au naturel. On dit d'un acteur qu'il est photogénique, qu'il a un visage photogénique.

photogramme [1] L'image enregistrée sur la pellicule (*frame*). Le photogramme est la plus petite unité du langage filmique. On peut analyser un film photogramme par

photogramme. [2] Reproduction sur papier photographique d'une image du film (*picture frame*).

photographe de cinéma Personne, généralement attachée à une agence, couvrant l'actualité du cinéma et particulièrement le tournage d'un film (*photographer*). VOISIN: paparazzi (PLUR.).

photographe de plateau Personne prenant les photos des scènes du film durant le tournage du film (*still man*). Ces photos serviront par la suite à la promotion et à la publicité du film.

photographie [photo] [1] Procédé d'enregistrement d'une image par l'action de la lumière sur une surface sensible (*photography*). La photographie naît au début du XIXᵉ siècle avec les expériences de Nicéphore Niepce, puis celles de Jacques Mandé Daguerre. William Fox Henry invente le négatif qui facilitera la reproduction en de nombreux exemplaires d'une photographie jusqu'alors tirée sur positif en un unique exemplaire. [2] Par extension, art et technique de prendre des images photographiques (*photography*). [3] Dimension plastique du film (*photography*). → **directeur de la photographie**.

photographie de plateau Photographie prise au cours d'un tournage qui servira à la promotion et à la publicité du film (*still photography*). SYN. Rembrandt (ARG.).

photokinésie Utilisation d'images fixes (photographies, dessins, peintures, collages) dans un film (*photokinesis*). La photokinésie peut être également une série d'arrêts sur image. Par son apparition sous forme de quelques photogrammes dans une action, elle peut perturber la perception de cette action. Alain Resnais utilise l'effet photokinésique dans *L'année dernière à Marienbad* (1961).

photomètre Instrument à circuit électrique permettant de mesurer l'intensité lumineuse qu'il reçoit (*photometer, photo-electric meter*).

photométrie Mesure de la lumière (*photometry*). La mesure étalon de la photométrie est représentée par une flamme appelée «bougie». L'intensité de la lumière est calculée en candelas; lorsque la lumière est transportée, son flux est calculé en lumens; lorsque la lumière est reçue par une surface, c'est l'éclairement, qui est alors calculé en lux. On utilise un photomètre pour calculer l'intensité et l'éclairement.

Photophone Marque de commerce d'un procédé d'enregistrement optique du son à élongation variable dit à densité fixe. Le Photophone est mis au point par la General Electric et commercialisé par Radio Corporation of America [RCA] en 1928. Il est utilisé uniquement par la RKO, tandis que les autres Majors utilisent le système Movietone.

Photoplay Célèbre magazine de cinéma américain né dans les années 10 en Californie. Sa publication correspond à l'âge d'or hollywoodien. Les articles, accompagnés de nombreuses photos, sont en majorité consacrés aux stars de l'écran, à leur vie sentimentale et professionnelle. La revue fidélise ses lecteurs et surtout ses lectrices avec ses rubriques régulières comme «Brief Reviews of Current Films» sur les films en salles, «Hollywood Menus» où sont suggérées des recettes traditionnelles américaines et «The Shadow Stage» consacrée à l'information et à l'évaluation critique des films. On y exalte le mythe de la réussite et on y promeut le cinéma essentiellement comme divertissement. La revue disparaît en même temps que le système des studios, à la fin des années 50.

photoplay ANGL. VX Film au temps du muet. Ce mot était utilisé par snobisme à la place du mot *movie*. Originalement, *photoplay* signifiait «scénario».

PHSCologram Marque de commerce d'un procédé de photographie entièrement conçu par ordinateur en vue de rendre une image en 3D. Cette technique est mise au point en 1983, à partir des rayographes de Man et des photogrammes de Moholy-Nagy.

Pictographe Marque de commerce d'un procédé mis au point par Pierre Angénieux, Abel Gance et Robert Hubert en 1937, consistant à utiliser simultanément un document (un dessin, par exemple) et un

fond de scène comme décor. Le document est placé à proximité de l'appareil; un fragment de lentille additionnelle est monté devant l'objectif qui découpe alors le champ en deux zones de mise au point, l'une rapprochée, l'autre éloignée. → **Pictoscope**.

Pictoscope Marque de commerce du procédé du Pictographe d'Abel Gance, amélioré par son inventeur en 1942.

pied [1] Mesure anglaise de distance (*foot, feet* PLUR.). Le pied vaut 30,5 cm. Il se divise en pouces (un pouce = 2,54 cm). [2] Support maniable assurant la stabilité (et non la fixité) de la caméra. On distingue le pied-boule de la crab dolly, le trépied, le pied court et le pied marin.

pied-boule Support d'une caméra à colonne télescopique posée sur un chariot (comme la crab dolly) et utilisée généralement en studio.

pied court Pied qui permet de placer la caméra tout près du sol (*hi-cat*).

pied marin Pied muni d'un balancier stabilisateur qui maintient l'horizontalité de la caméra lorsqu'on filme d'un bateau.

piétage → **numéro de piétage**.

pigment coloré Dans la couche d'émulsion, corps pulvérulent et opaque (*pigment*).

pignon débiteur Roue dentée qui déplace le film impressionné vers la bobine réceptrice de la caméra (*feed sprocket*).

pignon récepteur Roue dentée qui pousse le film à impressionner vers le couloir d'exposition de la caméra (*take-up sprocket*).

piloton Générateur d'impulsion de faible tension qui transmet le signal pilote au magnétophone afin de permettre la synchronisation ultérieure de l'image et du son (*pilotone*). Le piloton est commandé par le moteur régulé de la caméra.

pinceau Genre de blaireau dont se sert l'opérateur ou l'un de ses assistants pour nettoyer la lentille avant la prise de vues (*brush*).

pincer ARG. Réduire le champ de la prise de vues ou le faisceau lumineux du projecteur. SYN. serrer, resserrer. OPPOSÉS: élargir, ouvrir.

Pinewood Studios Un des plus importants centres de production britannique. Créés en 1936, les studios de Pinewood contribuent à donner un essor au cinéma anglais dont le marché est dominé par Hollywood. La Rand Organization y produit la majorité de ses films, entre autres ceux de David Lean et Michael Powell. À partir des années 60, les studios sont loués à des indépendants et pour des productions télévisuelles.

pink cinema ANGL. Aux États-Unis, dans les années 60, terme désignant les films japonais dits pornographiques. Notons que l'État japonais interdit la représentation du poil pubien. La société Nikkatsu produit des films dits romantiques-pornographiques ayant pour thème la jeunesse. Matsui Yasuko, actrice des studios Shochiku, de Tokyo, qui interprète un rôle dans *L'empire des sens* (1976) de Nagisa Oshima, a été longtemps surnommée la reine du pink.

pin up ANGLICISME De l'américain, du verbe *to pin up* qui signifie «épingler au mur». Photo d'une jeune fille court vêtue épinglée au mur (*pin up girl*). Très à la mode durant la Seconde Guerre mondiale, accrocher la photo d'une pin up est devenu courant dans les chambrées des militaires. Plusieurs mannequins posent comme pin up avant de faire des films; c'est notamment le cas de Marilyn Monroe.

piqué Qualité d'une image de rendre très nets les détails (*sharpness*).

piquer ARG. Incliner un objet (un miroir, un tableau) vers le sol de façon à éviter un reflet du projecteur. ANT. redresser.

piqûre des perforations Petite déchirure de la pellicule dans l'angle des perforations. VOISIN: éclatement des perforations.

piratage Action de reproduire une œuvre pour la vente ou la location sans en payer les droits d'auteur (*piracy*). En cinéma, le piratage désigne la reproduction illégale de films, principalement en vidéocassettes. En Europe, il est devenu un fléau organisé que les États occidentaux condamnent sévèrement par des poursuites et des amendes élevées. Les pays de l'Est (ex-socialistes) sont responsables à 50 pour cent de tout le matériel piraté mondialement. L'industrie du film perd annuellement près de 2 milliards de dollars US dans la contrefaçon. Le réseau Internet devient un nouveau moyen de fabriquer et de distribuer illégalement du matériel, mais sans le vendre en tant que tel.

pistage Opération consistant à déposer sur un film les pistes magnétiques pour l'enregistrement du son (*magnetic stripping*).

piste de commande Piste sonore contenant les signaux des enregistrements sonores (*control track*). La piste de commande permet d'assurer la commande du niveau, de l'expansion et de la compression de ces enregistrements.

piste de compensation Piste magnétique placée sur le bord opposé de la piste sonore du film en vue d'épaissir la piste pour faciliter son passage devant les têtes de lecture et un enroulement régulier sur les bobines (*balance stripe*). Pour un film en son stéréophonique ayant une piste sonore des deux côtés, une piste de compensation n'est pas nécessaire.

piste de localisation Film test permettant de vérifier la bonne orientation du faisceau de lecture du son dans un projecteur (*buzz track*).

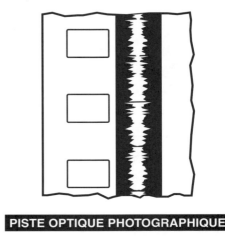

PISTE OPTIQUE PHOTOGRAPHIQUE

piste optique photographique Piste sonore mixée photographiée sur pellicule après le report optique (*optical sound track*). La piste optique photographique est prête à être associée aux images du film pour le tirage de la copie standard.

piste sonore [1] Partie du film où est inscrit le son (*sound track*). La piste sonore peut être optique ou magnétique. Un film peut comporter plusieurs pistes sonores. [2] Par extension, ensemble des éléments constituant le son du film (*track*).

pitonner QUÉBÉCISME Zapper.

pixel ANGLICISME Contraction de l'anglais *pix* (pour *picture*) et *element*. La plus petite composante d'une image numérique affichée en mode point sur un écran ou un capteur (*pixel*). Le nombre de pixels par ligne et le nombre de lignes par image déterminent la définition de l'image.

pixilation Procédé d'animation d'objets et d'interprètes réels (*pixilation*). Technique de tournage image par image, la pixilation est l'une des plus utilisées en cinéma d'animation. La pixilation est différente du procédé de *stop motion* dans la mesure où chaque prise correspond à une action précise. Elle a été mise au point par Norman McLaren dans *Les voisins* (1952).

plafonnier OBS. Au temps du muet, source lumineuse placée directement au-dessus du décor et constituée d'un arc voltaïque fixé dans un cône en tôle servant de réflecteur.

plan [1] Suite continue d'images devant la caméra au cours d'une prise (*shot*). Une prise représente un plan. Le montage est l'assemblage des plans; → **coupe franche, insert, plan de coupe, plan de transition, transition**. Selon la fixité ou le mouvement de l'appareil, les prises composent le travelling avant, le travelling arrière, le travelling latéral, le zoom arrière, le zoom avant, le panoramique (avec balayage ou fouettage), le plan aérien et le plan à l'épaule. Les angles de prise de vues composent la plongée, la contre-plongée, le contrechamp, le champ-contrechamp et le plan oblique. → **grue, mouvement d'appareil, plan fixe**. [2] Suite d'images définie par l'espace entre l'objet filmé et la caméra (*shot*). L'éloignement de l'objet donne au plan sa dimension; on parle alors de la grosseur du plan. En tant qu'unité organisationnelle de l'espace et du temps filmique, le plan est un élément de la syntaxe cinématographique. → **plan complet, plan général, plan d'ensemble, plan de demi-ensemble, plan moyen, plan américain, plan rapproché, gros plan, plan serré, très gros plan, plan moitié-moitié**. [3] Rapport avec la profondeur de champ dans la suite des images. Ce rapport génère le premier plan, le second plan et l'arrière-plan. La profondeur de champ peut être un élément dramatique; à voir: *Citizen Kane* (1941) d'Orson Welles. Le mot «plan» apparaît en 1918. Un film comporte environ 500 plans. Les plans donnent le mouvement et le tempo de la scène, la scène étant la plus petite unité de la séquence. Ils font partie de la mise en

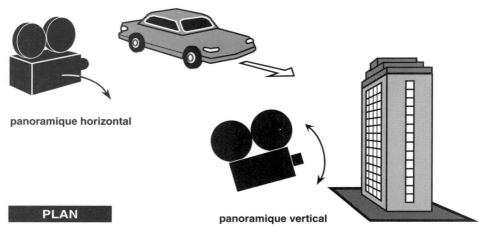

panoramique horizontal

PLAN

panoramique vertical

scène. Selon leur durée, les plans sont longs ou courts. ➤ **plan-séquence, prise de 10 minutes**. Le son est un élément majeur du plan. Les effets spéciaux permettent de le truquer. Si chaque plan est important, c'est le montage (des plans) qui donne à la scène sa signification. On peut analyser un film plan par plan; le cinéma américain classique est, dans ce cas, une grande source d'analyses; à lire: *L'Analyse du film* (1979) de Raymond Bellour. VOISIN: prise. ➤ **cadre**, *master shot*.

plan aérien Plan pris du haut des airs, par un moyen de transport aérien comme l'hélicoptère (*aerial shot*). ➤ **Ailimount, Hélivision**.

plan à l'épaule Plan effectué par une caméra portable, tenue à l'épaule (*hand-held shot*). Le plan à l'épaule est généralement affecté d'un léger tremblement, que n'a pas un plan fixe fait par une caméra installée sur un support comme le trépied. On trouve de nombreux plans à l'épaule dans les films documentaires. Au cinéma, il est utilisé comme effet esthétique; à voir: les films de John Cassavettes. Il est devenu courant avec l'utilisation de la Steadicam et de la BodyCam. ➤ **caméra au poing**.

plan américain [P.A.] Plan cadrant le personnage de la mi-cuisse à la tête (*american shot*). On distingue le plan américain cadrant deux personnages (*two-shot*) et le plan américain serré ne cadrant qu'un seul personnage (*medium close shot, MCS*); ce dernier est appelé en français «plan rapproché».

plan arrêté Plan totalement immobile (*freeze frame*). SYN. arrêt sur image, image gelée.

plan complet Plan du départ à l'arrêt de la caméra. On le réduira en le coupant lors du montage.

plan d'ambiance Plan d'ensemble ou plan général, placé en début de film pour établir le climat ou le lieu de l'action (*establishing shot*). Le plan d'ambiance peut être isolé dans le déroulement du récit afin de suggérer l'ambiance d'une séquence (le passage du temps, par exemple) ou de rappeler l'un des lieux de l'action.

plan d'archives Plan tiré d'un film, le plus souvent un film d'actualités, en vue de son utilisation dans un autre film (*library shot, stock shot, stock footage*). Le plan d'archives est souvent un plan non gardé d'un film. On l'achète généralement en pied ou en mètre. Il est utilisé par mesure d'économie pour des plans de foule (parade, spectacle sportif, etc.) ou de bombardement (bombes lâchées d'un avion, déflagration, etc.). SYN. À ÉVITER: image d'archives.

plan de coupe Plan inséré entre deux plans afin d'éviter un hiatus visuel (*cutaway shot*). Le plan de coupe est souvent un plan de paysage. Il est souvent utilisé pour cacher une déficience (un plan prévu mais non tourné, un plan interrompu ou inutilisable). Il peut être cependant utilisé dans un but dramatique ou une perspective rythmique. VOISINS: plan de liaison, plan de secours.

plan de demi-ensemble [plan demi-ensemble, P.D.E., 1/2 e] Plan cadrant des personnages dans le décor (*medium long shot, MLS*). SYN. plan large.

plan de détail ➤ **insert**.

plan de grand ensemble [P.G.E.] ➤ **plan général**.

plan de liaison Plan marquant le passage du temps, le saut d'un lieu à un autre ou la transition entre deux actions (*bridging shot*). La chute des feuilles mensuelles d'un calendrier, les roues d'un train en mouvement, le défilement des rails et les titres de la une de journaux sont des exemples de plans de liaison. VOISIN: plan de coupe. SYN. plan raccord.

plan demi-ensemble ➤ **plan de demi-ensemble**.

plan d'ensemble [P.E.] Plan cadrant une partie du décor (*long shot, LS*).

plan de réaction Gros plan d'un interprète réagissant au propos ou au contenu du plan précédent (*reaction shot*). La plan de réaction termine le plus souvent une scène. Selon Paul Warren, dans son livre *Le secret du star system américain* (1989), c'est au plan de réaction qu'on doit le pouvoir de fascination et d'envoûtement dont jouit le cinéma populaire américain sur les spectateurs du monde entier. → **champ-contrechamp**.

plan de secours Terme peu usité. Plan supplémentaire ajouté à une scène et qui n'était pas prévu au découpage. Le plan de secours permet de «couvrir» la difficulté de raccord entre deux plans. VOISINS: plan de coupe, plan de sécurité.

plan de sécurité Plan imprévu au découpage mais tourné à la demande du réalisateur ou du directeur photo pour assurer la continuité d'une scène (*cover shot*). VOISIN: plan de secours.

plan de taille → **plan rapproché**.

plan de transition Prise qui se termine par le passage d'une personne ou d'un objet (comme un véhicule) devant la caméra, continuée dans le plan suivant avec la personne en mouvement ou la caméra suivant un objet en mouvement (*transition shot*). Le plan de transition permet de passer d'un plan à un autre sans brusquer l'œil, surtout lors d'un travelling ou d'un panoramique. Alfred Hitchcock utilise le plan de transition à la fin de chaque séquence (d'une durée d'une bobine) de *La corde* (1948) pour donner l'impression d'un seul et même long plan pour tout le film. SYN. plan intermédiaire. → **plan-séquence, prise de 10 minutes**.

plan de travail Organisation du tournage selon la disponibilité des interprètes, les lieux de tournage et le nombre de jours de travail (*production schedule*). Le tournage ne suit pas nécessairement l'ordre chronologique du scénario.

plan doublé Prise de vues d'une même action sous deux plans différents (*double take*). Le plan doublé peut être enregistré par une seule caméra ou par deux caméras. Il est utilisé intentionnellement pour donner un effet particulier à une scène. Il est souvent montré au ralenti, comme dans *Zabriskie Point* (1970) de Michelangelo Antonioni.

plan fixe Prise de vues effectuée avec une caméra immobile (*still shot*). OPPOSÉS: travelling, panoramique.

plan général [P.G., plan de grand ensemble (P.G.E.)] Plan cadrant un décor entier comme un paysage, une ville, un pâté de maisons, etc. (*extreme long shot, ELS*). → *master shot*.

plan intermédiaire → **plan de transition**.

plan italien Plan cadrant un personnage aux genoux (*knee shot*).

plan large → **plan de demi-ensemble**.

plan maître Traduction suggérée de *master shot* et *master scene*, deux termes qui sont couramment utilisés en français.

plan moitié-moitié Terme peu usité en français. Plan cadrant deux personnages occupant également le champ (*fifty-fifty shot*). Le plan moitié-moitié a été très privilégié par Ingmar Bergman dans *Persona* (1965).

plan moyen [P.M.] Plan cadrant un ou des personnages en pied (*medium shot, MS* ou *full shot, FL*).

plan multi-image → **multi-image**.

plan raccord → **plan de liaison**.

plan rapproché [P.R.] Plan cadrant un ou des personnages à la taille ou à la poitrine (*medium close-up, MCU*). Le plan rapproché est un plan américain serré (*medium close shot*). SYN. plan rapproché poitrine, plan rapproché taille.

plan rapproché poitrine [P.R.P.] → **plan rapproché**.

plan rapproché taille [P.R.T.] → **plan rapproché**.

plan-regard → **regard-caméra**.

plan-séquence Prise de vues d'une scène en continuité, sans coupures (*sequence shot*). Le plan-séquence correspond à une prise lors du tournage. Il peut être très long, jusqu'à dix minutes maximum (le temps d'une bobine de film en 35 mm). Il est fréquemment utilisé par Kenji Mizoguchi. Alfred Hitchcock utilise cette technique d'une autre façon dans *La corde* (1948) en voulant donner l'impression d'un film tourné en un seul plan-séquence; ➤ **plan de transition**. Dans les années 70, des cinéastes européens comme le Grec Theo Angelopoulos et le Suisse Alain Tanner lui redonnent sa profondeur esthétique.

plan serré Plan coinçant les personnages dans les limites du cadre de l'image (*tight shot*). Le plan serré s'emploie également pour désigner un gros plan d'un objet; ➤ **insert**.

plans groupés PLUR. Tournage en un seul plan de plusieurs plans initialement prévus au découpage. On rassemble ces plans en un seul par mesure d'économie ou par manque de temps lors du tournage.

plan subjectif Plan tourné en caméra subjective. Le point de vue de l'objectif se confond avec celui du personnage (*subjective shot*). ➤ **caméra subjective**.

plantation du décor Mise en place du décor par rapport au plan à tourner (*setting-up*). ➤ **déblayer le décor**.

plaque de décentrement Accessoire de la caméra composé de deux parties coulissantes, l'une permettant de fixer l'appareil sur la tête d'un trépied (*bridge plate*). ➤ **semelle**.

plaque de roulement Grande planche de contreplaqué permettant de réaliser des travellings sur pneus (*travelling board*). La plaque de roulement évite l'utilisation des rails dont la mise en place est longue.

plastification Traitement protecteur des copies d'exploitation (*plastic coating*). La plastification consiste à enrober les copies d'une gaine de plastique en vue de les protéger des agressions extérieures. VOISIN: laquage.

plastigramme ➤ **stéréoscopie**.

plateau de cinéma [1] Lieu des prises de vues en studio et en extérieur (*stage, set*). [2] Installation équipée techniquement pour le tournage (*studio*). Le plateau est un vaste hangar occupant une superficie entre 500 et 1 000 mètres carrés, d'une hauteur de plus de 10 mètres et à l'abri de la lumière du jour. ➤ **studio** [2].

plateau débiteur Plateau sur lequel prend place la bobine débitrice du film lors de la projection (*feed plate, take-off plate*).

plateau récepteur Plateau sur lequel prend place la bobine réceptrice du film lors de la projection (*take-up plate*).

plateaux PLUR. Dans la cabine de projection, plaques circulaires horizontales sur lesquelles prennent place les bobines de film (*plates*). On distingue le plateau débiteur et le plateau récepteur.

plateforme numérique Opérateur exploitant un bouquet numérique. La plus importante plateforme numérique est DirectTV, une société américaine ayant plus de 4 millions d'abonnés et transmettant les émissions de quelque 100 chaînes spécialisées.

platine Forme abrégée de platine tourne-disque.

platine tourne-disque [platine] Appareil constitué d'un plateau, d'un dispositif d'entraînement et d'un bras mobile pour la lecture de disques en vinyle (*turntable*). La platine est utilisée au début du cinéma parlant (*sound-on-disc*). Par la suite, et jusque dans les années 70, elle servira à diffuser de la musique avant le début de la projection d'un film. SYN. tourne-disque.

play-back ANGLICISME [1] Technique par laquelle l'interprétation est une imitation d'un son préalablement enregistré (*playback*). L'interprète ne se trouve pas être la personne qui joue ou qui chante. Jacques Demy utilise cette technique pour *Les parapluies de Cherbourg* (1964). Le play-back ressemble au doublage. OPPOSÉ: postsynchronisation. En français, le mot «présonorisation» est recommandé, mais il est peu usité. [2] Synchronisation du son et de l'image lors du tournage d'une scène à partir d'un son préalablement enregistré en auditorium (*pre-scoring*). [3] Diffusion d'une musique préalablement enregistrée et servant aux répétitions (*playback*).

plein air OBS. Dans les années 20, court métrage touristique décrivant une région ou une ville.

plein écran Sur l'enregistrement d'un film en vidéocassette ou en vidéodisque, indication que le format du film a été modifié afin que l'image affichée occupe entièrement l'écran du téléviseur (*full screen*). On obtient une image plein écran par recadrage de l'image; ➤ *pan and scan*, **scannage**. OPPOSÉ: écran panoramique.

pleine ouverture ➤ **grande ouverture**.

Plestar Marque de commerce d'un support non cellulosique très résistant mis au point par Agfa-Gaevert. Fabriqué à partir du bicarbonate, le Plestar est très résistant aux déchirures. ➤ **Estar**.

pleurage Dans un système de restitution du son, fluctuations dans la vitesse de défilement d'une bande sonore (*flutter, wow*). Le pleurage est un défaut très remarqué quand il s'agit de la reproduction d'une trame musicale.

plongée Prise de vues effectuée avec l'axe de la caméra incliné vers le bas (*high-angle shot, high shot, down shot*). Pour une plongée, la caméra surplombe les personnages, leur donnant ainsi une impression de vulnérabilité. OPPOSÉ: contre-plongée.

plop Onomatopée désignant un bruit parasite lors du passage de la collure dans le projecteur (*bloop*).

Plus-X Marque de commerce d'une pellicule négative noir et blanc de rapidité moyenne fabriquée par Kodak.

P.M. Abréviation de plan moyen.

pochoir ➤ **machine à colorier**.

poignée Partie de la caméra destinée à être tenue par la main et permettant une utilisation aisée de l'appareil de prise de vues (*handgrip, handle*). La poignée peut être détachable (*detachable grip*), escamotable (*folding grip*) ou fixe (*fixed grip*). ➤ **crosse**.

poil caméra ARG. Poils ou déchets s'accumulant au bas de la fenêtre de vues et qui apparaissent en haut de l'image lors de la projection. Le poil caméra prend la forme d'un amas filiforme, filandreux.

poinçonneuse ➤ **encocheuse**.

point de vue [1] Place de l'énonciation dans la narration du film (*point of view*). Le point de vue est un élément de la narration grâce auquel l'action du film est vue à travers les yeux d'un personnage (personnage-narrateur ou narrateur omniscient); ➤ **voix off**. Il peut y avoir plusieurs changements de point de vue dans un film. L'utilisation de la caméra subjective suggère un point de vue. Le point de vue détermine le rapport qu'a le spectateur avec les éléments du film qui sont autant les personnages ou la mise en scène que l'organisation des plans. ➤ **identification**. [2] FAMILIER Perception, philosophie, vision de l'auteur (*point of view*).

pointeur Assistant-opérateur responsable de la mise au point (*assistant cameraman, first assistant cameraman*).

point nodal Centre objectif de la lentille (*nodal point*).

polar FAMILIER Roman policier, film policier (ARG. *whodunit*).

polarisation Caractéristique de la lumière propagée par ondes et ayant la même orientation (*polarization*). ➤ **filtre polarisant**.

Polaroïd Marque de commerce de filtres polarisants mis au point par Edwin Land en 1934 pour la société américaine Polaroïd. L'invention du Polaroïd permet la mise au point d'appareils photo à développement instantané.

Polavision Forme abrégée de Polavision Instant Motion Analysis System.

Polavision Instant Motion Analysis System [Polavision] Marque de commerce d'un procédé additif de cinéma en couleurs pour caméra amateur super-8 à développement instantané mis au point par Polaroïd. Le Polavision est un procédé additif dit à réseau coloré. Il est utilisé dans le cinéma professionnel par une caméra enregistrant jusqu'à 360 images par seconde; il permet au réalisateur de vérifier immédiatement, par le ralenti ou l'accéléré, l'apparence d'une scène.

polir [1] Traiter les copies de films afin d'en atténuer les rayures (*polish out*). SYN. dérayer. [2] Parachever, peaufiner un scénario (*polish*). → **consultant en scénario**.

polissage → **dérayage**.

«Politique des auteurs» Notion avancée par François Truffaut en février 1955 dans un article sur le film de Jacques Becker, *Ali Baba et les quarante voleurs*, publié dans le numéro 44 des *Cahiers du cinéma*, qui consiste à reconnaître un auteur même dans ses films ratés (*Policy of authors*). La «Politique des auteurs» se traduit par une défense inconditionnelle de l'œuvre, car la globalité de celle-ci permet de comprendre le génie d'un auteur. La mise en scène est la matière même du film, et son organisation, parce que morale et esthétique, révèle la vision personnelle de l'auteur sur les êtres et les choses. La spécificité de cette «Politique» repose sur trois éléments: le volontarisme de l'amour, la mise en scène et l'œuvre en train de se faire. Sa logique s'inscrit dans l'admiration des anciens cinéastes (Abel Gance, Howard Hawks, Alfred Hitchcock, Fritz Lang, Jean Renoir, Roberto Rossellini, Orson Welles, etc.) et la promotion des nouveaux auteurs (Robert Aldrich, Jacques Becker, Peter Brooks, Jules Dassin, Delbert Mann, Nicholas Ray, etc.). Cette «Politique» est respectée d'une façon intransigeante par les jeunes critiques des *Cahiers*, entre autres Charles Bitsch, Claude Chabrol, Jean-Luc Godard, Jacques Rivette et Éric Rohmer, appelés les «hitchcocko-hawksiens». → **caméra stylo**, *Positif*.

polyester Substance chimique entrant dans la composition des bandes magnétiques et de certaines pellicules ininflammables particulièrement conçues pour le cinéma amateur (*polyester*). → **Estar**.

PolyGram Forme abrégée de Polygram Filmed Entertainment.

PolyGram Filmed Entertainment [PolyGram] Important groupe de l'industrie des communications dont le siège social est situé aux Pays-Bas. Cette compagnie de production et de distribution de disques se lance en 1991 dans la production et la distribution de films avec la création de Gramercy Pictures. Elle investit également dans la télévision avec la création de Sundance Channel. À partir de 1994, en plus de la production de films européens, elle étend son réseau de distribution en Allemagne, en Belgique, en France, en Grande-Bretagne et en Suisse. En 1998, elle est associée à Warner Bros. pour le financement et la distribution des films produits par Castle Rock Pictures. La même année, Edgar Bronfman, de la compagnie canadienne Seagram, en association avec Philips, acquiert PolyGram pour la somme de 3,3 milliards de dollars. On compte dans le catalogue de cette société des films comme *Fargo* (1996) de Joel Coen, et *Un portrait de femme* (1996) de Jane Campion.

Polyscope → **Selig**.

Polyvision Système de vision multiple mis au point par Abel Gance pour *Napoléon* (1927), comportant trois images issues de trois projecteurs. SYN. triple écran.

pompage Flottement dans la netteté de l'image projetée causé par un plaquage insuffisant de la pellicule contre le presseur du projecteur (*breathing*).

ponctuation Effet de liaison entre deux plans marquant la fin d'une séquence. Dans le cinéma classique, les fondus sont couramment utilisés comme ponctuation.

pondération Correction de l'intensité des sons en décibels en fonction de l'audition humaine (*weighting*).

pop-corn ANGLICISME Grains de maïs éclatés, salés, vendus comme friandise dans les salles de cinéma en Amérique du Nord (*popcorn*). Ses effluves caractérisent l'odeur des salles. Sa vente constitue souvent l'essentiel des revenus de la salle (elle rapporte 10 fois son coût en matières premières). → **esquimau.**

pornochanchada PORT. Comédie érotique brésilienne. Tourné surtout dans les années 70, en majorité à Sao Paulo, le *pornochanchada* est étroitement surveillé par la censure. → ***chanchada.***

pornographie Représentation explicite d'actes sexuels, considérés alors comme obscènes et offensants pour la morale (*pornography*). → **film pornographique.**

PORTADAT → **DAT.**

Portapack Marque de commerce d'un matériel vidéo demi-pouce, léger et portable, comprenant une caméra et un magnétoscope. Le Portapack est lancé en 1965 par la compagnie Sony. Il sera largement utilisé par les premiers artistes vidéographes comme Frank Gillette, Lee Levine et Nam June Paik.

porte-diffuseurs [porte-filtres] Accessoire de la caméra comportant un ou plusieurs tiroirs à filtre dont certains peuvent être réglables en hauteur, être rotatifs ou les deux à la fois (*matte box*).

porte-filtres → **porte-diffuseurs.**

porte-griffes Pièce mobile, munie de griffes, servant à la rotation de la came.

«porter à l'écran» Adapter une œuvre littéraire pour le cinéma («*transfer for the screen*»). → **adaptation.**

porte-voix Cornet à pavillon évasé servant à amplifier la voix (*megaphone*). Le porte-voix a été longtemps utilisé pour le tournage en extérieur. Il est devenu un objet mythique du cinéma. SYN. mégaphone.

posemètre Appareil mesurant la lumière lors de la prise de vues (*exposure meter, light meter*). Pour prendre la mesure, on place le posemètre face à l'interprète ou l'objet à filmer.

Positif Revue de cinéma française fondée à Lyon en 1952 par Bernard Chardère. Ses bureaux sont situés à Paris depuis 1954. Les collaborateurs de *Positif* revendiquent une appartenance au surréalisme et se dressent contre la critique «métaphysique» des *Cahiers du cinéma* et la «Politique des auteurs». Durant la guerre d'Algérie, les rédacteurs prennent position contre la politique du gouvernement français. On n'aime guère à la revue le néoréalisme; on déteste la Nouvelle Vague; on défend largement le cinéma américain et des auteurs comme Otto Preminger, Raoul Walsh et William Wyler; on prend au sérieux des cinéastes comme Jerry Lewis et on en encense d'autres dès leurs débuts, comme Theo Angelopoulos. La rédaction n'occulte ni l'histoire ni l'actualité, tant politiques que cinématographiques. La revue existe encore, plus diversifiée, défendant une plus large palette d'auteurs. Ses principaux rédacteurs sont Robert Benayoun, Michel Ciment, Ado Kyrou et Louis Seguin. Certains de ses collaborateurs, comme Robert Benayoun et Bertrand Tavernier, sont devenus cinéastes. → **«mac-mahoniens».**

positif intermédiaire → **interpositif.**

position de la caméra → **emplacement de la caméra.**

postflashage Léger voilage de l'émulsion sur une pellicule impressionnée (*postflashing*). Le postflashage est effectué en laboratoire, après la prise de vues. SYN. postlumination.

postlumination → **postflashage.**

postproduction Étape suivant le tournage du film et qui comprend le travail de laboratoire: les effets spéciaux, le montage, le mixage, la postsynchronisation et le doublage (*postproduction*).

postsonorisation Technique permettant l'ajout de sons aux images préalablement enregistrées (*postrecording*). → **postsynchronisation.**

postsynchro Forme abrégée de postsynchronisation (*postsync*).

postsynchronisation [postsynchro] Technique permettant de reproduire en studio les dialogues du tournage (*postsynchronization* et *dubbing*). La postsynchronisation naît aux États-Unis en 1932. Elle s'effectue avec la projection sur écran des images préalablement enregistrées. Elle permet d'éliminer les sons indésirables enregistrés lors de la prise de vues et d'améliorer la qualité du son. Les Italiens sont passés maîtres dans l'art de la postsynchronisation. On ne doit pas confondre la postsynchronisation et le doublage.

postsynchroniser Effectuer la psychronisation d'un film (*dub*).

potentiomètre Appareil utilisé pour le réglage du volume sonore (*fader*).

pouce Mesure de distance anglaise (*inch*, PLUR. *inches*). Le pouce vaut 2,54 cm.

pousser Augmenter la sensibilité de l'émulsion de la pellicule en utilisant un révélateur énergique ou en prolongeant le temps de développement (*overdevelop*). VOISIN: surdévelopper.

poupée vx Marionnette.

pouvoir de résolution [pouvoir résolvant] Capacité que possède une pellicule d'enregistrer les détails dans une image (*resolution power*). On vérifie le pouvoir de résolution en filmant une mire. ➤ **définition**.

pouvoir de séparation [pouvoir séparateur] Capacité que possède un objectif de différencier les détails dans une image (*resolving power*). Le pouvoir de séparation permet de rendre distincts à l'image deux objets rapprochés.

pouvoir résolvant ➤ **pouvoir de résolution**.

pouvoir séparateur ➤ **pouvoir de séparation**.

P.R. Abréviation de plan rapproché.

praticable Plateforme dont se servent les machinistes pour installer une caméra en hauteur, et sur laquelle l'équipe de prise de vues peut travailler (G.-B. *rostrum*, É.-U. *parallel*). On se sert également d'un praticable pour placer des projecteurs en position surélevée. ➤ **cale, cube, support**.

PRAXINOSCOPE

Praxinoscope Appareil mis au point par Émile Reynaud en 1877, servant à observer le mouvement. Cet ancêtre de l'appareil de projection est composé d'un cylindre fixe muni à l'intérieur d'une douzaine de miroirs reflétant une bande de dessins sur un tambour qu'on fait tourner; quand la vitesse est adéquate, les dessins reflétés donnent, grâce à la persistance rétinienne, l'illusion du mouvement.

préampli Forme abrégée de préamplificateur.

préamplificateur [préampli] Amplificateur de tension placé entre l'amplificateur de puissance et la source (le micro, la tête de lecture ou le détecteur) (*preamplifier*).

pré-cinéma ➤ **préhistoire du cinéma**.

préflashage Léger voilage de l'émulsion sur une pellicule vierge (*preflashing*). Le postflashage est effectué avant la prise de vues. ➤ **désaturation**.

prégénérique Brève séquence précédant le générique de début du film. Le prégénérique situe le cadre de l'action du film.

préhistoire du cinéma Tout ce qui précède l'invention du Cinématographe des frères Lumière et de la première séance de cinéma du 28 décembre 1895. La préhistoire du cinéma est l'histoire de la représentation du mouvement liée à la naissance du cinéma. Elle débute aux grottes de Lascaux, se perpétue dans l'art de la tapisserie, la technique du sténopé et de la *camera obscura*, les perfectionnements techniques et scientifiques, le théâtre d'ombre et la lanterne magique. Les progrès de l'optique favorise la création d'appareils mécaniques; ➤ **Diorama, Fantascope, Panorama**. La découverte de la persistance rétinienne constitue une étape importante de cette histoire; ➤ **feuilleteur, Mutoscope, Phénakistiscope, Stroboscope, Thaumatrope, Zoetrope**; de même que le sont les expériences et les inventions tentant de reproduire le mouvement; ➤ **Bioscope, chronophotographie, croix de Malte, fusil photographique, Kinetoscope, Praxinoscope, Zoopraxinoscope**. SYN. pré-cinéma.

prémélange ➤ **prémixage**.

premier assemblage ➤ **bout à bout**.

Première Magazine sur le monde du cinéma fondé en 1976 et publié en France. Axé à ses débuts sur les interviews, surtout avec les acteurs et les actrices, *Première* devient un mensuel grand public à partir de 1982 en changeant de formule et de logo, en prenant une distance critique vis-à-vis des œuvres et du milieu cinématographique. La revue est publiée en plusieurs langues, par le même éditeur, Filipachi. Parution: mensuelle.

Première Chaîne de télévision à péage anglo-américaine par câble diffusée en Europe et lancée en 1984. La programmation de Première est axée essentiellement sur les films, qui constituent 95 pour cent de toutes les émissions.

première Projection d'un film en exclusivité, pour un public invité avant sa sortie (*opening night*). La première est souvent organisée avec faste. VOISIN: avant-première. SYN. première présentation.

première génération Première copie d'un film faite à partir de l'original (*first generation*).

première partie Temps de projection avant l'entracte (*first part*). La première partie d'une séance est généralement occupée par les bandes-annonces et les films publicitaires.

première présentation ➤ **première**.

premier mélange ➤ **prémixage**.

premier montage [**prémontage**] ➤ **bout à bout**.

premier plan Espace situé entre l'appareil de prise de vues et le sujet principal du film (*foreground*). Le premier plan correspond pour le spectateur à ce qui est le plus proche dans le plan. Il a un rapport étroit avec la profondeur de plan. SYN. avant-plan. OPPOSÉ: arrière-plan. ➤ **second plan**.

premier positif ➤ **rushes**.

premier rôle Rôle le plus important dans une distribution (*leading role*). Le premier rôle interprète le personnage principal (*main character*) dans un film. SYN. rôle principal.

premier tour de manivelle Premier jour de tournage (*first shooting day*).

préminutage Minutage du film, de chacune de ses scènes et de chacun de ses plans, établi avant le tournage (*pre-timing*). Le préminutage, inscrit dans le script, facilite la préparation du plan de travail.

prémixage Premier mixage des différentes bandes sonores (dialogues, bruits d'ambiance) avant le mixage final (*predub, premix*). La musique et les effets sonores doivent également être prémixés, pour être ensuite combinés aux autres bandes sonores du prémixage; ➤ **bande internationale**. SYN. prémélange, premier mélange.

prémontage ➤ **premier montage**.

preneur de son ➤ **opérateur de son**.

préproduction Étape précédant le tournage, comprenant l'écriture finale du scénario, le casting, l'engagement des interprètes et du personnel de production, le choix des décors et des lieux de tournage, l'horaire de tournage et l'établissement du budget final (*preproduction*).

prequel ANGL. Terme n'ayant pas d'équivalent français. Premier film d'une série.

Ainsi, *La guerre des étoiles* (1977) de George Lucas est le premier film d'une trilogie produite par G. Lucas; les deux films de série suivants ont été réalisés en 1980 et 1983. En 1998, G. Lucas annonce une deuxième trilogie de la *Guerre des étoiles*; le *prequel* de cette nouvelle trilogie, *The Phantom Menace*, sort en mai 1999.

présence [1] Qualité de l'acteur qui consiste à donner une forte personnalité à son personnage (*presence*). [2] Qualité particulière du son dans la création d'ambiance et la justesse acoustique (*presence*).

présentation [1] Projection d'un film (*performance*). SYN. représentation. [2] Dans les ciné-clubs, introduction avant la projection d'un film (*introduction*). La présentation prépare au débat qui suit la fin de la séance.

présonorisation Terme recommandé pour traduire le mot anglais *playback*, à la place de l'anglicisme «play-back».

press-book ANGLICISME [1] Originellement, en anglais, matériel de publicité que fournit la production aux distributeurs (*press book*). Le press-book comprend les affiches, le logo reproduit en différents formats, les photographies, les renseignements sur la production et ses artisans, les gadgets et les idées essentielles servant à la campagne publicitaire du film. [2] En France, cahier de presse (*press kit*). Remis aux journalistes, le press-book contient toutes les informations concernant le film (le générique, le résumé du film, etc.) et des photographies. [3] Recueil des coupures de presse et de photographies d'un acteur destiné aux réalisateurs, aux producteurs et aux directeurs de casting susceptibles de lui offrir un rôle (*press book*).

presse à coller ➤ **colleuse**.

presse-film [presseur] Pièce plane, montée sur des ressorts et animée par une came qui plaque le film contre le couloir au niveau de la fenêtre de la caméra, de la tireuse ou du projecteur (*pressure plate*). On distingue le presseur latéral, placé du côté opposé à la marge sonore, qui assure la fixité latérale de la pellicule, le presseur dorsal, qui se plaque au dos du film grâce à des ressorts, et le presseur de fenêtre, alter-natif ou intermittent, qui plaque le film contre la fenêtre.

presseur ➤ **presse-film**.

prestation Interprétation donnée par un acteur (*performance*). On distingue alors la bonne et la mauvaise prestation. ➤ **interprétation**.

«prêt à tourner» Dans la feuille de service, indication de l'heure à laquelle doit être prêt l'interprète, le moment où il doit être habillé, maquillé et coiffé («*ready for shooting*»).

prévente Vente à l'avance d'un film (*advance sale, pre-sale*). La prévente favorise le montage financier du film. Elle constitue environ 10 pour cent du budget total d'un film. La prévente correspond généralement à une location anticipée; ➤ **à-valoir distributeur, distributeur**. Avec un scénario en main, on peut vendre à l'avance les droits de diffusion du film à des chaînes de télévision.

preview ANGL. Terme de plus en plus usité en France. Projection de presse, projection privée (destinée au sélectionneur d'un festival, par exemple) ou avant-première fugitive.

Prevost Marque de commerce de projecteurs 16 et 35 mm, et d'une table de montage fabriqués en Italie par la société Prevost.

primé ADJ. Se dit d'un film ayant reçu une distinction (*prize-winning*).

prime time ANGLICISME À la télévision, tranche horaire déterminant un choix d'émissions pour grand public aux heures de plus grande écoute. Le prime time se situe, selon les pays, entre 19 et 22 heures (aux États-Unis), ou entre 20 et 23 heures (en Europe). Cependant, aux États-Unis, la Federal Communication Commission [FCC] (un organisme réglementaire) l'établit officiellement entre 19 et 20 heures. SYN. PEU USITÉS: heures d'écoute maximale, période de pointe.

principe du cinéma Postulat établissant qu'une série d'images dont chacune est immobilisée pendant un court laps de temps (en nième de seconde) donne l'impression de mouvement lorsque les phases successives de ces images sont reproduites. → **persistance rétinienne, scintillement, sensation d'éclairement.**

prise Enregistrement d'un plan entre le démarrage du moteur de la caméra et son arrêt (*take*). La prise est rarement gardée en entier au montage lorsqu'elle est retenue. On peut faire plusieurs prises d'un même plan; des cinéastes comme Robert Bresson et Stanley Kubrick sont reconnus pour leurs multiples prises, jusqu'à 100 quelquefois. On distingue la prise entourée, la prise provisoire, la prise retenue et la prise refusée. VOISIN: plan.

prise de 10 minutes Traduction suggérée de l'expression anglaise *Ten Minutes Take*. Totalité du métrage contenue dans un chargeur de caméra 35 mm, soit 10 minutes. Dans *La corde* (1948) d'Alfred Hitchcock, 8 prises de 10 minutes sont raccordées de manière à donner l'impression d'un film fait en une seule prise.

prise de son Enregistrement de la partie sonore d'un film. On distingue la prise de son directe, en synchronisme, sur le lieu du tournage, que ce soit en studio ou en extérieur (*sound take*), la prise de son des ambiances sans la prise de vues en synchronisme, appelé «son seul» (*wild sound*), et la prise de son en studio (ou en auditorium) effectuée pour la postsynchronisation, le bruitage, la musique et le doublage (*sound recording*). La prise de son est sous la responsabilité de l'ingénieur du son.

prise entourée Prise qui sera gardée pour le montage (*circled take*). Son numéro est entouré d'un cercle par la scripte dans le cahier de rapport. VOISIN: prise retenue.

prise provisoire Prise d'essai avant l'enregistrement de la prise définitive (*working take*).

prise refusée [1] Prise non développée (*out-take*). [2] Prise non retenue dans le montage final (*out-take*).

prise retenue [1] Prise non développée, mais gardée pour un usage futur (*hold take*).

[2] Dans le découpage technique, numéro d'un plan réservé pour un éventuel enregistrement lors du tournage (*hold take*).

prisme Dispositif optique ayant la propriété de faire dévier un faisceau lumineux (*prism*).

prisme diviseur Prisme qui divise le faisceau lumineux en deux (*splitter*).

privé Abréviation de détective privé. Personnage de littérature policière, comme Sam Spade ou Philip Marlow, adapté pour le film noir des années 40 (*private-eye*). Le privé est immortalisé au cinéma par Humphrey Bogart.

prix Récompense décernée à l'artisan d'un film (un réalisateur, un acteur, un directeur de la photographie, etc.) pour son excellence dans sa discipline, ou distinction couronnant un film (*prize*). Les prix les plus connus sont ceux remis lors de festivals internationaux. → **Caméra d'or, césar, david de donatello, Golden Globes, lion, lumière de Paris, oscar, ours, palme, Prix de la critique internationale, prix Louis-Delluc, prix Méliès, Prix Un certain regard, razzi, volpi.**

Prix de la critique internationale Prix remis par un jury de critiques membres de la Fédération internationale de la presse cinématographique [FIPRESCI] à un film présenté dans un festival international reconnu.

prix d'entrée Coût défrayé pour un billet donnant un droit d'entrée dans une salle de cinéma (*admission fee*).

prix Louis-Delluc Distinction couronnant un film français remise annuellement par un jury formé de journalistes de cinéma. Le prix Louis-Delluc est créé en 1937; *Les bas-fonds* de Jean Renoir est le premier film ainsi primé.

prix Méliès Distinction couronnant un film français ou une coproduction française remise annuellement par le Syndicat français de la critique. Le prix Méliès est créé en 1947; *La bataille du rail* (1946) de René Clément est le premier film ainsi primé.

Prix Un certain regard Distinction créée en 1998 couronnant un film présenté dans la section hors compétition «Un certain regard» du Festival international du film de Cannes. Il est remis par la Fondation Gan, de France. *Tueurs à gages* du Kazakh Darejan Omirbaïev est le premier film ainsi primé.

Prizma Forme abrégée de Prizmacolor.

Prizmacolor [Prizma] Un des tout premiers procédés soustractifs de cinéma en couleurs. Mis au point en 1919, le Prizmacolor utilise une pellicule teintée orange et bleu vert, laquelle passe deux fois plus rapidement dans le projecteur. En 1922, une pellicule teintée en deux couleurs, passant cette fois-ci à la vitesse normale, est mise au point.

procédé additif Procédé du cinéma en couleurs qui rend à l'écran toute la gamme des couleurs en superposant le rouge, le vert et le bleu (*additive process*).

procédé audionumérique Au cinéma, enregistrement du son numérique (*digital sound process*).

procédé Dawn [Dawn] Trucage mis au point par Norman Dawn en 1905 pour la photographie et en 1907 pour le cinéma, consistant à placer devant la caméra une vitre sur laquelle est peint un élément du décor (*Dwan process, glass shot*).

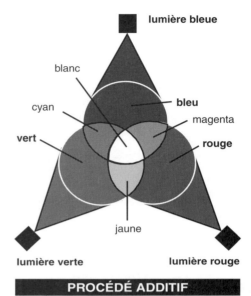

lumière bleue
blanc
bleu
cyan
magenta
vert
rouge
jaune
lumière verte
lumière rouge

PROCÉDÉ ADDITIF

procédé Rossellini Technique de truquage du décor utilisant une grande glace placée à 45 degrés devant la caméra. Le procédé Rossellini permet d'enregistrer une image composite: une maquette de décor, mais avec des interprètes grandeur nature. Ce procédé utilisé par Roberto Rossellini pour le tournage de *La prise du pouvoir de Louis XIV* (1966) est une adaptation du procédé Schüfftan.

procédé Schüfftan Trucage mis au point par le caméraman allemand Eugen Schüff-

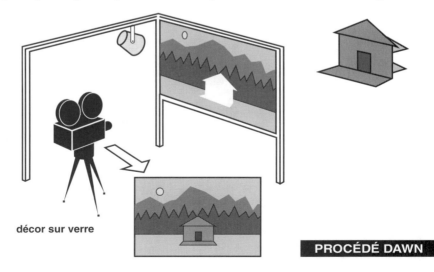

décor sur verre

PROCÉDÉ DAWN

tan en 1923, qui combine la prise de vues réelles avec des éléments de décors factices (*Schüfftan process*). Un miroir sans tain placé entre la caméra et les interprètes est incliné à 45 degrés et reflète une maquette de décor dont le volume se trouve ainsi augmenté. Le procédé Schüfftan est utilisé dans *Metropolis* (1927) de Fritz Lang.

procédé Scotchlite Marque de commerce d'un procédé de projection frontale dérivé d'un matériau à haut pouvoir réfléchissant pour écran perlé (*Scotchlite process*).

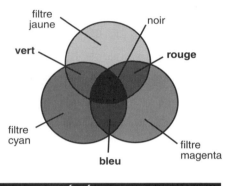

PROCÉDÉ SOUSTRACTIF

procédé soustractif Procédé du cinéma en couleurs qui rend à l'écran toute la gamme des couleurs en soustrayant une

fraction appropriée de la lumière blanche par la superposition de plusieurs images colorées (*subtractive process*).

producteur, trice [1] Personne responsable du financement et de l'administration d'un film, de l'état de projet jusqu'à sa sortie (*producer*). Le producteur hollywoodien demeure encore aujourd'hui le symbole du personnage puissant, faisant la pluie et le beau temps dans l'industrie. Thomas Harper Ince (1882-1924) est devenu l'emblème du producteur parce qu'il a imposé son autorité et défini ses responsabilités dans ses studios Inceville alors qu'il était producteur pour la New York Motion Picture Company; il a mis au point le système des studios grâce à son travail étroit avec les réalisateurs et les scénaristes et grâce à des budgets et un horaire de tournage des films scrupuleusement respectés. Les Majors emploient de nombreux producteurs, lesquels sont responsables de plusieurs films; certains de ces producteurs ont un immense contrôle sur les films et ont plus d'influence que le réalisateur, comme c'est notamment le cas avec David O. Selznick; on les surnomme «nababs» ou «*mogols*». Des réalisateurs deviennent également producteurs, comme, aux États-Unis, Howard Hawks et Alfred Hitchcock; en Europe, François Truffaut et Jean-Luc Godard ont leur propre maison de production. Aujourd'hui, les producteurs américains sont

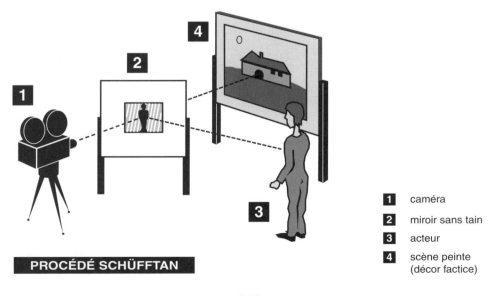

PROCÉDÉ SCHÜFFTAN

1 caméra

2 miroir sans tain

3 acteur

4 scène peinte (décor factice)

indépendants des studios; on les nomme parfois «producteurs exécutifs»; ils obtiennent d'un studio qu'ils produisent un film; ils se présentent parfois avec un projet et une équipe complète (le scénariste, le réalisateur, les acteurs principaux et parfois le directeur photo et le directeur artistique); ➤ **agence, package**. En Europe, il devient de plus en plus courant qu'un film ait plusieurs producteurs; ceux-ci ont alors le statut de coproducteurs. [2] Par extension, compagnie de production. ➤ **administrateur**.

producteur associé Personne adjointe au producteur et responsable de la coordination lors du tournage (*associate producer*). Le producteur associé doit régler les problèmes survenant sur le plateau. Il est associé à une coproduction dont il a la responsabilité. VOISIN: directeur de production. ➤ **administrateur, coproducteur**.

producteur délégué Personne supervisant la production d'un film précis pour une compagnie qui produit simultanément plusieurs films (*executive producer*). ➤ **producteur exécutif**.

producteur exécutif ANGLICISME De *executive producer*. Ce terme est de plus en plus usité en français, au lieu de «producteur délégué». [1] Personne supervisant la production d'un film précis pour une compagnie qui produit simultanément plusieurs films. Du temps des studios, le producteur exécutif est un employé de haut rang qui supervise plusieurs producteurs. [2] Personne responsable du budget du film, qui veille à ce qu'il n'y ait pas de dépassements.

production Branche économique du cinéma rattachée à la réalisation d'un film (*production*). La production comprend la préproduction, les activités particulières liées à la préparation du tournage (la construction des décors, les répétitions, etc.), le tournage lui-même, la postproduction et le suivi du film une fois celui-ci terminé. ➤ **coproduction, superproduction**.

production à petit budget ➤ **film à petit budget**.

professionnel, elle N. Toute personne exerçant un métier particulier relié à une des branches du cinéma (la production, la réalisation, la diffusion, l'exploitation, etc.) (*professional*). ➤ **non-professionnel**.

profilmique Terme de la théorie du cinéma. Tout ce qui est placé devant la caméra pour être enregistré et déterminé par la mise en scène, Plus largement, le profilmique désigne ce qui a été filmé. ANT. afilmique.

profondeur de champ Écart entre la distance minimale et la distance maximale caméra-sujet, donnant du même sujet une image nette (*depth of field*). La profondeur de champ demande une focale, une mise au point, une ouverture de l'obturateur et un cercle de confusion déterminés. Ainsi, la profondeur de champ augmente avec une courte focale et une fermeture du diaphragme.

profondeur de foyer Zone de netteté donnée par l'objectif qui s'étend de part et d'autre du plan (*depth of focus*). On ne doit pas confondre la profondeur de foyer et la profondeur de champ.

programmateur Personne responsable de la programmation (*programmer*). Pour les salles de cinéma, on emploie plutôt le terme «exploitant» (*booker*).

programmation [1] Organisation des projections de films dans une ou plusieurs salles (*booking*). La programmation consiste à choisir les films, les lieux de projection et leur date de passage. ➤ **réservation en lot**. [2] Ensemble des films programmés pour une ou plusieurs salles au cours d'une manifestation (comme un festival) ou pour une saison ou moins (par une cinémathèque, par exemple) (*programming*). VOISIN: programme.

programme [1] Déroulement d'une séance de cinéma (*program*). Au début du cinéma, le programme comprend les films et les attractions. Dans les années 20, on y ajoute les actualités. Ensuite, et jusque dans les années 70, le programme comprend les actualités, les bandes-annonces, les films publicitaires et deux films de long métrage regroupés sous le terme de programme double (*double feature*). Le programme double est institué au début des années 30 en

Amérique; il favorisera la production de films de série B; le film de série B sera alors appelé *programmer*. Aujourd'hui, le programme ne comprend plus qu'un film, avec des bandes-annonces et des films publicitaires. → **complément de programme**. [2] Ensemble de films programmés au cours d'une manifestation (*program*). VOISIN: programmation. [3] Liste des films à l'affiche dans les salles, avec leur horaire respectif (*schedule*).

programme double   Projection de deux films pour le prix d'une seule entrée (*double feature*, ARG. *combo*). La politique du programme double naît durant les années de Dépression en vue d'attirer les spectateurs. Elle favorise la production du film de série B. Elle disparaît petit à petit dans les années 50 à la suite de la Paramount decision rendue par la Cour suprême des États-Unis en 1948; les cinémas de quartier poursuivent cependant ce type de programmation jusque dans les années 70, qui amèneront sa disparition complète.

programme pilote   → **émission pilote**.

programmer   [1] Choisir le film ou les films à projeter dans une salle ou dans une manifestation (*program*). [2] En électronique, régler l'enregistrement automatique ultérieur que devra effectuer un appareil (G.-B. *programme*, É.-U. *program*). On peut programmer un magnétoscope pour l'enregistrement ultérieur d'une émission de télévision.

programmer   ANGL. Aux États-Unis, nom donné au deuxième film d'un programme double, généralement un film de série B.

projecteur   [1] Appareil d'optique envoyant un flux lumineux dans une direction déterminée (*spot, sunspot* pour un projecteur très puissant). Le projecteur est constitué d'une boîte métallique de forme carrée ou ronde, d'un système réflecteur et de lentilles. Il est suspendu à des passerelles ou monté sur un pied; → **gril**. Il sert au tournage des films. → **brute, Cremer, drapeau, flood, Fresnel, minibrute, nègre, sunlight**. [2] Appareil assurant la projection des images d'un film (*projector*). Les premiers projecteurs sont le Kinetoscope et le Mutoscope. Les premières

caméras aux débuts du cinéma servent également de projecteurs. Le projecteur se trouve dans une cabine de projection insonorisée. Quels que soient le type d'appareil (8 mm, 16 mm, 35 mm ou 70 mm) et sa marque de commerce, son fonctionnement est toujours le même: le film se déroule à partir d'une bobine (appelée bobine débitrice) pour s'enrouler ensuite sur une autre (appelée bobine réceptrice) grâce à un mécanisme d'avancement intermittent qui immobilise et démarre une image (ou photogramme) dans une ouverture; → **carter, couleur, croix de Malte, griffe, manchette, perforation, plateau**. Derrière l'ouverture (appelée fenêtre), se trouve une source lumineuse dont le rayon est concentré par des condenseurs; → **lampe à incandescence, lampe à xénon, lentille, obturateur, presse-film**. Un dispositif optique lit la piste sonore après l'arrivée de l'image dans le couloir; → **bourdonnement, décalage, hululement, pleurage**. Le projecteur traditionnel demande le travail manuel d'un opérateur qui voit au changement des bobines et à l'enchaînement des images; → **dépoussiéreur, double poste**. Le projecteur moderne est automatisé; il demande peu ou prou d'intervention humaine; → **automate, dérouleur, palpeur, projo, rock and roll, lanterne magique**.

projecteur à mouvement continu   Appareil de projection qui fait défiler la pellicule dans le couloir d'une façon continue, sans arrêts et démarrages comme avec les projecteurs à avance intermittente. Le projecteur à mouvement continu fait défiler le même film sans besoin de rembobinage. → **Imax**.

projecteur triformat   Appareil d'amateur pouvant projeter trois formats différents de film: 16 mm, 9,5 mm et 8 mm (*tri-film projector*).

projection   [1] Action de projeter des images animées sur un écran (*projection*). La projection à 24 images par seconde restitue le mouvement à l'écran. Le projectionniste en est le responsable. [2] Séance de cinéma (*screening*).

projection double bande   Mode de projection selon lequel l'image et le son sont couplés sous forme de deux bandes séparées (*double-head projection*). ➤ **double bande**.

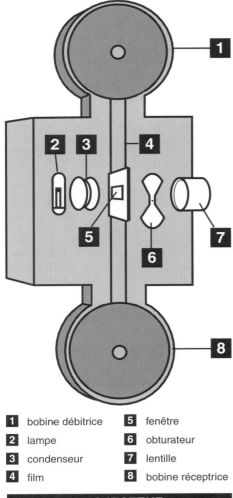

1	bobine débitrice	**5**	fenêtre
2	lampe	**6**	obturateur
3	condenseur	**7**	lentille
4	film	**8**	bobine réceptrice

PROJECTEUR

projection frontale Trucage permettant de filmer une scène sur une image préalablement filmée dans un autre décor et réfléchie sur un miroir placé devant la caméra (*front projection*). ➤ **Transflex**.

projection hémisphérique Projection sur un écran de 180 degrés. ➤ **œil-de-poisson, Omnimax, Panrama**.

projectionniste Personne responsable de la projection d'un film (*projectionist*). Le pro-jectionniste s'occupe également de l'équipement sonore. Il allume et éteint les lumières dans la salle, met la musique d'ambiance avant et après les projections, tâches qui tendent à disparaître avec l'automatisation des salles. Il reçoit et renvoie les films. Il vérifie le nombre de bobines du film et nettoie la pellicule. Il monte le film sur les bobines débitrices et il y colle les amorces des bandes annonces et des publicités. Il surveille le changement de bobines durant la projection, effectue la mise au point de l'image et s'assure de l'audibilité du son. Ses tâches sont toutes effectuées dans la cabine de projection; ➤ **fenêtre d'observation**. Avant l'automatisation des salles, chaque écran avait son projectionniste responsable. Dans les complexes modernes, le projectionniste est responsable de plusieurs projections. Les journées de projection étant programmées d'avance, sa présence n'est pas continuellement requise.

projection par transparence ➤ **rétroprojection**.

projection périscopique Système de projection dans une salle où se trouvent des obstacles au faisceau lumineux du projecteur. Le faisceau lumineux est alors renvoyé par des réflexions sur deux miroirs.

projection privée Projection organisée pour un groupe de personnes, artisans de la production d'un film ou journalistes (*private screening*). ➤ ***preview***.

projo ARG. Projecteur.

promotion Mot d'un emploi critiqué en français. Méthodes en publicité en vue d'attirer les spectateurs à un film, qui vont de l'achat d'espaces dans les journaux à la distribution de gadgets en passant par les nombreuses affiches placardées. ➤ **attaché de presse, cahier de presse, Internet, press-book**.

protagoniste Personnage principal dans un film (*protagonist*).

protège-objectif ➤ **bouchon d'objectif**.

prototype ➤ **film pilote** et **émission pilote**.

P.R.P. Abréviation de plan rapproché poitrine.

P.R.T. Abréviation de plan rapproché taille.

psychodrame [1] Improvisation dramatique utilisée en psychothérapie comme moyen de régler des conflits psychologiques en s'appuyant sur la confrontation des gens dans un groupe (*psychodrama*). L'Actors Studio utilise différemment ce moyen dans la formation de ses membres. [2] Au cinéma, tout film qui reconstruit le schéma d'une séance de psychodrame (*psychodrama*). *Fireworks* (1942) de Kenneth Anger est un exemple de psychodrame.

public Ensemble des spectateurs susceptibles de voir un film (*audience*). ➤ **film grand public**.

Public Broadcasting Service [PBS] Aux États-Unis, réseau public de programmation politique, éducative et culturelle, créé en 1969 et constitué de plus de 300 stations de télévision. Corporation privée sans but lucratif, PBS transporte, par satellite, trois sortes de programmes: 1) des programmes de grande écoute destinés à un large public et constitués d'émissions scientifiques et culturelles, 2) des programmes d'intérêt spécifique destinés aux minorités (noires, hispaniques, asiatiques, etc.), et 3) des programmes scolaires destinés plus particulièrement aux enfants. Son budget provient de fonds du gouvernement fédéral, de contributions de grandes sociétés (sous forme de publicité de prestige), de contrats de service et de collectes de fonds annuelles auprès du public. Sa programmation est de très haute qualité, particulièrement dans le choix des films d'auteurs présentés.

publicité Activité ayant pour but de faire connaître un film au public et d'amener ce dernier à voir le film (*publicity*). La publicité écrite (dans la presse) et électronique (à la télévision et dans Internet) sont les deux principaux champs de cette activité. Les produits de marketing (comme des gadgets: jouets, t-shirts, disques, etc.) sont connus pour être des produits publicitaires efficaces quand ils sont vendus par l'intermédiaire de chaînes de commerce (comme les chaînes de restauration rapide McDonald et Burger King). Du temps des studios, le département de publicité (*publicity department*) devait susciter interviews et reportages pour les magazines; les responsables propageaient des rumeurs sur les acteurs, mais avaient principalement pour tâche de protéger l'image d'un milieu cinématographique frappé par les scandales et critiqué pour ses mœurs qualifiées de dissolues; ➤ **code Hays, star-système**. Le budget de publicité d'un film est élevé aux États-Unis; depuis le début des années 90, il constitue l'équivalent de la moitié du coût du film (20 $ millions pour un coût total de 40 $ millions).

pupitre de mixage ➤ **console de mixage**.

pupitre de truquages Console permettant la production et la mise au point des effets spéciaux (*special effects generator*).

pureté ➤ **saturation**.

pyrotechnie Fabrication et utilisation de matières pyrotechniques pour des scènes ou actions particulières requérant l'emploi de fusées, d'engins balistiques, d'explosifs, de pièces d'artifice et d'effets de fumée et de lumière (*pyrotechnics*). La pyrotechnie est sous la responsabilité d'un régisseur spécialisé.

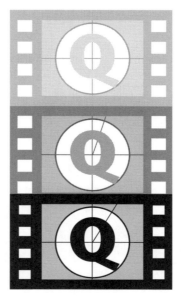

quadrichromie Procédé qui exige, pour la reconstitution du spectre des couleurs, l'ajout d'une couleur neutre aux trois couleurs primaires (*four-color process*).

Qualité française Terme ironique employé par François Truffaut dans un article retentissant publié par *Les Cahiers du cinéma* en 1954 dénonçant la sclérose du cinéma français de l'après-guerre; → **Jeunes Turcs**. Des réalisateurs comme Claude Autant-Lara et Jean Delannoy et des scénaristes comme Jean Aurenche et Pierre Bost sont stigmatisés pour avoir plongé la production française dans la médiocrité et l'académisme. Ce terme à connotation péjorative est encore utilisé aujourd'hui pour cibler un cinéma sans qualité et sans invention, traditionnel dans ses aspects esthétiques et préoccupé avant tout de faire beau. → **cinéma de papa**.

quart-de-Brie ARG. Pièce métallique montée sur la plateforme d'un pied de caméra afin de pouvoir réaliser des plongées et des contre-plongées très prononcées.

quartz [1] Silice cristallisée utilisée dans certaines lampes (*quartz*). Par extension, lampe à quartz (*quartz lamp*). → **lampe à cycle d'halogène**. [2] Cristal de quartz vibrant à une fréquence constante bien définie, qui permet un synchronisme rigoureux entre le moteur d'une caméra et celui du magnétophone, eux-mêmes réglés sur une fréquence pilote proportionnelle à celle du quartz (*crystal sync*).

Quatre-X Marque de commerce d'une pellicule noir et blanc à émulsion très rapide mise en marché par Eastman Kodak en 1964.

queue [1] Fin d'un plan, d'une scène ou d'une bobine (*tail*). OPPOSÉ: tête. [2] Excédent de pellicule contenu dans la caméra après la fin du tournage d'une scène (*tail*). → **chutes**. [3] File de personnes attendant leur tour pour entrer dans une salle de cinéma (G.-B. *queue*, É.-U. *line*).

quickies ANGL. ARG. PLUR. Films vite faits, à faible budget, médiocres. Les *quickies* sont souvent associés aux productions des Minors.

Quinzaine des réalisateurs Section parallèle du Festival international du film de Cannes (*Directors Fortnight*). Créée en 1969 par la Société des réalisateurs de films (de France), la Quinzaine des réalisateurs est consacrée à des œuvres d'auteurs et de cinématographies peu connues. Elle a été dirigée par Pierre-Henri Deleau jusqu'en 1998 et elle a notamment permis de découvrir des cinéastes comme Rainer Werner Fassbinder, Werner Herzog, Ken Loach, Nagisa Oshima, Martin Scorsese, Vittorio et Paolo Taviani.

quota Pourcentage déterminé de films étrangers qu'un pays accepte sur son territoire (*quota*). Un des premiers pays à imposer des quotas est la Grande-Bretagne, en 1927, qui voulait relancer la production anglaise, tout en limitant l'envahissement de la production américaine en exigeant la présentation d'un certain nombre de films nationaux dans les salles. Autre exemple, le Brésil qui, en 1959, oblige les salles à programmer des films nationaux 42 jours par année, dans un marché dominé par la production étrangère, surtout américaine. Dans les années 90, la Communauté européenne impose des quotas de films non européens, soit dans les faits les productions américaines, qui sont ainsi contingentées à 50 pour cent; en France, sur les 50 pour cent de films européens acceptés, 60 pour cent doivent être français.

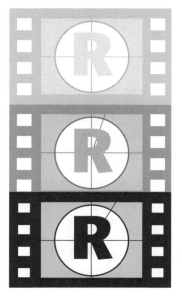

raccord Enchaînement de deux plans grâce à l'opération matérielle qu'est la collure (*cut*). → **faux raccord, plan raccord, raccord image, raccord son**.

raccord image Continuité entre deux plans successifs (*continuity cut*). Le raccord image donne une harmonie visuelle et une cohérence au contenu de l'image. Par extension, on dira un objet raccord, un personnage raccord, un costume raccord, une lumière raccord et un sonore raccord, pour désigner toutes les liaisons entre les objets, les personnages, les costumes, l'éclairage et le son dans la continuité du film. On emploie également les expressions suivantes: le raccord de jeu (pour la position des interprètes, leurs mouvements et leurs intonations), le raccord de regard (le passage d'un plan à un autre établi par le regard d'un ou de plusieurs personnages), le raccord de direction (pour le déplacement des personnages dans la même direction), le raccord de mouvement (pour la continuité d'un déplacement entre deux plans [*matching cut*]), le raccord dans le mouvement (un mouvement ébauché dans un plan et qui est poursuivi dans le plan suivant [*action cutting*]) et le raccord dans l'axe (la caméra doit conserver le même point de vue sur le sujet, dans un angle ne dépassant pas les 180 degrés).

raccord son Opération technique consistant à éviter un bruit parasite lors d'une collure (*blooping*).

Radio-Canada → **Société Radio-Canada**.

Radio Corporation of America [RCA] Fabricant américain d'appareils de radio, de télévision, de composants électroniques et de connecteurs, et éditeur de disques musicaux. RCA est l'inventeur du premier tube de télévision en trichromie appelé Shadow Mask. Ce fabricant a participé à la définition du standard de télévision NTSC. → **Fantasound**.

Radio-Québec → **Télé-Québec**.

radiosité Dans les images de synthèse, technique de tracé de rayons mise au point en 1984 pour le traitement d'atmosphères chaudes et enveloppantes (décor avec marqueterie et moquette, par exemple) (*radiosity*). Ce procédé 3D améliore grandement le réalisme des images de synthèse.

RAI Société de radio et de télévision de l'État italien. La RAI comprend trois chaînes officieusement dirigée par les trois plus grands partis politiques italiens. Cet organisme participe à la production de films italiens, avec des partenaires européens, notamment la RAI Due (la deuxième chaîne), reconnue pour offrir des programmes de qualité supérieure.

rails PLUR. Barres d'acier assemblées en deux lignes parallèles et supportant le chariot de la caméra (*track*). Les rails facilitent le déplacement de l'appareil de prise de vues pour un travelling.

rainures PLUR. Marques sur la pellicule, le plus souvent causées par la friction de la pellicule lors de sa manipulation (*cinch mark*). → **rayures**.

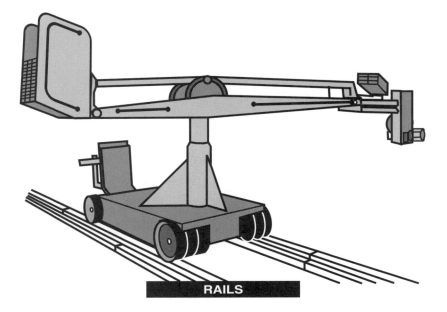

RAILS

ralenti Trucage rendant le mouvement moins rapide à l'écran que dans la vie réelle par une augmentation de la cadence à la prise de vues et une cadence normale à la projection (*slow motion*). Le ralenti crée un effet esthétique et stylistique, proche du lyrisme. Il est souvent employé dans des scènes de violence; à voir: les films de Sam Peckinpah. Il est également employé pour glorifier la beauté dans les mouvements du corps, comme dans *Les dieux du stade* (1936) de Leni Riefenstahl.

rampe Rangée de lumières disposées en face de la scène (G.-B. *floats*, É.-U. *footlights*). La rampe permet un éclairage de front.

Rank Organization Compagnie de production et de distribution britannique fondée par J. Arthur Rank en 1935. La Rank Organization devient très puissante à la fin des années 40 avec ses studios à Pinewood, son acquisition de Gaumont-British, puis celle du circuit Odeon. Firme reconnue pour le contrôle financier très serré qu'elle exerce sur ses films, la Rank fait tourner des cinéastes comme Alexander Korda, Michael Powell et Laurence Olivier. Après avoir vainement lutté contre les Majors américaines, elle conclut, dans les années 50, une alliance avec celles-ci portant sur la distribution. Elle met fin à la production de films en 1980. Actuellement, outre la chaîne de salles Odeon, les activités de la société se concentrent dans la copie de vidéocassettes pour de nombreux studios hollywoodiens, et dans l'industrie du tourisme, du loisir et de la restauration (la chaîne de restauration Hard Rock Café, notamment). Avec Universal Studios, elle possède un parc d'attractions en Floride. Les propriétaires de la Rank Organization ont investi des sommes considérables dans 15 mégacomplexes de loisirs (salles de cinéma, centres sportifs, restaurants, arcades, etc.), dont le premier a ouvert à Londres en 1995. Son emblème: un homme très musclé frappant un gong.

rapidité Qualité d'un film dont la sensibilité de l'émulsion à la lumière est rapide (*film speed*). VOISIN: sensibilité.

rapport Document technique dans lequel sont consignés tous les détails de la production d'un film (*report*). On distingue le rapport de montage, le rapport de production, le rapport horaire, le rapport image et le rapport son.

rapport de métrage Rapport entre le métrage de pellicule tourné et le métrage de pellicule retenu dans le film monté (*shooting ratio*). Le rapport de métrage est acceptable lorsqu'il se situe entre 5:1 et 10:1.

rapport de montage Document dans lequel la scripte relève les plans tournés, avec leurs caractéristiques (grosseur de plan, objectif, mouvement de caméra); elle note ceux à garder de même que certains éléments (entrées et sorties des personnages, angles de regard, etc.) pour le responsable du montage (*continuity sheet, log sheet*).

rapport de production Document dans lequel sont recensées toutes les données relatives à une journée de tournage: les retards, les imprévus et les dépassements, la présence et le nombre d'heures de travail du personnel, la quantité de pellicule utilisée, le dispatching des véhicules, la location d'animaux et d'accessoires, etc. (*dailies, production report*). Confié dans les pays anglo-saxons à un assistant, le rapport de production est parfois rédigé par la scripte; autrement, il est généralement dévolu à la secrétaire de production. SYN. journal de bord, livre de bord. ARG. mouchard.

rapport horaire Document dans lequel est consignée minute par minute l'utilisation quotidienne du temps, notamment les heures consacrées à la préparation, au tournage proprement dit et au rangement (*daily log*). Souvent confondu avec le rapport de production dont il fait partie, le rapport horaire est généralement rédigé par le régisseur, mais il est parfois rédigé par la scripte ou l'assistant-metteur en scène.

rapport image Document rédigé par le premier ou deuxième assistant opérateur donnant tous les détails nécessaires au tirage et au développement du film (le format de pellicule, le métrage des plans, les trucages, etc.) (*camera report*). SYN. rapport laboratoire.

rapport laboratoire → **rapport image**.

rapport son Document dans lequel l'ingénieur du son relève tous les détails de l'enregistrement sonore lors du tournage, avec des indications particulières pour aider le monteur sonore lors du transfert des bandes et du mixage (*sound log*).

ratio ANGLICISME De *aspect ratio*, souvent traduit en français par «format», terme qui demeure ambigu parce qu'il désigne également la largeur des pellicules. On suggère de plutôt utiliser le terme «standard».

rayures PLUR. Éraflures, égratignures ou rainures sur la pellicule causées par les nombreuses projections et par son passage mal réglé dans la fenêtre de projection (*scratches*). SYN. effet de pluie.

razzis Prix attribués chaque année depuis 1981 aux plus mauvais films américains de l'année, dans toutes les catégories. Les razzis sont considérés comme les anti-oscars; ils sont remis la veille de la cérémonie de remise des oscars.

RCA Sigle de Radio Corporation of America.

Realife Marque de commerce d'un procédé de film large expérimenté par la MGM en 1930 et 1931. Le Realife est identique au format Fox-Grandeur. Le premier film tourné dans ce format est *Billy le kid* (1930) de King Vidor, qui sera également exploité en format standard 35 mm.

réalisateur Personne responsable de la réalisation d'un film (*director, film-maker* [ou *filmmaker*], ARG. *megger*). Maître d'œuvre du film, le réalisateur est généralement celui qui a l'idée d'un film, qui en écrit le scénario ou, du moins, participe à sa rédaction, et qui dessine parfois le story-board. Il trouve un producteur ou produit lui-même son film. Il fait les repérages, choisit les interprètes principaux et fait la mise en scène. Il est généralement le seul à avoir en tête le film dans sa globalité. Il travaille étroitement avec le directeur de la photographie et le directeur artistique. Il monte le film ou assiste à son montage. Il choisit la musique et approuve les effets sonores. Il participe à la mise en marché du film (conférences de presse, voyages, apparitions à la télévision, etc.). Le réalisateur est à la fois un créateur et un technicien; il doit donner cohérence, unité, personnalité et beauté à un ensemble disparate d'éléments que sont les images et les sons. Dans les premiers temps du cinéma, il se distingue par sa forte personnalité et sa volonté d'innover; il met alors en place la grammaire cinématographique qui reste encore aujourd'hui inchangée; malgré cela, il est peu remarqué par le public et même par la critique qui ne s'intéresse alors qu'aux stars. Aux États-Unis, le réalisateur est un employé à temps plein d'une Major. En Europe, il est plus indépendant; il sera rapidement vu comme un artiste à part entière. Durant les années 50, la «Politique des auteurs» (expression créée par les critiques des *Cahiers du cinéma*) lui reconnaît sa place dans la chaîne de production: il est un auteur ayant une vision personnelle qu'il communique au film par ses choix formels. Seront alors élevés au rang d'auteurs des réalisateurs américains souvent méprisés dans leur propre pays, comme Howard Hawks, Alfred Hitchcock, Otto Preminger et Nicholas Ray. Les nombreux mouvements cinématographiques de l'après-guerre et des années 60 confirment la place incontournable du réalisateur comme auteur et auront une immense influence sur le cinéma à venir: le néoréalisme avec Vittorio De Sica, Roberto Rossellini et Luchino Visconti, et la Nouvelle Vague avec Claude Chabrol, Jean-Luc Godard, Jacques Rivette, Éric Rohmer et François Truffaut, entre autres. Dans les années 70, un nouvel âge d'or américain voit le jour avec de jeunes auteurs comme Peter Bogdanovich, Francis Ford Coppola, George Lucas, Martin Scorsese et Steven Spielberg. Le coût inflationniste des films est souvent un frein à la création personnelle du réalisateur, le cinéma devenant plutôt une course à un box-office explosif. Dans la plupart des pays, sauf aux États-Unis, l'État doit aider à la production et à la diffusion afin que de jeunes réalisateurs puissent faire leur premier film. SYN. cinéaste, metteur en scène.

réalisation [1] Activité du réalisateur (*film-making*). → **mise en scène**. [2] Période de tournage d'un film (*production*). [3] Transformation du scénario en film (*achievement*).

réaliser Mettre en œuvre tous les moyens artistiques et techniques en vue de créer une œuvre cinématographique (*direct*). Réaliser un film requiert une supervision et un contrôle de tous ces moyens afin que la vision personnelle du réalisateur se concrétise dans le film. SYN. diriger, mettre en scène.

réalisme Terme générique désignant tout film dont le but est de recréer la réalité le plus fidèlement possible (*realism*). Ni mouvement ni genre, le réalisme est discuté dès les débuts du cinéma et est mis en relation avec les théories en littérature et en peinture; la nature humaine et le monde physique y tiennent alors une grande place. Le réalisme est souvent confondu avec les films dits engagés parce que ces œuvres prennent fait sur des problèmes sociaux et montrent des individus définis par leur environnement et leurs origines. Il n'est reste pas moins que le terme demeure ambigu et relatif, le cinéma produisant plutôt des effets de réalité. Ayant comme toile de fond la réalité sociale, les films réalistes ont une valeur documentaire indéniable. L'actualité du scénario, la vérité des situations et le tournage dans des décors naturels sont la matière première du réalisme. Selon le critique André Bazin, deux films ont fait grandement évoluer l'esthétique du cinéma vers le réalisme: *Citizen Kane* (1941) d'Orson Welles et *Farrebique* (1945) de Georges Rouquier. On compte plusieurs films réalistes en Allemagne, dans les années 20, comme les films de rue; en Amérique, dans les années 30, comme *Wild Boy of the Road* (1934) de William Wellman; dans l'Italie de l'avant et de l'après Deuxième Guerre mondiale, particulièrement avec le néoréalisme; en Inde, dans les années 50, avec les films signés Satyajit Ray; en Angleterre, dans les années 60, avec des films comme *Samedi soir et dimanche matin* (1960) de Karol Reisz; et en Finlande, dans les années 80, avec les films d'Aki Kaurismäki (*Shadows in Paradise* [1986], *La fille aux allumettes* [1990]). → **réalisme poétique**.

réalisme poétique Ensemble des films français réalisés entre 1930 et 1945 mêlant réalisme et onirisme (*poetic realism*). La matière première des œuvres se compose d'événements et de faits quotidiens, traités lyriquement avec une pointe de tristesse et de légèreté, dans des plans fixes et une lumière impressionniste. Pour parler des films de cette période, certains historiens adopteront d'autres formules que celle de «réalisme poétique»: «fantastique social», «réalisme noir» et «réalisme lyrique». Jean Vigo est le réalisateur-phare de ce mouvement avec des films comme *Zéro de conduite*

(1933) et *L'Atalante* (1934). On y inclut des œuvres de Marcel Carné (*Le jour se lève* [1939]), René Clair (*À nous la liberté* [1931]), Julien Duvivier (*Pépé le Moko* [1937]), Jacques Feyder (*Pension Mimosas* [1935] et Jean Renoir (de *Toni* [1934] à *La règle du jeu* [1939]).

réalité virtuelle Création par ordinateur d'un environnement artificiel si proche de la réalité qu'il ne peut s'en distinguer (*virtual reality*). Si l'expression «réalité virtuelle» est introduite par Jaron Lanier en 1985, les premières expériences datent cependant des années 60. Les recherches en réalité virtuelle s'intensifient dans les années 80. Technique propre aux systèmes informatiques, la réalité virtuelle permet à l'utilisateur d'évoluer en fonction des actions exercées sur cette réalité, comme un être humain réagit à son environnement. Ces systèmes peuvent être immersifs (avec utilisation de casques de visualisation, de combinaisons et de gants sensitifs) ou à l'écran (un environnement virtuel coïncidant avec l'écran du moniteur). Leurs applications touchent tout autant les domaines militaire et aéronautique que ceux de la médecine et de l'architecture. Leur développement annonce un monde virtuel – comme des futures vacances virtuelles – dans des pays réels ou imaginaires, un fait déjà illustré dans le film *Total Recall* (1990) de Paul Verhoeven. ➤ **image virtuelle, immersion virtuelle**.

recadrage [1] Léger mouvement de l'appareil de prise de vues permettant de recadrer, de recentrer l'action dans le cadre (*reframing*). Une image recadrée est une image recentrée. [2] ➤ ***pan and scan.***

recalage-dialogues Vérification et amélioration du synchronisme entre l'image et le son lors du doublage ou de la postsynchronisation. Le recalage-dialogues est la dernière opération avant le mixage.

recaler Opération consistant à modifier le tirage mécanique d'un objectif à l'aide de cales calibrées afin de replacer l'image à l'intérieur de la profondeur du foyer et au plus près possible du plan.

récepteur Dispositif placé à fin de parcours lors de l'exposition du film, de son tirage ou de sa projection (*take-up*). On trouve ce terme dans des expressions comme «bobine réceptrice», «magasin récepteur», «pignon récepteur» et «plateau récepteur».

récepteur cathodique Dans un moniteur ou un téléviseur, tube à vide comprenant une surface photosensible permettant de transformer en images les signaux électriques (*cathodic receiver*).

recettes PLUR. Total des sommes d'argent perçues de l'exploitation d'un film avant déduction des dépenses (*gross, gross profits, box office*). ➤ **box-office**.

recherchiste Personne responsable de la recherche pour un film (*researcher*). Le recherchiste recueille tous les documents écrits ou oraux nécessaires au film. Par son travail, il détermine l'authenticité du contenu. Le recherchiste est systématiquement employé dans l'audiovisuel (radio et télévision).

récit cinématographique Ensemble de signes ayant pour fonction de signifier le film (*story in cinema*). Synonyme de narration, le récit cinématographique est un matériau référentiel: il est le résultat d'un processus de transformation et de médiation. Ce processus se concrétise dans le film grâce à différents moyens: un héros et une intrigue, dont les combinaisons formelles multiples prennent la forme de séquences qui s'enchaînent et s'entrelacent selon un ordre particulier. Pour déchiffrer un récit, il faut apprendre le fonctionnement des images.

réclame Avant l'arrivée des publicités filmées, projection sur un panneau ou sur le rideau de scène de la liste des commerçants du quartier et de leurs produits (*advertisement*). SYN. panneau-réclame, rideau-réclame.

recorder OBS. Opérateur de son, preneur de son.

redresser ARG. Action de diriger un objet (un tableau, un miroir) vers le plafond de façon à éviter le reflet du projecteur. ANT. piquer.

réduction Procédé de laboratoire consistant à réduire les images d'un film sur une pellicule de format inférieur (*reduction printing*). Un film 35 mm peut être réduit sur un format 16 mm. La réduction s'effectue sur une tireuse optique. ANT. gonflage.

réduction de bruit Procédé employé sous diverses formes pour réduire les bruits de fond indésirables lors de la projection (*noise reduction*).

réduire la focale Élargir le champ de la prise de vues par l'utilisation d'une courte focale. ANT. allonger la focale.

réédition Nouvelle sortie d'un film, sans changement significatif dans son contenu. La trilogie de *La guerre des étoiles* (1977, 1980 et 1983), produite par George Lucas et ressortie à l'hiver 1997, est une réédition, avec addition de scènes et reconstitution numérisée. VOISIN: reprise.

réenregistrement Copie d'un enregistrement sonore (*re-recording*).

réenroulement → rembobinage.

réflectance → albédo.

réflecteur [1]] Dans un projecteur, surface hémisphérique réfléchissante d'une lampe (*reflector*). Cette surface est généralement un miroir. SYN. diffuseur. [2] → **panneau réflecteur**.

réfrangibilité En optique, propriété de la lumière d'être déviée par réfraction. → **irisation**.

regard-caméra Regard que jette l'interprète à la caméra (*to-camera glance*). Cette figure de style, qui s'apparente à l'aparté théâtral, naît avec le cinéma burlesque, dans lequel l'acteur regarde la caméra afin de gagner la complicité du spectateur. Ingmar Bergman la réintroduit avec le regard appuyé vers la caméra de Harriett Anderson dans *Monika* (1953), prenant le spectateur à témoin du désarroi et du mépris pour l'homme qui l'a quittée. François Truffaut et Jean-Luc Godard multiplient les regards-caméra; voir les films *Les quatre cents coups* (1959), *À bout de souffle* (1959) et *Pierrot le fou* (1965). Ces cinéastes de la Nouvelle Vague veulent ainsi rendre visible le procédé de fabrication du film. SYN. plan-regard.

régie [1] Travail qu'accomplit le régisseur (*production management*). [2] Ensemble des personnes qui travaillent avec le régisseur et des bureaux qu'ils occupent (*production department*). VOISIN: service de production. [3] À la télévision, salle de la mise en scène des images (*control room*). SYN. salle de contrôle.

régisseur Personne responsable de la régie, soit l'administration et l'organisation matérielle du tournage (*assistant production manager*). Le régisseur s'occupe de l'intendance et prévoit le transport, l'hébergement et la restauration. Collaborateur immédiat du producteur et relevant de l'autorité directe du réalisateur, il peut assumer des fonctions d'assistant à la production ou de premier assistant du réalisateur; on emploie alors le terme «régisseur général». On distingue également le régisseur adjoint (*assistant studio manager*), le régisseur de plateau, le régisseur d'extérieurs et le régisseur spécialisé. → **rapport horaire**.

régisseur de plateau Personne qui convoque acteurs et figurants, surveille la mise en place des accessoires et règle la bonne marche du plateau (demander le silence, vérifier la présence de tous les collaborateurs sur le plateau, etc.) (*floor manager, stage manager, studio manager* [TV]).

régisseur d'extérieurs Personne qui prépare les lieux de tournage en extérieurs (*location manager*). Le régisseur d'extérieurs surveillera la circulation automobile pour la détourner du plateau ou dispersera les curieux qui s'attroupent. Il peut être parfois régisseur de plateau.

régisseur spécialisé Personne responsable de l'organisation et du déroulement de certaines scènes ou actions particulières à un tournage de film. Il peut être responsable des cascades, de la pyrotechnie (engins explosifs et explosions) ou des animaux.

registrer ANGLICISME En animation, superposer devant la caméra plusieurs dessins ou cellulos avec la plus grande précision (*register*). Les feuilles à dessins et les cellulos, percés de trous, sont bloqués grâce à des chevilles fixées sur des rails qu'on déplace.

réglage Différentes opérations préparant le tournage d'une scène (*checking*). Le réglage comprend, entre autres, la vérification de la mise en place des acteurs, des cascades, du fonctionnement des divers appareils, de l'éclairage et des accessoires.

regroupage ➤ **groupage**.

régulateur de vitesse Mécanisme situé dans le moteur d'un appareil (une caméra, un magnétoscope, etc.) permettant de maintenir une vitesse constante d'enregistrement et de reproduction (*speed controller*).

relais optique ➤ **modulateur de lumière**.

relavage ➤ **déshuilage**.

remake ANGLICISME Film reproduisant, avec de nouveaux acteurs, la première version d'un film. Un remake doit son existence à: a) la popularité du film original, b) la volonté de répéter un succès de box-office et, parfois, c) un hommage qu'on veut rendre à un film ou à son réalisateur. Le remake est différent d'une adaptation; ainsi, on distingue plusieurs versions de *Hamlet* (5 en tout) sans qu'elles soient des remakes. Hollywood demeure le lieu de production en grand nombre de remakes, particulièrement de films français: *Boudu sauvé des eaux* (1932) de Jean Renoir, devenu *Down and Up in Berveley Hills* (1986) signé Paul Mazursky; *À bout de souffle* (1959) de Jean-Luc Godard, refait par Jim McBride avec *Breathless* (1983); *L'homme qui aimait les femmes* (1977) de François Truffaut, repris par Blake Edwards avec *The Man Who Loved Women* (1983); *La cage aux folles* (1978), d'Édouard Molinaro, transformé en *The Birdcage* (1996) par Mike Nichols. Certains cinéastes tournent leur propre remake: Cecil B. DeMille avec *Les dix commandements* (1923 et 1956) et Alfred Hitchcock avec *L'homme qui en savait trop* (1934 et 1956).

rémanence Phénomène par lequel la sensation visuelle persiste après la disparition de son stimulus (*remanence*). ➤ **image rémanente**.

rembobinage [rembobinement] Action d'embobiner de nouveau un film ou une bande magnétique (*rewinding*). SYN. réenroulement.

rembobinement ➤ **rembobinage**.

Rembrandt ARG. Photographie de plateau.

remonter Reprendre le montage d'un film.

rendu Ce qui apparaît à l'image durant la projection (*rendering*).

rentrer ARG. Action de déplacer un objet dans le décor vers le centre de l'image. ANT. sortir.

repérage Recherche préparatoire des lieux pour le tournage d'un film (*locations*). On doit alors prévoir leur location et leur aménagement. ➤ **extérieurs**.

repère ➤ **marque**.

repère au sol ➤ **marque au sol**.

repère de départ ➤ **marque de départ**.

repère de fin de bobine ➤ **marque de fin de bobine**.

répétiteur, trice Traduction française proposée pour *coach*, mot anglais accepté en français. Personne chargée d'apprendre aux interprètes leur rôle et d'enseigner le métier aux plus jeunes.

répétition Séance de travail qui a pour but de mettre au point les divers éléments de la mise en scène en vue du tournage (*rehearsal*). Plusieurs répétitions se tiennent avant le premier tour de manivelle. Des répétitions ont également lieu sur le plateau le jour même du tournage, avec l'équipe technique, sans enregistrement du son et de l'image (*dry run*).

repiquage Opération consistant à reporter sur une bande magnétique perforée le son enregistré lors du tournage (*transfer*). La bande magnétique utilisée pour le tournage étant lisse (non dentée), il faut la repiquer sur une bande perforée 16 mm ou 35 mm pour l'étape du montage.

réplique Élément du dialogue (*line*). La réplique est la réponse d'un interprète à un autre.

repolissage Dernière étape de l'opération de dérayage consistant à reglacer le côté brillant de la surface de la pellicule (*repolishing*).

reportage Relation journalistique d'un événement ou d'un fait qu'enregistre un reporter sur support film ou sur support vidéo (*coverage, reporting*).

reporter [reporter cameraman] Journaliste spécialisé dans le reportage (*reporter*). En cinéma, le reporter assume le plus souvent les fonctions d'opérateur de prise de vues (*reporter cameraman*).

reporter caméraman → **reporter**.

report optique Copie du son magnétique mixé sur un film négatif noir et blanc (*sound recording*). Le report optique permet d'obtenir une piste optique photographique. SYN. transfert optique.

représentation [1] → **présentation**. [2] En théorie du cinéma, résultat de l'acte de montrer (*representation*). Au cinéma, le récit passe par la représentation des choses (gens, faits et lieux).

reprise [1] Retour sur les écrans d'un film exploité quelques années auparavant (*rerelease, rerun*). La compagnie Walt Disney exploite systématiquement la reprise: elle «ressort» chacun de ses films tous les 7 ans. Avec l'arrivée de la vidéocassette, la reprise devient moins utile sur le plan de l'exploitation pour les producteurs. → **réédition**. [2] Action de reprendre, à quelques jours de distance, le tournage de scènes ou de plans insatisfaisants (*retake*). SYN. retournage. [3] Nouvelle prise, plan refait (*retake*). → **retake**.

reproduction Toute image produite par un procédé de reproduction (*reproduction*). Le cinéma est un procédé de reproduction.

Republic Forme abrégée de Republic Pictures.

Republic Pictures [Republic] Compagnie américaine fondée en 1935 par le regroupement de quatre petits studios sous la houlette de Herbert J. Yates. La Republic Pictures est spécialisée dans le tournage rapide, nivelant cependant la qualité du film de série B, dans la vingtaine qu'elle produit entre 1935 et 1950, particulièrement des mélodrames qu'interprète la femme de Yates, Vera Ralston. La société produit des westerns, des films de détective, des comédies musicales et des films à épisodes. On y compte des vedettes comme Gene Autry, John Wayne, Roy Rogers et Ramon Novarro. La Republic utilisera un procédé couleur médiocre appelé «Sepiatone». Parmi les films qu'elle produit, on retient surtout deux œuvres importantes: *L'homme tranquille* (1952) de John Ford et *Johnny Guitare* (1953) de Nicholas Ray. Avec la fin des studios, Republic Pictures cesse la production de films en 1958 et se lance dans la production télévisuelle.

réseau câblé Réseau de télécommunications utilisant des câbles comme support de transmission (*cable network*). En audiovisuel, le réseau câblé distribue des programmes de radio et de télévision. OPPOSÉ: réseau hertzien.

réseau coloré Procédé additif de reproduction de couleurs utilisant une trame trichrome (rouge-orangé, bleu-violet et vert) à la base de l'émulsion (*color mosaic*). Le Dufaycolor est un procédé à réseau coloré, de même que le Polavision.

réseau de télévision Ensemble de stations de télévision appartenant à une même société et diffusant la même programmation (*television network*).

réseau hertzien En audiovisuel et en télécommunications, réseau sans fil utilisant les ondes hertziennes comme support de transmission (*hertzian network*). Un réseau hertzien est constitué de stations relais au sol pourvues d'antennes. OPPOSÉ: réseau câblé.

réservation Entente de location de films avec un distributeur (*booking*).

réservation aveugle Obligation imposée à un exploitant de louer un film sans pouvoir le voir (*blind bidding, blind booking*). La réservation aveugle est considérée comme une mesure de chantage de la réservation en lot. Cette pratique a été déclarée illégale dans plusieurs États des États-Unis.

réservation en groupe → **réservation en lot**.

réservation en lot Entente forçant un exploitant ou une chaîne d'exploitation à louer un ensemble indivis de films (*block booking*). Courante en Amérique dans les années 20, cette méthode de location, qui garantit automatiquement des recettes aux producteurs quelle que soit la qualité des films imposés, cessera en 1948 à la suite de la décision antitrust de la Cour suprême des États-Unis obligeant les Majors à se départir de leurs salles; → **Paramount decision**. SYN. réservation en groupe.

résonance Ensemble des phénomènes physiques qui renforcent, pour certaines fréquences, l'intensité sonore perçue (*resonance*).

resserrer → **pincer**.

retake ANGLICISME Nouvelle prise, plan refait. → **reprise**.

réticule Fines lignes gravées dans le verre des viseurs permettant de vérifier la fidélité de la mise au point (*reticle*).

retour-arrière [retour en arrière] → **flash-back**.

retour en arrière → **retour-arrière**.

retournage → **reprise** [2].

retrait Rétrécissement irréversible d'un film trop longtemps stocké en atmosphère inappropriée (*shrinkage*). SYN. rétrécissement.

rétrécissement → **retrait**.

rétrofocus Téléobjectif inversé, à courte focale (*retrofocus lens*). L'utilisation du rétrofocus exige une large ouverture de l'obturateur et une lumière abondante.

rétroprojection [projection par transparence] Projection d'une image ou d'un film sur un écran translucide devant lequel se passe l'action (*back projection, backscreen projection, rear projection*). Utilisée la première fois en 1913, ce n'est qu'avec le cinéma parlant que la rétroprojection sera abondamment employée avec le tournage en studio devenu alors nécessaire pour présenter des scènes se déroulant à l'extérieur. Elle est généralement utilisée pour des scènes dans un véhicule en mouvement, mais elle s'avère très difficile d'emploi à cause des effets de lumière et des reflets sur l'écran de projection. Ce trucage est plus ou moins abandonné aujourd'hui.

rétrospective Présentation systématique des œuvres d'un auteur ou d'un genre cinématographique particulier (*retrospective*). Les cinémathèques se font un devoir d'inscrire

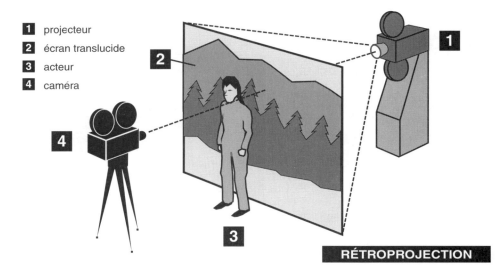

1 projecteur
2 écran translucide
3 acteur
4 caméra

RÉTROPROJECTION

des rétrospectives dans leur programmation. → **hommage**.

révélateur Terme générique des produits chimiques utilisés dans le développement de la pellicule (*developer*). Un révélateur transforme une image latente en une image visible.

révélation Personne (un acteur, un réalisateur, etc.) ou film dont le public découvre brusquement les qualités exceptionnelles (*discovery*). → *sleeper*.

réverbération Phénomène acoustique traduisant le fait de recevoir un son après son émission (*reverberation*). Un son direct parvient plus rapidement à l'oreille de l'auditeur qu'un son réfléchi. On parle du temps de réverbération pour la durée nécessaire de l'intensité sonore.

revolver photographique → **fusil photographique**.

revue de cinéma Publication périodique spécialisée en cinéma (*film journal*). Une revue de cinéma contient, entre autres, des comptes rendus, des critiques, des essais et des interviews portant sur l'actualité et le patrimoine cinématographiques, le tout généralement agrémenté de photos. Chaque revue a son approche personnelle du cinéma. Une revue de cinéma se différencie d'un magazine de cinéma (*film magazine*), ce dernier s'adressant à un public plus large, non cinéphile au premier abord, et ciblant ses sujets sur les films commerciaux et les stars. Parmi les revues de cinéma connues, citons *Bianco e nero*, *Bref*, *Les Cahiers du cinéma*, *Cinéma*, *CinémAction*, *Cinémonde*, *Film Comment*, *Film Culture*, *Jump Cut*, *Positif*, *La Revue du cinéma*, *Séquences*, *Sight and Sound*, *Trafic* et *24 images*.

Revue du cinéma (La) [1] Revue française fondée par Jean-Georges Auriol et Denise Tual en 1928. *La Revue du cinéma* est publiée durant un peu plus d'un an avant de disparaître; elle reparaît en 1946. Sa couverture jaune et blanche préfigure celle des *Cahiers du cinéma*, revue à laquelle collaboreront ses rédacteurs après sa disparition en 1948. Cette revue se veut encyclopédique. Parmi les collaborateurs importants qui y ont particicipé, citons les noms d'André Bazin, Jacques Doniol-Valcroze et Jean Mitry. [2] Nom donné en 1967 à la revue *Image et Son* publiée depuis 1951, elle-même ancienne publication de *UFOCEL-Informations*, bulletin de liaison de l'Union française des offices de cinéma éducateur laïque. Cette revue, destinée à la formation d'animateurs de ciné-club, changera de vocation pour devenir plus culturelle et cinéphilique. En 1980, elle intègre la revue *Écran*, elle-même issue d'une sécession de *Cinéma*, revue de la Fédération française des ciné-clubs. En 1992, on change son nom, qui devient *Le Mensuel du cinéma*.

rhétorique de l'image Terme de la théorie du cinéma. Champ d'analyse de la composition de l'image et de son iconicité (*rhetoric of the image*). La rhétorique définit et classifie les diverses utilisations de la surface du cadre et de leurs effets sur les spectateurs (angoisse, rire, frayeur, etc.). Le choix et l'organisation de la lumière, des effets spéciaux, des plans, des angles de prise de vues, des cadrages, des figures géométriques et des motifs graphiques prolongent une conception plastique tout en participant de la signification de l'œuvre filmique. À lire: *L'organisation de l'espace dans le Faust de Murnau* (1977) d'Éric Rohmer.

«rich and famous» ANGL. Expression signifiant «riche et célèbre». Expression populaire aux États-Unis désignant une personne travaillant dans le cinéma et y ayant réussi.

rideau Trucage permettant de chasser une image par une autre. La ligne de démarcation entre les deux images est horizontale. → **volet**.

rideau de fond [rideau de scène] Grande draperie ou toile peinte cachant l'écran (*drop curtain*). On règle son ouverture verticale pour respecter le standard du film projeté.

rideau de scène → **rideau de fond**.

rideau-réclame → **réclame**.

RKO Sigle de la Radio Keith Orpheum. → **RKO Radio Pictures Incorporated**.

RKO Radio Pictures Incorporated [RKO] Les initiales de RKO correspondent à «Radio Keith Orpheum». Grand studio hollywoodien faisant partie des Majors fondé en 1928 par Joseph P. Kennedy, producteur et distributeur de films. David O. Selznick, qui amènera Ingrid Bergman en Amérique, est un des grands producteurs de cette compagnie à la situation financière instable. Entre 1930 et 1949, la RKO connaît son apogée grâce à des directeurs de production très souples, qui laissent le champ libre aux différentes personnalités qui travaillent pour elles, parmi lesquelles on distingue les réalisateurs George Cukor, John Ford, Howard Hawks, Alfred Hitchcock, Nicholas Ray et Orson Welles, et les acteurs John Barrymore, Constance Bennett, Cary Grant, Katherine Hepburn, Robert Mitchum et Jane Russell. Dans les années 30, la RKO se lance dans la production de comédies musicales et produit neuf films avec Fred Astaire et Ginger Rogers. Elle adopte le système sonore Photophone, mis au point par General Electric, afin de concurrencer le Movietone utilisé par les autres Majors, et, rapidement, elle choisit d'utiliser le Technicolor. Dans les années 40, elle produit des films de série B de grande qualité, comme *La féline* (1942) et *Vaudou* (1943) signés Jacques Tourneur, et plusieurs films d'horreur signés Val Lewton. Cédée en 1948 au millionnaire Howard Hugues, la compagnie entre dans une période de négligence et d'administration déficiente. Elle est vendue en 1955 à General Tire et Rubber Company, lesquels vendent, en 1957, les studios à Desilu, compagnie de production télévisée appartenant à Desi Arnaz et Lucille Ball. Son emblème: un émetteur sur un globe terrestre.

road movie ANGLICISME Expression signifiant «film d'errance». Genre cinématographique ayant comme sujet le voyage. Les héros d'un road movie se baladent sur des routes qui les mènent vers un dépassement d'eux-mêmes ou à un cul-de-sac métaphysique. *Easy Rider* (1969) de Dennis Hopper, premier film du genre, devient emblématique de toute la génération du rock et de «l'herbe» des années 70. Wim Wenders donne au road movie une saveur œdipienne avec son *Paris, Texas* (1984), hommage d'un cinéphile à l'Amérique. Parmi les road movies importants, citons *Macadam à deux voies* (1971) de Monte Hellman, *La balade sauvage* (1974) de Terrence Malik, *Stranger than Paradise* (1984) de Jim Jarmush, *Doc's Kingdom* de Robert Kramer (1987), *La ligne de chaleur* (1987) de Hubert-Yves Rose et *Robert's Movie* (1991) de Canan Gerede. Un film comme *Thelma et Louise* [1991] de Ridley Scott, mettant en scène deux femmes fuyant le machisme et la domination sexuelle des hommes, est une nouvelle variation du road movie.

Road Movies Produktion → **Filmverlag der Autoren**.

rock and roll ANGLICISME ARG. [1] Système utilisé en postsynchronisation et en doublage qui permet de faire défiler le film par avances et reculs autant de fois que nécessaire sans perdre le synchronisme entre l'image et le son. [2] Dans un projecteur, système de rembobinage automatique.

rôle Emploi d'un interprète dans un film (*character*, RARE *part*). Les rôles sont d'inégale longueur et d'inégale importance: on distingue les premiers rôles et les seconds rôles (ou rôles secondaires). → **acteur, camée, rôle de composition, rôle muet, rôle-titre**.

rôle de complément Figurant (*atmosphere player*).

rôle de composition Rôle très éloigné de la vie matérielle et psychologique de l'acteur ou de l'actrice qui l'interprète (*character role*).

rôle de soutien ANGLICISME Expression utilisée en lieu et place de «second rôle» ou de «rôle secondaire». Son emploi est déconseillé.

rôle muet Rôle qui ne comporte pas de dialogues (*mute part*).

rôle principal Rôle le plus important dans un film de fiction (*leading role*). Il peut y avoir plusieurs rôles principaux dans une œuvre, mais on en compte rarement plus de quatre. → **héros, identification**. SYN. premier rôle.

rôle secondaire Rôle second en importance, après celui du rôle principal (*supporting role* ARG. *second banana*). L'importance du

rôle secondaire est reconnue lors de la remise de nombreux prix d'interprétation (oscar, césar, etc.). ARG. second couteau, second violon. ➤ **rôle de soutien.**

rôle-titre Dans le cinéma, rôle homonyme du titre du film (*title role*).

roman-savon ➤ *soap.*

rotoscope Pièce ajoutée à une caméra spéciale permettant d'enregistrer une scène un photogramme à la fois (*rotoscope*). Dans l'utilisation de la technique du dessin animé et d'effets spéciaux, le rotoscope offre une grande précision et une grande stabilité au défilement du film (caches fixes et caches mobiles). En animation, il permet de reprendre sous forme graphique des scènes tournées avec des acteurs; à voir: *Le Seigneur des anneaux* (1978) de Ralph Bakshi.

rouge N. Avec le bleu et le vert, couleur primaire du spectre (*red*).

roughies ANGL. PLUR. Terme n'ayant pas d'équivalent français. Dans les années 60, films mélangeant le fantastique et l'érotisme, et parfois la violence.

rouleau compresseur Une des traductions proposées de *blockbuster*. Film à grand succès. SYN. gros calibre. ➤ **superproduction.**

Rouxlor Procédé additif de cinéma en couleurs mis au point par les frères Lucien et Armand Roux pour le tournage de *La belle meunière* (1948) de Marcel Pagnol. Ce procédé reconstitue les couleurs à partir de quatre filtres: le rouge, le bleu, le vert et le jaune. En plus d'être un procédé au réglage difficile, le Rouxlor présente une surface d'image très réduite.

R-rated ANGL. Aux États-Unis, classement d'un film qui ne peut être vu par des spectateurs de 17 ans et moins, ou, dans certains États, de 18 ans et moins, sauf s'ils sont accompagnés d'un adulte ou d'un tuteur, et ce, pour des raisons de contenu ou de traitement du sujet de l'œuvre. Un film classé R suggère un contenu sexuel évident ou très violent. Un producteur fera tout pour que son film ne soit pas classé dans cette catégorie; il coupera même les scènes critiques du film afin d'obtenir une large distribution et le vendre plus facilement aux chaînes de télévision; les scènes coupées peuvent toutefois se retrouver dans la copie vidéo.

ruban RARE Support du film (*ribbon*).

ruban magnétique ANGLICISME Cette expression couramment usitée au Québec est une traduction littérale de *magnetic tape*. L'expression française juste est «bande magnétique».

runaway production ANGL. Terme n'ayant pas d'équivalent français. Film tourné loin des studios d'Hollywood, souvent à l'étranger, en raison de ses coûts de production moindres, car les salaires y sont peu élevés et les syndicats, absents. Cette méthode de production est instituée après la Deuxième Guerre mondiale et les *runaway productions* sont surtout tournées en Europe, où se consolide l'emprise des Majors. Des pays comme le Canada offriront plus tard des avantages financiers (abris fiscaux et subventions) pour de tels tournages hors frontières.

rushes ANGLICISME PLUR. Terme couramment usité en français en lieu et place du terme proposé «épreuves». Prises positives tirées et projetées en fin de journée de tournage afin de vérifier le résultat des prises de vues (*dailies*). Le réalisateur peut alors décider de faire de nouvelles prises s'il n'est pas satisfait des plans tournés; ➤ **reprise [2].** Les rushes serviront à constituer la copie de travail.

RVB Système de représentation additive des couleurs à partir des trois couleurs primaires que sont le rouge [R], le vert [V] et le bleu [B] (*RGB*). Ce système a été repris, tout en étant légèrement modifié, pour les standards de diffusion de télévision en couleurs (NTSC, PAL et SECAM).

rythme Mouvement donné à un film par le nombre des images et de leur variété (*rhythm*). Le rythme donne à l'œuvre cohérence et homogénéité. Le montage lui donne matérialité et sens. Le rythme est un des éléments du langage cinématographique. Il a été théorisé par S.M. Eisenstein et expérimenté dans *Le cuirassé «Potemkine»* (1925), particulièrement dans la fameuse scène de l'escalier d'Odessa. Chaque film se singularise par son rythme.

sac de chargement → **manchon de chargement**.

sac noir Enveloppe en papier ou en plastique protégeant le film vierge dans la boîte métallique (*black bag*). Le film impressionné est remis dans le sac noir.

salade ARG. Verdure (arbuste, plante verte, etc.) destinée à meubler le décor.

salaire → **cachet**.

salle d'art et d'essai [1] Salle de cinéma diffusant un cinéma d'auteur (*art house*). → **cinéma de répertoire**. [2] En France, salle de cinéma diffusant un cinéma de qualité et reconnue comme telle par l'institution gouvernementale responsable du cinéma en France, le Centre national de cinématographie [CNC].

salle de cinéma Lieu conçu pour permettre la projection et l'exploitation cinématographiques (G.-B. *cinema*, É.-U. *movie theater*, ARG. *hardtop, Kodak cathedral*, FAMILIER *picture house, pic spot*). Le premier lieu ayant servi de salle de cinéma est le Salon indien, situé au sous-sol du Grand Café, boulevard des Capucines à Paris; la première projection a lieu le 28 décembre 1895; les frères Lumière y tiendront leurs séances jusqu'en 1901. La popularité du cinéma s'étend dans le monde entier et les projections ont lieu dans une baraque foraine avant de passer dans un théâtre ou une boutique reconvertie. Dans l'entre-deux-guerres, on verra s'édifier d'immenses palaces, luxueusement décorés et pouvant contenir jusqu'à 3 000 spectateurs; le premier à ouvrir ses portes est le Gaumont Palace, situé à Paris et inauguré en 1911. La Deuxième Guerre mondiale met fin à la construction de nouvelles salles de cinéma. Le déclin des Majors américaines commence lorsque les compagnies hollywoodiennes doivent se départir de leurs réseaux de salles; → **Paramount decision**. Le mouvement cinéphilique naît et la salle devient le paradis des cinéphiles; les séances des ciné-clubs ont lieu dans les salles de cinéma de quartier, que l'arrivée de la télévision fera disparaître. Dans les années 60, le système de l'exclusivité cesse. En Amérique, on ouvre des drive-in (ou ciné-parcs) pour contrer la chute de fréquentation. On reconvertit les immenses salles en les divisant en deux ou trois minisalles. Dans les années 80, on intègre la salle dans un complexe de multisalles (mégacomplexe, multiplexe); la salle d'art et d'essai en subit les contrecoups. En région, le parc de salles diminue radicalement, et l'État doit souvent aider financièrement les établissements des petites localités. On met sur pied différentes campagnes promotionnelles pour ramener les spectateurs vers les salles; → **Fête du cinéma**. Le complexe multisalles est souvent intégré dans un parc de loisirs, avec une salle en Imax et une salle de Cinéma dynamique. Après une grave crise à la fin des années 80 et au début des années 90, la fréquentation se redresse. SYN. salle obscure, ARCH. théâtre cinématographique. → **circuit de salles, circuit indépendant, exclusivité, nickelodeon**.

salle de contrôle → **régie** [3].

salle de mixage Lieu spécifique équipé pour les opérations de mixage (*mixing booth*, ARG. *aquarium*).

salle de montage Lieu spécifique équipé pour les opérations de montage (*cutting room, editing room*).

salle d'habillage ➤ **loge**.

salle de projection Salle privée dans une maison de production ou de distribution, ou dans une institution officielle, destinée aux projections de travail ou les projections de presse (*screening room*).

salle obscure ➤ **salle de cinéma**.

salle spécialisée Salle présentant des films pornographiques.

Sam-Mighty Marque de commerce américaine d'une très grande grue.

sandwich ARG. Procédé bipack.

satellite Appareil placé en orbite géostationnaire autour de la Terre, servant de relais de communication pour la télévision par satellite entre les opérateurs de chaînes et les récepteurs que sont les paraboles des abonnés (*satellite*).

saturation Degré de pureté d'une couleur (*saturation*). La saturation dépend de la quantité de lumière blanche entrant dans la composition d'une couleur. Les films d'horreur ont généralement des couleurs hautement saturées; à voir: les films de Roger Corman. ANT. désaturation.

saucissonner FAMILIER Interrompre régulièrement un film présenté à la télévision par des plages publicitaires. Des cinéastes, comme Federico Fellini, s'élèvent contre ce fait au nom de l'intégrité de l'œuvre et exigent dans leurs contrats que leurs œuvres ne soient pas saucissonnées.

saut dans le futur ➤ **flash-forward**.

saute Absence de quelques images résultant d'une détérioration de la bande (*jump*).

saute d'images ➤ **faux raccord**.

sautillement [saut vertical] Mouvement heurté de bas en haut de la pellicule dans le projecteur causé par un manque de tension de la pellicule (*flutter*). ➤ **tendeur**.

saut vertical ➤ **sautillement**.

savonner ARG. Mal prononcer un mot, bafouiller, cafouiller.

SC Abréviation de scène.

scannage NÉOLOGISME De l'anglais *scanning*. Numérisation par balayage d'une copie film pour son transfert sur copie vidéo. Le scannage recadre l'image du film en la réduisant ou en l'anamorphosant pour le format carré de l'écran du téléviseur qui est de 1:33:1. ➤ *pan and scan*.

scanner ANGLICISME **[scanneur]** Appareil périphérique à l'ordinateur destiné à la numérisation des images (*scanner*).

scanneur Orthographe officiellement recommandée de scanner.

scénarimage Terme français proposé pour «story-board», mais guère usité dans le métier.

scénario Mot italien, du latin *scena*, qui signifie «scène». Document présentant le film à réaliser (*screenplay, script*, VX *photoplay*). Le scénario décrit, généralement sous forme littéraire, les idées, les personnages, les situations, avec des indications techniques pour les plans, les scènes et les séquences du film. Il est plus élaboré que le synopsis, mais moins fragmenté que le découpage. Il peut être original ou une adaptation. Le scénario existe depuis les débuts du cinéma: les films des frères Lumière sont tournés d'après un texte. Il est souvent écrit par le réalisateur en collaboration avec un ou des scénaristes. Un scénario doit pouvoir convaincre un producteur, un distributeur ou des acteurs de participer à la production du film. On distingue plusieurs étapes dans son élaboration: a) le synopsis: présentation brève du scénario, b) le traitement: développement de l'intrigue, c) le scénario en tant que tel (ou la continuité): description de toutes les scènes du film, avec dialogues, d) le découpage technique: visualisation du scénario et

e) le story-board: mise en dessins du scénario. Il peut être modifié au tournage. Le scénario est très souvent publié sous forme de livre à la sortie du film.

scénario original Scénario qui n'est pas l'adaptation d'une autre œuvre (*original script*).

scénariser [1] Mettre en forme une histoire dans un scénario et la découper en scènes. [2] En audiovisuel, mettre en scénario l'idée ou le texte d'une enquête ou d'un reportage télévisé (*write a script*).

scénariste Personne qui écrit totalement ou partiellement un scénario (*screenwriter, scriptwriter*). Le scénariste a habituellement l'idée ou le sujet du film à développer. Il peut adapter une œuvre déjà publiée en guise de scénario; ➤ **adaptateur**. Il est rare aujourd'hui qu'un scénario soit écrit par une seule personne; on emploie alors le terme «coscénariste»; ➤ **consultant en scénario**. Aux États-Unis, contrairement à ce qui se passe en Europe, les scénaristes font partie d'un département de scénario et sont sous l'autorité directe des producteurs. Durant les années 10, la Biograph est la première compagnie à engager des scénaristes avec salaire hebdomadaire; Roy MacCardell, le premier sous contrat de la Biograph, écrit plus de 1 000 scénarios en 15 ans. Plusieurs réalisateurs commencent leur carrière comme scénariste (John Huston, Joseph L. Mankiewicz, Billy Wilder, etc.). Plusieurs cinéastes écrivent leurs scénarios ou insistent pour participer à la scénarisation de leurs films. Des dramaturges deviennent également des scénaristes attitrés (Clifford Odets, Robert Sherwood, Thornton Wilder, etc.). Le scénariste a longtemps été ignoré par la critique. Parmi les scénaristes importants, citons les noms de Michel Audiard, Gérard Brach, Jean-Claude Carrière, Suso Cecchi d'Amico, Ben Hecht, Lawrence Kasdan, Harold Pinter, Jacques Prévert, Paul Schrader et Cesare Zavattini. ➤ **dialoguiste**.

scène [SC] [1] Suite de plans constituant un fragment du film (*scene*). L'ensemble des plans forme une unité narrative possédant un sens propre. La scène doit avoir la caractéristique traditionnelle de respecter l'unité de temps et de lieu. Une suite de scènes délimite une séquence. Une scène peut toutefois être constituée d'un seul plan, c'est le plan-séquence. ➤ **scènes additionnelles**. [2] Lieu physique d'une action particulière (*scene*).

scènes additionnelles PLUR. Scènes tournées pour être ajoutées aux scènes prévues ou déjà tournées (*added scenes*).

scénographe RARE Personne responsable des dessins du décor. Le scénographe travaille étroitement avec le décorateur. ➤ **directeur artistique**.

scénographie Ensemble des composantes de l'espace scénique du point de vue de la caméra et de l'objectif (*scenography*).

Scheider Ancien indice de rapidité d'un film. Le Scheider est l'équivalent de l'indice DIN augmenté de 10.

Schneider Marque de commerce d'objectifs de focale fixe fabriqués par la société allemande Schneider.

scintillement Sensation visuelle qui perçoit encore l'éclairement non continu de l'écran que provoque une basse cadence des images (*flicker*). ➤ **persistance rétinienne**.

Scope Forme abrégée de CinémaScope.

scope [1] Suffixe souvent utilisé pour dénommer les appareils précédant l'invention du Cinématographe: l'Anorthoscope, le Bioscope, le Choreutoscope, le Fantascope, le Mutoscope et le Phénakistiscope. [2] Suffixe accolé à différentes marques de commerce de systèmes anamorphoseurs, comme Agascope, Dyaliscope, Franscope, Panascope, Superscope et Warnerscope.

Scopitone [1] Marque de commerce d'un appareil de type juke-box projetant des films musicaux. [2] Par extension, film musical projeté par le Scopitone. Le scopitone, qui est un film en couleurs 16 mm à piste magnétique, est désigné comme l'ancêtre du vidéoclip.

scratch vidéo ANGLICISME Création d'une bande vidéographique à partir de l'enregistrement et du montage de plusieurs bandes vidéo de films ou d'émissions télévisées (*scratch video*). Le scratch vidéo est considéré comme jeu iconoclaste dénonçant le pouvoir et la fascination des images. L'Allemand Woolf Vostell et le Québécois Robert Morin sont reconnus pour leurs œuvres qui sont de véritables collages électroniques.

script   ANGLICISME Découpage technique du scénario (*script*).

scripte   Forme abrégée de scripte assistante.

scripte assistante [scripte, script-girl] Secrétaire de plateau responsable du journal de tournage (*continuity clerck, continuity girl, script girl*). Ce métier est généralement exercé par une femme. La scripte consigne dans le script tous les éléments nécessaires au respect de la continuité du film. Elle peut également rédiger les rapports de tournage pour les techniciens et les producteurs.   ⇥ **rapport de montage, rapport de production, rapport horaire, secrétaire de production**.

script-girl   ⇥ **scripte assistante**.

SDDS   Sigle du Sony Dynamic Digital Sound.

SDM   Abréviation de système de distribution multipoint.

séance de cinéma   Unité de programmation d'une salle (*film show*). La séance de cinéma comprend traditionnellement une première partie constituée de clips publicitaires et, quelquefois, d'un court métrage, et une deuxième partie qu'est le film de long métrage. Pour le spectateur, la séance correspond au paiement d'un billet

SECAM   Acronyme de Séquentiel couleur à mémoire.

séchage   Étape dans le développement de la pellicule après son rinçage, son fixage et son lavage (*drying*).

second couteau   FAMILIER Rôle secondaire (*minor figure*). SYN. second violon.

seconde génération   ⇥ **copie de seconde génération**.

second plan   [1] Ce qui apparaît entre le premier plan et l'arrière-plan, par rapport à la profondeur de champ (*background*). [2] Ce qui n'est pas important dans une intrigue, une action ou un personnage (*small part in action*).

second violon   FAMILIER Rôle secondaire (*second fiddle*). SYN. second couteau.

secrétaire de plateau   En France, avant le parlant, ancienne dénomination de la scripte.

secrétaire de production   Personne qui rédige les rapports de tournage pour les techniciens et les producteurs (*production secretary*). Cette tâche est le plus souvent assumée par la scripte assistante.   ⇥ **rapport de production**.

16 mm   Format réduit de la pellicule de film mis au point par Kodak en 1932 et destiné au public amateur (*16 mm*). Le 16 mm est désigné comme un format substandard, la pellicule étant de 7,5 x 10,4 mm; l'image projetée est de 7,21 x 9,65 mm. Il devient dans les années 50 et 60 le format utilisé en télévision. À cause des coûts peu élevés liés à son achat et à son développement, le 16 mm est abondamment utilisé pour la production de films indépendants. Il peut être gonflé en 35 mm.   ⇥ **Super 16**.

16/9   Format large d'écran vidéo. Le 16/9 correspond approximativement au format CinémaScope européen de 1:85:1.

Sekonic   Marque de commerce japonaise de posemètres dont la cellule sensible pivote par rapport au cadran.

sélection   Choix de films présentés aux professionnels et au public dans une manifestation (*selection*). La sélection officielle désigne les films participant à une compétition.

sélection trichrome   Analyse de couleurs effectuée sur une émulsion noir et blanc, une image noir et blanc enregistrée derrière un filtre sélectionnant une couleur (*separation printing*).

sélénium Substance chimique débitant un faible courant électrique sous l'action de la lumière dans une cellule photoélectrique (*selenium*). Le sélénium entre dans la composition du matériau des posemètres, qui n'ont alors plus besoin de piles pour fonctionner.

Selig Compagnie américaine de production de films fondée en 1896 à Chicago par William N. Selig, sous le nom de Selig Polyscope Company. Produisant ses films en Californie dès 1907, la firme est spécialisée dans les westerns (mettant en vedette Tom Mix) et les films d'aventures exotiques, tournés avec la caméra Polyscope, un appareil adapté du Cinématographe des frères Lumière. En 1908, la Selig est l'une des premières sociétés à faire partie de la Motion Picture Patents Company [MPPC] chargée d'assurer la distribution des films du Trust Edison; ➤ **Edison Company**. Elle disparaît en 1918 après avoir été vendue à Vitagraph.

Semaine internationale de la critique Section parallèle du Festival international du film de Cannes (*International Critic's Week*). Créée en 1961, la Semaine internationale de la critique présente le premier ou le deuxième film de long métrage d'un auteur. Depuis 1988, on y présente également le premier ou le deuxième court métrage d'un auteur. Le premier film présenté à la section est *The Connection* de Shirley Clarke.

semelle Partie plate de la tête d'un pied de caméra. ➤ **plaque de décentrement**.

sémiologie du cinéma Étude du cinéma comme objet signifiant (*semiology of the cinema*). Extension de la linguistique, la sémiologie du cinéma est une théorie qui vise à constituer scientifiquement et à organiser méthodiquement le concept de film (le film considéré comme un langage). Par la sémiologie, on s'intéresse autant à la forme et à la substance du contenu du film qu'à la forme et à la substance de son expression. La sémiologie du cinéma est élaborée à l'aide des acquis de l'analyse structurale du récit et de la méthode sémiologique appliquée à la littérature. Les travaux du théoricien Christian Metz fondent une sémiologie du cinéma en définissant les grands types d'organisation du récit ciné-

matographique: les segments autonomes, les syntagmes a-chronologiques et les parallèles en accolade, descriptifs et narratifs. ➤ **grande syntagmatique, syntaxe**.

sémiotique Science des signes (*semiotics*). Souvent synonyme de sémiologie, la sémiotique est inventée par Ferdinand de Saussure et élaborée par des théoriciens comme C.S. Pierce et Claude Lévi-Strauss. Il existe une «cinésémiotique» qui serait l'analyse du fonctionnement d'un objet particulier de la communication comme le cinéma, la vidéographie, le clip, etc.; on en étudie alors les codes et les structures. Le Français Christian Metz a été l'un des premiers théoriciens à jeter les bases d'une sémiologie du cinéma (*semiotics of the cinema*) dans son *Essai sur la signification* (1972). ➤ **langage cinématographique**.

sens Signification livrée par le film (*meaning*). Souvent synonyme de signification, le sens caractérise tout discours filmique, qui est la construction d'un univers, et dépend de la valeur symbolique de ce discours. Dans la théorie marxiste de l'approche du cinéma, le film produit du sens car sa matière première, qui n'est pas de l'idéologie pure et simple mais ses représentations esthétiques, est transformée. Le sens reproduit du réel.

sensation d'éclairement Sensibilité des cellules de la rétine qui gardent ainsi une excitation lumineuse quelques secondes après son interruption. Le phénomène de la persistance rétinienne permet d'interpréter l'illusion de mouvement dans une série d'images fixes projetées à une certaine vitesse. ➤ **scintillement**.

sensibilisateur Substance chimique augmentant la sensibilité à la lumière des halogénures d'argent (*color sensitizer*). ➤ **couche sensible**.

sensibilité Caractéristique d'un film pour la quantité de lumière nécessaire à une image satisfaisante (*sensitivity*). La sensibilité se mesure en DIN ou en ASA. VOISIN: rapidité.

sensitogramme Fragment d'un film développé sur lequel ont été enregistrées des plages grises et colorées (*sensitogram*). Le sensitogramme permet de vérifier la qualité des bains de développement par sensitométrie.

sensitomètre Appareil destiné à mesurer le sensitogramme (*sensitometer*).

sensitométrie Opération consistant à contrôler le sensitogramme (*sensitometry*). Discipline de la photométrie, la sensitométrie mesure la sensibilité des émulsions photographiques. Elle est effectuée sur les machines à développement une dizaine de fois par jour.

Sensurround Marque de commerce d'un procédé d'effets sonores pour la projection des films lancé en 1974 par Music Corporation of America [MCA] et Radio Corporation of America [RCA]. Le Sensurround émet des infrasons qui peuvent faire vibrer le corps de celui qui les perçoit. Il ne peut être utilisé que dans les salles équipées du matériel Sensurround. Il a été utilisé pour la première fois avec le film de Mark Robson, *Tremblement de terre*.

Sepiatone Procédé couleur, de qualité médiocre, utilisé par la Republic Pictures. Ce procédé a été appelé ainsi à cause de ses tons tirant vers le beige et le mauve.

Sept-cinéma (La) Filiale de production cinématographique de la chaîne culturelle franco-allemande Arte. La Sept-cinéma n'existe que pour la partie française de la chaîne. Elle participe à près de la moitié de la production de films français et à celle de plusieurs films européens.

septième art Cinéma. Dans le domaine des arts, le cinéma se classe à la septième place, après la peinture, la musique, la poésie, l'architecture, la sculpture et la danse. L'expression «septième art» est introduite dans le vocabulaire en 1919 par l'écrivain Ricciotto Canudo.

séquence Suite de scènes se déroulant généralement dans des lieux différents et constituant un sous-ensemble narratif dans un film (*sequence*). La séquence est une unité fondamentale de la grammaire cinématographique. On la confond souvent avec la scène; ainsi, lorsqu'elle est consti-tuée d'un seul plan, elle est un plan-séquence, l'équivalent d'une scène.

Séquences Revue québécoise de cinéma fondée en 1955 par Léo Bonneville, qui la dirigera pendant plus de 25 ans. Publiée à Montréal, cette revue est née dans la foulée de la popularité des ciné-clubs. D'inspiration religieuse, son approche moralisante du cinéma était considérée comme moyen de formation et d'information culturelle et civique. À partir des années 80, les points de vue de la rédaction sont plus diversifiés, en prenant particulièrement en compte le cinéma québécois. Parution: 5 fois l'an.

Séquentiel couleur à mémoire [SECAM] Standard français de télévision conçu en 1953 par Henri de France et comportant 625 lignes par image. Commercialisé en 1967, ce standard est, à quelques modifications près, largement utilisé en Europe, en Afrique et au Moyen-Orient. Les 625 lignes du standard SECAM donnent une meilleure définition d'image et des couleurs plus riches que les 525 lignes du standard NTSC. → **PAL**.

série → **film de série**.

série télévisée Suite d'émissions, dramatiques, comiques ou mélodramatiques, de même durée, se poursuivant sur plusieurs mois et souvent sur plusieurs années (*television series*). La série est un programme diffusé en tranches égales soit quotidiennement, soit hebdomadairement. Tournée dans les années 50 sur support pellicule, elle est depuis les années 90 tournée sur support vidéo. Aux États-Unis, on distingue comme séries les soaps et les sitcoms. *I Love Lucy*, une des séries américaines les plus populaires dans les années 50, produite par la vedette Lucille Ball, inaugure le tournage sur plateau avec plusieurs caméras 16 mm enregistrant simultanément une scène. SYN. AU QUÉBEC: téléroman. VOISIN: feuilleton télévisé. → *telenovela*.

serrer → **pincer**.

serre-tête → **casque d'écoute**.

serveur Site sur Internet offrant ressources et produits (*server*). Un serveur gère les différentes ressources d'Internet: les sites, les banques de données, le courrier électronique, les groupes de discussion, etc.

servocommande Mécanisme assurant, par automatisme, le fonctionnement d'un ensemble d'appareils (*servo control*). Dans un multiplexe, le projectionniste peut, à l'aide d'une servocommande, mettre en marche les appareils de projection, le système d'éclairage et le rideau de fond.

sex-appeal ANGLICISME VX Attrait sexuel que provoquent particulièrement les vedettes de cinéma (*sex appeal*). L'expression est née dans les années 30, sous l'influence du cinéma et de ses actrices au charme indéfinissable; le sex-appeal était alors synonyme de séduction, de désir. ➤ **pin-up, vamp**.

Shawnscope Format du CinémaScope à Hong Kong; il est de 2:35:1.

Shintoho Mot japonais signifiant «Nouvelle Toho». Société japonaise de production et de distribution de films créée en 1947 par les membres de syndicats pro-communistes; ➤ **Toho**. Le premier film que produit la Shintoho est *Mille et une nuits avec Toho* (1948), une comédie de Kon Ichikawa. La compagnie monte son propre circuit de distribution. Certains réalisateurs célèbres ont quelquefois travaillé pour cette société, entre autres Kenji Mizoguchi et Yasujiro Ozu. La Shintoho produit par la suite des films érotiques, avant de disparaître en 1961.

Shochiku Forme abrégée de Shochiku Kinema Gomeisha.

Shochiku Kinema Gomeisha [Shochiku] Une des plus importantes compagnies japonaises de production, de type Major, fondée en 1920. La Shochiku a ses propres studios à Tokyo. Durant la Deuxième Guerre mondiale, ses associés sont accusés de ne pas faire d'efforts dans la production de films nationalistes et éprouvent des difficultés avec les fonctionnaires du gouvernement. Kenji Mizoguchi la sauve du désastre en tournant *Les 47 ronins* en 1941 et 1942. Après la guerre, la compagnie est autorisée, avec la Daiei et la Toho, à subsister. Yasujiro Ozu y tourne ses grands films, comme *Voyage à Tokyo* (1953) et *Fleurs d'équinoxe*

(1958). Dans les années 60, de nouveaux cinéastes y travaillent, entre autres Nagisa Oshima et Kiju Yoshida. La Shochiku connaît des succès internationaux avec les films de Mazaki Kobayashi. Depuis 1990, sa production est axée sur des films populaires, mais des cinéastes renommés continuent à tourner pour elle, dont Shohei Imamura.

Shock Theatre Aux États-Unis, programme de télévision présentant le vendredi soir ou le samedi soir des films d'horreur, avec présentateur costumé. L'émission est en vogue dans les années 50 dans tous les États-Unis à la suite de la diffusion des classiques du genre par une chaîne new-yorkaise.

showbiz Forme abrégée de show-business.

show-business [showbiz] ANGLICISME Industrie du spectacle. Le monde du show-business désigne les personnes appartenant à cette industrie. L'expression est employée le plus souvent péjorativement, par opposition au cinéma comme art. ➤ ***entertainment***.

Showcan Marque de commerce d'un procédé de projection mis au point par Douglas Trumbull en 1984 pour la compagnie Showcan Film Corporation. Semblable au procédé Imax, le Showcan utilise la pellicule 70 mm classique, mais la cadence de défilement est de 60 images par seconde plutôt que de 30 images par seconde; son écran est un peu plus large que celui du CinémaScope. Comme Imax et Omnimax, cette technique est destinée à saturer l'œil et à intégrer le spectateur dans un spectacle de cinéma total. ➤ **Cinéma dynamique**.

Showtime Réseau de télévision à péage américain diffusé par câble et par satellite, spécialisé dans les films de long métrage récents. Showtime appartient à la société Viacom.

shunter ANGLICISME De *to shunt*, qui signifie «détourner». [1] Dans un circuit électrique, placer en dérivation une résistance sur un appareil afin d'en modifier son calibre ou de le protéger. [2] Dévier un faisceau lumineux de sa trajectoire ou en diminuer sa force lumineuse. [3] Diminuer progressivement un son jusqu'à sa disparition complète.

Sight and Sound Revue de cinéma britannique fondée en 1932 par le British Film Institute [BFI]. Sa rédaction défend le cinéma d'auteur et s'intéresse à la théorie. En 1991, le BFI fusionne *Sight and Sound* avec le *Monthly Film Bulletin*, mensuel fondé en 1934 par le même institut. Depuis, les articles sont plus marqués par l'éclectisme, le postmodernisme et les métissages audiovisuels (la télévision, le vidéoclip, la publicité et les nouvelles technologies). Les rédacteurs tentent de définir un nouveau rôle au cinéma européen. On affirme que *Sight and Sound* demeure la meilleure revue de cinéma de langue anglaise. Parution: mensuelle.

signal pilote Signal enregistré sur la bande lisse magnétique permettant la synchronisation ultérieure de l'image et du son enregistrés séparément (*pilot tone*). → **asservissement, moteur (b), piloton**.

signe Terme de la linguistique. La plus petite unité du discours (*sign*). Au cinéma, le signe représente un objet fonctionnant comme un substitut d'un autre objet (généralement absent de la représentation). Une image renvoyant à une autre est assimilée à un signe. Le signe établit une référence. Il peut être une icône (ressemblance avec des objets réels), un indice (rapport affectif avec un référent réel) ou un symbole (analogie avec autre chose).

silence → **blanc [2] et [3]**.

silence modulé → **silence plateau**.

«Silence, on tourne!» Formule lancée par le réalisateur ou par son assistant avant le tournage d'une prise pour exiger le silence sur le plateau. Cette formule, apparue au parlant, est devenue une phrase mythique du cinéma.

silence plateau [silence modulé, silence technique] Enregistrement sonore du lieu de tournage afin de permettre le montage de «silences» respectant le bruit de fond du lieu (*silent track*). Le silence plateau est

effectué lorsque les scènes à filmer sont terminées.

silence technique → **silence plateau**.

silhouette Rôle de figuration typé (*extra bit player*). Les silhouettes les plus reconnaissables au cinéma sont le chauffeur de taxi, le portier, le serveur et la servante.

silhouettage Éclairage à contre-jour (*silhouette lighting*).

silicium Matériau entrant dans la composition de l'élément photosensible des posemètres (*silicon*).

Siliwood NÉOLOGISME Mot-valise formé par «Silicon Valley» et «Hollywood». Collaboration de plus en plus étroite entre l'industrie du cinéma et les entreprises du multimédia et du jeu vidéo. La création en 1994 du studio DreamWorks SKF symbolise ce mariage inévitable de l'informatique et du divertissement. → **Hollyrom**.

simple 8 Format spécial du film super-8 de la société japonaise Fuji (*single 8*). La bande du simple 8 est présentée dans un chargeur plat, contrairement au chargeur Kodak du super-8 qui est coaxial (pour une bande d'une largeur de 16 mm). Le simple 8 est un format de film amateur.

Simplex Marque de commerce d'appareils de projection américains utilisés dans les salles de cinéma.

Simplifilm Marque de commerce d'un procédé de trucage mis au point en 1942 par les Français Achille Dufour et Henri Mahé, permettant d'enregistrer une image formée par un document photographique (une photographie ou une carte postale) interposé entre la caméra et la scène à filmer. Ce trucage permet d'enregistrer l'image des personnages en grandeur nature et celle du décor réduit du document. → **Pictographe**.

single-system ANGLICISME Caméra permettant l'enregistrement du son et de l'image sur une seule pellicule optique (*single system*). Le single-system est surtout utilisé pour les reportages télévisés. Il pose toutefois certains inconvénients, surtout au montage, puisqu'il est impossible de faire le repiquage du son enregistré. Il convient aux cinéastes amateurs qui ne montent pas leurs films.

Sing-Sing   ARG. É.-U. Surnom donné à la Major Warner Bros. d'après le nom de la célèbre prison californienne Sing-Sing. Jack Warner, son président, est réputé pour sa pingrerie, imposant au personnel du studio des horaires démentiels et coupant constamment dans les salaires (20 pour cent en 1931 et 50 pour cent en 1933).

sitcom   ANGLICISME Contraction de *situation* et *comedy*, qui signifie «comédie de situation». Série télévisée, produite principalement aux États-Unis, mettant en scène des personnes prises dans des situations drôles. Souvent moralisateur, le sitcom a une énorme popularité, qui se poursuit par des reprises incessantes, même plusieurs années après sa première diffusion.   ➙ **téléroman**.

site   Lieu d'accueil ou d'information sur Internet (*location*). SYN. lien.

slacker   ANGL. ARG.   ➙ *slasher*.

slapstick   ANGL. Terme signifiant «coup de bâton». Effet comique, de type gestuel, dans les comédies du cinéma muet. Le lancer de tartes à la crème est un exemple de *slapstick*.

slasher   ANGL. ARG. De *slash*, qui signifie «balafre», «taillade»; terme n'ayant pas d'équivalent français. Film gore. Un *slasher* est le plus souvent un film à petit budget, tourné rapidement. Un film de psycho-killer est un exemple de *slasher*. Annoncé par des films comme *Psychose* (1960) d'Alfred Hitchcock et *Le voyeur* (1960) de Michael Powell, ce type de film, notamment destiné au public adolescent, devient populaire dans les années 70. En anglais, on appelle *teen-slasher* (ou *slacker*) un *slasher* dont l'action se déroule dans le milieu familial, scolaire et culturel des teenagers; les films de Brian De Palma (*Carrie* [1976], de John Carpenter (*Halloween* [1978]) et de Wes Craven (*Scream* [1997]) en sont d'excellents exemples.

sleaze   ANGL. ARG. É.-U. Terme n'ayant pas d'équivalent français. Film inepte réalisé à peu de frais. Axé sur la violence et le sexe, le *sleaze* est apparu dans les années 60. On le retrouve principalement dans le film d'horreur et le film d'arts martiaux.

sleeper   ANGL. ARG. É.-U. Terme qui peut être traduit en français par «révélation», mais n'ayant pas la même connotation figurative que le mot américain. Film modeste qui devient un grand succès artistique ou financier.

Smell-O-Vision   Marque de commerce d'un procédé de synchronisation d'images et d'odeurs mis au point à la fin des années 50. Le Smell-O-Vision est mis au point par le Suisse Hans Laube et commercialisé par l'Américain Michael Todd Junior. Les odeurs proviennent d'un tuyau courant sous les sièges dans les salles de cinéma. Le seul et unique film en Smell-O-Vision est *Scent of Mystery* (1960) de Mike Todd Junior, produit par la Warner Bros.

Smithee   ➙ **Alan Smithee**.

SMPTE   Sigle de la Society of Motion Picture and Television Engineers.

snuff movie   FAMILIER ANGL. Expression qui vient de *to snuff out* et qui signifie «mourir»; terme n'ayant pas d'équivalent français. Film pornographique privilégiant des scènes réelles de torture et de mort, telles que des castrations, des strangulations et des décapitations. Réalisé et produit par la mafia, le *snuff movie* est vendu sous le manteau. Sa production, sa diffusion et sa possession sont passibles de poursuites judiciaires au criminel. Certains films traditionnels s'en apparentent, comme *Shocking Asia* (1985), un documentaire montrant des exécutions capitales.

soap   ANGLICISME Abréviation de *soap opera*, terme créé par la radio et utilisé plus tard en télévision. Feuilleton mélodramatique diffusé aux États-Unis cinq fois la semaine en début d'après-midi. Tragique ou sentimentale, l'action d'un soap repose sur un suspense quotidiennement ménagé. Tourné rapidement, il est devenu synonyme de piètre qualité. Le soap était à l'origine commandité par une marque de lessive, d'où son nom. Au cinéma, il est l'équivalent du mélodrame.   ➙ **téléroman**.

Société de développement des entreprises culturelles [SODEC] Organisme de l'État québécois qui subventionne, entre autres, l'industrie du cinéma québécois par des aides et des avances.

société de financement du cinéma et de l'audiovisuel [sofica] En France, société d'investissement privée bénéficiant d'avantages fiscaux en vue d'aider à la production de films. Une sofica est en quelque sorte un programme de crédits d'impôt. Elle participe à environ 20 pour cent du budget total d'un film. ➤ **abri fiscal**.

Society of Motion Picture and Television Engineers [SMPTE] Association américaine des techniciens de cinéma et de la télévision regroupant environ 8 000 membres. La SMPTE définit les normes de l'industrie (pour les pellicules, les appareils, etc.). Ainsi, elle a établi un code pour les amorces de début et de fin de bobine, appelé «SMPTE universal leader»; sur chaque amorce initiale doivent être imprimées certaines informations sur le film: métrage, format, etc. Elle publie une revue: *The Journal of the Society of Motion Picture Engineers*. Son équivalent en Grande-Bretagne est le British Kinematograph, Sound and Television Society [BKSTS] et en France, la Commission supérieure technique du cinéma français [CST].

Société Radio-Canada [SRC] Service de radio et de télévision de langue française de l'État canadien. La Société Radio-Canada participe à la coproduction de films de courts, de moyens et de longs métrages. Son équivalent de langue anglaise est la Canadian Broadcasting Corporation [CBC].

SODEC Acronyme de Société de développement des entreprises culturelles.

sofica Abréviation de société de financement du cinéma et de l'audiovisuel.

softcore ANGLICISME Terme signifiant «noyau mou». Genre cinématographique caractérisant le film érotique. Dans un film softcore, on ne montre pas l'acte sexuel. ANT. hardcore.

software ANGLICISME [1] En informatique, programmes et données permettant le fonctionnement d'un ordinateur. ➤ **logiciel**. [2] En cinéma et en vidéo, films, vidéogrammes, cassettes et bandes magnétiques déjà enregistrés. ANT. hardware.

65 mm Format de film large de 1:85:1. Son format est 4 1/2 plus large que le 35 mm et 2 1/2 plus large que le 35 mm anamorphosé. Le 65 mm est tiré sur une pellicule 70 mm. Les coûts entraînés par un tournage en 65 mm sont très élevés et en limitent l'utilisation.

70 mm Format de film large servant à tirer des copies de films en 65 mm. Deux fois plus large que le film standard 35 mm, son format est de 2:2:1. On compte 13 photogrammes au pied; ses deux côtés sont perforés et la piste sonore, large, peut accueillir 6 canaux de son magnétique. Le 70 mm est utilisé aux États-Unis et en Europe, particulièrement dans les parcs d'attractions, les foires et les musées.

son [1] Phénomène physique créé par la perturbation d'un milieu matériel élastique (*sound*). [2] Par extension, enregistrement optique ou magnétique du son, sa reproduction et sa transmission (*sound*). Au cinéma, le son est lié en synchronisme avec l'image. L'arrivée du son au cinéma changera radicalement l'industrie du film: il mettra fin à l'âge d'or de la comédie réalisée par les Mack Sennett, Charles Chaplin et Buster Keaton, mais permettra la naissance de la comédie musicale et de la comédie fantaisiste. Jusque dans les années 50, avant l'apparition de la stéréophonie, la technologie sonore reste pratiquement la même; ➤ **Dolby Stéréo, THX**. En post-production, au montage et au mixage, la numérisation permet une manipulation, une réorchestration et une intégration multiple et variée des sons. On distingue le son d'ambiance, le son direct, le son magnétique, le son numérique, le son off, le son optique, le son original, le son seul, le son stéréophonique, le son synchrone et le son témoin. Cinquième dimension du cinéma, le son obéit à des principes d'économie, de pertinence et de variété; il ajoute un supplément de réalité au film. Dans un film, le silence, les paroles (dont les dialogues), les bruits (ou effets sonores) et la musique sont les composantes du son. ➤ **bande sonore, cinéma sonore, enregistrement sonore**.

son d'ambiance Fond sonore d'une scène de film (*background atmosphere*).

sondier ARG. Opérateur de son (*dial twister*).

son direct Son directement enregistré sur le plateau de tournage ou en extérieur, en même temps que la prise de vues (*live sound*).

son magnétique Mode ou système d'enregistrement et de reproduction du son par électromagnétisme (*magnetic sound*). Le son magnétique est non seulement plus économique que le son optique, mais il est de meilleure qualité.

son mixé → **bande mère**.

son numérique Mode ou système d'enregistrement et de reproduction convertissant le son en une série d'éléments binaires (0 et 1) (*digital sound*). Plus l'échantillonnage et la quantification des éléments sont grands, meilleures sont la fidélité et la précision du son enregistré et reproduit. La numérisation permet une plus grande flexibilité et une efficacité accrue dans le montage et le mixage; elle élimine également les distorsions, les affaiblissements et les parasites sonores. Cette méthode remplace la méthode analogique. On peut transformer un son enregistré en analogique en son numérique.

son off Bruits et effets sonores provenant d'une source extérieure au champ couvert par la prise de vues (*off screen*). VOISINS: horschamp, voix off.

son optique Mode ou système de reproduction du son convertissant le son en image photographique sur une piste latérale de la pellicule (*optical sound*). La surface lumineuse sur la piste sonore correspond à la densité sonore. → **son magnétique**.

sonore N. Forme abrégée de cinéma sonore.

son original Son enregistré avant le montage et le mixage, ou avant tout réenregistrement (*original sound*).

sonoriser Adjoindre une bande sonore à un film (*dub*). On sonorise les films muets en ajoutant une bande musicale; on emploie alors le terme «film sonorisé». Charles Chaplin a sonorisé tous ses films, en leur ajoutant de la musique, des bruits et une voix off, et en enlevant ainsi presque tous les intertitres.

sonothèque Lieu où sont conservés les enregistrements sonores, comme les disques, les bandes magnétiques, les vidéocassettes, etc. (*sound library*). On peut acheter d'une sonothèque divers enregistrements sonores pour les besoins d'un film, d'une émission de radio ou de télévision. → **discothèque**.

son seul Son enregistré sans son image correspondante (*wild sound*). Le son seul ne comporte généralement que des sons d'ambiance. → **silence plateau**.

son stéréophonique Mode ou système d'enregistrement, de reproduction et de diffusion du son par stéréophonie (*stereophonic sound*). La stéréophonie donne un relief acoustique au son. L'enregistrement du son stéréophonique doit être réalisé sur au moins deux bandes séparées et sa diffusion requiert au moins deux haut-parleurs en vue de créer l'impression de relief. → **Dolby Stéréo, Pictographe, THX, Walt Disney**.

son synchrone Son synchronisé à l'image (*synchronous sound*).

son témoin Son enregistré sur le plateau de tournage (*guide track*). Le son témoin facilitera le travail de postsynchronisation.

Sony En audiovisuel, fabricant japonais de matériel destiné au grand public et au monde professionnel.

Sony Dynamic Digital Sound [SDDS] Système de reproduction du son numérique mis au point en 1992 par Sony pour les salles diffusant les films de ColumbiaTriTtar, filiale de Sony Pictures Entertainment Company. La caractéristique principale de ce système est qu'il permet la diffusion du son sur 8 canaux. Les informations numériques se trouvent sur la pellicule, à l'extérieur des perforations, sur deux pistes. Le SDDS est lancé à l'occasion de la sortie de *Last Action Hero* de John McTiernan. Il est peu utilisé, contrairement aux systèmes semblables que sont le Digital Theater System [DTS] et le Sound Reduction Digital [SR-D].

Sony Pictures Entertainment Company
➤ **Columbia Pictures** et **TriStar**.

sortie [1] Livraison du film au public (*first screening*). La date de sortie désigne la première présentation du film au public et le jour de sortie, la diffusion du film en salle. Le jour de sortie est différent selon les pays: en Europe, c'est le mercredi; en Amérique, le vendredi. [2] Mise en marché du film (*release*).

sortir ARG. Pour le cadreur, déplacer un objet dans le décor en périphérie du centre de l'image. ANT. rentrer.

soufflette Petit instrument à souffler l'air qui enlève la poussière sur la lentille de la caméra et dont se sert l'opérateur ou l'un de ses assistants avant la prise de vues (*blower brush*). ➤ **pinceau**.

souffleur, euse [1] Personne chargée d'aider l'interprète en lui «soufflant» le texte lors d'un trou de mémoire (*prompter*). [2] Par extension, en télévision, tout système mécanique ou électronique sur lequel est écrit un texte qui peut être lu par l'animateur ou le lecteur de nouvelles; on propose alors le terme «télésouffleur» (*prompter system*).

Sound Reduction Digital [SR-D] Version numérique du système sonore Dolby Stéréo. Les informations sonores sont codées sur les bords de la pellicule; un décodeur les lit et les répartit sur 6 canaux.

source de lumière [source lumineuse] [1] Système, substance ou objet qui émet de la lumière (*light source*). Le cinéma a besoin de sources lumineuses pour la prise de vues et la projection de films. On distingue deux catégories de sources de lumière: les sources primaires (*primary sources*), comme le soleil ou les lampes à incandescence et à décharge, et les sources secondaires (*secondary sources*), pour tout ce qui réfléchit la lumière. [2] Éclairage d'une scène qui donne l'impression que la source lumineuse vient d'un élément du décor (*light source*). Une lampe sur une table de chevet, un chandelier et une lampe de poche sont des exemples de source de lumière.

source lumineuse ➤ **source de lumière**.

source musicale Musique dont la source est visible à l'écran, un orchestre qui joue, par exemple.

sous-ex Forme abrégée de sous-exposition.

sous-exposition [sous-ex] Exposition insuffisante de la surface sensible de la pellicule (*underexposure*). Parfois accidentelle, la sous-exposition peut être réalisée volontairement à la prise de vues ou en laboratoire.

sous-titrage Procédé consistant à confectionner des sous-titres (*subtitling*). Les dialogues du film, traduits dans une autre langue que celle du film, défilent en bas de l'image. On distingue plusieurs techniques de sous-titrage: la gravure, l'incrustation (pour la télévision), l'inscription au laser, le sous-titrage à chaud, le sous-titrage électronique (projeté par vidéo en dessous de l'écran) et le sous-titrage optique (imprimé au moment du tirage). La règle de base du sous-titrage est d'afficher au maximum 10 lettres par seconde et d'inscrire les mots importants au début du sous-titre. Certains pays (comme la Russie ou la Bulgarie) ne recourent pas au sous-titrage à cause de la longueur des mots; une voix neutre est alors superposée au son original du film (pour le marché de la vidéocassette), ou est diffusée dans une salle, ou entendue par des écouteurs avec une traduction simultanée.

sous-titre Généralement au pluriel: les sous-titres. Traduction condensée du dialogue d'un film, projetée en surimpression au bas de l'image (*subtitle*). On distingue le sous-titrage et la version sous-titrée; on dit: sous-titrer un film. Les sous-titres sont surimpressionnés ou gravés sur la pellicule, mais ils peuvent être également reproduits électroniquement et projetés au-dessous de l'image de l'écran. L'abréviation S.T.F. qui est accolée au titre d'un film dans un programme indique que le film comporte des sous-titres français.

sous-titreur Personne chargée de la rédaction des sous-titres (*subtitler*). Le sous-titreur doit pouvoir non seulement traduire les dialogues en langue étrangère, mais les adapter aux conditions de projection des images: le texte traduit doit correspondre aux mouvements des lèvres des interprètes, à la longueur des phrases pouvant être inscrites au bas de l'écran, etc.

Sovcolor Marque de commerce d'un procédé soviétique de cinéma monopack en couleurs, soustractif, dérivé de l'Agfacolor. Comme l'Agfacolor, le Sovcolor se détériore rapidement. → **Orwocolor**.

Space Vision Marque de commerce d'un procédé de cinéma en relief obtenu par des filtres polarisants. Natural Vision et Stereo Vision sont des procédés équivalents.

spectacle Représentation cinématographique (*show*). On parle de film à grand spectacle et de l'industrie du spectacle.

spectacle de variétés → **théâtre de variétés**.

spectateur, trice Au cinéma, personne qui regarde un film (*filmviewer, member of the audience*); → **téléspectateur**. Plus il y a de spectateurs qui voient un film, plus celui-ci connaît du succès; → **box-office, entrée**. Tout film est fait pour obtenir une réaction du spectateur, adhésion ou identification, rire ou frayeur; → **comédie, film d'horreur**. Le spectateur évalue, commente, critique et interprète l'œuvre vue. Certains films veulent le conscientiser; → **cinéma militant**; d'autres, le persuader et le convaincre; → **film de propagande**; d'autres encore, le tenir en haleine; → **film à épisodes, suspense**; d'autres ne font que le divertir; → **film commercial, film d'évasion**; un certain cinéma suscite en lui de nouvelles émotions; → **cinéma expérimental, cinéma autrement**. → **cinémaniaque, cinéphile, film-culte**.

spectre Juxtaposition ininterrompue de bandes colorées correspondant à la décomposition de la lumière dans un prisme et contenant le rouge, l'orange, le jaune, le vert, le bleu, l'indigo et le violet (*spectrum*). Le spectre représente toute la gamme des couleurs.

sphère d'intégration → **diffuseur [5]**.

spot ANGLICISME [1] Petit projecteur d'éclairage à faisceau lumineux étroit, de type Cremer ou Fresnel (*spotlight*). [2] Tache lumineuse produite par un jet d'électrons sur un écran cathodique (*spot*).

spot analyseur Procédé employé en télécinéma pour la lecture d'une image de film grâce à un balayage de l'écran par une fine tache lumineuse d'intensité constante (*flying spot*).

spotmètre Posemètre permettant de mesurer un champ lumineux très étroit (*spotmeter*).

spot publicitaire ANGLICISME → **message publicitaire**.

SRC Sigle de la Société Radio-Canada.

SR-D Sigle de Sound Reduction Digital.

S.T.A. Abréviation de sous-titres anglais.

staff Composition plastique de plâtre et de fibres végétales employée pour la confection des décors (*staff*).

staffeur Personne responsable de la manipulation du staff (*plasterer*).

stag film ANGL. É.-U. De *stag*, qui signifie «animal mâle». Dans les années 10, film pornographique destiné aux hommes. → **film nudiste**.

stagiaire Personne qui fait un stage dans une des activités du cinéma (*trainee*). Le stagiaire doit suivre une période d'apprentissage avant d'être reconnu par une association ou un syndicat. Il accomplit généralement le travail d'un assistant.

standard [1] Norme technique établie par l'industrie du film et de l'audiovisuel pour les appareils et les équipements (*standards* PLUR.). [2] → **format [2]**.

star ANGLICISME Mot signifiant «étoile». Grande vedette. La star est une personne reconnue, identifiée, adulée par le public. Elle peut exiger des cachets élevés et avoir des exigences particulières. La télévision s'est approprié le mot et «fabrique» dorénavant ses propres stars. On distingue l'apprentie star, la starlette, la superstar et la starisation. À lire: *Les Stars* (1972) d'Edgar Morin. → **star-système**.

starification NÉOLOGISME Fabrication d'une star.

stariser [starifier] FAMILIER Transformer une personne en star.

starifier → **stariser**.

starlette Diminutif de star. Jeune actrice qui rêve de devenir célèbre (*starlet*). La starlette a généralement de petits rôles dans les films. SYN. apprentie star.

star-system Variante de star-système.

star-système [star-system] ANGLICISME De l'expression américaine *star system*. Exploitation à l'écran et hors écran des interprètes de films dans le but de conquérir le public de cinéma. Cette organisation du culte des vedettes est rendue possible grâce à la participation de revues, de journaux à potins et de campagnes publicitaires, par l'intermédiaire du département de publicité; → **publicité**. Le star-système naît dans les années 10 avec la création des studios hollywoodiens. On dit que la première star a été Florence Lawrence car, pour la première fois, en 1911, le nom d'un interprète apparaissait au générique du film; → *girl*. Le star-système se consolide à partir de 1919, au moment où tous les noms des interprètes apparaissent au générique des films. Marie Pickford et Charles Chaplin représenteront l'essence du système, leur notoriété étant internationale et leurs cachets étant les plus élevés du cinéma (près d'un million de dollars). Durant l'âge d'or des studios, le star-système se décline sous tous les modes, les stars représentant largement tous les archétypes humains: la vamp, l'amant aventurier, le rebelle, la vierge innocente, la femme mystérieuse, la femme fatale, l'antihéros, etc. Les stars connues ont pour noms Lilian Gish, Theda Bara, Douglas Fairbanks, Rudolph Valentino (pour la période du muet), Claudette Colbert, Joan Crawford, Marlene Dietrich, Rosalind Russell,

Humphrey Bogart, James Cagney, Gary Cooper, Henry Fonda, James Stewart, John Wayne (pour les années 30 et 40), Jean Harlow, Marilyn Monroe, Marlon Brando, James Dean, Rock Hudson, John Wayne (pour les années 50). Avec le déclin des studios et l'arrivée de la télévision, le star-système décline lentement dans les années 50, en gardant toutefois son aura mythique.

station Émetteur de programmes radiophoniques ou télévisuels (*station*). En télévision, la station est synonyme de chaîne.

station affiliée Aux États-Unis, station ayant un contrat renouvelable tous les deux ans avec l'un des trois grands réseaux que sont ABC, CBS et NBC (*affiliated station*). Un réseau offre à ses stations affiliées 65 pour cent de sa programmation (information, sport, séries, feuilletons, soaps, spectacles de variétés, etc.) et 60 pour cent de sa publicité nationale.

S.T.Bil. Abréviation de sous-titres bilingues. En Belgique, cette abréviation indique que le film projeté comporte des sous-titres français et néerlandais.

STEADICAM

Steadicam Marque de commerce d'un dispositif de caméra portable inventé par le caméraman Garret Brown et mis au point par la société américaine Cinema Products Inc. à la fin des années 70. La Steadicam absorbe les vibrations du mouvement de l'opérateur grâce à un harnais installé autour de sa taille, lui donnant ainsi une grande souplesse à la prise de vues. Elle permet de faire des travellings dans des endroits accidentés, où l'utilisation d'un chariot et de rails est impossible. Le cadreur visualise l'image sur un petit moniteur vidéo; sa mise au point est faite à distance par un système émetteur. Le poids du dispositif est un obstacle difficile à surmonter au début et exige au moins une semaine d'apprentissage. ➔ **BodyCam, Panaglide**.

Steadycam Orthographe erronée très courante de Steadicam.

Steenbeck Marque de commerce d'une table de montage fabriquée par la Steenbeck Company établie en Californie La Steenbeck est une table de montage horizontale (*flat-bed editing machine*), avec laquelle on peut monter le film plus facilement et plus rapidement qu'avec la Moviola. Munie d'un petit écran translucide, elle permet l'utilisation de lentilles anamorphiques. Elle a remplacé la Moviola.

sténopé Dans la chambre noire des origines, petit trou faisant office d'objectif photographique (*pinhole*). Un mage arabe, Ibn al-Haitam, s'en sert pour étudier les éclipses du soleil.

stéréo Forme abrégée de stéréophonie (*stereo*).

Stereo-Control Marque de commerce d'un procédé de diffusion du son stéréophonique expérimenté par la Major Warner Bros. durant les années 40. En fait, il ne s'agit pas de stéréophonie, mais d'un effet rendant possible une spatialisation du son, diffusé par 3 haut-parleurs (un situé derrière l'écran et les autres, à gauche et à droite de la salle).

stéréophonie [stéréo] Méthode d'enregistrement et de reproduction du son sur plusieurs pistes distinctes donnant l'impression d'un relief sonore grâce à des haut-parleurs disposés à droite et à gauche de l'auditeur-spectateur (*stereophony*). La stéréo-

phonie assure une fidélité et une grande étendue au son. L'industrie du cinéma l'adopte complètement dans les années 60, même si certains films seulement, comme les superproductions, sont produits en stéréophonie. Presque toutes les salles dans le monde sont actuellement équipées pour la reproduction stéréophonique, la production des films en stéréophonie étant devenue courante. En 1934, Abel Gance est le premier réalisateur à expérimenter ce système avec le Pictographe pour *Napoléon Bonaparte*, version sonorisée du premier *Bonaparte* (réalisé en 1925, projeté en 1927). Dans les années 50, la stéréophonie atteint son plein développement avec le Cinérama, ses 7 pistes magnétiques et ses 6 haut-parleurs répartis dans la salle, et avec le CinémaScope et son utilisation de 4 pistes magnétiques, qui seront remplacées par la suite par des pistes optiques. La numérisation du son a grandement amélioré la stéréophonie. ➔ **Dolby Stéréo, THX**.

stéréoscope Instrument d'optique inventé en 1838 par le physicien anglais Charles Wheatstone qui restitue l'impression de profondeur et de relief à des images en surface plane (*stereoscope*). Deux images enregistrées simultanément par deux appareils parallèles sont projetées sur un écran avec un décalage qui correspond à l'écartement des yeux. Le stéréoscope fait partie de la préhistoire du cinéma 3D.

stéréoscopie Méthode de simulation du relief présentant simultanément deux images enregistrées par deux objectifs différents dont la distance est similaire à celle qui sépare des yeux (*stereoscopy*). La stéréoscopie, très utilisée à la fin du XIXᵉ siècle en photographie, est mise au point dès les débuts du cinéma à partir de l'anaglyphe. Le premier film en procédé anaglyphique est *Le pouvoir de l'amour* de Harry K. Fairoll, présenté en septembre 1922 à Los Angeles. À partir du même procédé, Paramount produit en 1920 des courts métrages appelés «plastigrammes» et MGM, en 1935, des «audiogrammes». Polaroïd met au point un système prometteur de lentilles placées sur une ou deux caméras; la projection simultanée des deux images filmées recrée la distance entre les deux yeux, donnant l'effet d'une vision binoculaire. Un film italien en noir et blanc, *Le banquet du* *mendiant*, est réalisé en 1936 selon le système Polaroïd 3D; Hollywood le perfectionne et Arch Oboler réalise un film en couleurs en trois dimensions, *Bwana le diable*, qui obtient un énorme succès; *Le crime était presque parfait* (1954) d'Alfred Hitchcock est tourné pour être vu en relief, mais n'est guère exploité sous cette forme. Le spectateur doit porter des lunettes spéciales pour obtenir l'effet de vision stéréoscopique. La télévision fait des expériences en ce sens durant les années 50. *Chair fraîche pour Frankenstein* (1974) de Paul Morrissey est l'un des derniers films tournés en stéréoscopie. Les procédés Natural Vision, Stereo Vision, Imax et Omnimax sont fondés sur le principe de la stéréoscopie. ⇢ **cinéma en relief**.

stéréoscopie par anaglyphes Procédé de photographie en relief adapté au cinéma (*anaglyphes process*). C'est Grivolas, en 1897, qui le premier adapte le procédé photographique de Louis Ducos du Hauron. En 1935, Louis Lumière le reprend: chaque série d'images en stéréoscopie est projetée à travers des filtres de couleurs complémentaires (bleu-vert, jaune-bleu ou rouge-orange); les spectateurs doivent porter des lunettes avec des verres de même couleur.

Stereo Vision Procédé de cinéma en relief obtenu par des filtres polarisants. Natural Vision et Space Vision sont des procédés équivalents. ⇢ **stéréoscopie**.

S.T.F. Abréviation de sous-titres français.

stockage Mode d'entreposage et de conservation de la pellicule (*storage*). Les équipements et les techniques de stockage doivent protéger la pellicule vierge et la pellicule impressionnée contre l'humidité et la chaleur qui les détériorent. ⇢ **conservation des films**.

stop motion ANGL. Expression n'ayant pas d'équivalent en français. Procédé héritier de la technique d'animation image par image qui permet d'animer des objets et des marionnettes en volume. On l'appelle également pixilation, mais il est différent de celle-ci dans la mesure où plusieurs prises successives peuvent correspondre à une seule action. Le procédé *stop motion* est long

et laborieux à produire: 1 heure de travail pour 2 secondes de film; les objets et les marionnettes sont légèrement modifiés entre chaque prise. Les aventures de Wallace et Gromit dans les films du Britannique Nick Park (*Creature Comforts* [1989], *Un mauvais pantalon* [1993], *Une grande excursion* [1995] et *Rasé de près* [1996]) sont de grandes réussites de cette technique d'animation. ⇢ *go-motion*.

story-board ANGLICISME De *storyboard*, qui signifie «planche d'histoire»; un équivalent français est proposé mais guère usité: scénarimage. Traitement en dessins du scénario dont chaque planche correspond à un plan du film. Le story-board ressemble à une bande dessinée; il est réalisé par le cinéaste ou un dessinateur professionnel. Il a été mis au point par Walt Disney. Il est extrêmement utile pour les films à effets spéciaux. On y a maintenant recours constamment dans le métier. Grâce à l'ordinateur et à des programmes comme le Story Board Quick, on élabore un story-board électronique qui permet de visualiser les dessins de fonds sous une variété de plans et d'angles de prise de vues.

Stroboscope Appareil de projection inventé par Simon Stampfer et présenté à Vienne en 1833, constitué de deux disques tournant en sens contraire qui permettent, en un bref instant, de voir des dessins dont la vision successive crée l'illusion du mouvement (*Stroboscope*). Le Stroboscope, qui ressemble au Phénakistiscope, est un des appareils ancêtres de l'invention du cinéma. ⇢ **persistance rétinienne**.

stroboscope Pièce qui, réglée à la vitesse exacte de la caméra, se trouve immobile, reproduisant fictivement l'immobilité de l'obturateur. Selon que la pièce se déplace à droite ou à gauche, cela signifie que la vitesse est trop élevée ou trop lente.

stroboscopie Méthode d'observation d'un objet animé d'un mouvement périodique rapide à l'aide du stroboscope (*stroboscopy*). ⇢ **phénomène de stroboscopie**.

stuc Composition de plâtre ou de poussière de plâtre gâché avec une solution de colle ferme (*stucco*). Poli après durcissement, il est utilisé par le décorateur pour les décors en marbre.

Studio Revue française de cinéma grand public fondée en 1987, publiée sur papier glacé et d'apparence luxueuse. Centré prioritairement sur le cinéma commercial, le sommaire de la revue est organisé au gré de l'actualité cinématographique et de la sortie des exclusivités. Le film y est surtout appréhendé à travers un comédien interviewé, dont on trace le portrait. Les rédacteurs de *Studio* vouent une forte admiration au cinéma américain. L'espace de la revue est occupé majoritairement par de nombreuses photos de grande qualité. Parution: mensuelle.

studio [1] Lieu d'enregistrement de la prise de vues (*stage, set*). Il est l'équivalent du plateau de cinéma. → **film de studio.** [2] Complexe de bâtiments abritant les divers secteurs de la fabrication et de la production des films, comme les plateaux, les salles de maquillage, les loges, les ateliers de costumes et d'accessoires, les salles de montage, la cantine, etc. (*studio complex*, ARG. *pic factory*). Le terme s'emploie surtout au pluriel. Cette définition s'est étendue à la télévision et à la vidéo. [3] Par extension, compagnie de production (*studio*). Les studios désignent l'ensemble de la production américaine entre les années 1920 et 1950, dirigée par les nababs qui exercent sur elle un contrôle vertical (production-distribution-exploitation) et qui établissent le prototype du film américain; → **cinéma classique hollywoodien.** Chaque studio produit un type reconnaissable de films. → **Hollywood, Major, Minor, système des studios.**

Studio Canal Plus → **Canal Plus.**

studio d'enregistrement → **auditorium.**

Studio des arts contemporains École nationale fondée en 1987 et inaugurée en novembre 1997, située à Tourcoing (Nord de la France), dont le premier directeur est le photographe et cinéaste Alain Flescher. Par le truchement de la technologie et du multimédia, son enseignement favorise le croisement entre plusieurs disciplines: le cinéma et les arts plastiques, la vidéo et la photographie, la danse et la mode, le son et l'architecture. Les bâtiments de cette école abritent des lieux ouverts au public: deux salles de cinéma, une librairie et une salle d'exposition.

style [1] Aspect formel du film ou d'un ensemble de films réalisés par la même personne (*style*). Le terme «style» est employé pour désigner la forme plutôt que le contenu du film. On dit que le cinéaste impose le sujet de son film par son style, qui reflète dès lors sa vision personnelle. [2] Ensemble de caractéristiques formelles d'un film qui permettent de le rattacher à un mouvement (comme le style expressionniste et le style néoréaliste) ou à une époque (comme la comédie avant le parlant) (*style*). [3] Caractéristiques formelles reconnaissables parmi l'ensemble des films produits par une société (*style*). Aux États-Unis, entre les années 20 et 50, chaque Major a imposé un style à ses productions grâce à ses directeurs photo et à ses directeurs artistiques; → **système des studios.** [4] Type de jeu (*style*). Par la Méthode, l'Actors Studio a imposé un style de jeu s'appuyant sur l'introspection, l'émotion et le naturel.

style documentaire Style du film de fiction proche du documentaire (*documentary style*). Par les choix de la mise en scène, de la photographie, du son ou du montage, le style documentaire crée l'impression d'un enregistrement direct et objectif de la réalité. Une voix off est souvent associée à ce genre de style; à voir: *La maison de la 92ᵉ Rue* (1945) d'Henry Hathaway. On peut citer comme exemple de style documentaire, le film *Les petites fugues* (1978) d'Yves Yersin, qui est un portrait de la vie à la campagne dans la Suisse contemporaine.

substitution Au cours de la continuité d'un plan, effet obtenu par l'interruption de la prise de vues et la modification de l'élément d'un décor ou d'un détail concernant les personnages (*substitution*).

substratum Du latin *substratum*. Mince couche de gélatine et de triacétate qui assure l'adhésion de l'émulsion sur le support (*subbing layer, substratum*).

sucrer ARG. Enlever les reflets de la lumière sur une vitre ou un accessoire du décor.

suite ➔ **film de série**.

sujet Ce qui est traité ou évoqué dans le film. Souvent synonyme de contenu, de thème et de motif, le sujet est concrétisé par la représentation d'une action. ➔ **synopsis**.

sulfure de cadmium [CdS] Élément photorésistant entrant dans la fabrication des posemètres électriques (*cadmium sulphide*). Les cellules des posemètres au sulfure de cadmium sont plus sensibles que celles au sélénium.

Sundance Film Festival Nom original anglais de Festival du film de Sundance.

sunlight ANGLICISME Projecteur d'éclairage de studio très puissant (*sunspot*).

Super Cinescope Format du Cinéma-Scope en Italie; il est de 2:35:1.

Super Écran Service de télévision à péage par câble, canadien et de langue française, diffusant et coproduisant des films de long métrage. Son équivalent de langue anglaise est First Choice.

super-8 Standard de pellicule pour films amateurs mis au point par Kodak en 1965, destiné à remplacer le 8 mm (*super-8*). L'image du super-8 est 50 pour cent plus large que l'original 8 mm. Le son optique et magnétique peut être enregistré directement sur la pellicule.

Superpanorama Marque de commerce du format européen 70 mm du Todd-AO américain. Lancé en 1965, son format est 2:2:1.

Super Parvo Color Marque de commerce d'une caméra de studio de la lignée de la Parvo. Lancée en 1933, la Super Parvo Color est blimpée.

superproduction [1] Production exceptionnelle dont l'importance est mesurée sur les plans financier, matériel et humain (*blockbuster*). La superproduction est mise en œuvre dans les années 50 et 60 pour concurrencer la télévision. Elle est présentée sur un écran large et dépasse la durée standard habituelle de 90 minutes. Pour citer quelques exemples de superproductions, citons *Les dix commandements* (1954) de Cecil B. DeMille (en VistaVision, 221 minutes), *Ben Hur* (1959) de William Wyler (212 minutes) et *Cléopâtre* (1963) de Joseph L. Mankiewicz (en CinémaScope, 243 minutes). [2] Film dont les dépenses au tournage et les frais somptuaires ont considérablement dépassé le devis de départ (*blockbuster*). *La porte du paradis* (1980) de Michael Cimino, dont le coût global atteindra 40 millions de dollars, amène la United Artists au bord de la faillite. Entre 1970 et 1980, le coût d'un film américain a quadruplé. [3] Rouleau compresseur (*blockbuster*). Ce type de film a un succès public qui écrase celui des films exploités en même temps que lui; son succès financier est dès lors immédiat. *La guerre des étoiles* (1976) de George Lucas, dont le coût de production était de 12 millions de dollars, a rapporté à sa sortie 300 millions de dollars; *Titanic* (1997) de James Cameron, qui est rentré dans ses frais dès les premières semaines d'exploitation sur le territoire américain, a généré plus d'un milliard de dollars de profit en moins d'un an d'exploitation; ➔ **box-office [2]**. SYN. gros calibre. ➔ **film d'exploitation**.

Superscope Format de film large lancé par RKO en 1954. Son format est de 2:35:1. L'image n'est pas anamorphosée lors de son enregistrement (elle est donc de 2:1); elle est agrandie lors du tirage pour les copies d'exploitation.

Super 16 Film 16 mm lancé en 1970, dont le format panoramique est 40 pour cent plus large que le 16 mm régulier. Le Super 16 possède une unique rangée de perforations et son standard est 1:66:1. Comme il peut être gonflé en 35 mm sans perte de précision, il devient très populaire à cause de son coût d'utilisation moins élevé que celui du format standard 35 mm. Peter Greenaway l'utilise pour *Meurtre dans un jardin anglais* (1983). ➔ **Aäton**.

superspectacle ➔ **péplum**.

superstar ANGLICISME ➔ **monstre sacré**.

Super-Technirama Procédé de prise de vues mis au point en 1959 par la société Technicolor utilisant, comme le Technirama, le défilement horizontal de la pellicule sur 8 perforations et l'ajout de l'anamorphose. Le Super-Technirama est désanamorphosé pour le tirage sur 70 mm.

Super 35 Film 35 mm employé aux États-Unis pour la production destinée à la télévision. Son format correspond au 16/9.

superviseur Personne responsable du bon déroulement du tournage du film (*supervisor*). Le superviseur est souvent un conseiller technique.

support [1] Partie de la pellicule sur laquelle se trouve l'émulsion ou la couche sensible (*base*). Fait à partir de nitrate de cellulose, très inflammable, le support est aujourd'hui fait de triacétate, ininflammable. ➤ **support de sécurité**. [2] Pied supportant la caméra, constitué de plusieurs éléments fixes ou amovibles, permanents ou provisoires, comme la tête, le cube, le praticable, les rails, la grue, etc. (*support*).

support anti-glissant Support qui prévient le glissement de la pellicule dans la caméra.

support de sécurité Matériau ininflammable en triacétate de cellulose ou en polyester (*safety base*). Ce nouveau support remplace depuis 1951 le support inflammable en nitrate de cellulose.

surcharge Tension électrique excessive (*overload*). La surcharge dépasse les tolérances d'un appareil.

surdévelopper Augmenter le temps de développement de l'émulsion afin de la rendre plus sensible à la lumière (*overdevelopment*). Si le surdéveloppement augmente la granulation et le contraste de l'émulsion, il peut également provoquer des distorsions dans le rendu chromatique. VOISIN: pousser.

surex Forme abrégée de surexposition.

surexposition Fait d'impressionner la surface sensible de la pellicule avec un éclairement excessif (*overexposure*, FAMILIER *burning up*). Parfois accidentelle, la surexposition peut être réalisée volontairement à la prise de vues ou en laboratoire à des fins esthétiques.

surfaçage Polissage de la surface des lentilles et des éléments optiques de l'objectif.

surface sensible ➤ **couche sensible, émulsion, face émulsionnée**.

surfaces sensibles PLUR. Pellicules vierges offertes sur le marché.

surimpression Trucage permettant d'obtenir la superposition de plusieurs images sur une même surface (*double exposure, surimposition*). Son effet est utilisé pour les images mentales, les souvenirs, les dédoublements de rôle, les rôles de fantômes, etc. Son emploi paraît aujourd'hui désuet.

surwestern NÉOLOGISME Western des années 50, au moment de l'apparition du CinémaScope et de l'utilisation de la couleur qui lui donnent une ampleur spectaculaire. Les thèmes développés dans le surwestern sont alors fortement humanistes.

suspense ANGLICISME État créant de l'anxiété chez le spectateur dans l'attente de la résolution d'une situation (*suspense*). Au cinéma, le suspense semble allonger le temps; il doit nourrir l'intérêt du spectateur envers la situation montrée. Alfred Hitchcock est l'un des maîtres du suspense. ➤ **film à suspense**.

Svoscope Format de film large 70 mm en Union soviétique. Son format est de 2:35:1.

symbole Objet, personne ou action ayant une signification abstraite dans la fonction de type narratif (*symbol*). Le symbole possède une signification implicite ou explicite, renvoyant à une association d'idées reconnue universellement. Ainsi, le mot «Rosebud», nom d'une marque de commerce de traîneaux, prononcé dans *Citizen Kane* (1941) d'Orson Welles, est le nom du traîneau de Kane alors qu'il était enfant; il renvoie donc à la perte de l'innocence. Par sa multitude de symboles, le film peut devenir une allégorie, comme *Le septième sceau* (1957) d'Ingmar Bergman. ➤ **motif, thème**.

synchro Forme abrégée de synchronisation (*sync*).

synchronisation [synchro] Opération consistant à synchroniser le son et l'image (*synchronization*). La synchronisation indique généralement que le son est directement lié à l'action.

synchronisation labiale RARE Synchronisation des lèvres avec des paroles et des sons préalablement enregistrés en auditorium et diffusés sur un plateau de cinéma ou de télévision (*lip synchronisation*).

synchroniseuse Appareil servant à commander le synchronisme des images et des sons lors du montage (*synchronizer*). La synchroniseuse est munie de tambours mis en rotation par une manivelle et de galets qui engagent fermement chaque bande dans les perforations d'un tambour. On peut y faire défiler plusieurs bandes en parallèle.

synchronisme État de simultanéité temporelle entre deux phénomènes différents (*synchronism*). Le synchronisme au cinéma se pose dans la relation entre l'image et le son, qui sont tous deux enregistrés sur des supports différents. On doit donc passer par diverses étapes pour qu'à la projection du film ils soient en conformité avec le mouvement des lèvres que l'on voit et des dialogues qu'on entend. ➙ **doublage, play-back, signal pilote, repiquage, synchronisme trou à trou**.

synchronisme trou à trou Dans la projection en double bande, synchronisme des perforations de la bande image et de la bande son.

syndicat de distribution Aux États-Unis, agence responsable de la distribution sous licence (*syndication*) de programmes à des stations affiliées ou non affiliées aux trois grands réseaux que sont ABC, CBS et NBC (*syndicate*). Les stations ne diffusent pas simultanément le même programme sous licence. Les émissions appartiennent à une agence qui en assure les droits de diffusion.

synopsis Bref exposé sur le sujet du film (*synopsis*). Le synopsis est l'ébauche d'un scénario. VOISIN: argument.

syntaxe Dans l'étude du langage cinématographique, termes, formes et construction du film (*syntax*). Les différents éléments de la mise en scène sont agencés de façon telle qu'ils ont un effet sur le spectateur; la syntaxe cinématographique peut décrire ces éléments et les lier. On distingue également la grammaire cinématographique, le langage cinématographique et la sémiologie du cinéma. ➙ **sémiotique, théorie du cinéma**.

synthèse Après l'analyse, deuxième phase dans les procédés de reproduction de la couleur (*color system*). On distingue la synthèse additive (*additive color system*), qui est l'addition des radiations colorées aux couleurs primaires, et la synthèse soustractive (*subtractive color system*), qui est la soustraction de la lumière blanche aux couleurs complémentaires.

synthétiseur vidéo Appareil électronique permettant de manipuler et de transformer les couleurs et les formes d'une image vidéo et d'en faire la synthèse à partir de leurs composantes (*video synthesizer*). C'est en 1970 que le vidéaste Nam June Paik a mis au point, en collaboration avec un ingénieur japonais, le premier synthétiseur vidéo.

syntoniseur Récepteur de modulation de fréquence ne comprenant ni l'amplificateur ni les haut-parleurs (*tuner*).

système à crémaillère Équipement utilisé aux débuts du cinéma pour le développement et le tirage des films (*rack-over system*).

système de distribution multipoint [SDM] En audiovisuel, système de distribution de signaux vidéo par l'intermédiaire de micro-ondes (*multipoint distribution system [MDS]*). Le SDM permet la distribution numérique d'émissions télévisuelles et d'autres contenus audiovisuels requérant une large bande passante. Ce système a été autorisé aux États-Unis en 1963. Toute transmission par voie radio peut se faire par le SDM, entre autres la transmission de télécopies, de données d'ordinateur et des serveurs Internet. SYN. système de télédistribution multidirectionnelle.

système des studios Méthode de production des studios américains, appelés Majors, entre 1920 et 1950 (*studio system*).

C'est le producteur Thomas Ince qui met au point le système des studios grâce à son travail étroit avec les réalisateurs et les scénaristes et grâce à des budgets et un horaire de tournage des films scrupuleusement respectés. Plusieurs films sont produits simultanément par un même studio. Ils sont distribués également par la même Major, qui contrôlera en plus ses propres salles de cinéma; c'est le contrôle vertical (production-distribution-exploitation) qui établit le monopole virtuel de l'industrie cinématographique. Dans ce système, le producteur est roi: il prend des décisions tout autant pratiques et financières qu'artistiques. Les bases du star-système sont établies à la fin des années 10. L'arrivée du son en 1927 augmente considérablement le coût d'un film. Les studios dépendent de plus en plus des banquiers de Wall Street et doivent créer des départements pour chaque secteur de la production afin de contrôler leurs dépenses. Un film réussi est un film qui rapporte des profits au box-office. Dans les années 30, 75 pour cent des films (entre 400 et 500) sont produits annuellement aux États-Unis par les Majors que sont Columbia, MGM, Paramount, RKO, Twentieth-Century-Fox, United Artists, Universal et Warner Bros.; ➤ *Big Eight, Big Five*. Chaque studio développe un style reconnaissable de films: la MGM produit des films ambitieux, avec des vedettes très populaires, des décors chics et des costumes haute couture; la Paramount est spécialisée dans la comédie légère et raffinée; les directeurs photo de la Warner utilisent une lumière contrastée pour de nombreux films d'évasion, de gangsters et des drames sociaux; tandis que la Universal crée le prototype du film d'horreur. Le décret de la Cour suprême de 1948 amène lentement le déclin des studios; on élimine les départements, on licencie le personnel et on vend une partie des bâtiments; ➤ **Minor**, **Paramount decision**. Le système n'existe plus en tant que tel dans les années 80 quand les Majors sont toutes achetées par des conglomérats financiers: la production de films est devenue une branche de l'industrie des communications.

système de télédistribution multidirectionnelle ➤ **système de distribution multipoint**.

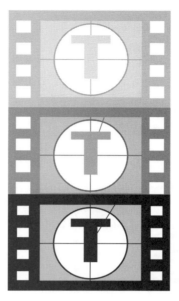

tableau vx Ardoise. →
pancarte.

table de bobinage →
bobineuse.

tableau de montage
Liste chronologique des
plans prévus au décou-

table de mixage → console de mixage.

page, à laquelle s'ajoute une description
succincte de l'action et du décor. Le tableau
de montage est tenu à jour durant le tournage par le régisseur ou le premier assistant
du réalisateur.

tableau de service → **feuille de service**.

table de montage Appareil comprenant
divers équipements pour la vision et l'é-
coute d'un film à monter (*editing bench, editing table*). La table de montage est
constituée d'un plateau comportant un
verre dépoli éclairé par transparence, d'une
étagère, de supports métalliques de bobines

TABLE DE MONTAGE HORIZONTALE

de film, d'une enrouleuse et d'une synchroniseuse. On trouve sur cette table divers outils comme des crayons à l'encre de Chine, des ciseaux, du ruban adhésif et des gants. → **Moviola, Steenbeck**.

table de rembobinage → **bobineuse**.

table de tournage → **banc-titre**.

tachymètre Voyant situé sur la caméra indiquant la cadence du défilement de la pellicule dans la caméra (*tachometer*).

Tachyscope Appareil de projection inventé en 1885 par Ottomar Anschüts permettant l'analyse des mouvements photographiés. Le Tachyscope est muni d'un grand disque vertical en acier dont le pourtour contient environ 90 vues sur verres transparents; un tube électrique s'allume 30 fois à la seconde et illumine le passage de chaque cliché du disque qui est en rotation; les vues sont ainsi immobilisées par de brefs éclairs lumineux. Le Tachyscope ressemble au Zoopraxinoscope d'Eadweard J. Muybridge. Il est l'un des nombreux appareils à l'origine du Cinématographe des frères Lumière.

TACHYSCOPE

talent-scout ANGL. ARG. Découvreur de talents. Le scout est employé par une compagnie afin de trouver de futures stars. La rumeur veut que ce soit un scout qui a découvert Lana Turner; elle était juchée sur un tabouret en train de boire dans un bar.

tambour Au début du cinéma, trucage constitué d'un cylindre dont la paroi extérieure est recouverte d'un panorama peint ou photographié et tournant autour d'un axe vertical (*drum*). Le tambour pouvait ainsi simuler le déplacement d'une voiture ou d'une personne (qui marchait, elle, sur un tapis roulant).

tambour de croix de Malte → **croix de Malte**.

tambour denté Roue comportant une ou deux rangées de griffes assurant l'entraînement continu ou intermittent de la pellicule (*sprocket*).

tambour dioptrique Mécanisme optique muni de nombreuses lentilles et placé sur un tambour cylindrique rotatif (*dioptric drum*). Ces lentilles sont des lentilles additionnelles qui permettent la prise de vues rapprochées. Taillées selon les besoins, elles créent une fausse profondeur de champ en donnant une image nette du sujet rapproché et du sujet éloigné de l'objectif.

tannage → **durcissement**.

Tapis magique Procédé de projection utilisant deux projecteurs IMAX et deux écrans, l'un placé verticalement devant le spectateur, et l'autre placé sous son siège et visible grâce à un plancher de verre (*Magic Carpet*). Le Tapis magique donne au spectateur l'impression de flotter. Il existe un exemplaire du Tapis magique au Futuroscope de Poitiers (France). → **Cinéma dynamique**.

tearjerker ANGL. ARG. Littéralement: «à tirer les larmes». Mélodrame. SYN. ANG. *weepie*.

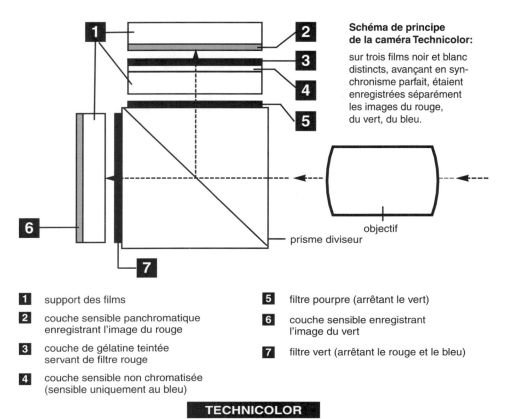

Schéma de principe de la caméra Technicolor:

sur trois films noir et blanc distincts, avançant en synchronisme parfait, étaient enregistrées séparément les images du rouge, du vert, du bleu.

objectif

prisme diviseur

1 support des films

2 couche sensible panchromatique enregistrant l'image du rouge

3 couche de gélatine teintée servant de filtre rouge

4 couche sensible non chromatisée (sensible uniquement au bleu)

5 filtre pourpre (arrêtant le vert)

6 couche sensible enregistrant l'image du vert

7 filtre vert (arrêtant le rouge et le bleu)

TECHNICOLOR

technicien, ienne Spécialiste d'un aspect technique de la réalisation (son, éclairage, montage, etc.) (*technician*). Le technicien est membre d'une équipe responsable de l'utilisation des appareils et des machines. L'étalonneur, le machiniste, le mixeur, le preneur de son et le régisseur, par exemple, sont des techniciens.

Technicolor Marque de commerce d'un procédé additif de cinéma en couleurs inventé en 1915 par Herbert T. Kalmus et Donald Comstock. Il est employé pour la première fois pour *The Golf Between* (1917). Mais il est véritablement mis au point entre 1932 et 1934 par une équipe de chercheurs de la société Technicolor. Le premier véritable film en Technicolor exploité avec ce système est *Becky Sharp* (1935) de Robert Mamoulian. Le Technicolor représente toute une série de procédés très différents. Le procédé classique nécessite une caméra et une tireuse spéciales. L'appareil de prise de vues, encombrant et lourd, comprend un cube de verre formé de deux prismes accolés qui décomposent en deux faisceaux l'image donnée par l'objectif; ce cube projette trois images distinctes sur trois négatifs qui enregistrent séparément le rouge, le bleu et le jaune. La tireuse permet de superposer ces trois couleurs sur la copie destinée à la projection. Ce procédé est très onéreux. Le Technicolor tend à être remplacé à partir de 1952 par la pellicule monopack Eastman Color. Il est abandonné complètement au début des années 70, sauf en Chine.

Technirama Marque de commerce d'un procédé de prise de vues à défilement horizontal, semblable à celui de VistaVision, mis au point par Technicolor Motion Picture Corporation en 1957 et utilisé en 1959 et 1960. La pellicule utilisée, du 35 mm standard, sera anamorphosée en Scope 35 pour son exploitation; elle défilera à la verticale dans le projecteur. → **Super-Technirama**.

Techniscope Marque de commerce d'un procédé de prise de vues mis au point en 1960 par Technicolor Italia pour le format Scope. L'image 35 mm standard est gonflée et anamorphosée pour l'exploitation. Ce procédé est utilisé par Sergio Leone dans *Il était une fois dans l'Ouest* (1969).

teen-slasher ANGL. ARG. ➤ *slasher*.

teintage [teinture] Opération consistant à immerger dans un bain colorant une pellicule noir et blanc (*tinting*). Le teintage est très répandu à l'époque du muet. Grâce à cette pratique, on veut donner une idée de l'atmosphère d'une scène; ainsi, le rose est utilisé pour les scènes amoureuses, le rouge, pour les incendies, et le vert, pour la campagne. ➤ **virage**.

teinte Couleur complexe obtenue par le mélange d'une couleur monochromatique et la couleur blanche (*tint*). Le rose, par exemple, est obtenu par le mélange d'une teinte rouge et de la couleur blanche.

teinture ➤ **teintage**.

téléciné Forme abrégée de télécinéma.

télécinéma [téléciné] [1] Appareil servant à la conversion de l'image argentique d'un film en image électronique (*telecine*). Cet appareil associe le projecteur cinématographique à défilement continu et une caméra (*television camera*) ou un analyseur électronique (*cathode ray tube*). [2] Opération de conversion des images d'un film en images électroniques (*telecine*).

Telecittà ITAL. Surnom donné au complexe de studios romain Cinecittà à cause des nombreux films pour la télévision qui y sont tournés. En 1995, un consortium formé par la société anglaise Rank Organization, la société de télévision d'État, la Rai, et Mediaset (télédiffuseur privé italien) proposent d'y investir de fortes sommes pour redresser la situation de Cinecittà; le milieu cinématographique italien s'y oppose fortement.

télécommande Mécanisme assurant la transmission à distance d'une commande à un appareil (lecteur de disques, magnétoscope, téléviseur, etc.) (*remote control*). La télécommande de télévision est la plus répandue. Elle se présente sous la forme d'un petit boîtier muni de touches dont les fonctions de base permettent de mettre sous tension le téléviseur, de l'éteindre, de contrôler le volume sonore et la fidélité des couleurs, et de changer de chaînes. La première télécommande est mise au point en 1950 par la société Zenith; elle est reliée au téléviseur par un fil. En 1956 apparaît la télécommande à ultrasons, sans fil, fonctionnant à piles. En 1976, 10 pour cent des téléviseurs sont vendus avec la télécommande (qui est à lumière infrarouge); depuis 1996, celle-ci est automatiquement incluse dans l'achat du téléviseur. ➤ **zapper**.

télécommunications PLUR. Ensemble des métiers, des techniques et des procédures relatives aux communications à distance (*telecommunications*).

télédistribution [1] Diffusion par câbles de programmes télévisés (*cablecasting*). Au Québec, on dit: câblodistribution. [2] Diffusion de films dans des salles par transmission télévisuelle grâce à des relais hertziens (*cable release*).

téléfilm Œuvre sur film produite pour être diffusée à la télévision (*telefilm*, FAMILIER *telepix*). Un téléfilm ne prend pas l'affiche dans les salles, sauf exception, comme *La fracture du myocarde* (1991) de Jacques Fansten. On ne doit pas confondre le téléfilm et le feuilleton télévisé.

Téléfilm Canada Organisme de l'État canadien ayant pour but d'encourager la production cinématographique et télévisuelle indépendante au Canada. Téléfilm Canada participe au financement de films de long, de moyen et de court métrages, sous forme d'avances ou d'aides à la rédaction de scénarios, aux campagnes publicitaires, à la distribution, à l'exportation, etc.

télémètre Appareil assurant la mesure de la distance entre le sujet et l'objectif (*rangefinder, telemeter*). Le télémètre est généralement réservé au matériel amateur.

telenovela ESP. Feuilleton latino-américain produit par les télévisions mexicaine et brésilienne et diffusé cinq fois par semaine à une heure de très grande écoute. La première *telenovela* est présentée en 1963 par la chaîne TV-Excelsior de Sao Paulo (Brésil). Mélodramatique, la *telenovela* connaît un immense succès dans tous les pays de langues portugaise et espagnole. Au Mexique, certains feuilletons, comme *El derocho de nacer*, sont télédiffusés durant 20 ans, les épisodes étant constamment repris avec de légères modifications.

téléobjectif Objectif à très grande distance focale (*telephoto lens*).

téléordinateur Appareil multimédia associant la télévision et l'ordinateur (*teleputer*).

téléphile Spectateur de la télévision dont le comportement rappelle celui du cinéphile (*television fan*).

téléphones blancs (les) PLUR. De l'italien *I Telefoni bianchi*. Films italiens produits sous le fascisme, caractérisés par leur occultation de la réalité sociale de l'époque mussolinienne. Les téléphones blancs font partie d'un cinéma d'ordre moral dont l'univers, homogène et sans conflits, se veut une usine à rêves, comme à Hollywood. Ce sont des films d'évasion qui se déroulent surtout dans des milieux bourgeois et petits bourgeois où des jeunes femmes se téléphonent très souvent avec des appareils blancs symbolisant la richesse. Y sont bannis l'adultère, le suicide, la prostitution, la délinquance, etc. Plusieurs de ces films sont axés sur l'ascension sociale; les différentes classes sociales se mêlent sur fond d'histoire d'amour, dans des décors grandioses et somptueux. Ils sont proches du vaudeville et de la comédie sentimentale. Le premier film du genre est *La secrétaire privée* (1931) de Goffredo Alessandrini.

téléprojecteur Projecteur de télévision sur grand écran (*television projector*).

Télé-Québec Anciennement Radio-Québec. Service de télévision de l'État québécois. Télé-Québec participe à la coproduction de films de court, moyen et long métrages québécois.

téléroman QUÉBÉCISME Série télévisée. Le téléroman québécois peut être dramatique sans être un soap ou comique sans être un sitcom, mais il n'est pas mélodramatique

comme la *telenovela*. Sa diffusion commence en 1953, soit un an après la création de la télévision canadienne. Sa popularité ne se dément pas depuis.

télésérie QUÉBÉCISME Feuilleton télévisé.

télésouffleur ➤ **souffleur**.

téléspectateur Personne qui regarde la télévision (*viewer*). ➤ **audience**.

téléviseur FAMILIER ➤ **télévision [3]**.

télévision [1] Système de transmission instantanée des images à distance (*television*). Les images sont analysées et transformées en ondes hertziennes pour leur diffusion. On distingue différents types de télévision: la télévision à péage, la télévision haute définition, la télévision hertzienne, la télévision interactive, la télévision numérique, la télévision par câble et la télévision par satellite. Les premières expériences menant à la télévision datent du XIXe siècle: en 1843, le physicien britannique Alexander Bain met au point un appareil électromagnétique permettant la transmission d'images par lignes télégraphiques. Dans les années 1870, un appareil à balayage rapide est inventé, avec un nombre de lignes suffisant pour rendre une image reconnaissable. En 1897, un appareil à balayage électronique est mis au point en Allemagne. Vladimir Zworykin fait en 1923 une première démonstration de la télévision avec son appareil appelé «iconoscope». Aux États-Unis, la première transmission télévisée a lieu à New York en 1928. Et c'est en 1936 qu'est présentée la première émission de télévision haute définition. [2] Ensemble des activités et des services assurant la transmission des images et des sons à distance (*television*). On réalise et on produit des programmes pour la télévision: émissions de variétés, émissions éducatives, spectacles, informations, dramatiques, comédies, etc. Ces émissions sont diffusées en direct ou en différé. Si les premières émissions ont débuté en 1941 (à New York, produites par la National Broadcasting Company [NBC]), ce n'est qu'après la Deuxième Guerre mondiale que la télévision prend son essor. Son arrivée massive dans les foyers, dans les années 50, menace la fréquentation du cinéma et force l'industrie à inventer de nouveaux procédés rendant le cinéma plus séduisant, comme le CinémaScope et le Technicolor. La télévision programme de nombreux films dont elle achète les droits de passage. Pour les producteurs, elle constitue une source de financement sûre pour leurs films, grâce à des participations à la production (par une avance sur les droits). Les sociétés de télévision produisent elles-mêmes des films. → **câblodistributeur, catalogue, droits, industrie des communications, industrie du cinéma, télédistribution, téléfilm**. [3] Par extension, poste récepteur de télévision (ou téléviseur) (*television*).

télévision à péage [télévision payante] Service de télévision offrant des chaînes accessibles par câble ou par satellite à des abonnés qui doivent débourser un forfait supplémentaire pour les recevoir (*pay tv*). La télévision à péage est très populaire à cause du vaste choix de films récents qu'elle propose. Elle est devenue une importante source de revenus pour les détenteurs de droits de films, de spectacles et d'événements sportifs. Il faut posséder un décodeur pour recevoir les chaînes qu'elle propose. → **chaîne cryptée, paiement à la séance**.

télévision haute définition Système de télévision utilisant plus de 1000 lignes par trame, plutôt que les 525 et 625 lignes des télévisions classiques (*high definition television*). Le standard proposé par les Japonais et les Américains est de 1 125 lignes. L'établissement d'une norme pour la télévision haute définition donne lieu à une importante lutte politico-industrielle durant les années 80. En 1993, la norme numérique de 1 125 lignes est adoptée. La grande qualité de ce type de télévision est sa définition, comparable au film de cinéma 35 mm, et son standard est 16/9. Elle permet des projections de qualité même sur un écran géant. Elle requiert toutefois des équipements lourds, encombrants et onéreux, qui doivent être fabriqués expressément pour elle, tant sur le plan du matériel et de la production que sur celui de la diffusion. Les premières émissions à haute définition commencent le 1er novembre 1998 aux États-Unis. Le passage à la haute définition s'étalera jusqu'en 2006.

télévision hertzienne Système de télévision utilisant les voies hertziennes comme support de diffusion (*hertzian television*). On distingue deux supports: le réseau terrestre et le réseau satellitaire. Pour le réseau terrestre, la télévision hertzienne utilise les fréquences réparties dans les bandes VHF et UHF, tandis que pour le réseau satellitaire elle utilise des fréquences plus élevées.

télévision interactive Type de télévision où le spectateur a la possibilité d'agir sur le déroulement du programme (*interactive television*). Le spectateur peut choisir les angles de prise de vues, répondre directement à un animateur sur le plateau, faire du téléachat et consulter des bases de données et des informations par télétexte.

télévision numérique Système de télévision dont la production, la transmission, la diffusion et le stockage des émissions sont numériques (*digital television*). En diffusion, la télévision numérique offre de nombreux avantages, dont la compression numérique qui permet de diffuser sur un même canal entre 4 et 10 chaînes à la fois et, ainsi, de multiplier les possibilités de retransmission par satellite ou par câble; → **bouquet numérique**. Aux États-Unis et au Canada, Direct TV, lancée en 1994, propose, selon un échéancier qui s'étendra sur quelques années, 175 chaînes en numérique; en Europe, DF 1, du magnat Léo Kirch, qui a signé des accords avec les grandes compagnies cinématographiques américaines, propose fin 1996 une vingtaine de chaînes; → **Bertelsmann-CTL, BSkyB, Canal Plus, opérateur**. Pour recevoir la télévision numérique, il faut louer un décodeur, qui est très coûteux. La télévision haute définition doit être numérique.

télévision par câble Système de diffusion ou de distribution de programmes de télévision par réseaux câblés (*cable television*). La télévision par câble permet à l'utilisateur de recevoir jusqu'à 80 chaînes avec une bonne qualité d'image. Elle a vu le jour dans les années 50 pour parer aux carences de la diffusion par voies hertziennes. Elle permet également la télévision interactive.

télévision par satellite Système de télévision dont la diffusion des programmes est assurée par un satellite géostationnaire (*satellite television*). La télévision par satellite est transmise par ondes hertziennes; pour recevoir les émissions, l'utilisateur doit posséder une antenne parabolique et un décodeur. Le satellite permet de capter un très grand nombre de chaînes, dont plusieurs ne peuvent être diffusées par les câblodistributeurs. En 1966, l'Allemagne se hisse au premier rang, devant le pays au plus haut taux de pénétration de la télévision par satellite. ➤ **Bertelsmann-CTL, BSkyB, Canal Plus, opérateur**.

télévision payante ➤ **télévision à péage**.

température de couleur Caractéristique d'une source lumineuse qui donne un rendu des couleurs conforme aux couleurs de la source originale. La température de couleur est une comparaison visuelle. Chaque température correspond à une couleur de l'émission de lumière; elle se mesure en kelvins. Les pellicules de cinéma sont étudiées pour reproduire correctement des images éclairées avec une lumière de température de couleur précise.

temps Sensation temporelle créée dans la continuité du film (*time*). Le temps est une continuité séquentielle obtenue à la fois par l'action et les images. On qualifie le temps selon des données physiques, philosophiques ou culturelles: a) le temps physique, qui est la durée que prend le film dans son déroulement entier, b) le temps narratif, qui est la dimension temporelle des actions du film; on l'obtient par divers trucages que sont le fondu, le fondu enchaîné, l'ellipse et la coupure simple qui suggèrent le temps passé entre deux actions montrées à l'écran, c) le temps psychologique, qui comprend les moments de l'action et qui participe à l'élaboration psychologique d'un ou des personnages; ainsi, des retours en arrière peuvent expliquer les gestes d'un personnage, ses attitudes, son caractère, d) le temps affectif, qui est le sentiment du temps qui passe en regardant un film; ainsi, les 58 derniers plans de *Rome* dans *L'éclipse* (1962) de Michelangelo Antonioni donnent au temps l'impression de lenteur et de plénitude, e) le temps culturel, qui est la dimension temporelle particulière au monde représenté; ce temps varie selon les sociétés et les civilisations; ainsi, le temps dans les films de Satyajit Ray sera différent du temps dans les films de John Huston, et f) le temps historique, qui est la dimension de l'histoire dans le présent du film, comme la guerre civile américaine dans *Naissance d'une nation* (1915) de D.W. Griffith. Le temps filmique a été théorisé par le cinéaste V.I. Poudovkine.

tendeur Dans le projecteur, rouleau maintenant le film sous une certaine tension (*tension roller*).

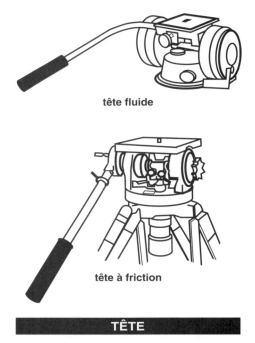

tête fluide

tête à friction

TÊTE

tête [1] Début d'un plan, d'une scène ou d'une bobine (*head*). OPPOSÉ: queue. [2] Partie du support d'une caméra sur pied (*head*). Le tête, placée entre le pied et la caméra, permet d'effectuer des mouvements de rotation ou de basculement sans brusquerie. On distingue la tête à friction (*friction head*), qui comporte un mécanisme à friction réglable, la tête gyroscopique (*gyro head*), qui comporte un dispositif gyroscopique, la tête fluide (*fluid head*) et la tête hydraulique (*hydraulique head*), qui comportent un dispositif de pression de liquide. Pour commander les mouvements, on distingue la tête à manivelles (*geared head*) et la tête à manche. ➤ **support**.

tête-à-queue Enroulement de la bande par sa fin (*tail on*).

tête de contrôle Électro-aimant intégré dans le magnétoscope permettant l'enregistrement, la lecture et l'effacement des signaux (*control head*).

tête de femme Fragment d'un négatif représentant une tête de femme à côté d'une charte (*China girl*). Ce fragment est inséré dans l'amorce des différentes bobines du film. Lors du tirage du positif, il permet de contrôler le développement et l'étalonnage. Ultimement, il est conservé à des fins d'archivage.

texte Commentaires ou dialogues dans un film (*texte*).

texte filmique Ensemble autonome que constitue le film (*filmic text*). Le texte filmique présuppose une écriture et un auteur. Pour autant qu'il produise un sens, il est équivalent à la notion de discours. La notion de texte filmique a pris corps dans l'approche marxiste et matérialiste du cinéma, élaborée dans les écrits de théoriciens comme Louis Althusser, Jacques Derrida, Julia Kristeva et Roland Barthes. À partir de 1969, on retrouve la notion dans les revues *Les Cahiers du cinéma* et *Cinéthique*. ➙ **sémiotique**.

texte générique d'introduction Texte placé avant le générique, situant ou expliquant le cadre du film. ➙ **prégénérique**.

texture Se dit de l'effet tactile d'une surface (*texture*). La texture est une des caractéristiques de l'image et de sa structure granulaire (grain petit ou gros). Le chef opérateur peut créer une texture particulière au film; ainsi, Hiroshi Segawa crée des équivalences entre le grain de sable et la surface de la peau dans la création d'une atmosphère érotique dans *La femme des sables* (1964) d'Hiroshi Teshigahara; Sacha Vierny tire parti des reflets de la texture de la peau et du symbolisme de la chaleur des dix mille soleils nucléaires dans *Hiroshima, mon amour* (1958) d'Alain Resnais.

Thaumatrope Jouet inventé dans les années 1820 par le docteur J.A. Paris, confirmant le phénomène de la persistance rétinienne. La rotation rapide d'un disque en carton, tendu entre deux fils et dont chacune des faces comporte un dessin différent, provoque la superposition visuelle des deux dessins (l'oiseau d'un côté et la cage de l'autre). Le Thaumatrope est une des inventions précédant la naissance du cinéma.

Theatograph Appareil de projection mis au point en 1896 par le Britannique Robert William Paul, qui est en fait une copie du Kinétoscope de Thomas Edison. Après le refus des frères Lumière de lui vendre leur Cinématographe, Méliès achètera le Theatograph de Paul, qui deviendra le Théâtographe.

Théâtographe ➙ **Theatograph**.

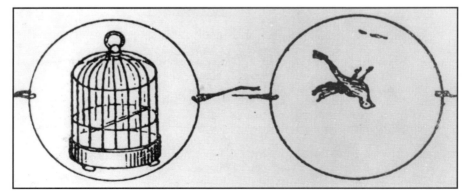

Le Thaumatrope de Paris (côté pile et côté face).

THAUMATROPE

Théâtre Aérogyne Un des nombreux noms donnés au cinéma naissant.

théâtre cinématographique ARCH. Salle de cinéma.

théâtre de prise de vues ARCH. Studio de cinéma.

théâtre de variétés Ensemble des productions dont la composante de base est la variété de ses attractions (*variety show*). Pour le théâtre, on parle de théâtre ou de spectacle de variétés; pour la télévision, d'émission de variétés. À ses débuts, le cinéma est confondu avec les variétés que sont le vaudeville et le cirque. SYN. spectacle de variétés.

THÉÂTRE OPTIQUE

Théâtre optique Appareil mis au point en 1888 par Émile Reynaud avec son Praxinoscope. Le Théâtre optique a tout du Cinématographe des frères Lumière, mais ne permet pas l'animation réelle des images. Il est constitué d'une bande flexible perforée, de bobines débitrice et réceptrice; les images, qui sont des dessins, peuvent défiler en accéléré et au ralenti. Émile Reynaud projettera ses dessins au musée Grévin de 1892 à 1900.

thème Traitement d'un sujet, d'une matière, d'une topique, d'un message, d'une idée, d'une attitude sociale ou d'un sentiment particulier dans un film (*theme*). Un thème musical désigne la récurrence d'une mélodie ou d'un refrain dans un film; certains thèmes musicaux sont devenus célèbres, comme celui joué à la cithare et composé par Anton Karas pour *Le troisième homme* (1949) de Carol Reed. Au cours des années, l'analyse thématique d'un film est devenue une approche désuète. → **allégorie, motif, symbole**.

théorie du cinéma Approche méthodique et systématique d'un aspect du cinéma ou de certains aspects observés dans un film (*film theory*). À partir de grilles d'analyse, l'approche théorique décrit le phénomène filmique sous forme d'hypothèses. La théorie du cinéma est une méthode de déchiffrement de l'objet filmique. Elle est considérablement influencée par le structuralisme, la linguistique et la psychanalyse. On la confond souvent avec l'analyse dont elle est proche, mais elle est différente de la critique. Parmi les théoriciens importants du cinéma, citons les noms de Rudolph Arnheim, Béla Balázs, Raymond Bellour, S.M. Eisenstein, Siegfried Kracauer, Christian Metz, Jean Mitry et P. Adams Sitney. → **sémiologie du cinéma, sémiotique**.

thermocolorimètre Appareil servant à mesurer la température de couleur de la lumière naturelle ou artificielle (*color temperature meter*).

thiosulfate de sodium → **hyposulfite**.

Thompsoncolor Après la Deuxième Guerre mondiale, nom donné par la compagnie française Thomson-Houston au procédé additif du film couleur Keller-Dorian-Berthon [KDB].

thriller ANGLICISME Tout film créant des émotions fortes par le suspense ou le mystère (*thriller*). Le thriller peut désigner un film d'aventures, un film d'espionnage, un film policier, un film-catastrophe ou un film de science-fiction. → **suspense**.

Thrillerama Marque de commerce d'un système d'enregistrement et de projection d'écran large mis au point dans les années 50. Le Thrillerama utilise deux caméras et deux projecteurs, pour un format 2:2:1. Un seul film a été réalisé en 1956 avec ce système: *Thrillerama Adventure* d'A. Reynolds et D. Russell.

THX Forme abrégée de THX Lucasfilm Sound System.

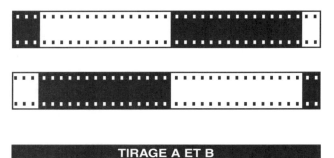

TIRAGE A ET B

THX Lucasfilm Sound System [THX] Système de reproduction du son en stéréophonie, mis au point en 1983 par la compagnie appartenant au cinéaste George Lucas, LucasArts-ILM. Le THX est composé de 22 enceintes acoustiques placées à gauche, à droite et au centre de la salle, créant ainsi une ambiance sonore qui enveloppe le spectateur. Il permet de reproduire fidèlement toute piste sonore enregistrée sur système Dolby Stéréo. En 1995, plus de 700 salles aux États-Unis, au Canada et en Europe étaient équipées de ce système. Il en coûte jusqu'à 40 000 $ US par salle pour le matériel et l'installation du système. Une redevance est versée à Lucasfilm pour son utilisation. En 1990, ce système est adapté pour la vidéocassette et le vidéodisque sous le nom de Home THX Program.

T.G.P. Abréviation de très gros plan.

Time Warner Inc. Le deuxième groupe en importance de l'industrie des communications fondé en 1988 par la fusion de la société Time (propriétaire de 30 magazines) et de la Major Warner Bros. La Time Warner s'affilie en 1995 avec la Turner Broadcasting System [TBS]. Le groupe possède de nombreuses divisions, dont l'hebdomadaire *Time*, la chaîne d'information Cable News Network [CNN] et un réseau câblé comprenant entre autres Home Box Office [HBO] et Turner Network Television [TNT], les compagnies de production cinématographique et télévisuelle Warner Bros., New Line Cinema et Castle Rock Entertainment. Grâce à ses divisions, Time Warner contrôle la plus importante filmothèque au monde, composée des films de la Warner Bros., de la Looney Tunes et de la Hanna-Barbera Cartoons. La compagnie de disques Warner Music Group en fait également partie.

tinseltown ANGL. ARG. De *tinsel*, qui signifie «guirlandes». Surnom péjoratif donné à Hollywood, critiqué pour son clinquant, sa prétention et l'aura d'irréalité qui l'entoure.

tirage Opération consistant à tirer une copie ou un contretype d'un film, avec un négatif et un positif vierge placés sur deux bobines qui sont entraînées ensemble sur une tireuse (*printing*). On distingue le tirage A et B, le tirage humide, le tirage mécanique, le tirage optique et le tirage par extraction.

tirage A et B Méthode de tirage du négatif des formats Scope et Super 16 qui ne permettent pas de faire facilement des trucages et des effets spéciaux (*A and B printing*). On tire sur une bobine A tous les plans pairs et sur une bobine B tous les plans impairs; les plans d'une bobine sont remplacés sur l'autre par des amorces d'égale longueur; on tire ensuite les deux bobines en les superposant. Ce même principe de tirage double est appliqué pour le titrage et le sous-titrage, une bobine A avec l'image et une bobine B avec les titres ou les sous-titres.

tirage contact [tirage mécanique, tirage par contact] Méthode d'entraînement de deux bobines, l'une supportant le négatif et l'autre, le positif vierge, placées émulsion contre émulsion devant la fenêtre de la tireuse où se trouve la source lumineuse (*contact printing*). Le tirage contact peut être à défilement alternatif ou à défilement continu. Les deux bobines défilent, elles, simultanément.

tirage humide [tirage par immersion] Procédé par lequel le négatif est immergé jusqu'au niveau de la fenêtre d'exposition de la tireuse, dans un liquide qui rend à peu près invisibles les défauts de la pellicule (*liquid gate printing*). Le liquide entre dans les anfractuosités du film et efface ainsi les rayures franches.

tirage mécanique ➤ **tirage contact**.

tirage optique Méthode d'entraînement de deux bobines de film, une supportant le négatif et l'autre, le positif vierge, en sens inverse, synchronisées avec l'obturateur placé entre elles (*optical printing*). Le tirage optique est utilisé pour les gonflages, les réductions, les fondus, les trucages et les effets spéciaux.

tirage par contact ➤ **tirage contact**.

tirage par extraction Tirage de trois positifs noir et blanc, chacun des positifs ayant été tiré derrière un filtre correspondant à sa couleur primaire (bleu, rouge et vert) (*separation master*). ➤ **extraction trichrome**.

tirage par immersion ➤ **tirage humide**.

tireuse Appareil destiné au tirage (*printer*). La tireuse sert particulièrement à tirer des copies positives à partir d'un matériel négatif. Elle est installée dans des compartiments au noir, dans une pièce éclairée par une lumière inactinique de façon à ne pas voiler la pellicule vierge. On distingue deux grandes variétés de tireuses: les tireuses alternatives (ou intermittentes) et les tireuses continues (ou en continu).

tireuse additive Tireuse où le réglage de la lumière de copie est obtenu en divisant, grâce à un système optique, le faisceau lumineux en trois faisceaux distincts (radiations bleues, rouges et vertes) (*additive printer*). Un second système optique réunit ces trois faisceaux pour reconstituer le faisceau original. La tireuse additive, très rapide, entre dans la catégorie des tireuses optiques à défilement intermittent.

tireuse alternative [tireuse intermittente] Tireuse qui fait avancer le film par intermittence, à l'aide de griffes (*step printer*). La tireuse alternative la plus utilisée est la Truca. Elle entre dans la catégorie des tireuses optiques.

tireuse continue [tireuse en continu] Tireuse qui fait avancer le film à vitesse constante en supprimant la servitude de l'obturateur (*continuous printer*). La tireuse continue sert à tirer le son optique et la majorité des films.

tireuse en continu ➤ **tireuse continue**.

tireuse intermittente ➤ **tireuse alternative**.

tireuse optique Tireuse dont l'objectif forme sur le film vierge l'image du film à copier, éclairé par transparence (*optical printer*). La Truca est un exemple de tireuse optique;

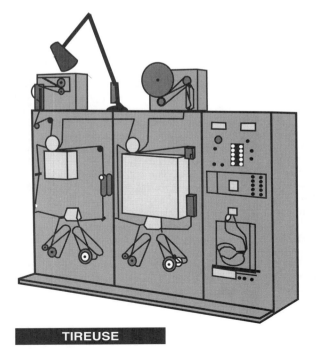

TIREUSE

inventée par le Français André Debrie, elle est toutefois d'un fonctionnement lourd; elle sert à certains travaux comme l'anamorphose, l'agrandissement, le gonflage, le recadrage et la réduction.

tireuse soustractive Tireuse permettant de régler la lumière de copie en plaçant des filtres entre la lampe et la fenêtre d'exposition (*subtractive printer*). La tireuse soustractive entre dans la catégorie des tireuses optiques.

titrage Opération consistant à incorporer les textes écrits dans le film (*titling*). Le titrage comprend la réalisation des titres et des intertitres.

titre Tout mot, nom ou terme qui apparaît dans un film, généralement dans le générique (*caption, title*); → **titres roulants, titres progressifs**. Le titre du film désigne le nom donné à l'œuvre; → **titre de sortie, titre original, titre provisoire**.

titre de sortie Titre d'un film dans le pays où il est diffusé (*release title*). Le titre de sortie n'est pas nécessairement le titre original.

titre de travail [titre provisoire] Titre donné à un film durant sa production (*working title*). Le titre de travail peut changer lors de la sortie et de la diffusion du film.

titre original Titre d'un film lors de sa sortie dans son pays d'origine (*original title*). → **titre de sortie**.

titre provisoire → **titre de travail**.

titres en surimpression PLUR. Titres apparaissant en surimpression sur une image du film (*superimposed titles, supers*). Ils peuvent apparaître au début du film, à sa fin ou durant le déroulement de l'action. Ils sont quelquefois utilisés pour la traduction d'un dialogue en langue étrangère dans le film. VOISIN: titres progressifs.

titres progressifs PLUR. Titres apparaissant progressivement au générique (*progressive titles*). VOISIN: titres en surimpression.

titres roulants PLUR. Titres apparaissant graduellement du bas de l'écran vers le haut (*roller titles, rolling titles*). Ils constituent généralement le générique du film. → **déroulant**.

titreur OBS. Du temps du muet, personnage responsable de la rédaction des intertitres (ou cartons) (*subtitler*). Par le fait même, le titreur avait le contrôle du montage.

titreuse Petit banc d'optique destiné aux cinéastes amateurs pour la confection de leurs titres (*titler*).

Todd-AO Mot formé par Todd, nom de famille d'un producteur américain, et American Optical, appellation d'une firme d'optique. Marque de commerce sous laquelle est lancé le procédé du film large 70 mm. Ce procédé est mis au point en 1955 par le docteur Brian O'Brien, à la demande de Michael Todd, afin de rivaliser avec le procédé du Cinérama. On utilise une pellicule 65 mm pour le tournage, qu'on tire ensuite sur une pellicule 70 mm. Le Todd-AO projette le film à une cadence de 30 images par seconde. Le premier film en Todd-AO est *Oklahoma* (1955) de Fred Zinnemann.

Toei Mot japonais signifiant «Films de l'Est». Compagnie japonaise de production et de distribution de films née en 1951 de la fusion de la Toyoko et de la Oizumi. La production de la Toei est axée sur les films populaires et commerciaux, comme les *yakusa-eiga*. De nombreux acteurs de *jidaï-geki* travaillent également pour elle. La compagnie coproduit des films de prestige comme ceux de Shohei Imamura (*Pluie noire* [1989]). Par ailleurs, elle distribue de nombreux films indépendants.

Toho Mot japonais signifiant «Trésor de l'Est». Importante maison japonaise de production de films fondée en 1936. La Toho distribue des films avant de devenir pendant la Deuxième Guerre mondiale productrice de films de propagande dits «nationalistes». Après plusieurs déboires avec les syndicats d'obédience communiste, elle reprend le dessus avec des films mettant en scène sa grande vedette, Toshiro Mifune; → **Shintoho**. Le principal réalisateur de la maison est Akira Kurosawa. La Toho produit des films d'action, des films historiques et des films de monstres. Après de nombreux déboires financiers, elle fusionne en 1975 avec la Towa, une compagnie de distribution.

toile FAMILIER Écran. L'expression «se faire une toile» signifie «aller voir un film».

tomber ARG. Enlever des plans déjà montés.

top [1] Signal de démarrage et d'arrêt d'une scène donné à l'interprète (*cue*). [2] Signal de démarrage, d'arrêt ou de changement dans une opération technique, comme l'éclairage ou l'enregistrement sonore (*cue*).

top de synchronisation Signal électrique servant à synchroniser la vitesse de la caméra et celle du magnétophone lors de la prise de vues (*sync pulse*). Le top de synchronisation est généré par le moteur du film à une pulsion de 6 fois par seconde.

touch ANGL. Mot fréquemment utilisé en français. La griffe, la patte de l'auteur dans le film. La *touch* constitue la signature du réalisateur, pointe un style reconnaissable. L'expression *Lubitsch touch* est employée pour souligner la finesse et l'ironie qu'on trouve dans l'ensemble des films du réalisateur Ernst Lubitsch.

Toupie éblouissante Appareil imaginé par l'abbé Nollet, un physicien français, vers le milieu du XVIIᵉ siècle. La Toupie éblouissante est composée d'une base métallique sur laquelle peuvent être fixés soit des disques évidés, soit des surfaces planes variées. En faisant tourner la toupie à grande vitesse, on obtient des formes tridimensionnelles grâce à la persistance rétinienne. Cet appareil fait partie de la préhistoire du cinéma.

tour de manivelle OBS. Dans les caméras d'autrefois, enregistrement d'une image correspondant à un tour de manivelle (*one turn, one picture*). En donnant un mouvement de rotation à la manivelle, la pellicule est entraînée dans la caméra. Le tour de manivelle est à l'origine du cinéma d'animation.

tourelle [tourelle d'objectif] Pièce rotative placée sur l'avant d'une caméra ou d'un projecteur et portant plusieurs objectifs (*lens turret*).

tourelle d'objectif ➤ **tourelle**.

tournage Processus par lequel on transforme des idées et des mots en images et en sons (*shooting*). Le tournage est un mot issu du langage des premiers caméramen qui devaient tourner une manivelle pour entraîner le film dans la caméra. SYN. filmage, prise de vues.

tournage sur le vif Tournage à la sauvette, tournage sans préparation (*live shooting*). Les images prises sur le vif, comme le pratiquent les cinéastes du Candid Eye, du Cinéma direct et du cinéma-vérité, constituent un tournage sur le vif. ➤ **improvisation**.

tourne-disque ➤ **platine**.

tourner ➤ **filmer**.

tourneur [1] OBS. Opérateur de prise de vues. [2] VX Personne qui va de village en village, d'école en école, projeter des films. Le métier de tourneur apparaît dès les débuts du cinéma et s'exerce dans les foires. Il perdure jusqu'à la fin des années 50.

TPS Consortium de télévision par satellite formé par les sociétés françaises TF1, M6 et Lyonnaise des eaux-Suez, créé en 1997. Dans son cahier des charges, TPS, comme d'autres télédiffuseurs français (CanalSatellite, par exemple), est obligé d'investir une partie de son chiffre d'affaires dans la production de films français.

tracé de rayons Dans les images de synthèse, technique permettant d'obtenir des effets d'ombre, de transparence et de réfraction de la lumière (*ray-tracing*). Le tracé de crayons, mis au point en 1968, est couramment employé en animation 3D en vue de créer des atmosphères brillantes et froides (un décor hi-tech, par exemple). SYN. PEU USITÉ: lancé de rayons. ➤ **radiosité**.

trace sonore Inscription du son sur une piste sonore optique (*sound trace*).

traceur En dessin animé, dessinateur chargé de reporter sur les cellulos et à l'encre de Chine les dessins au crayon préalablement établis par l'intervalliste (*tracer*).

traduction simultanée → **sous-titrage**.

Trafic Revue de cinéma française fondée en janvier 1992 par Serge Daney et publiée à Paris par l'éditeur POL. Sobre dans sa présentation (papier Kraft et aucune photo), élevée dans ses propos, cette revue ne se présente ni comme une publication universitaire, ni comme une publication journalistique. Les rédacteurs, prenant en compte la photo, la vidéo et les nouvelles images comme continuation du cinéma, veulent prolonger le questionnement politique et esthétique du cinéma, en s'appuyant sur la philosophie et l'histoire. Les collaborateurs sont des cinéastes, des critiques, des théoriciens et des artistes. Parution: trimestrielle.

traitement [1] Développement du synopsis ou d'une œuvre préexistante en scénario (*treatment*). Le traitement d'un scénario peut donner plusieurs versions. SYN. continuité, adaptation. → **consultant en scénario**. [2] Manière de traiter un sujet dans un film (*treatment*).

traitement de l'image Ensemble des procédés appliqués à la transformation et à la retouche d'images numérisées (*image processing*).

traitement du film → **développement**.

traitement multicouche Opération consistant à déposer plusieurs couches antireflets sur une lentille (*protective coating*).

traiteur Entreprise responsable des repas sur les lieux de tournage en extérieur (*caterer*). Les tournages des films de Francis Ford Coppola sont réputés pour l'excellence des repas tout préparés.

trajet du film → **circuit du film**.

trame [1] Au figuré, ensemble des événements formant une intrigue (*framework*). [2] Accessoire filtrant qui adoucit l'image (gaze, soie, tarlatane, tulle, etc.) (*gauze*). [3]

Ensemble des lignes horizontales balayées par le balayage vertical unique d'une image vidéo (*frame*).

transfert optique → **report optique**.

Transflex Marque de commerce d'un trucage de décor de projection frontale. Ce procédé amélioré de projection frontale est mis au point par Henri Alekan et Georges Gérard en 1954. La société Kodak dépose en 1955 un brevet pour un procédé très voisin de celui d'Alekan et Gérard, qui fera l'objet d'une contestation d'antériorité par H. Alekan et G. Gérard.

transition Toute technique utilisée en vue d'indiquer le changement d'une scène à l'autre (*transition*). La transition indique un mouvement dans l'espace et le temps du film. Le plan de décollage d'un avion est un exemple de transition: il indique qu'il y aura un changement de lieu. → **effet de liaison**.

Transtrav Marque de commerce d'un procédé de prise de vues combinant le travelling avant et le zoom arrière, mis au point par Serge Husum dans les années 80. Son effet est de garder l'interprète dans une taille constante pendant que la perspective bascule.

travelling ANGLICISME De *to travel*, qui signifie «voyager», «se déplacer». Mouvement horizontal de la caméra obtenu par le déplacement de l'appareil de prise de vues sur un chariot ou sur des rails (*dolly shot, track shot*). On obtient également un travelling en utilisant une caméra à l'épaule. On distingue le travelling avant, le travelling arrière, le travelling circulaire, le travelling latéral et le travelling optique. Le travelling est une figure de l'écriture cinématographique. Le premier travelling aurait été réalisé à Venise en 1896 à bord d'un vaporetto, mais les frères Lumière en réalisent également un en 1896 à bord d'un train, à Jérusalem. C'est toutefois dans *Cabiria* (1913) de Giovanni Pastrone que le travelling est utilisé à des fins dramatiques.

travelling arrière Mouvement de la caméra s'éloignant du sujet ou de l'objet filmé, ou d'un endroit du décor (*track back, track out*).

travelling avant Mouvement de la caméra avançant vers le personnage ou l'objet filmé, ou dans le décor (*track in*).

travelling circulaire Mouvement de la caméra se déplaçant autour d'un personnage ou d'un objet (*circulor shot*).

travelling latéral Mouvement de la caméra accompagnant un déplacement, en voiture, par exemple (*trucking shot*).

travelling matte ANGL. Expression utilisée couramment en français à la place de «cache mobile».

travelling optique Effet visuel de déplacement obtenu par l'utilisation du zoom ou d'une lentille à focale variable, sans déplacement de caméra. Le déplacement peut s'effectuer vers l'avant (*zoom in*) ou vers l'arrière (*zoom out*).

35 mm Largeur standard de la pellicule de film. En 1894, les frères Lumière trouvent une solution définitive au double problème d'enregistrement et de projection des images animées en perforant la pellicule (d'une largeur de 42 millimètres) à tous les 20 millimètres. Thomas Edison est le premier à employer le format 35 mm. On standardisera le support en 1909 lors d'une conférence internationale qui retient le film Edison avec son image plus petite que celle du film Lumière; → **perforation américaine**. Au parlant, la largeur disponible pour l'image est réduite de plus de deux millimètres sur le côté gauche pour l'introduction d'une piste sonore. L'image est presque carrée, mais, en 1932, elle retrouve presque l'ancien format du muet: 15,3 cm sur 21 cm (une proportion d'environ 2 à 3); c'est le format 1:37:1, dit académique, souvent assimilé au 1:33:1 qui est celui du muet; chaque image compte quatre perforations. En Cinéma-Scope, une lentille anamorphosique agrandit l'image 35 mm comprimée horizontalement en 2:35:1. → **format panoramique, Super 35**.

trépied Support à trois pieds télescopiques, en bois ou en métal, de la caméra, utilisé généralement pour le tournage en extérieur (*tripod*). Le trépied comprend à son sommet une tête à rotule ou à friction, et un dispositif de sécurité placé au sol pour empêcher le glissement des pieds.

très gros plan [T.G.P.] Plan cadrant un détail sur un personnage ou sur un objet (*big close-up, extreme close-up*).

triacétate Forme abrégée de triacétate de cellulose.

triacétate de cellulose [triacétate] Dérivé de la cellulose utilisé depuis 1951 dans les supports de sécurité. Le triacétate remplace le film de nitrate, trop inflammable. Il se détériore également plus lentement que le nitrate. → **diacétate, Estar**.

Triangle Compagnie de production américaine fondée en 1915 par Harry Aitken, avec Adam Kessel et Charles D. Bauman. Les films de Triangle, signés W.D. Griffith, Thomas Ince et Mack Sennett et mettant en vedette des acteurs comme Douglas Fairbanks et William S. Hart, auront d'énormes succès. Les salaires sont élevés, mais la baisse de popularité des films produits (*Intolérance* [1916] de Griffith est un échec) amène la compagnie à travailler avec Adolf Zukor de la Artcraft and Paramount. L'année suivante, D.W. Griffith et Mack Sennett quittent la compagnie qui cède son avoir à Samuel Goldwyn en 1918, ce qui entraîne sa dissolution.

trichromie Procédé de restitution des couleurs basé sur la séparation des couleurs primaires (*three-color process*). Le trichromie permet d'avoir le spectre de toutes les autres couleurs, dites couleurs complémentaires, avec l'emploi des trois couleurs de base que sont le rouge, le vert et le bleu. Tous les procédés couleur modernes sont fondés sur le procédé de la trichromie.

Tri-Ergon Procédé allemand de cinéma sonore mis au point en 1919 et dont le nom vient de ses trois inventeurs que sont Josef Engl, Josef Massole et Hans Vogt. Le Tri-Ergon est l'un des tout premiers procédés de son optique. Adapté en 1929 par la Tobis-Klangfilm d'Allemagne, il devient le procédé de cinéma sonore le plus répandu d'Europe.

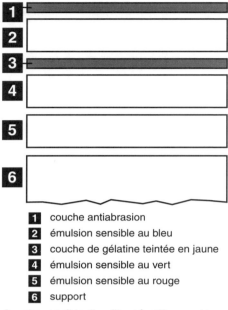

1 couche antiabrasion
2 émulsion sensible au bleu
3 couche de gélatine teintée en jaune
4 émulsion sensible au vert
5 émulsion sensible au rouge
6 support

Couche sensible d'un film négatif en couleurs

TRIPACK

trimmers ANGL. PLUR. Traduction française peu usitée: volets réglables. Volets sur les tireuses additives pour régler la lumière de tirage. ➤ **étalonnage**.

tripack Procédé de cinéma en couleurs utilisant simultanément trois films dans la caméra (*tripack*). ➤ **CinémaScope**.

triple écran ➤ **Polyvision**.

TriStar Association formée de Columbia Broadcasting System [CBS], Home Box Office [HBO] et Columbia Pictures, créée en 1982 pour la production de films pour la télévision à péage aux États-Unis.

3D Pour «trois dimensions». Procédé de cinéma en relief (*3-D*). ➤ **stéréoscopie**.

trou sonore Interruption brutale du son (*sound break*). Le trou sonore peut être causé par la cassure du film dans le projecteur ou, à la prise de vues, par le dysfonctionnement technique de la prise de son.

Truca Marque de commerce d'une tireuse optique mise au point en 1929 par André Debrie. Fonctionnant à vitesse variable, la Truca permet de réaliser en laboratoire des effets spéciaux comme l'accéléré, le ralenti, la surimpression, les fondus, les volets, le cache, le cache-contrecache et le multi-images.

trucage [truquage] Procédé ou technique modifiant l'image ou le son (*special effects*). Le trucage permet de réaliser des effets spéciaux. On peut réaliser un trucage mécaniquement (à la prise de vues) ou par procédés optiques (en laboratoire) et électroniques (par ordinateur, à l'aide de la vidéographie). Le mot «trucage» tend à être remplacé par l'expression «effets spéciaux».

truquage ➤ **trucage**.

truqueur, euse [truquiste] Personne spécialiste dans la réalisation des trucages (*special effects technician*).

truquiste ➤ **truqueur**.

trust Edison ➤ **Edison Company, Motion Picture Patents Company**.

t-stop «T» pour transmission. Mesure du calcul de l'ouverture photométrique de l'objectif ou du diaphragme de la caméra permettant de contrôler la quantité de lumière admise (*t-stop*). Le repère de diaphragme correspond à une diminution ou à une augmentation de la lumière admise. À cause de la réflexion et de la réverbération de la lumière, la quantité de lumière qui impressionne la pellicule à son point focal n'est pas la même que celle qui atteint l'objectif. Le calcul du t-stop est fait électroniquement et donne la mesure idéale du f-stop.

T/T Abréviation exprimant l'ouverture photométrique de l'objectif (*T*).

tube allonge Cylindre métallique de longueur variable qu'on peut fixer ou visser entre l'objectif et la caméra pour la prise de vues macrocinématographiques (*extension tube*).

tuilage Déformation latérale de la pellicule (*cupping*). La pellicule déformée s'incurve sur ses bords. ➤ **curling**.

tuner ANGLICISME ➤ **syntoniseur**.

tungstène Métal constituant les filaments des lampes à incandescence et des lampes à quartz (*tungsten*).

tunnel ARG. Long monologue. Le tunnel est redouté par les acteurs dotés d'une mémoire défaillante.

Turner Broadcasting System [TBS] Important groupe de l'industrie des communications appartenant au magnat Ted Turner et comprenant les chaînes câblées Cable News Network [CNN], Turner Network Television [TNT], Cartoons Network, Headline News et les compagnies de films New Line Cinema, Castle Rock Entertainment et Turner Pictures. La Turner Broadcasting System s'affilie en 1995 avec le groupe Time Warner Inc., le deuxième géant mondial de la communication et du multimédia, dont Ted Turner devient alors le vice-président.

turquoise ➤ **cyan**.

tweeter ANGL. Mot n'ayant pas d'équivalent français, malgré des essais infructueux comme «tuiteur». Haut-parleur de petit diamètre restituant les sons aigus.

Twentieth Century Fox [Twentieth Century-Fox, 20th Century-Fox, Fox] Major américaine fondée en 1935 par Joseph M. Schenck et Darryl F. Zanuck par la fusion de la Fox Film Corporation, née en 1915, avec la Twentieth Century Pictures, créée en 1933. La compagnie ne possède ni studios ni salles. Sa production est dirigée durant 20 ans par Zanuck. Au moment de sa fondation, la Fox Film Corporation a sous contrat deux vedettes: Shirley Temple et Will Rogers. En quelques années, de nouvelles vedettes s'ajoutent, entre autres Betty Grable et Tyrone Power, que rejoindront plus tard Dana Andrews, Linda Darnell, Gregory Peck et Gene Tierny. La compagnie produit des comédies musicales, des westerns et des films noirs. Des réalisateurs comme Elia Kazan, John Ford, Joseph L. Mankiewicz et Otto Preminger travaillent pour elle. Parmi les films importants produits dans les années 40, citons *Les raisins de la colère* (1940) de John Ford et *Le mur invisible* (1947) d'Elia Kazan. En raison du choc provoqué par l'arrivée de la télévision, elle concentre ses efforts pour lancer des stars comme Marilyn Monroe et Robert Wagner. Pour reconquérir le marché, elle adopte également le CinémaScope, mais sa popularité est de courte durée. L'équilibre financier est difficile à maintenir avec l'augmentation des frais et, en particulier, avec le tournage interminable de *Cléopâtre* (1962) de Joseph L. Mankiewicz qui coûte 40 millions de dollars. Zanuck, qui travaille en indépendant depuis 1956, revient en 1962 comme président, et son fils Richard devient le directeur de la production. La compagnie connaît des triomphes avec *La mélodie du bonheur* (1965) de Robert Wise et *M.A.S.H.* (1970) de Robert Altman. Dans les années 70, une nouvelle génération de cinéastes apparaît au sein de laquelle on distingue Mel Brooks, George Lucas et Paul Mazursky. *La guerre des étoiles* que la 20th Century-Fox produit en 1976 sera l'un des succès les plus marquants de cette décennie. Le magnat du pétrole Martin Davis achète la Fox en 1981, mais il revend en 1985 la moitié de ses parts au patron de presse Rupert Murdoch. Le trait d'union disparaît de son nom en 1984. Dans les années 90, la Twentieth Century Fox lance un réseau de télévision à péage (Fox Television, avec 5 chaînes), distribué par câble et satellite, contrôlé par le magnat Rupert Murdoch, et acquiert ainsi un cinquième du marché mondial de la télédistribution. Elle fait alors partie du Fox Entertainment Group dont les activités couvrent le cinéma, la vidéo, la télévision et des clubs sportifs. On fait construire des studios de cinéma ultramodernes en Australie, inaugurés en 1998. La société est associée en France avec l'Union générale du cinéma [UGC]. Son emblème: le nom de la compagnie monté en pyramide et éclairé par un faisceau de projecteurs. ➤ **Grandeur**.

Tyler Marque de commerce d'un système antivibratoire pour le tournage en hélicoptère. Son seul et grand défaut est que la caméra doit rester absolument immobile durant le vol. → **Wescam**.

typage [1] Façon de figer un personnage par des tics ou des attitudes (*typage*). Le typage donne généralement des person-nages stéréotypés. [2] Nom donné par le cinéaste S.M. Eisenstein aux interprètes non professionnels de ses films, qui doivent alors représenter des types humains aisé-ment identifiables par le public (*typage*).

UA Sigle de United Artists Corporation.

UFA Sigle de Universum Film Aktien Gesellschaft.

Ufacolor Marque de commerce d'un procédé de cinéma en couleurs bichrome mis au point par la firme allemande Universum Film Aktien Gesellschaft [UFA] dans les années 30.

UGC Sigle de l'Union générale du cinéma.

Uher Marque de commerce d'un magnétophone à usage semi-professionnel et professionnel pour le cinéma, variante de l'appareil suisse Nagra.

ultracinéma Ensemble des divers procédés de prise de vues à très grande vitesse pour le cinéma scientifique (*ultra-high-speed photography*). Grâce à ces procédés, on peut tourner entre 300 et un million d'images à la seconde.

ultra grand angulaire → **œil-de-poisson**.

Ultra-Panavision Procédé de film large lancé par Panavision en 1959, semblable à celui du Todd-AO.

UltraScope Format du CinémaScope en Allemagne. L'UltraScope est de 2:35:1.

ultrason Son dont la fréquence est plus élevée que celle audible par l'oreille humaine (*ultrasound*). La fréquence d'un ultrason est supérieure à 20 000 Hz.

ultraviolet [UV] Lumière à l'extrémité du spectre visible des couleurs (*ultraviolet*). L'ultraviolet peut modifier l'émulsion des films; on l'élimine par l'utilisation de filtres ultraviolets.

UNI FAMILIER Acronyme de Universal Pictures.

Unifrance-Film Association sans but lucratif fondée en 1949 en collaboration avec des organisations professionnelles afin de promouvoir le cinéma français à l'étranger. Unifrance-Film organise des rencontres et des manifestations, aide les distributeurs étrangers dans la publicité des films français et publie des bulletins d'information. Cet organisme subventionné par l'État français n'est ni vendeur ni distributeur de films.

unigrudi PORT. Mot signifiant *underground*. Nom que donne à leur cinéma un groupe de réalisateurs brésiliens dans les années 70 en réaction contre le cinéma Nôvo qu'ils trouvent académique et dont certains de ses auteurs se sont compromis avec la dictature. On y produit des films expérimentaux. Les représentants de l'*unigrudi* sont Júlio Bressane, Carlos Reichenbach, Rogério Sganzerla et Andrea Tonacci.

Union générale du cinéma [UGC] Société fondée en 1971 et regroupant des exploitants indépendants français. Au fil des années, l'UGC étend ses activités à la production, à la distribution et à la diffusion de films en France et à l'étranger, à la régie publicitaire et à la commercialisation des droits audiovisuels. Ce groupe exploite plus de 250 salles en France et en Belgique, avec plus de 20 millions d'entrées par année. Elle produit annuellement une dizaine de films et distribue annuellement environ 25 films par l'intermédiaire de l'UGC Fox Distribution; ➤ **Twentieth Century Fox**. Circuit A, une de ses sociétés, assure la régie publicitaire de 40 pour cent des salles françaises. L'UGC détient en outre un portefeuille de 5 000 films (dont l'œuvre complète de Luis Buñuel) et de 2 000 heures de télévision (dont la série *Chapeau melon et bottes de cuir*) par l'entremise de sa division axée sur les droits audiovisuels. Sur le marché européen de la télévision, son avance est confortée grâce à son rapprochement en 1996 avec Canal Plus en vue de développer la télévision numérique.

Unitalia Organisme italien subventionné par l'État s'occupant de l'exportation de films.

United Artists Corporation [UA, MGM-UA] Compagnie fondée en 1919 par Charles Chaplin, Mary Pickford, Douglas Fairbanks et D.W. Griffith dans le but de distribuer les films des producteurs indépendants. Les réalisateurs ont le contrôle artistique de leurs œuvres et partagent les profits avec les studios. À ses débuts, la compagnie privilégie les réalisations de ses fondateurs, limitant la production extérieure, mais, sous la pression des bailleurs de fonds, elle doit acquérir des salles et faire appel de plus en plus à d'autres auteurs. Avec des partenaires comme Samuel Goldwyn, David O. Selznick et Alexander Korda, les années 30 deviennent pour elle les plus fructueuses, avec des films comme *Les lumières de la ville* (1930) de Charles Chaplin, *La vie privée d'Henri VIII* (1933) d'Alexander Korda, *Rue sans issue* (1937) et *Le cavalier du désert* (1940) de William Wyler, et *Une étoile est née* (1937) de William Wellman. Après la Deuxième Guerre mondiale, United Artists investit dans la série B et tire profit des avantages consentis aux indépendants avec le décret Paramount de 1948, deux facteurs qui l'aident à se redresser financièrement; ➤ **Paramount decision**. Elle produit de grandes œuvres comme *La nuit du chasseur*

(1955) de Charles Laughton et *Un Américain bien tranquille* (1958) de Joseph L. Mankiewicz. Sa réputation se consolide dans les années 60 avec l'apport de réalisateurs comme Billy Wilder et Stanley Kramer, et les débuts des séries *James Bond* et *La panthère rose*. En 1967, la Transamerica Corporation l'absorbe et obtient la distribution des films de la MGM. Durant les années 70, de nouveaux réalisateurs comme Woody Allen, Milos Forman et Martin Scorsese travaillent pour elle. La compagnie perd énormément d'argent dans la production de *La porte du paradis* (1980) de Michael Cimino; ➤ **superproduction [2]**. Dans ces conditions défavorables, elle est rachetée en 1981 par la MGM et devient la MGM-UA.

Universal Forme abrégée de Universal Pictures.

Universal Pictures [Universal, UNI] Compagnie de production fondée en 1912 par Carl Laemmle avec la fusion de la Motion Picture Company et de plusieurs organisations indépendantes. Après la production de courts métrages et de *serials*, elle se lance en 1915 dans le long métrage avec l'ouverture des studios d'Universal City dans la vallée de San Francisco. Elle engage des cinéastes comme Ted Browning, Erich von Stroheim, John Ford, Allan Dwan et Maurice Tourneur, qui tournent des films à petit budget mais de grande qualité. Elle a sous contrat la fameuse star Rudolph Valentino. Dans les années 30, ses productions deviennent plus riches; elle lance parallèlement les comédies avec Bud Abbott et Lou Costello. Après la Deuxième Guerre mondiale, elle produit des films noirs. Universal fusionne en 1946 avec International Pictures et porte un nouveau nom, Universal-International. En 1952, elle redevient Universal, soit juste avant d'être rachetée par Decca Records. Son «écurie» d'acteurs compte alors James Stewart, Tony Curtis, Doris Day et Rock Hudson. Music

Corporation of America [MCA] la partage avec Decca en 1959. Elle produit alors de plus en plus pour la télévision. *American graffiti* (1973) de George Lucas, *Les dents de la mer* (1975) de Steven Spielberg et *Voyage au bout de l'enfer* (1978) de Michael Cimino lui apportent le succès dans les années 70. *E.T.* (1982) de Steven Spielberg est son plus grand triomphe. Dans les années 70, tout en faisant partie intégrante de MCA, elle est rachetée par la compagnie japonaise Matsushita. En 1995, la société Seagram, qui appartient à la famille canadienne Bronfman, la rachète. Son emblème: son nom tournant autour du globe terrestre à la façon de l'anneau de Saturne. → **Black Tower**.

Universum Film Aktien Gesellschaft [UFA] Compagnie de production et de distribution nationale et internationale fondée en Allemagne en 1917. Le gouvernement participe à sa fondation avec des compagnies privées. L'UFA prend alors rapidement de l'expansion en contrôlant plusieurs autres compagnies de production et la chaîne de distribution Nordisk Film. Elle construit des studios à Neubabelsberg, près de Berlin, et sa manière de fonctionner ressemble à celle des studios américains. Elle produit les films d'Ernst Lubitsch, Robert Wiene, Fritz Lang, F.W. Murnau et G.W. Pabst. En 1925, la crise économique l'oblige à signer des ententes de distribution avec la Paramount Pictures et la MGM. Le pronazi Dr Alfred Hugenbert est nommé à sa présidence et impose une idéologie d'extrême-droite aux productions, particulièrement aux actualités filmées. Elle intègre dans les années 30 toutes les firmes allemandes et même autrichiennes, puis polonaises et tchécoslovaques, et est complètement nazifiée. Après la Deuxième Guerre mondiale, elle est mise sous séquestre. En 1955, un consortium la ressuscite, mais la concurrence de la télévision amène sa dissolution en 1962. Ses studios de Neubabelsberg deviennent, avec la création de l'Allemagne de l'Est, l'embryon de la DEFA, studios de production de la République démocratique allemande. Après la chute du mur de Berlin et avec la crise de production, on menace de démolir ses studios; les cinéastes allemands s'insurgent et, en 1993, le gouvernement allemand nomme à leur direction le cinéaste Volker Schlöndorff.

usine à rêves Surnom donné à Hollywood. → **Babylone, Mecque du cinéma**.

UV Abréviation de ultraviolet.

vamp Abréviation de «vampire», du mot allemand *vampir* qui signifie «fantôme». Femme fatale, séduisante, sulfureuse, qui fait succomber les hommes par ses charmes (*vamp*). Le mot apparaît en 1914, à la sortie du film de Frank Powell, *A Fool There Was*, qui est une adaptation d'un poème de Rudyard Kipling intitulé «La vampire»; le film met en vedette Thedossia Goodman dont le pseudonyme Theda Bara est un anagramme d'Arab Death, c'est-à-dire «mort arabe»; les photos de publicité la montrent dans des poses provocantes; elle deviendra la première vamp.

variateur de vitesse Accessoire qu'on peut brancher sur une caméra munie d'un moteur à vitesse variable afin de faire varier électroniquement la vitesse de prise de vues (*speed variator*). Le variateur de vitesse est compatible avec la plupart des marques de caméra.

Variety Hebdomadaire américain publié à New York portant sur l'industrie cinématographique. Fondé en 1905 par Sime Silverman et Sid Silverman, il est constitué de nombreuses rubriques couvrant tous les aspects de l'industrie, de critiques de films et des résultats du box-office. Un pendant à *Variety* est publié à Hollywood, *Daily Variety*, fondé lui aussi par les Silverman en 1933, quotidien de nouvelles et des commentaires sur l'industrie du film et de la télévision.

vedette [1] Acteur jouissant d'une grande renommée (*star*). [2] Dans un film, personne qui tient un rôle important (*star*). SYN. étoile, star.

véhicule [1] Dans le cinéma américain, film entièrement conçu pour un acteur (*vehicle*). *Feuilles d'automne* (1956) de Robert Aldrich est un exemple de véhicule: il a été tourné pour Joan Crawford. [2] En audiovisuel, tout média comme le journal, la télévision ou le film lui-même (*vehicle*).

vélocilateur Chariot plus large que la dolly et munie d'une petite grue pouvant élever la caméra jusqu'à 90 centimètres (*velocilator*). Le vélocilateur peut soutenir un caméraman et un assistant. Il est mû manuellement ou par un moteur.

Venise Ville italienne où est créé le premier festival de film en 1932, le Festival du film de Venise.

ventouses ARG. PLUR. Tout le matériel roulant de la production: les voitures, les camions, etc. On dit «dégager les ventouses» pour demander de dégager le plateau du matériel roulant.

verre de contraste [verre de vision] Filtre ou verre dont se sert l'opérateur de prise de vues avant l'enregistrement afin de vérifier le contraste de l'image (*contrast glass, viewing glass*). Le verre de contraste donne une idée approximative du rendu de l'image qu'on verra à l'écran.

verre de vision → **verre de contraste**.

verrouillage principal Enclenchement de départ des défileurs de bandes son et du projecteur lors des opérations de mixage du son (*head lock*).

version [1] Variante dans l'exploitation d'un film (*version*). On distingue plusieurs versions d'un film: un film peut avoir une version pour les salles, une seconde pour la télévision et, parfois, une troisième pour le marché de la vidéocassette. Pour certains films d'un pays, on distingue une version pour le marché intérieur et une autre pour le marché outre-frontières. Certains films ont des versions censurées. Des films en CinémaScope peuvent être présentés en version recadrée, dite version plate. → **version doublée, version originale**. [2] → **remake**.

version doublée Grâce au doublage, version d'un film dans une langue déterminée (*dubbed version*). VOISIN: version étrangère.

version étrangère Version destinée à la distribution à l'étranger, traduite ou adaptée par un doublage. VOISIN: version doublée.

version française [VF] Version doublée en langue française.

version internationale [VI] → **bande internationale**.

version originale [VO] Film présenté dans sa langue originale (*original version*). SYN. film en version originale.

version rose Film interprété par une vedette (comme Jean Harlow, Stefana Sandrelli) qui ose apparaître dans certaines scènes osées (*pink version*).

version sous-titrée Film présenté avec des sous-titres (*version with subtitles*). La version sous-titrée conserve le contenu du dialogue de la version originale. → **VOST**.

vert N. Avec le bleu et le rouge, couleur primaire du spectre (*green*).

VF Abréviation de version française.

VGIK École de cinéma de l'Institut fédéral d'État de la cinématographie fondée en 1919 à Moscou par V.I. Lénine et dirigée par Vladimir Gardine. Ses professeurs sont, entre autres, S.M. Eisenstein, V. Poudovkine, Abram Room et Édouard Tissé. L'école change de nom en 1925 (GTK) et en 1930 (GIK). Son appellation actuelle, VGIK, date de 1938. Les études qu'on y effectue sont exigeantes; elles sont réparties sur 5 ans et couvrent tous les secteurs pratiques de l'industrie (la mise en scène, la photo, le décor, le son, etc.) et ceux de la théorie (l'histoire, la critique, la théorie, etc.). On y accepte 250 étudiants annuellement, entre autres de nombreux étrangers des pays de l'Est et de l'Afrique. Ainsi, la VGIK a formé les cinéastes Souleymane Cissé, Marta Meszaros, Ousmane Sembene et Konrad Wolf.

VHF Procédé d'origine japonaise de magnétoscopie de format demi-pouce. → **magnétoscope**.

VI Abréviation de version internationale.

Viacom Important groupe américain de l'industrie des communications. Viacom possède la compagnie de production cinématographique et télévisuelle Paramount Communications, la chaîne de location et de vente de vidéocassettes Blockbuster, le réseau câblé Tele-Communications (qui comprend Music Television [MTV], Discovery Channel et Showtime) et Viaparamount à qui appartient le réseau de salles Famous Players.

vibration Phénomène acoustique causé par un mauvais fonctionnement de l'appareil d'enregistrement ou de reproduction des sons (*vibration*).

vidéo Forme abrégée de vidéographie (*video*)

vidéocassette → **cassette vidéo**.

vidéoclip → **clip**.

vidéoclub → **club vidéo**.

vidéo d'art → **art vidéo**.

vidéodisque → **disque laser**.

vidéodisque numérique → **disque compact vidéonumérique**.

vidéogramme Chaque image d'une bande vidéographique (*videogram*).

vidéographie [vidéo] Du latin *video*, qui signifie «je vois» (*videography*). [1] Transmission de l'image et du son en télévision (*video*). [2] L'image comme élément distinct du son dans le système de télévision (*video*). [3] Tout ce qui est enregistré sur une bande magnétoscopique (*video*). Pour sa définition, son contraste, sa brillance et sa couleur, l'image vidéo n'est pas encore comparable, sur le plan de la qualité, à celle de l'image sur film. Depuis les années 80, l'importance de la vidéo est acquise, tant sur le plan de la conception, de la fabrication que sur celui de la diffusion du film. Son influence est marquante dans le récit cinématographique; à voir, pour le constater, les films de Jean-Luc Godard, Peter Greenaway et Wim Wenders, des cinéastes qui interrogent ce médium. La vidéographie est dorénavant un élément permanent du tournage du film: la caméra vidéo est attachée à l'appareil de prise de vues et retransmet immédiatement sur un écran la scène en train d'être tournée, scène qu'on pourra également revoir avant une nouvelle prise; ➤ **combo**. On emploie la vidéographie pour le tournage des effets spéciaux (les trucages et les images de synthèse) ainsi que pour le montage grâce à la mise au point et au perfectionnement du montage vidéo et à l'utilisation de l'ordinateur; ➤ **Avid Media Composer**. La diffusion, par achat ou par location, de films en vidéocassettes bouleverse le marché de l'exploitation du film depuis le début des années 80; elle constitue dorénavant la moitié des recettes tirées de l'exploitation. Le magnétoscope domestique permet de voir et de revoir les films, ou de les enregistrer lors de leur passage à la télévision. En 1996, aux États-Unis, certaines salles devaient être équipées pour la diffusion de films, diffusion réalisée par voie hertzienne comme cela en est le cas actuellement pour la diffusion de spectacles, de concerts et d'événements sportifs, mais le projet a été retardé. ➤ **art vidéo, cinéma électronique**.

24 images Revue de cinéma québécoise fondée en 1979 par Benoît Patar et rachetée en 1987 par Claude Racine. Les rédacteurs de la revue défendent le cinéma d'auteur et s'intéressent particulièrement au cinéma québécois qu'ils critiquent sévèrement. Ils tentent d'élaborer une approche neuve des questions cinématographiques. Chaque numéro comprend un dossier sur un aspect soit technique, soit culturel du cinéma. La présentation graphique est remarquable. Ses principaux rédacteurs en chef ont été Thierry Horguelin, Marcel Jean et Marie-Claude Loiselle. Parution: trimestrielle.

virage En laboratoire, conversion d'une image noir et blanc en image teintée (*toning*). Plusieurs méthodes de virage sont employées, entre autres le virage par mordançage et le virage par sulfuration.

virage par mordançage Méthode de virage qui utilise l'argent métallique comme réducteur ou qui transforme l'argent métallique en un sel coloré.

virage par sulfuration Méthode de virage qui transforme l'argent métallique en sulfure.

visa de censure Document certifiant que le film est autorisé pour sa diffusion (*censor's certificate*). Le visa de censure est émis par un organisme délégué, généralement un organisme d'État. Il indique le classement du film. ➤ **censure**.

visa d'exploitation Nom officiel du permis délivré en France par la Commission de contrôle pour l'exploitation légale d'un film (*certificate*). ➤ **censure**.

visée Sous la responsabilité du cadreur, détermination du champ du plan et contrôle de son cadrage durant l'enregistrement par l'appareil de prise de vues (*finding*).

visée reflex Système permettant de voir l'image fournie par l'objectif de la caméra lors des prises de vues (*reflex viewfinder*). La visée reflex utilise un miroir placé en face de l'obturateur, appelé obturateur réflex (*mirror shutter*); un cube-diviseur renvoie l'image à la visée. Elle évite la vision en parallaxe.

viseur Dispositif optique placé sur une caméra, indépendant de l'objectif. Le viseur donne une image précise du plan à tourner (*finder*).

viseur de champ ➤ **chercheur de champ**.

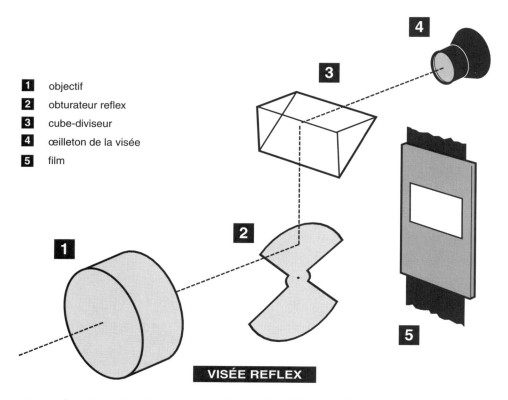

1 objectif
2 obturateur reflex
3 cube-diviseur
4 œilleton de la visée
5 film

VISÉE REFLEX

vision d'un film Fait de regarder un film (*film viewing*).

visionnage Action de visionner un film ou une émission de télévision (*viewing*). Le visionnage suppose un regard critique lors de la vision du film. ➤ **visionnement**.

visionnement QUÉBÉCISME Visionnage.

visionner [1] Regarder un film sur une visionneuse ou sur un écran de visualisation comme un moniteur (*view prints*). [2] Examiner un film ou une émission de télévision d'un œil critique.

visionneuse Appareil de projection individuel muni d'un écran et servant au montage (*viewer*).

visser ARG. Pour le cadreur, faire faire à un objet une rotation sur lui-même dans le sens des aiguilles d'une montre. On peut ainsi cacher une étiquette publicitaire sur une bouteille sans la changer de place. ANT. dévisser.

VistaVision Marque de commerce d'un procédé de prise de vues pour écran large mis au point en 1954 et dont la projection recourt au défilement horizontal d'une pellicule 35 mm. Paramount met au point ce procédé pour répondre au lancement, en 1953, du procédé CinémaScope par la Twentieth Century-Fox. Son standard est approximativement de 1:85:1. Le premier film en VistaVision est *Noël blanc* (1954) de Michael Curtiz. Alfred Hitchcock adopte ce procédé pour *Sueurs froides* (1958). Après l960, le procédé est abandonné.

visualisateur ARCH. Dans les années 20, terme employé pour désigner le metteur en scène. Créé par Marcel L'Herbier, il a été remplacé, comme bien d'autres mots à l'époque, par le terme «cinéaste». ➤ **cinégraphiste, cinéplaste, écraniste**.

visualiser ARCH. Mettre en images un sujet de film (*display*).

Vitagraph Un des tout premiers studios fondé en 1896 à New York par J. Stuart

Blackton et Albert E. Smith. Les deux fondateurs, après avoir acheté le Vitascope et des films de Thomas Edison, mettent au point leur propre caméra et commencent à produire des films en tournant sur le toit de l'édifice où se situent leurs bureaux, rue Nassau. Leur premier film est *Burglar on the Roof* et date de 1897. Stuart Black et Albert Smith se lancent dans les films de fiction et les films d'actualité plus ou moins trafiqués. Parce que ses films sont compatibles avec le projecteur d'Edison, la société prospère rapidement et produit jusqu'à 8 films hebdomadairement. En 1911, elle s'établit en Californie et réussit à survivre grâce à la loi antitrust qui dissout la Motion Picture Patents Company [MPPC]. Elle lance la *Vitagraph Girl*, Florence Turner, et inaugure ainsi une politique de vedettariat, embryon de ce qui va devenir le star-système. Elle est rachetée en 1925 par la Warner Bros.

Vitaphone   Marque de commerce d'un procédé sonore sur disque mis au point par la Western Electric. En 1926, Western Electric crée la Vitaphone Company avec la Warner Bros. Le premier film synchronisé avec une musique enregistrée sur le système Vitaphone est *Don Juan* (1926) qui met en vedette John Barrymore. Mais c'est *Le chanteur de jazz*, en 1927, qui sonne le glas du muet et annonce l'engagement de l'industrie dans le film sonore. ➜ **Movietone**.

Vitascope   Marque de commerce d'un procédé de film large 65 mm expérimenté par la Warner Bros. entre 1930 et 1931.

Vitasound   Marque de commerce d'un procédé sonore brièvement employé par la Warner Bros. dans les années 50. Le Vitasound utilise trois haut-parleurs derrière l'écran et deux sur les côtés de la salle; l'effet produit est semblable au son stéréophonique.

vitesse   Cadence de défilement de la pellicule dans la caméra ou le projecteur (*speed*). La vitesse est calculée en métrage par seconde. La vitesse standard, celle du film 35 mm, est de 0,456 mètre par seconde. On ne doit pas confondre la vitesse et la fréquence.

vitesse d'obturation   Temps relatif d'occultation de la pellicule au moment de l'obturation (*shutter speed*).

VO   Abréviation de version originale.

voile   Perte de densité de l'image (*fog*). Le voile apparaît sous forme de taches, d'effluves ou de noircissement plus ou moins prononcé. Il est généralement accidentel. On distingue le voile atmosphérique (ou voile du lointain), le voile chimique, le voile contrôlé et le voile de vieillissement.

voile atmosphérique [voile de lointain]   Dans un plan éloigné, phénomène voilant l'image à cause du brouillard (*haze*).

voile chimique   Noircissement plus ou moins prononcé de la pellicule au cours du développement (*chemical fog*). Le voile chimique, qui est accidentel, apparaît sous forme de taches.

voile contrôlé ➜ **flashage**.

voile de lointain ➜ **voile atmosphérique**.

voile de vieillissement   Opacification générale de l'émulsion. Le voile de vieillissement, plus ou moins prononcé, apparaît lors du développement d'une pellicule périmée ou conservée dans de mauvaises conditions.

voiler   Exposer accidentellement à la lumière une pellicule vierge ou impressionnée du film (*fog*). On peut toutefois voiler délibérément un film pour fabriquer des amorces.

voix off   Voix dont la source sonore n'est pas visible à l'écran (*voice-off*). La voix n'est pas en synchronisme avec l'image de la personne qui parle. Une voix off peut être: a) celle qui dit un commentaire dans un documentaire, b) celle, en principe objective, d'un narrateur dans un film de fiction racontant des événements passés, commentant l'action ou l'anticipant, c) celle, en principe subjective, d'un personnage du film, racontant le même genre de situation qu'en [b)], d) celle reflétant les pensées (ou la voix de la conscience) d'un personnage au cours des scènes du film, e) celle d'un personnage qu'un autre personnage entend (la lecture d'une lettre, par exemple), f) celle d'un personnage dans un appartement ou dans un véhicule, mais où le spectateur ne voit que l'appartement ou le véhicule à l'écran, le plus souvent au loin, en plan d'ensemble ou de grand ensemble, et g) celle d'un personnage qu'on entend avant de l'avoir vu ou après l'avoir vu à l'écran (la voix chevauche alors une scène). La voix d'un ou de plusieurs personnages présents dans une scène, que le spectateur ne voit pas, est appelée «voix hors-champ». La voix off est peu employée à partir des années 60 où elle est utilisée pour remettre en question son emploi; à voir: *Ce nom de Venise dans Calcutta désert* (1976) de Marguerite Duras. ➤ **énonciation, narration, point de vue.**

volet [1] ➤ **drapeau.** [2] Trucage exécuté en laboratoire dans lequel une image est chassée par une autre image, qu'une ligne de séparation démarque (*wipe*).

volet mobile ➤ **modulateur de lumière.**

volpi Nom donné aux deux prix d'interprétation (masculine et féminine) décernés au Festival du film de Venise. Le volpi tire son nom du comte Giuseppe Volpi de Misurata, industriel et homme politique, président-fondateur du festival (1936).

volume sonore ➤ **intensité sonore.**

VOST Abréviation de version originale sous-titrée.

voyage éclair Voyage organisé pour les journalistes d'un pays tout entier, voire d'un continent (comme le continent nord-américain), invités tous frais payés (transport et séjour) par la société de production à l'occasion de la sortie d'un film (*junket*). Le voyage éclair donne lieu à une projection de presse, à une conférence de presse et à des interviews individuelles avec les artisans du film (les principaux interprètes et le réalisateur). Il est intégré dans la campagne publicitaire du film et organisé par l'attaché de presse.

vraisemblable N., ADJ. [1] Ce qui est logique par rapport au récit (*plausible*). [2] Qui s'articule au genre adopté. Les éléments qu'on trouve dans une comédie burlesque ne se retrouvent nécessairement pas dans un western.

vue [1] OBS. Scène tournée en un seul plan et dans le même axe (*view*). [2] VX Photogramme. [3] FAMILIER Au Québec, un film ou une séance de cinéma. ➤ **petites vues.**

vu-mètre Accessoire des appareils d'enregistrement et de restitution du son permettant la visualisation du niveau sonore grâce à un cadran gradué (*VU meter*).

W Symbole de watt (*W*).

Walt Disney Company
Compagnie fondée par Walt Disney, un artiste commercial né à Kansas City, qui commence sa carrière en 1919 en produisant avec un autre artiste, Ub Iwerks, des dessins d'animation publicitaires. Ensemble, ils mettent au point les *Laugh-O-Grams* qui deviendront la base comique des futurs contes de fées. En 1923, Walt Disney, avec son frère Roy et Ub Iwerks, fonde les Hollywood Walt Disney Studios et crée les *Alice in Cartoonland* dans lesquels se mêlent dessin et tournage direct. Il crée en 1927 *Oswald le joyeux lapin* et, entre-temps, met au point une technique rapide d'animation appelée «intervallisme» (*in-between*), qu'il appliquera à la création d'une souris qui deviendra, en 1928, Mickey, dans *Steamboat Willie*, premier dessin animé sonore. À partir de 1929, Walt Disney poursuit ses recherches avec des films d'animation musicaux; ce sont les courts métrages musicaux *Silly Symphonies*. En 1932, il met au point la technique du story-board et produit le premier dessin animé en couleurs, *Fleurs et arbres*. En 1937, il invente la caméra multiplane qui donne un effet de relief au dessin (*Le vieux moulin*). Sa ménagerie augmente également: à la souris s'ajoutent les chiens Pluto et Goofy. Grâce à des équipes formées dans des classes d'art, la compagnie produit son premier long métrage en 1938, *Blanche-Neige et les sept nains*. Suivent, en 1940, *Pinocchio* et *Fantasia* (en son stéréophonique), en 1941, *Dumbo* et, en 1943, *Bambi*. Dans les années 50, le groupe Walt Disney se lance dans le film d'action pour toute la famille et la production de documentaires sur la vie des animaux; ➤ **film animalier**. On crée en 1955 le premier parc d'attractions, Disneyland, à Anaheim, en Californie. En 1956, sort sur les écrans le premier dessin animé en 3D, *3-D Jamboree*. Walt Disney meurt en 1966, deux ans après le succès de la comédie musicale *Mary Poppins*. Walt Disney Company devient une immense société de production: outre son fonds important de films, elle crée des parcs d'attractions, la maison de distribution Buena Vista et la compagnie Touchstone. À la fin des années 80, Walt Disney Company ajoute à ses activités dans le cinéma Disney Channel, chaîne dont la diffusion s'étendra en Europe et à Taïwan. En août 1995, la compagnie se porte acquéreur de Capital Cities pour la somme de 19 $ milliards, et dans l'escarcelle se trouvent le réseau américain de télévision ABC et ses 225 stations, la chaîne sportive ESPN, la moitié de la chaîne Lifetime Television, 21 stations américaines de radio, 7 quotidiens et hebdomadaires, des participations à Tele-Munchen et RTL 2 (en Allemagne), à Scandinavian Broadcasting System (au Luxembourg), à Hamster Productions et Eurosport (en France) et à The Japan Sports Channel (au Japon). Elle devient

ainsi le plus grand groupe mondial dans le domaine des médias et des loisirs; ➤ **industrie des communications**. La société investit dans Internet avec Disney.com, Family.com, Blast.com et shop.com., des sites fréquentés quotidiennement par plus d'un demi-million de personnes, et, en janvier 1999, se porte acquéreur du moteur de recherche Infoseek. Trente oscars ont été remis aux productions de Walt Disney.

Warner   Forme abrégée de Warner Brothers.

Warner Bros.   Forme abrégée de Warner Brothers, affichée régulièrement dans le générique des films de cette société.

Warner Brothers [Warner Bros., Warner]   Compagnie de production fondée en 1923 par les quatre frères Warner, Harry, Albert, Sam et Jack. En 1925, ils achètent le Vitaphone et, le 6 octobre 1927, sortent, toujours avec le Vitaphone, le premier long métrage sonore, *Le chanteur de jazz*, qui propulse la compagnie parmi les Majors. En 1928, ils achètent la Stanley Company et ses 300 salles de cinéma et obtiennent également le tiers du parc de salles de la First National. Dans les années 30, avec la Dépression, Warner Bros. produit avec un minimum de décors et d'effets des films dramatiques et sociaux de 90 minutes tirés de l'actualité; à voir: *Le Petit César* (1931) de Mervyn Le Roy et *L'ennemi public* (1931), de William Wellman. Elle produit également durant la Dépression des comédies musicales aux chorégraphies très élaborées signées Busby Berkeley, entre autres *42e Rue* (1933) de Lloyd Bacon et *Les chercheuses d'or* (1933) de Mervyn Le Roy. Elle se lance dans le film biographique distingué, dont la réalisation est confiée à William Dieterle; à voir: *La vie de Louis Pasteur* (1936) et *La vie d'Émile Zola* (1937). Dans les années 40,

une série de 9 films est produite mettant en vedette Humphrey Bogart, notamment *Le Faucon maltais* (1941) de John Huston, *Casablanca* (1942) de Michael Curtiz et *Le trésor de la Sierra Madre* (1948) de John Huston. La loi antitrust de 1948 la force à se séparer de ses salles et la rend précaire; ➤ **Paramount decision**. Ses œuvres les plus impressionnantes sont toutefois *Une étoile est née* (1954) de George Cukor et *La fureur de vivre* (1955) de Nicholas Ray. La compagnie continue de produire de nombreuses comédies musicales dans les années 60, comme *My Fair Lady* (1964) réalisée par George Cukor. Après son achat par Seven Arts en 1967, elle devient en 1969 la Warner Communications et commence à diversifier ses activités dans l'édition, le disque et la télévision. De nouveaux réalisateurs comme Stanley Kubrick, Francis Ford Coppola, George Lucas et Lawrence Kasdan travaillent pour elle. En 1988, elle est fusionnée avec Time Inc. et devient Time Warner Inc. Une nouvelle fusion a lieu en 1995 avec la Turner Broadcasting System [TBS], ce qui la classe alors au deuxième rang des géants de l'industrie des communications et du multimédia. Elle est affiliée en France à Canal Plus. Son emblème: un écusson frappé aux initiales «WB».

Warnercolor   Mention signifiant que le film est développé par les laboratoires de la Warner Bros. Warnercolor ne constitue pas un procédé original.   ➤ **De Luxe Color, Metrocolor**.

Warner Communications   ➤ **Warner Brothers**.

warpage   Nouveau procédé de trucage, dit graphique ou numérique, permettant de déformer l'image à l'écran (*warping*). Le warpage est semblable, dans son exécution, au morphage. Ce procédé a été utilisé dans des films comme *Le masque* (1994) de Charles Russel et *Batman Forever* (1995) de Joel Schumacher, dans lesquels le corps et le visage des personnages incarnés par l'acteur Jim Carrey subissent de multiples transformations.

watt [W]   Unité de mesure électrique (*watt*). L'unité de puissance correspond à la production d'une énergie de 1 joule en une seconde.

waxage ➤ **lubrification**.

weepie ANGL. ARG. ➤ *tearjerker*.

Wescam Marque de commerce canadienne d'une boule stabilisée qui entoure la caméra durant le tournage en hélicoptère. La Wescam absorbe toutes les vibrations. La caméra est mobile et est contrôlée par un manche à balai, avec écran de contrôle vidéo. ➤ **Tyler**.

western ANGLICISME Genre cinématographique populaire ayant pour cadre l'Ouest américain (Canada et Mexique compris), pour sujet les légendes de ses pionniers, et pour époque la dernière moitié du XIXe siècle (*western*, ARG. *hick pic, horse opera, oater, oats opera*). Grâce à lui, et plus qu'avec tout autre genre de récits, les Américains façonnent une image de leur pays et d'eux-mêmes et créent un sentiment d'immensité, d'expansion et d'indépendance, le fameux *self man made*: l'indigent devient riche et l'homme indépendant se sent responsable des autres. Presque aussi ancien que le cinéma, le western possède ses propres conventions: le shérif et le hors-la-loi comme personnages et le paysage et le saloon comme décors. *L'attaque du Grand Rapide* produit en 1903 et tourné dans le New Jersey est non seulement le premier western, mais aussi le premier film ayant un découpage narratif et contenant tous les ingrédients potentiels du genre. Les ingrédients du western se perfectionnent jusqu'en 1930, soit jusqu'à la Dépression qui ne favorise pas la célébration d'un esprit national. Dans les années 40 et 50, l'esprit communautaire et patriotique renaît et le genre acquiert alors ses lettres de noblesse avec des cinéastes renommés comme Delmer Daves, John Ford, Howard Hawks, Anthony Mann, Nicholas Ray et King Vidor. Presque tous les auteurs hollywoodiens se frottent un jour ou l'autre au western, même les cinéastes européens exilés aux États-Unis, comme Fritz Lang et Fred Zinnemann. Par la couleur et le CinémaScope on lui donne une ampleur spectaculaire et on renouvelle ses thèmes: humanisme, intériorité du héros, valeurs esthétiques; c'est l'époque du surwestern. Les genres cinématographiques sont en crise dans les années 60; le western n'est pas en reste et on en tourne beaucoup

moins. L'Europe s'approprie le genre avec les westerns-spaghettis et le travail de Sergio Leone. Le récit devient plus violent avec Sam Peckinpah, plus drôle avec George Roy Hill et plus sombre avec Clint Eastwood. Depuis les années 80, il semble ne plus faire partie de l'héritage culturel des Américains. Selon le critique français André Bazin, le western est «le cinéma par excellence». Parmi les westerns importants, citons *La flèche brisée* (1950) de Delmer Daves, *Impitoyable* (1992) de Clint Eastwood, *La chevauchée fantastique* (1939), *La prisonnière du désert* (1956) et *L'homme qui tua Liberty Valance* (1962) de John Ford, *Rivière rouge* (1948) et *Rio Bravo* (1959) de Howard Hawks, *La cible humaine* (1950) de Henry King, *Butch Cassidy et le Kid* (1969) de George Roy Hill, *Il était une fois dans l'Ouest* (1969) de Sergio Leone, *La horde sauvage* (1969) de Sam Peckinpah, *Johnny Guitare* (1954) de Nicholas Ray et *Le train sifflera trois fois* (1952) de Fred Zinnemann. SYN. film de cow-boys.

Western Electric Importante compagnie américaine spécialisée dans la fabrication de matériel sonore. C'est à la Western Electric que sont conçus les deux grands procédés du film parlant: le Vitaphone, exploité par Warner Bros. et le Movietone, exploité par la RKO.

Westrex Marque de commerce d'appareils américains d'enregistrement et de diffusion du son pour les studios de son et les salles de cinéma.

wheezer ANGL. ARG. De *wheeze*, qui signifie «respiration bruyante», «bruit de soufflerie». Du temps du muet, organiste jouant sur le plateau de cinéma afin de donner du rythme à la scène à enregistrer.

William Morris Agency L'une des plus anciennes et importantes agences d'artistes américaine fondée à New York en 1898 par William Morris, dont le surnom était «Vaudeville Agent». Des années 30 aux années 60, l'agence a sous contrat les plus prestigieux acteurs du cinéma. Elle existe toujours et ses bureaux sont situés à Beverly Hills, Nashville, New York et Londres.

Wonderma - Arc 120 Marque de commerce d'un procédé de projection panoramique mis au point par L. Bornesky et V. Wells. Grâce à ce procédé, on tire les images en 35 mm ou en 65 mm sur une pellicule 35 mm après avoir divisé ces images en deux et les avoir fait pivoter sur 90 degrés.

woo sia pien [wu xia pian] CHINOIS Genre cinématographique de Hongkong se fondant sur la riche tradition des légendes et des romans chinois de «cape et d'épée». Le *woo sia pien*, dont la graphie en pinyin est *wu xia pian*, naît en Asie à la suite du succès rapporté par les films de Douglas Fairbanks. On y met en scène un chevalier errant défendant les faibles, protégeant son souverain et punissant les méchants. Le *woo sia pien* est tourné en langue cantonaise et fait partie des films d'arts martiaux. Dans les années 70, le genre s'essouffle, mais c'est à ce moment qu'apparaît l'un de ses meilleurs représentants, Chu Yuan, et des films comme *Le clan des tueurs* (1975), *L'épée magique* (1976) et *L'homme d'épée sentimental* (1977). ➤ **film de kung-fu,** *wushu*.

Wratten Marque de commerce de filtres colorés ou non pour la prise de vues inventés par la firme Kodak. Les filtres Wratten absordent les radiations colorées, à défaut de les éliminer.

Wurlitzer Marque de commerce d'un orgue utilisé durant le muet pour soutenir la narration des films. Le Wurlitzer est un appareil très complexe à partir duquel on peut créer un environnement sonore très riche. Dans les années 30 et 40, après l'arrivée du film parlant, on s'en sert pour divertir le public durant les entractes. Il disparaîtra par la suite.

wushu CHINOIS Arts martiaux traditionnels chinois. Le *wushu* est intégré durant la Révolution culturelle chinoise dans les films de ballets révolutionnaires. Depuis la fin des années 80, il est une composante principale des films d'arts martiaux, comme dans *Le temple de Shaolin* (1984) d'Allen Fong.

wu xia pian CHINOIS ➤ *woo sia pien*.

X En France, classement des films pornographiques. Les films X sont soumis à une forte taxation. ➤ *X-rated*, **XXX**.

xénon Le plus lourd de la famille des gaz rares de l'air (argon, hélium, krypton, néon, radon, xénon) (*xenon*). Le xénon entre dans la fabrication des lampes à xénon.

X-rated Aux États-Unis, ancien classement d'un film pour adultes, un film qui ne peut être vu par des spectateurs de 17 ans et moins, ou, dans certains États, de 18 ans et moins. ➤ *NC17-rated*.

X-ray ANGL ARG. G.-B. Gros plan.

XX Désignation graphique de la pellicule Double X.

XXX Classement non officiel des films pornographiques. Un film portant cette mention doit, selon les distributeurs et les diffuseurs, attirer le public. ➤ *snuff movie*.

Y

yakusa-eiga JAP. Au Japon, ensemble des films de gangsters. *Yakusa* signifie «voyou». Plusieurs films du cinéaste Takeshi Kitano sont des films de *yakusa*; à voir: *Sonatine* (1995). ➤ **Toei**.

Z

Zagreb Film ➤ **école de Zagreb**.

zapper Passer rapidement d'une chaîne de télévision à une autre à l'aide d'une télécommande (*zap*). On dit: faire du zapping. ➤ **pitonner**.

ZDF Sigle de la Zweites deutches fernsehen.

Zeiss Marque de commerce d'objectifs allemands de grande qualité. ➤ **Angénieux, Canon, Panavision**.

Zoetrope [Zootrope] Marque de commerce d'une machine inventée en 1834 par le mathématicien anglais George Horner et appelée originellement «Daedaleum» ou, en français, «machine à tourner le vivant». En tournant un tambour ouvert à sa partie supérieure et percé de petites fenêtres, le spectateur peut voir s'animer des personnages dessinés sur une bande de papier. Le Zoetrope fait partie des appareils de la préhistoire du cinéma. Francis Ford Coppola ressuscite le terme en 1979 pour le nom de sa compagnie de production.

Zoogyroscope Marque de commerce d'un appareil inventé par Eadweard James Muybridge en 1880, qui projette des instantanés successifs. Le Zoogyroscope est l'un des appareils ancêtres du Cinématographe.

zoom [1] Marque de commerce devenue nom commun d'un objectif à focale variable (*zoom lens*). [2] Par extension, effet visuel qui rapproche ou éloigne le sujet à l'écran (*zoom*). [3] Plan qui donne l'impression que la caméra s'approche ou s'éloigne du sujet à l'écran (*zoom shot*). Le zoom est un travelling optique. On distingue le zoom arrière et le zoom avant. Des cinéastes comme F.W. Murnau et Roberto Rossellini utilisent abondamment le zoom.

zoom arrière Zoom qui donne l'impression que la caméra s'éloigne du sujet (*zoom back, zoom out*). SYN. travelling optique arrière.

ZOOTROPE

zoom avant Zoom qui donne l'impression de s'approcher du sujet (*zoom in*). SYN. travelling optique avant.

Zoopraxinoscope Marque de commerce d'un projecteur inventé par Eadweard James Muybridge en 1889, directement inspiré du Praxinoscope d'Émile Reynaud. Dans le but d'enregistrer la locomotion humaine et animale, le Zoopraxinoscope est construit pour animer les clichés, qu'il prend grâce à 12, puis à 24 appareils photographiques. Il est l'une des nombreuses inventions à l'origine du Cinématographe des frères Lumière. ➤ **Phénakistiscope**.

Zootrope ➤ **Zoetrope**.

Zweites deutches fernsehen [ZDF] Deuxième chaîne de télévision allemande fondée en 1961 par les gouvernements des différents Länders. La ZDF investit dans la production de films, prioritairement les documentaires, les films expérimentaux et les premières œuvres. Elle produit les films de cinéastes allemands comme Werner Rainer Fassbinder, Werner Nekes, Helma Sanders-Brahms et Wim Wenders. Elle signe également des coproductions avec des partenaires européens.

Bibliographie

Dictionnaires, glossaires et lexiques

BESSY, Maurice et CHARDANS, Jean-Louis, *Dictionnaire du cinéma* (4 volumes), Jean-Jacques Pauvert, 1965-1971, Paris.

BOUSSINOT, Roger (Sous la direction de), *L'Encyclopédie du cinéma* (2 volumes), Bordas, 1989, Paris.

DE MONVALON, Christine, *Les Mots du cinéma*, Belin, 1987, Paris.

Dictionnaire du cinéma, Seghers, 1962, Paris.

DOHEB, Charles, *Fou d'images*, Sybex, 1995, Paris.

Elsevier. Dictionnaire de cinéma, son et musique, en six langues, anglais/américain, français, espagnol, italien, hollandais et allemand (par ordre alphabétique anglais), Dunot Éditeur, 1956, Paris.

GARDIES, André et BESSADEL, Jean, *200 Mots-clés de la théorie du cinéma*, Cerf, 1992, Paris.

Glossaire (français-anglais et anglais-français), Office national du film du Canada/National Film Board of Canada, 1964, Montréal.

Glossary of Filmographic Terms (français, allemand, espagnol, hollandais, italien, magyar, portugais, suédois, russe), FIAF, 1898, Bruxelles.

KONIGSBERG, Ira, *Complete Film Dictionary*, Penguin Reference, 1987, New York.

LAROCHE, Pierre, *Lexique technique de télévision* (français-anglais et anglais-français), Éditions Leméac, 1984, Montréal.

NOTAISE, Jacques, BARDA, Jean et DUSANTER, Olivier, *Dictionnaire du multimédia, Audiovisuel-Informatique-Télécommunications*, AFNOR, 1996, Paris.

PASSEK, Jean-Loup (Sous la direction de), *Dictionnaire du cinéma* (2 volumes en poche chez le même éditeur), Larousse, 1991, Paris.

PESSI-PASTERNAK, Guitta, *Dictionnaire de l'audio-visuel* (anglais-français et français-anglais), Flammarion, 1976, Paris.

PINEL, Vincent, *Vocabulaire technique du cinéma*, Nathan, 1996, Paris.

POISSANT, Louise (Sous la direction de), *Dictionnaire des arts médiatiques*, Presses de l'Université du Québec, 1997, Sainte-Foy.

POLLET, Ray J., *Le cinéma d'amateur. Lexique des termes usuels* (français-anglais et anglais-français), Éditions Leméac, 1971, Montréal.

VIRMAUX, Alain et Odette (Sous la direction de), *Dictionnaire du cinéma mondial. Mouvements, écoles, courants, tendances et genres*. Éditions du Rocher et Jean-Paul Bertrand Éditeur, 1994, Paris.

VORNTZOFF, Alexis N., *Dictionnaire technique anglais-français du cinéma et de la télévision. English-French Film and Television Dictionary*, Technique et Documentation - Lavoisier, 1991, Paris.

Histoire

BEYLIE, Claude et CARCASSONNE, Philippe, *Le Cinéma*, Bordas, 1983, Paris.

CHARENSOL, Georges, *Le Cinéma*, Librairie Larousse, 1966, Paris.

COSANDY, Roland et ALBERA, François (Sous la direction de), *Cinéma sans frontières, 1896-1918. Images Across Borders. Aspects de l'internationalité dans le cinéma mondial: représentations, marchés, influences et réception. Internationality in World Cinema: Representations, Markets, Influences and Reception*, Nuit Blanche Éditeur et Éditions Payot, 1995, Québec et Lausanne.

ELLIS, Jack C., *A History of Film*, Prentice-Hall Inc., New Jersey, 1985.

HAUSTRATE, Gaston, *Le Guide du cinéma* (3 volumes), Syros, 1984-1985, Paris.

LHERMINIER, Pierre, *L'Art du cinéma*, Seghers, 1960, Paris.

LOURCELLES, Jacques, *Dictionnaire du cinéma. Les Films*, Robert Laffont, 1992, Paris.

MALTIN, Leonard, *TV, Movies and Video Guide* (mise à jour annuelle), Signet, 1995, New York.

MANNONI, Laurent, *Le Grand Art de la lumière et de l'ombre. Archéologie du cinéma*, Nathan, 1995, Paris.

MAST, Gerald, *A Short History of the Movies*, MacMillan Publishing Company et Collier MacMillan Publishers, 1981, New York et Londres.

MITRY, Jean (Sous la direction de), *Le Cinéma des origines*, Lherminier, 1976, Paris.

_____ *Histoire du cinéma*, Éditions universitaires (vol. I, II et III) et J.-P. DELARGE (vol. IV et V), 1967-1973 et 1980, Paris.

MONACO, James et the Editors of *Baseline, The Movie Guide*, Perigee Books, 1992, New York.

ROBINSON, David, *Panorama du cinéma mondial* (2 volumes en poche, coll. «Méditations»), Denoël-Gonthier, 1980, Paris.

SADOUL, Georges, *Dictionnaires des cinéastes*, Seuil, 1990, Paris.

_____ *Dictionnaire des films*, Seuil, 1990, Paris.

_____ *Histoire du cinéma* (6 volumes), revue par Bernard Eisenschitz, Denoël, 1975, Paris.

SYLVER, Alain et WARD, Elizabeth, *Encyclopédie du film noir*, Rivages, 1979, Paris.

Théma. Arts et culture. Littérature, beaux-arts, musique, cinéma, danse, médias, Larousse, 1991, Paris.

TULARD, *Dictionnaire du cinéma, Les Réalisateurs, 1895-1995*, Édition du centenaire du cinéma, Robert Laffont, 1995, Paris.

_____ *Guide des films* (2 volumes), Robert Laffont, 1990, Paris.

Technique

BACHY, Victor, *Pour lire le cinéma et les nouvelles images*, Cerf, 1987, Paris.

BARSACQ, Léon, *Le Décor du film*, Henry Veyrier, 1985, Paris.

BAUDROT, Sylvette, *La Script-girl*, FÉMIS, 1989, Paris.

CAPTAIN, Robert, *Techniques de la prise de son*, Éditions techniques et scientifiques françaises, 1980, Paris.

CHION, Michel, *Le Cinéma et ses métiers*, Bordas, 1990, Paris.

CHION, Michel, *Écrire un scénario*, Cahiers du cinéma et INA, 1985, Paris.

CLOQUET, Arthur, *Initiation à l'image du film*, FÉMIS, 1992, Paris.

DE VORGES, Dominique, *Le Maquillage*, Éd. Dujarric, 1986, Paris.

GOLDSTAUB, Marc, *La Direction de production*, FÉMIS, 1987, Paris.

OTHNIN-GIRARD, Valérie, *L'Assistant réalisateur*, FÉMIS, 1988, Paris.

PINEL, Vincent, *Techniques du cinéma*, P.U.F., coll. «Que sais-je?», n° 1873, 1983, Paris.

PRÉDAL, René, *La Photo du cinéma*, Cerf, 1985, Paris.

SAMUELSON, David, *La Caméra et les techniques de l'opérateur*, Éd. Dujarric, 1985, Paris.

VILLAIN, Dominique, *Le Cadrage au cinéma. L'œil à la caméra*, Cahiers du cinéma, 1985, Paris.

Analyse, grammaire, théorie

AGEL, Henri, *Esthétique du cinéma*, P.U.F., 1957, Paris.

ANDREW, Dudley J., *The Major Film Theories*, Oxford University Press, 1976, New York.

ARNHEIM, Rudolf, *Film as Art*, University of California Press, 1997, Berkeley.

AUMONT, Jacques, *L'Image*, Nathan, 1990, Paris.

AUMONT, J., BERGALA, A., MARIE, M. et VERNET, M., *Esthétique du film*, Nathan, 1983, Paris.

AUMONT, J. et MARIE, M., *L'Analyse des films*, Nathan, 1988, Paris.

BAZIN, André, *Qu'est-ce que le cinéma?* (un volume des 4 tomes publiés sous ce titre général entre 1958 et 1962), Cerf, 1975, Paris.

DELEUZE, Gilles, *Cinéma 1. L'Image-mouvement*, Les Éditions de Minuit, 1983, Paris.

_____ *Cinéma 2. L'Image-temps*, Les Éditions de Minuit, 1985, Paris.

EIZYKMAN, Claudine, *La Jouissance-cinéma*, Union générale d'éditions, 1976, Paris.

GAUDREAULT, André et JOST, François, *Cinéma et Récit II. Le Récit cinématographique*, 1990, Paris.

JOST, François, *Un monde à notre image. Énonciation, cinéma, télévision.* Méridiens Klincksiek, 1992, Paris.

METZ, Christian, *Essais sur la signification au cinéma* (2 volumes), Klincksiek, 1975 et 1976, Paris.

_____ *Langage et Cinéma*, Albatros, 1981, Paris.

MITRY, Jean, *Esthétique et Psychologie du cinéma* (2 volumes), Éditions universitaires, 1963 et 1965, Paris.

NOGUEZ, Dominique (Textes réunis et présentés par), *Cinéma. Théorie, Lectures*, Klincksiek, 1973, Paris.

ODIN, Roger, *Cinéma et production de sens*, Armand Colin, 1991, Paris.

VANOYE, Francis et GOLIOT-LÉTÉ, Anne, *Précis d'analyse filmique*, Nathan, coll. «Universités», n° 17, 1992, Paris.

Ouvrages divers

Revue *Autrement. Hollywood 1927-1941. La Propagande par les rêves ou le triomphe du modèle américain*, 1991, Paris.

Avec la collaboration de Helen Scott, *Hitchcock/Truffaut*, Ramsay, 1983, Paris.

DE BAECQUE, Antoine, *Histoire d'une revue 1. À l'assaut du cinéma.* Cahiers du cinéma, 1991, Paris.

_____ *Histoire d'une revue 2. Cinéma, tours, détours*, Cahiers du cinéma, 1991, Paris.

CHARRON, Jean-Marie (Sous la direction de), *L'État des médias*, Boréal-La Découverte-Médiaspouvoirs-CFPJ, 1991, Montréal-Paris.

CHION, Michel, *Le Son au cinéma*, Cahiers du cinéma et Éditions de l'Étoile, 1985, Paris.

_____ *La Voix au cinéma*, Cahiers du cinéma et Éditions de l'Étoile, 1982, Paris.

Revue *CinémAction. L'Enseignement du cinéma et de l'audiovisuel dans l'Europe des Douze*, INRP-Corlet-*Télérama*-CEE, 1991, Paris.

Revue *CinémAction. Les Revues de cinéma dans le monde*, Corlet-*Télérama*, 1993, Paris.

Revue *CinémAction-Télérama. Les Télévisions du monde*, ACCT-MDC-MAE-Cerf-Corlet-AECT-CNC-MCC, 1987, Paris.

Ciné-Mémoire, FÉMIS et AMIS, 1992, Paris.

FIELD, Mary, *Cinéma pour enfants*, Les Éditions du Cerf, 1958. Paris.

GODARD, Jean-Luc, *Introduction à une véritable histoire du cinéma*, Albatros, 1980, Paris.

GUÉDON, Jean-Claude, *La Planète Cyber. Internet et cyberespace*, Gallimard, coll. «Découvertes», série «Techniques», n° 50, 1996, Paris.

HOLTZ-BONNEAU, Françoise, *L'Image et l'ordinateur*, Aubier et INA, 1986, Paris.

MONET, Dominique, *Le Multimédia*, Flammarion, coll. «Dominos», n° 50, 1995, Paris.

NOGUEZ, Dominique, *Éloge du cinéma expérimental*, Éd. du Centre G. Pompidou, 1979, Paris.

ZIMMER, Christian, *Cinéma et Politique*, Cinéma 2000 et Seghers, 1974, Paris.

Monographies

Note: Les monographies de cinéastes et de films sont nombreuses. Nous donnons ici les principales collections et les éditeurs qui les publient.

«L'Avant-scène Cinéma»; L'Avant-scène, Paris.

«BFI Film Classics»; BFI Publishing, Londres.

«Champ/Contre-champ»; Flammarion, Paris.

«Cinars»; Arte Éditions, Paris.

«Cinéma»; Rivages, Paris.

«Découvertes», série «Cinéma»; Gallimard, Paris.

«Dis voir»; Éditions Dis Voir.

«Image par image»; Hatier, Paris.

«Long métrage»; Yellow Now, Crisnée.

«Point» et «Point virgule»; Seuil, Paris.

«Petite bibliothèque des Cahiers du cinéma»; Éditions de l'Étoile et Cahiers du cinéma, Paris.

«Screenplay Series»; The University of Wisconsin Press.

«Synopsis»; Hatier, Paris.

«Un sur un»; Éditions Adam Biro, Paris.

Cédéroms

Cinemania 97 de Microsoft Home (mise à jour mensuelle dans Internet).

Corel All Movie Guide de Corel.

Internet

Note: Les sites de la Toile, le *World Wide Web*, portant sur le cinéma se comptent par milliers, et ont le plus souvent une vie éphémère. Nous suggérons ici les sites qui ont fait leurs preuves par leur sérieux et leur durée.

American Movie Classics
adresse: http://www.amctiv.com/amchome.html
Pour les classiques américains.

France Cinéma Multimédia
adresse: http://www.fcm.fr
Une cinémathèque virtuelle exhaustive. Portraits et filmographies; genres et courants cinématographiques; site des écoles et filières de formation.

The Internet Movie Database
adresse: http://www.us.imbdb.com/
Aucun site ne peut rivaliser avec celui-ci. Le meilleur, le plus complet.

Cinemania Online
adresse: http://Cinemania.msn.com/Cinemania/Home.asp
Pour les mises à jour mensuelles avec le cédérom *Cinemania*.

CineMedia
adresse: http://ptd15.afionline.org/CineMedia/enframe.html
Propose des liens avec des sites francophones.

Index des mots anglais

A

A and B printing Tirage A et B.
aberration Aberration.
abrasion Abrasion.
absolute film Film absolu.
ace ARG. Projecteur Fresnel.
acetate Acétate.
achievement Réalisation. SYN. *film-making*.
achromatic lens Doublet achromat, objectif achromatique.
achrome Achrome.
acoustic feedback Effet Larsen, larsen (FAMILIER). SYN. *Larsen effect*.
acoustics PLUR. Acoustique.
act VERBE Jouer. SYN. *perform, play*.
acting Jeu. SYN. *play*.
actinicity Actinisme.
action Action.
"Action!" «Action!»
action film Film d'action.
actor Acteur.
actress Actrice.
acutance Acutance.
adaptation Adaptation. SYN. *treatment*.
adaptator [1] Adaptateur (personne). [2] Adaptateur (appareil).
added scenes PLUR. Scènes additionnelles.
additional lens Bonnette.
additive printer Tireuse additive.
additive process Procédé additif.
admission Entrée.
admission fee Prix d'entrée.
ADR Abréviation de *automatic dialogue replacement*.
adult film Film pour adultes, film pornographique. SYN. *blue movie, blue porn, porn film*.

advance against distribution À-valoir distributeur.
advance against takings Avance sur recettes.
advance sale Prévente. SYN. *pre-sale*.
adventure film Film d'aventures.
advert G.-B. Flash publicitaire (ANGLICISME), message publicitaire, spot publicitaire (ANGLICISME). SYN. *commercial* (É.-U.).
advertisement Réclame.
aerial picture Image aérienne.
aerial shot Plan aérien.
A-festival Festival A.
affiliated station Station affiliée.
afterimage Image rémanente.
agency Agence.
agent Agent.
agitfilm Agit-film.
air-gap Entrefer.
air-gap lenght Longueur d'entrefer.
Alec ARG. ➤ cette entrée dans le dictionnaire.
aliasing Crénelage.
allegory Allégorie.
allusion Allusion.
alternation Alternance.
amateur cinematography Cinéma amateur, cinéma d'amateur.
ambient light Éclairage ambiant.
american shot Plan américain. SYN. *medium close shot, two-shot*.
amplifier Amplificateur.
amplitude Amplitude.
anaglyphoscope Anaglyphoscope.
anaglyph process Anaglyphe.
anaglyphes process Stéréoscopie par anaglyphes.
analysis Analyse.

anamorphic lens Lentille anamorphoseuse.

anamorphic process Anamorphose.

anastigmat lens Lentille correctrice, lentille de correction.

angle of view Angle de prise de vues.

Angry Young Men ➤ entrée **Jeunes hommes en colère** dans le dictionnaire.

animated short film Court métrage d'animation. Ce terme est une appellation officielle dans l'industrie américaine.

animated tintypes vx ➤ cette entrée dans le dictionnaire. syn. *galopping tintypes*.

animatics Animatique.

animation Animation.

animation stand Banc-titre.

animator Animateur.

announcement Annonce.

answer print Copie zéro.

antenna Antenne parabolique. ➤ *satellite dish*.

anti-abrasion Anti-abrasif.

anti-halation Antihalo.

anti-jam Antibourreur.

antihero Antihéros.

aperture Ouverture, diagramme.

aperture plate Fenêtre, plaque couloir.

aperture ratio Ouverture relative.

A-picture Film principal. syn. *main feature*.

appearance Apparition, participation.

apple box Cube.

aquarium arg. Salle de montage.

archetype Archétype.

archive Archives du film.

archives plur. Archives (institution).

arc light Arc électrique.

area Élongation variable, densité fixe.

arrangement Arrangement.

arranger Arrangeur.

art director Directeur artistique, chef décorateur. syn. *production designer*.

artefact Artefact.

art film Film d'art.

art house Salle d'art et d'essai.

artificial light Lumière artificielle.

artisan Artisan.

artsploitation néologisme ➤ cette entrée dans le dictionnaire.

aspect ratio ➤ cette entrée dans le dictionnaire.

assistant Assistant.

assistant cameraman Pointeur. syn. *first assistant cameraman*.

assistant director Premier assistant réalisateur.

assistant production manager Régisseur.

associate producer Producteur associé.

astigmatism Astigmatisme.

atmosphere player Figurant.

attractions plur. Attractions.

audience Public.

audio Audio.

audio operator Ingénieur du son. syn. *dial twister* (arg.), *sound recordist*.

audiotape Bande audio, cassette audio.

audiovisual Audiovisuel.

auditorium Auditorium, studio d'enregistrement. syn. *recording studio*.

author Auteur.

autofocal Autofocus.

automapping Automappage.

automate Automate. syn. *motion control*.

automatic control Automatisme.

automatic dialogue replacement [ADR] Doublage en boucle.

automatic iris control switch Commande automatique.

automatic start mark Clap électronique.

automatic switch-off Commande d'arrêt automatique.

available light Lumière ambiante.

avant-garde film Film d'avant-garde.

axis g.-b. Axe optique. syn. *batch* (é.-u.).

azimuth Azimut.

azimuth adjustment Azimutage.

B

baby spot Baby spot (anglicisme).

backer familier Commanditaire.

background [1] Arrière-plan, second plan. [2] Découverte.

background atmosphere Son d'ambiance.

background noise Bruit de fond.

back light Contre-jour, décrochage, lumière par derrière.

back projection Projection par transparence, rétroprojection. syn. *backscreen projection, rear projection*.

backscreen projection ➤ *back projection*.

baffle Baffle.

balance Balance.

balanced film Copie étalonnée, film équilibré.

balance stripe Piste de compensation.

balcony Balcon.

bandwidth Largeur de bande.

banning Interdiction.

B & W [BW] Abrév. de *black and white*. N & B (abrév. de noir et blanc)..

B & W dupe positive Copie marron (interpositif noir et blanc).

barker Bonimenteur.

barney Manchon de chargement.

base [1] Base (projection). [2] Support (pellicule).

basher Basher (ANGLICISME).

batch É.-U. Axe optique. SYN. *axis* (G.-B.).

bath Bain de développement.

battery Batterie.

battery belt Batterie de ceinture.

bayonet Baïonnette.

beam of light Faisceau lumineux.

beat Battement.

beater mechanism Mécanisme à rampe, mécanisme batteur.

beep tone Bip.

Berlin International Film Festival Festival international du film de Berlin.

best boy Chef électricien adjoint, sous-chef électricien.

bi-directional microphone Microphone bidirectionnel.

big caper film Film de «casse». ➤ entrée **cinéma criminel** dans le dictionnaire.

big close-up Très gros plan. SYN. *extreme close-up*.

big screen Grand écran.

biog Forme abrégée de *biographical film*.

biographical film Film biographique.

biopic Contraction de *biographical* et de *picture*. Film biographique.

bipack Bipack.

bird's nest Perruque (ARG.).

bit part Petit rôle.

black and white Noir et blanc.

black and white film Film noir et blanc.

black backing Fond noir.

black bag Sac noir.

black comedy Comédie dramatique.

black list Liste noire.

black movie Film black (film signé par un Noir).

Black Tower FAMILIER ➤ cette entrée dans le dictionnaire.

blank [1] Blanc. [2] Blank (procédé Technicolor).

blaxploitation NÉOLOGISME ➤ cette entrée dans le dictionnaire.

bleeding Frange.

blimp Blimp, caisson.

blind bidding Réservation aveugle. SYN. *blind booking*.

blind booking ➤ *blind bidding*.

block booking Réservation en lot, réservation en groupe.

blockbuster [1] Superproduction. [2] Gros calibre, rouleau compresseur.

bloop Plop.

blooping Raccord son, zapponage.

blower brush Soufflette.

blow-up Agrandissement, gonflage.

blow up VERBE Gonfler.

blue N. Bleu.

blue backing Écran bleu. SYN. *blue screen*.

blue movie ➤ *adult film*.

blue porn ➤ *adult film*.

blue screen ➤ *blue backing*.

blurred ADJ. Flou.

body mount Harnais.

booker Programmateur (de salles). ➤ *programmer*.

booking [1] Réservation (distribution). [2] Programmation. SYN. *programming*.

boom Girafe, perche. SYN. *fishpole*.

boomer Boomer (ANGLICISME).

boom man Perchiste, perchman. ➤ *mike monkey*.

booth porthole Fenêtre (d'une cabine de projection), hublot de cabine.

box office [1] Box-office. [2] Guichet, caisse. [3] Forme abrégée de *box office receipts*.

box office receipts PLUR. Recettes. SYN. *gross profits*.

Boy Meets Girl ➤ cette entrée dans le dictionnaire.

B-picture Film de série B.

brass ARG. É.-U. ➤ cette entrée dans le dictionnaire.

break Cassure.

breakdown Dépouillement.

breathing Pompage.

bridge plate Plaque de décentrement.

bridging shot Plan de liaison.
brit flick ARG. Film britannique.
broadcaster Diffuseur.
broadcasting Diffusion.
brush Pinceau.
brute Brute (ANGLICISME).
budget Budget.
bungalow Bungalow (ANGLICISME).
burning up FAMILIER Surexposition. ➤ *over-exposure*.
buzz Bourdonnement
buzz track Piste de localisation.
BW ➤ *B & W*.

C

cable [1] Câble (ensemble de fils). ➤ *wire*. [2] Service de distribution par câble.
cablecasting Télédistribution. SYN. *cable release*.
cable man Câbliste.
cable network Réseau câblé.
cable-operator Câblodistribution (QUÉBÉCISME), câblo-opérateur.
cable release ➤ *cablecasting*.
cable television Télévision par câble.
cadmium Cadmium.
cadmium sulphide Sulfure de cadmium.
cafeteria Cantine.
calligraphy Calligraphie.
call sheet Feuille de service.
cam Came.
camcorder Caméscope.
cameo Forme abrégée de *cameo role*.
cameo role Camée.
camera Appareil de prise de vues, caméra.
camera aperture Fenêtre de prise de vues, fenêtre d'exposition, fenêtre d'impression. SYN. *camera gate*.
camera gate ➤ *camera aperture*.
camera hood Parasoleil, pare-soleil.
cameraman É.-U. Assistant opérateur.
camera move Mouvement d'appareil.
camera operator Cadreur. SYN. *operator, operating cameraman*.
camera report Rapport image.
camera set-up Emplacement de la caméra, position de la caméra.
camera test Essais caméras (PLUR.).
camp Camp.
can Boîte.

candela Bougie, candela.
candy Friandise.
Cannes International Film Festival Festival international du film de Cannes.
canvas flat Châssis.
captation Captation.
caption Titre. SYN. *title*.
carbon Charbons (PLUR.).
career Carrière.
carpenter shop Atelier de menuiserie.
cartoon Dessin animé.
cassette Cassette.
cast Distribution (interprètes)
casting Casting (ensemble des interprètes d'un film).
catalogue Catalogue.
cat-and-mouse thriller ARG. Film de poursuite. ➤ *chase film*.
caterer Traiteur.
cathode ray tube Analyseur électronique, tube cathodique.
cathodic receiver Récepteur cathodique.
cathodic screen Écran cathodique.
catwalk Passerelle.
CD-ROM Cédérom.
CdS CdS.
cel Celluloïd.
cel animation Animation par cellos.
cellulose diacetate Diacétate de cellulose.
cellulose nitrate Nitrate de cellulose.
cellulose nitatrate film Film flam.
cement Colle.
censor's certificate Visa de censure.
censorship Censure.
certificate Visa de censure.
chamber film Film de chambre.
change-over Enchaînement.
change-over cue Marque de fin de bobine, repère de fin de bobine.
channel FAMILIER ➤ *television channel*.
chapter play ARG. É.-U. Feuilleton télévisé. ➤ *television serial*.
character Personnage, rôle.
characterisation Caractérisation, interprétation.
character role Rôle de composition.
chase film Film de poursuite. SYN. *chaser*. ➤ *cat-and-mouse thriller*.
chaser ➤ *chase film*.
cheapie ARG. Petit film. ➤ entrée **film à petit budget** dans le dictionnaire.

checking Réglage.

chemical fog Voile chimique.

cherry picker ARG. Grue. SYN. *whirly*.

chicken porn film ARG. Film pédophile. ➤ *p(a)edophile movie*.

China girl Tête de femme.

chloride Chlorure.

choreographer Chorégraphe.

chorus girls ➤ cette entrée dans le dictionnaire.

chroma key Incrustation.

chromatic distortion Dérive chromatique.

chromaticism Chromatisme

chrominance Chrominance.

chromo Chromo.

chronophotography Chronophotographie.

cinch mark Rainures (PLUR.).

Cinderella film ARG. ➤ cette entrée dans le dictionnaire.

cine Ciné.

cinema [1] Cinéma. [2] Salle de cinéma.

Cinema Nôvo Cinéma Nôvo.

cinema of poetry Cinéma de poésie.

cinema of prose Cinéma de prose.

CinemaScope [Scope] CinémaScope.

cinematic Cinématic.

cinematic dialectic Dialectique filmique.

cinematographer Chef opérateur, directeur de la photographie. SYN. *director of photography*.

cinematographic language Langage cinématographique.

cinematography Cinématographie.

cinema truth Cinéma-vérité.

cineplastic Film cinéplastique.

cineplex Complexe multisalles.

Cinerama Cinérama.

circled take Prise retenue.

circuit Circuit (du film).

circular shot Travelling circulaire.

clapboard Forme abrégée de *clapper board*.

clapman Clapman.

clapper board [clapboard] Clap. SYN. *clapstick board*.

clapper boy ➤ *clapman*.

clapstick board ➤ *clapperboard*.

classic film Classique.

classic Hollywood cinema Cinéma classique américain.

claymation Animation de figurines.

claw Griffe. SYN. *pin*.

clear the stage VERBE Déblayer le décor.

clicking Claquage.

cliffhanger ARG. ➤ cette entrée dans le dictionnaire.

climax Climax, nœud de l'action.

clip Clip. ➤ *video clip*.

cloning Clonage.

close shot RARE Gros plan. ➤ *close up*.

close up Gros plan. SYN. *close shot* (RARE).

coach Coach (ANGLICISME), répétiteur.

coated lens Objectif traité.

coating Empâtage.

coaxial cable Câble coaxial.

code Code.

code rating Cote.

cold ADJ. Froid.

cold mirror Miroir froid.

color É.-U. Couleur. ➤ *colour*.

color analysis Analyse.

color balance Balance.

color cast Couleur dominante.

color chart Charte. SYN. *lily*.

color contamination Distorsion chromatique.

color developing Développement chromogène.

colorer Gouacheur. SYN. *painter, opaquer*.

color fidelity Fidélité des couleurs.

color film Film couleur, film en couleurs.

color fraying Effilochage.

colorimetry Colorimétrie.

coloring machine Machine à colorier.

colorization Colorisation.

colorize VERBE Colorier.

colorizer Colorieur.

color mosaic Réseau coloré (procédé couleur).

color pilot Chenille.

Color Reversal Intermediate [CRI] Internégatif couleur.

color sensitizer Sensibilisateur.

color separation Extraction trichrome.

color system Synthèse.

color temperature meter Photocolorométrie.

colortoon FAMILIER Dessin animé en couleurs.

colour G.-B. Couleur. ➤ *color*.

coma Coma.

combined negatif Négatif combiné.

combo ARG. Programme double.

comedy Comédie. SYN. *comical film.*

comedy italian style Comédie «à l'italienne».

comedy of manners Comédie de mœurs.

comical film Film comique. SYN. *comedy.*

comic film Burlesque.

commentary Commentaire.

commentator Narrateur.

commercial Flash publicitaire (ANGLICISME), message publicitaire, spot publicitaire (ANGLICISME). SYN. *advert* (G.-B.).

communication Communication.

comp ARG. Billet de faveur.

compact disk Disque compact. ➤ *CD.*

Compact Disk-Interactive Disque compact interactif.

compilation film Film de montage.

complementary colors PLUR. Couleurs complémentaires.

complementary ticket Billet de faveur. ➤ *comp.*

composite image Image combinée, image composite.

composite shot Plan multi-image.

compositing Compositing (ANGLICISME).

composition Composition.

computer Ordinateur.

computer-aided Conception assistée par ordinateur. SYN. *comptuer-assisted design.*

computer-aided drafting Dessin assisté par ordinateur.

computer animation Animation par ordinateur.

computer-assisted design ➤ *computer-aided.*

computer-generated image Image de synthèse.

computer graphics Infographie.

computer science Informatique.

concave lens Lentille concave.

concept Concept.

conclusion Dénouement.

condenser lens Condenseur, lentille condensatrice.

cone Cône.

conforming Conformation, montage négatif. SYN. *negative cutting.*

construction manager Chef constructeur.

contact printer Tireuse par contact.

contact printing Tirage humide, tirage contact (ou tirage par contact).

continuity Continuité dialoguée.

continuity clerk Scripte assistante. SYN. *continuity girl, script girl.*

continuity cut Raccord image.

continuity cutting Bobine de choix. SYN. *first cut.*

continuity girl ➤ *continuity clerk.* SYN. *script girl.*

continuity script Continuité.

continuity sheet Rapport de montage. SYN. *log sheet.*

continuous performance theater Cinéma permanent. ➤ *grind house.*

continuous printer Tireuse continue (ou tireuse en continu).

continuous projector Déroulement.

contract Contrat.

contrast Contraste.

contrast factor Facteur de contraste.

contrast filter Filtre à contraste.

contrast glass Verre de contraste, verre de vision. SYN. *viewing glass.*

control frequency Fréquence pilote. SYN. *pilot frequency.*

control head Tête de contrôle.

control room Régie, salle de contrôle.

control track Piste de commande.

convex lens Lentille convexe.

coprod Forme abrégée de *coproduction.* Coprod.

coproducer Coproducteur.

coproduction [coprod] Coproduction. SYN. *joint production.*

cops FAMILIER PLUR. Flics, poulets. ➤ cette entrée dans le dictionnaire.

copyright Droits d'auteur.

core [1] Trame musicale. [2] Noyau.

Corgi and Bess ARG. G.-B. ➤ cette entrée dans le dictionnaire.

correction filter Filtre correcteur.

co-starring ➤ cette entrée dans le dictionnaire.

cost estimates Devis.

costume designer Créateur de costumes.

costume director Chef costumier. SYN. *costumer, wardrobe master.*

costume film Film à costumes (FAMILIER).

costumer Chef costumier. SYN. *costume director, wardrobe master.* ➤ *costume director.*

counter-cinema Contre-cinéma.

counter matte Contrecache.

coupler Copulant, coupleur.

courtroom drama Drame judiciaire. ➤ entrée **film judiciaire** dans le dictionnaire.

coverage Reportage. SYN. *reporting*.

coverage area Couverture.

crab dolly Crab dolly (ANGLICISME), chariot-crabe.

crack a mike ARG. Ouvrir un micro. ➤ **open a mic**.

crane Grue. SYN. *cherry picker* (ARG.), *whirly* (ARG.).

crane crew Grutiers (PLUR.).

crank Manivelle.

credit Crédit.

credits PLUR. Générique. SYN. *credit title*.

credit title ➤ **credits**.

crew Équipe.

CRI Sigle de *Color Reversal Intermediate*.

criminal film Cinéma criminel.

critic Critique (exercice de la critique).

crix FAMILIER Critique de cinéma (personne). ➤ **film critic**.

cross-cutting Montage alterné.

cross dissolve Fondu enchaîné. SYN. *lap dissolve, mix dissolve*.

cross fade Fondu enchaîné en couleurs.

cross light Lumière latérale. SYN. *side light*.

crow glass Crown-glass (ANGLICISME).

crows foot Patte d'oie.

crystal sync Quartz. ➤ entrée **quartz [2]** dans le dictionnaire.

CS Abrév. de *close shot*.

CU Abrév. de *close-up*.

cue Top.

cue dot Marque, repère.

cue mark Marque au sol, repère au sol. SYN. *floor mark*.

cult film Film-culte. SYN. *cult flick* (FAMILIER), *cult movie*.

cult flick FAMILIER Film-culte. ➤ **cult film**.

cult movie ➤ **cult film**.

curling Curling.

cushion distortion Distorsion en coussinet.

cut [1] Collure. [2] Coupe. [3] Coupure. [4] Coupe franche. [5] Plan. SYN. *shot*. [6] Raccord.

«Cut!» «Coupez!».

cutaway shot Plan de coupe.

cut-outs Chutes, déchets du film. ➤ **tails**.

cutting Montage. Différent de *editing* et de *montage*. ➤ entrée **montage** dans le dictionnaire.

cutting room Salle de montage. ➤ **editing room**.

cyan Cyan.

cyberculture Cyberculture.

cyberspace Cyberespace.

cyborg Cyborg.

cyc Forme abrégée de *cyclorama*.

cycle Cycle.

cyclorama Cyclorama.

cylindrical lens Lentille cylindrique.

D

Dadaism Dadaïsme.

daguerreotype Daguerréotype.

dailies PLUR. Rushes.

daily log Rapport horaire.

darkroom Chambre noire.

Dawn process Procédé Dawn. SYN. *glass shot*.

day Jour.

day for night [day-for-night, D/N] Nuit américaine.

day-for-night ➤ **day for night**.

daylight Lumière du jour.

day of release Jour de sortie.

decoded En clair.

decoder Décodeur.

decoding Dématriçage.

decomposition Décomposition.

dedication Dédicace.

definition Définition. SYN. *resolution*.

degausser Démagnétiseur.

degradation Dégradation.

densitometer Densitomètre.

densitometry Densitométrie.

density Densité.

departement Département.

depolishing Dépolissage.

deposit Dépôt. SYN. *shedding*.

depth of field Profondeur de champ.

depth of focus Profondeur de foyer.

desaturation Désaturation.

descambling Désembrouillage.

descratching Dérayage. SYN. *polishing*.

designer Concepteur.

detachable grip Poignée détachable.

detective film Film de détective. SYN. *private-eye film*.

detector Détecteur.

developer Révélateur.

developing Développement. SYN. *processing.*

developing machine Développeuse.

developing tank Cuve.

dewaxing Déshuilage.

dialogian ARG. Dialoguiste. ➤ *dialogue writer.*

dialogue coach Coach (ANGLICISME).

dialogue continuity Continuité.

dialogue writer Dialoguiste. SYN. *dialogian* (ARG.).

dial twister ARG. Sondier. ➤ *audio operator.*

diaphragm Diaphragme.

diary film Journal.

diegesis Diégèse.

diffuser Diffuseur.

diffusion Diffusion.

digital Numérique.

digital code Code générique.

digital image Image numérique.

digital process Procédé numérique.

digital reading Lecture numérique.

digital sound Son numérique.

digital sound process Procédé audionumérique.

Digital Video Disk [DVD] Disque compact vidéonumérique, disque optique vidéo.

Digital Video Express [Divx] Disque compact vidéo express.

digitization Numérisation.

dioptric drum Tambour dioptrique.

direct VERBE Diriger, réaliser, mettre en scène.

direct animation Dessin sur film, peinture sur film. SYN. *handmade film.* ➤ *noncamera film.*

Direct Cinema Cinéma direct.

directed by Réalisé par.

directionality Directionnalité.

directional microphone Microphone directionnel.

direction of glance Direction du regard. SYN. *direction of look.*

direction of look ➤ *direction of glance.*

directivity Directivité.

director Metteur en scène, réalisateur. SYN. *megger* (ARG.). ➤ *film-maker.*

director of photography ➤ *cinematographer.*

Directors Fortnight Quinzaine des réalisateurs.

dirty movie Film sale. ➤ entrée **film extrême** dans le dictionnaire.

disaster film Film catastrophe.

discharge lamp Lampe à décharge.

disclaimer ➤ entrée **avertissement** dans le dictionnaire.

discourse Discours.

disk Disque.

dispersion Dispersion.

display Visualiser (ARCH.).

dissolve Fondu enchaîné.

distortion Distorsion.

distributor Distributeur. SYN. *releaser.*

Divx Sigle de *Digital Video Express.*

D/N Abrév. de *day for night.*

doc Abrév. de *documentary.*

docudrama Docudrame.

documentary [doc] Documentaire.

documentary feature Long métrage documentaire. Ce terme est une appellation officielle dans l'industrie américaine.

documentary film-maker (ou *filmmmaker*) Documentariste.

documentary short subject Court métrage documentaire. Ce terme est une appellation officielle dans l'industrie américaine.

Dolby System Dolby.

dolly Chariot, petite grue.

dolly shot Travelling (ANGLICISME). SYN. *track shot.*

domestic market Marché intérieur.

double band Double bande. SYN. *double-head.*

double exposure Surimpression. SYN. *surimposition.*

double feature Programme double.

double-head ➤ *double band.*

double-head projection Projection double bande.

double run film Pellicule double huit.

double super 8 [DS-8] Pellicule Super 8 double.

double take Plan doublé.

double track Bipiste.

dowager ARG. ➤ cette entrée dans le dictionnaire.

dowload VERBE Télécharger.

down shot Plongée. SYN. *high-angle shot, high shot.*

dramatic film Drame, film dramatique.

dresser Habilleur.

dressing room Loge, salle d'habillage.

dressmaker Couturière.

drive-in Ciné-parc (ou cinéparc) (QUÉBÉCISME), drive-in (ANGLICISME). SYN. *ozoner* (ARG.).

driver Chauffeur.

drop curtain Rideau de fond, rideau de scène.

drop-out Désexcitation.

drum Tambour.

drying Séchage.

drying case Armoire de séchage.

dry run Répétition (tournage). → *rehearsal.*

DS-8 Abrév. de *double super 8.*

dub VERBE [1] Contretyper, copier. [2] Doubler. [3] Postsynchroniser. [4] Sonoriser.

dubbed version Version doublée.

dubber Défileur.

dubbing [1] Doublage. [2] ARCH. Mixage.

dubbing director Chef de plateau.

dubbing mixer → entrée **mixeur** dans le dictionnaire. SYN. *re-recording mixer.*

dull side Côté mat.

dumping Dumping (ANGLICISME).

Dunning-Pomeroy self-matting process [Dunning process] Dunning (OBS.).

Dunning process Forme abrégée de *Dunning-Pomeroy self-matting process.*

dupe Forme abrégée de *duplicate negative.*

dupe neg Forme abrégée de *duplicate negative.*

dupe negative Forme abrégée de *duplicate negative.*

duplicate Duplicata.

duplicate negative [dupe, dupe neg, dupe negative] Contretype.

duplication Duplication.

duplitized Bipack.

DVD Sigle de *Digital Video Disk.*

dye transfer Dye transfer (ANGLICISME).

Dynamic Motion Simulator Cinéma dynamique.

dynamic range Dynamique.

E

echo Écho.

echo box Chambre d'échos. SYN. *echo chamber.*

echo chamber → *echo box.*

ECU [XCU] Abrév. de *extreme close-up.*

editing Montage. Différent de *cutting* et de *montage.* → entrée **montage** dans le dictionnaire.

editing block Bloc de montage. SYN. *splicing block.*

editing room → *cutting room.*

editing sheet Fiche de montage.

editor Chef monteur, monteur.

editor Éditeur (en audiovisuel).

educational film Film éducatif.

effects lighting Lumière d'effet, lumière à effet.

EI Abrév. de *expose index.*

electret condenser microphone Microphone à électrets.

electrician Électricien. SYN. *sparks* (ARG.).

electronic cinema Cinéma électronique.

electronic editing Montage électronique.

element Élément.

elephant ears ARG. PLUR. Drapeaux. → *flag.*

ellipsis Ellipse.

ELS [XLS] Abrév. de *extreme long shot.*

embossed film Film gaufré.

emulsion Émulsion.

emulsion coating Enduction.

emulsion number Numéro d'émulsion.

End (The) Fin.

endoscope Endoscope.

end tailer Amorce de fin.

end titles Générique de fin.

entertaiment Divertissement.

entertainment movie Cinéma de divertissement.

enunciation Énonciation.

epic Forme abrégée de *epic film.*

epic film [epic] Film épique.

episcope É.-U. Épiscope. SYN. *opaque projector* (G.-B.).

EQ Abrév. de *equalization.*

equalization [EQ] Égalisation.

equalizer Égaliseur.

eraser Éraseur (ANGLICISME).

ES Abrév. de *establishing shot.*

escapist film Film d'évasion.

establishing shot [ES] Plan d'ambiance.

ethnographic film Film ethnographique.

exciter lamp Excitatrice, lampe excitatrice, lampe phonique.

executive producer Producteur délégué, producteur exécutif (ANGLICISME).

exhibition Exploitation, projection.

exhibitor Exploitant, exploitant de salles.

experimental film Film expérimental. →
entrée **cinéma expérimental** dans le dictionnaire.

expiry date Date de péremption.

exploitation film Film d'exploitation.

exposure Exposition, impression.

exposure index [EI] Indice de sensibilité,
indice de pose, indice de rapidité, indice
d'exposition.

exposure meter Posemètre. SYN. *light meter*.

EXT Abrév. de *exterior*.

extension ring Bague allonge.

extension tube Tube allonge.

extra Extra.

extra bit player Silhouette.

extract Extrait.

extreme close-up [ECU, XCU] → *big close-up*.

extreme long shot [ELS] Plan général, plan
de grand ensemble.

extreme movie Film extrême.

eyepiece Œilleton.

F

fade Fondu.

fade VERBE Fondre.

fade in Ouverture en fondu.

fade out Fermeture en fondu.

fader Potentiomètre.

fade-to-black Fondu au noir.

fade-to-white Fondu au blanc.

fan Fan (ANGLICISME).

fantastic film Film fantastique. SYN. *fantasy
horror film* → entrée **cinéma fantastique**
dans le dictionnaire.

fantasy horror film Film fantastique. SYN.
fantastic film.

farce → cette entrée dans le dictionnaire.

fast film Film rapide, pellicule sensible.

fast forward Avance rapide.

fast motion Accéléré.

fatty FAMILIER Gras. → cette entrée dans le
dictionnaire.

feature film Long métrage. SYN. *theatrical
film*.

fee Cachet, honoraires (PLUR.), salaire.

feeding Alimentation.

feed magazine Magasin débiteur.

feed plate Plateau débiteur. SYN. *take-off
plate*.

feed spool Bobine débitrice. SYN. *take-off
spool*.

feed sprocket Pignon débiteur.

festivalgoer Festivalier.

fiction Forme abrégée de *fiction film*. Fiction.

fiction film [fiction] Film de fiction.

field Champ.

field chart Mire de réglage.

field curvature Courbure de champ.

fill-in light [fill light] Lumière d'ambiance, lumière bouchage.

fill light Forme abrégée de *fill-in light*.

fill up Complément de programme.

film [1] Bande, pellicule. [2] Cinéma, film.

film VERBE Filmer.

film archives Cinémathèque. SYN. *morgue*
(ARG.).

film buff FAMILIER Cinéphile. SYN. *movie fan*
(FAMILIER). → *moviegoer*.

film counter Métreuse.

film critic Critique de cinéma (métier). SYN.
crix (FAMILIER).

filmdom ARG. Monde du cinéma. → *picturedom*.

film feed Entraînement du film.

film festival Festival de films, festival du
film.

filmic ADJ. Filmique.

filmic text Texte filmique.

film industry Industrie cinématographique,
industrie du cinéma.

film journal Revue de cinéma.

filming Filmage, tournage, prise de vues.
SYN. *shooting*.

film jam Bourrage.

film library Filmothèque.

film made up of sketches Film à sketches.

film magazine Magazine du cinéma.

film-maker [filmmaker] Cinéaste.

film-making [1] Cinéma. [2] → *achievement, production*.

film market Marché du film.

film noir Film noir.

filmography Filmographie.

filmology Filmologie.

film on art Film sur l'art.

film presentation Diffusion (film présenté à
la télévision).

film print Copie film (FAMILIER).
film review Critique d'un film (jugement, commentaire, analyse).
film show Séance.
film size Format (de pellicule).
film society Ciné-club.
film speed Rapidité.
film story Ciné-roman.
film theory Théorie du cinéma.
film transfert Kinescopage.
filmviewer Spectateur (cinéma). SYN. *member of the audience*.
film viewing Vision d'un film.
filter Filtre.
filter density Densité.
filter holder Cadre porte-diffuseur. SYN. *filter mount*.
filter mount ➤ **filter holder**.
final cut Montage final.
financial deal Montage financier.
financing Financement.
finder Viseur.
finding Visée.
fine grain Grain fin.
fine grain master Positif, lavande, marron.
first assistant cameraman ➤ **assistant cameraman**.
first cut ➤ **continuity cutting**.
first generation Première génération.
first part Première partie.
first run Exclusivité.
first screening Sortie (projection). ➤ **release**.
first shooting day Premier tour de manivelle.
fisheye Œil-de-poisson.
fixed grip Poignée fixe.
fix focus Foyer fixe.
fixing Fixage.
fizzle ARG. ➤ cette entrée dans le dictionnaire.
FL Abrév. de *full shot*.
flag Drapeau, coupe-flux. ➤ **elephant ears**.
flam Flam, film flam, film flamme.
flange Flasque.
flap over Inversion droite-gauche.
flapper VX ➤ cette entrée dans le dictionnaire.
flash Flash.
flash-ahead ➤ **flash-forward**.
flash back Flash-back (ANGLICISME), retour en arrière.

flash-forward Saut dans le futur.
flash frame Flash.
flat-bed editing machine Table de montage horizontale. ➤ entrée **Steenbeck** dans le dictionnaire.
flat image Image plate.
flat screen Écran plat.
flick FAMILIER Film.
flicker Scintillement.
fliker fan FAMILIER Cinémaniaque, cinéphage. SYN. *movie fan*.
flickers VX PLUR. ➤ cette entrée dans le dictionnaire.
flicks FAMILIER Cinoche.
flint glass Flint-glass (ANGLICISME).
flip book Feuilleteur.
floating wall Paroi mobile.
floats G.-B. PLUR. Rampe. SYN. *footlights* (É.-U.).
flood lamp Flood, lampe flood, lampe survoltée.
floor mark ➤ **cue mark**.
floor mixer ➤ entrée **mixeur** dans le dictionnaire.
flutter Sautillement.
flying spot Spot analyseur.
focal lenght Distance focale.
focus Foyer, mise au point.
focus VERBE Faire la mise au point.
focusing Mise au point.
focus puller Assistant-caméraman (en Europe).
focus ring Bague de mise au point.
fog Voile.
fog VERBE Voiler.
fog filter Filtre brouillard.
fogging Flashage.
folding chair Fauteuil pliant.
folding grip Poignée escamotable.
Foley artist ➤ cette entrée dans le dictionnaire.
footage Métrage, piétage.
footage counter Compteur, palpeur.
footage machine Machine à piétage.
footage number Numéro de piétage.
foot-candle Bougie-pied.
footlights É.-U. Rampe. SYN. *floats* (G.-B.).
forced developing Développement forcé.
foreground Avant-plan, premier plan.
form Forme.
formalism Formalisme.
four-color process Quadrichromie.

FPF Abrév. de *frames per foot*.

FPS Abrév. de *frames per second*.

fractal image Image fractale.

frame [1] Cadrage, cadre, champ. [2] image, photogramme (reproduction photographique). SYN. *picture frame*. [2] Trame (vidéographie).

frame VERBE Cadrer.

frame by frame Image par image.

frame frequency ➤ *frequency*.

frame line Barre de cadrage, cadre de visée, interimage.

frame pitch Pas de l'image.

framer Appareil de cadrage, dispositif de cadrage.

frame rate ➤ *frequency*.

frames per foot Images au pied.

frames per second Images à la seconde.

framework Trame (histoire).

framing Cadrage.

freeze VERBE Geler.

freeze frame Arrêt sur image, gel d'image, image gelée, plan arrêté. SYN. *stop frame*.

frequency Cadence, fréquence. SYN. *frame frequency, frame rate*.

frequenting Fréquentation.

Fresnel lens Lentille de Fresnel.

front projection Projection frontale.

front stalls G.-B. PLUR. Orchestre. SYN. *orchestra* (É.-U.).

frying nose Friture.

FS Abrév. de *full shot*.

f-stop F-stop.

full screen Plein écran.

full shot [FL] Plan moyen. SYN. *medium shot*.

fuse Fusible.

Futurism Futurisme.

FX [F/X] Abrév. de *special effects*.

G

gaffer Chef électricien.

gafoon ARG. Bruiteur. ➤ *sound effects man*.

gag [1] Gag (ANGLICISME), blague. [2] ➤ cette entrée dans le dictionnaire.

galopping tintypes ANGL. VX ➤ *colored tintypes*.

galvanometer Galvanomètre.

gamma Gamma.

gamma corrector Correcteur de gamma.

gangster film Film de gangsters.

gate Couloir.

gauge Format.

gauze Trame (accessoire).

geared head Tête à manivelles.

gelatin Gélatine, filtre.

gelatin blow-up process Gonflage de gélatine.

general-interest station Chaîne généraliste.

generation Génération.

generator man Groupiste.

Geneva wheel ➤ *Maltese cross*.

genre Genre.

German abstraction Abstraction allemande.

German expressionism Expressionnisme allemand.

glass shot ➤ *Dawn process*.

glycerin Glycérine.

gobo Gobo.

goddess Déesse.

golden age Âge d'or.

Goldwyinism Goldwynisme.

gonzo porn ➤ cette entrée dans le dictionnaire.

gore film Film gore (ANGLICISME).

Gossips Commères.

gost travel Filage.

gothic film Film gothique.

gouache Gouache.

grading G.-B. Étalonnage. ➤ *timing*.

grading card Carton d'étalonnage, fiche d'étalonnage. SYN. *grading sheet*.

grading print G.-B. Copie d'étalonnage, copie «Ô». ➤ *timing print*.

grading sheet ➤ *grading card*.

graduated filter Filtre dégradé.

grain Grain.

graininess Granulation.

grammar of cinema Grammaire cinématographique, grammaire du cinéma.

gramophone Gramophone.

granularity Granularité.

granulometry Granulométrie.

graphite Graphite.

greed Avidité, cupidité. ➤ cette entrée dans le dictionnaire.

green N. Vert.

grid Gril.

grind house ARG. Cinéma permanent.

grip Machiniste.

gross Forme abrégée de *gross profits*.
gross profits PLUR. → *box office receipts*.
ground glass viewfinder Dépoli.
guide track Son témoin.
gunlike camera Fusil photographique.
gyro head Tête gyroscopique.

H

haemoglobin Hémoglobine.
hairdresser Coiffeur.
halation Effet de réflexion.
halogen Lampe halogène.
hand camera Caméra portable.
H & D curve Courbe H et D, courbe sensitométrique.
handgrip Crosse, poignée. → *handle*.
hand-held shot Plan à l'épaule.
handle Manche, manivelle, poignée. → *handgrip*.
handmade film SYN. *direct animation*. → *noncamera film*.
hand-painted Coloriage à la main.
happy ending Happy end (ANGLICISME).
hard ADJ. Dur.
hardening Durcissement, tannage.
hardtop ARG. Salle de cinéma. SYN. *Kodak cathedral* (ARG.). → *movie house*.
hardware Matériel (informatique), hardware.
has-been Fini. → cette entrée dans le dictionnaire.
Hays Code Code Hays.
haze Voie atmosphérique, voile de lointain.
haze filter Filtre brouillard.
head Tête.
head demagnetizer Démagnétiseur.
head grip → *key grip*.
head lock Verrouillage principal.
headphones PLUR. Écouteurs.
headset Casque d'écoute.
head tailer Amorce de début.
Heimlich film → cette entrée dans le dictionnaire.
helmer ARG. → cette entrée dans le dictionnaire.
hero Héros.
heroic fantasy Épopée fantastique.
heroine Héroïne.
hertz Hertz.

hertzian network Réseau hertzien.
hertzian television Télévision hertzienne.
hi-cat Pied court.
hick pic ARG. Film de cow-boys, western (ANGLICISME). SYN. *oater, oaters opera*. → *western*.
high-angle shot → *down shot*. SYN. *hight shot*.
high contrast Haut contraste.
high definition Haute définition.
high definition television Télévision à haute définition.
high fidelity Haute fidélité.
high key High key (ANGLICISME).
high-speed camera Caméra G.V., caméra ultrarapide.
high-speed film Pellicule très rapide.
HMI HMI, lampe HMI.
historical film Film historique.
Hi-wood ARG. Hollywood. SYN. *movie village* (FAMILIER).
hold take Prise retenue.
Hollyrom Hollyrom. → cette entrée dans le dictionnaire.
Hollywood Foreign Press Association Association de la presse étrangère d'Hollywood. → entrée **Golden Globes** dans ce dictionnaire.
Holocaust film Film d'Holocauste.
hologram Hologramme.
holographic movie Cinéholographie.
home movie Film familial.
honey wagon ARG. → cette entrée dans le dictionnaire.
horizontal bars PLUR. Bretelles, barres horizontales.
horror film Film d'épouvante, film d'horreur, film de terreur. SYN. *slice-and-dice film* (ARG.), *splatter film* (ARG.).
horse Herse, lyre.
horse opera ARG. Film de cow-boys, western (ANGLICISME). SYN. *oater, oats opera*.
hot ADJ. Chaud.
housing Carter.
hunter ARG. → cette entrée dans le dictionnaire.
hyperfocal distance Distance hyperfocale.
hypermedia Hypermédia.
hypersensitising Hypersensibilisation.
hyposulfite Hyposulfite.

I

iconic NÉOLOGISME Iconique.

identification Identification.

idle roller Galet libre.

illumination Éclairement.

image Image. SYN. *picture*.

image bank Banque d'images. SYN. *picture bank*.

image processing Traitement de l'image.

image track Bande image.

imaginary line Ligne imaginaire.

Impressionists PLUR. Impressionnistes.

improvisation Improvisation.

inbetween Intervalle, intervallisme.

inbetweener Intervalliste.

inch [inches] Pouce [pouces].

inches per second [IPS] → cette entrée dans le dictionnaire.

incident light Lumière incidente.

in competition En compétition.

incunabulum Incunable.

independent [indie] N. Indépendant.

independent feature Film indépendant. SYN. *independent film, maverick*.

independent film [indie, indie film] → *independant feature*. SYN. *maverick*.

independent film-maker (ou *filmmaker*) *[indie, indie film-maker* (ou *filmmaker*)*]* Indépendant, cinéaste indépendant.

independent producer producteur indépendant.

independents PLUR. Indépendants.

indie [1] Forme abrégée de *independent*. [2] Forme abrégée de *independent film, indie film-maker* (ou *filmmaker*).

indie circuit Circuit indépendant.

indie film Forme abrégée de *independent film*.

indie film-maker (ou *filmmaker*) Forme abrégée de *independent film-maker* (ou *filmmaker*).

infinity Infini.

inflammable ADJ. Inflammable.

influence Influence.

in focus Netteté. SYN. *sharp*.

information superhighway Autoroute de l'information.

infrared Infrarouge.

infrasound Infrason.

ingénue Ingénue.

inky-dinky Inky dinky (ANGLICISME).

in line En ligne.

in-line editing Montage en ligne.

in-line multimedia Multimedia en ligne.

insert Forme abrégée de *insert shot*. Insert.

insert shot [insert] Insert image.

insert title Insert, insert titre.

insert titles PLUR. Carton, intertitre. SYN. *intertitles*.

insurance Assurance.

insurance print Bande de sécurité.

interactive movie Cinéma interactif.

interactive television Télévision interactive.

interactivity Interactivité.

interference Brouillage, parasites (PLUR.).

interior Intérieurs (PLUR.).

intermediate Copie intermédiaire.

intermission Entracte.

intermittent movement Mouvement intermittent.

International Critic's Week Semaine internationale de la critique.

international track Bande internationale. SYN. *M and E*.

internegative Internégatif, négatif intermédiaire.

interpositive Copie marron (pour le noir et blanc), interpositif, positif intermédiaire. → *B & W dupe positive*.

intertitles PLUR. → *insert titles*.

in the can Dans la boîte.

introducing Pour la première fois à l'écran.

introduction Présentation.

inversion Inversion.

invisible cutting Montage invisible. SYN. *invisible editing*.

invisible editing → *invisible cutting*.

involvement Participation.

iris Iris.

irisation Irisation.

iris-in Ouverture en iris.

iris out Fermeture à l'iris.

iron oxide Oxyde de fer.

irradiation Halo de dispersion, halo d'irradiation.

itgirl ARG. → cette entrée dans le dictionnaire.

J

jack Fiche.

jitter Instabilité.

joint production ➤ *coproduction*.

juice ARG. Jus.

juice gang ARG. ➤ cette entrée dans le dictionnaire.

jump Saute.

jump cut Faux raccord.

junket Voyage éclair.

K

K K (pour kelvin).

karate film FAMILIER Film-karaté. ➤ *kung fu film*.

Kelvin scale Unité de mesure kelvin. ➤ entrée **kelvin** dans le dictionnaire.

key animation ➤ cette entrée dans le dictionnaire.

key grip Chef machiniste.

key light Key light (ANGLICISME), lumière de base.

keystoning Distorsion trapézoïdale.

kidpix ➤ *kids cinema*.

kids cinema Cinéma pour enfants. SYN. *kidpix* (FAMILIER).

kinescope Kinescope. SYN. *tape-to-film transfer*.

Kinetoscope Cinétoscope, Kinétoscope.

Kino-Eye Ciné-Œil.

knee shot Plan italien.

knob-twister ARG. Chef opérateur du son, ingénieur du son. ➤ *sound man*.

Kodak cathedral ARG. Salle de cinéma. SYN. *hardtop* (ARG.). ➤ *movie house*.

Kuleshov effect Effet Koulechov.

kung fu film Film de kung-fu, film-karaté. SYN. *karate film* (FAMILIER).

L

lab Forme abrégée de *laboratory*. Labo.

laboratory (lab) Laboratoire.

laboratory effects PLUR. Effet de laboratoire.

lacquering Laquage.

lamp Lampe.

lamp house Lanterne. SYN. lantern.

lamp rack Panneau.

language Langue.

lantern ➤ *lamp house*.

lap dissolve ➤ *cross dissolve*.

large syntagmatic Grande syntagmatique.

Larsen effect ➤ *acoustic feedback*.

laser Laser.

laserdisk Disque laser.

latensification Latensification.

latent image Image latente.

lavalier microphone Micro-cravate.

lavender print Copie lavande.

laying Dédoublage, dégroupage.

layout Découpage (en cinéma d'animation).

layout designer Maquettiste.

layout man Dessinateur de fonds.

leader Forme abrégée de *projection leader*.

leading role Première rôle, rôle principal.

Legion of Decency Légion de la décence, Ligue de la décence.

lenght Amplitude.

lens Lentille, objectif.

lens adapter Bague d'accouplement.

lens cap Bouchon d'objectif.

lens turret Tourelle, tourelle d'objectif.

lenticular embossed screen Écran gaufré, écran lenticulaire, écran prismatique.

letterbox Écran panoramique. SYN. *widescreen*.

level Niveau.

library shot Plan d'archives. SYN. *stock shot, stock footage*.

light Éclairage, lumière.

light VERBE Éclairer.

light balancing filter Filtre de conversion.

lighting Éclairage.

lighting effects PLUR. Effets lumineux, jeux de lumière.

lighting engineer Éclairagiste.

light intensity Intensité lumineuse.

light measure Mesure de lumière.

light meter ➤ *exposure meter*.

light source Source lumineuse.

light valve Modulation de lumière, relais optique.

lily Charte. SYN. *color chart*.

limpet ➤ cette entrée dans le dictionnaire.

line [1] Ligne (en télévision). [2] É.-U. Queue. SYN. *queue* (G.-B.). [3] Réplique.

linear editing Montage linéaire.

line producer Directeur de production. SYN. *production manager, unit manager* (RARE).

lip-sync Forme abrégée de *lip synchronisation*.

lip-sync band Bande synchro.

lip synchronisation (lip sync) Synchronisation labiale (RARE).

liquid crystal display Écran à cristaux liquides.

liquid gate printing Tirage humide, tirage par immersion.

little guy Producteur indépendant (États-Unis).

live En direct.

live action short film Court métrage de fiction. Ce terme est une appellation officielle dans l'industrie américaine.

live shooting Tournage sur le vif.

live sound Son direct.

livestock show ARG. Audition. ➔ *screen test*.

living allowance Allocation quotidienne. ➔ *living expenses*.

living expenses Frais de séjour. ➔ *living allowance*.

loading Armement (RARE), chargement.

loading slot Fente de chargement.

location Site.

location manager Régisseur d'extérieurs.

locations PLUR. Repérage.

log Forme abrégée de *log sheet*.

log sheet ➔ *continuity sheet*.

long shot [LS] Plan d'ensemble.

loop Boucle.

loop film Film en boucle.

looping Mise en boucle.

loudspeaker Haut-parleur. SYN. *speaker*.

loudspeaker baffle Enceinte acoustique.

low-angle shot Contre-plongée.

low contrast Faible contraste.

low-contrast original Original bas contraste. ➔ entrée **film inversible** dans le dictionnaire.

lower loop Boucle inférieure.

LS Abrév. de *long shot*.

lubricating Lubrification.

lumen Lumen.

luminance Luminance.

lumination Lumination.

luminous flux Flux lumineux.

lux Lux.

luxmeter Luxmètre.

lyricist Parolier.

M

maccarthysm Maccarthysme.

machine Machine.

macrocinematography Macrocinématographie.

magazine Chargeur.

magenta Magenta.

magic Magie.

Magic Carpet Tapis magique.

magic lamp Lampe magique.

magnate Magnat. SYN. *tycoon*.

magnetic master Bande mère, son mixé. ➔ *master tape*.

magnetic sound Son magnétique.

magnetic stripping Pistage.

magnetic tape Bande magnétique, ruban magnétique (ANGLICISME).

magnifying glass Loupe.

magoptic Magoptic (ANGLICISME).

main character Personnage principal.

make-up Maquillage.

making of… Making of… (ANGLICISME).

main feature Film principal. SYN. *A-picture*.

Maltese cross Croix de Malte. SYN. *Geneva wheel*.

M and E Abrév. de *Music et Effects Track*.

mapping Mappage.

marxism Marxisme.

mask [1] Masque (tirage). [2] Masque (maquillage).

master Copie-mère.

masterpiece Chef-d'œuvre.

master tape Bande mère (doublage et post-synchronisation).

matinée Matinée.

matrix Matrice.

matte box Porte-diffuseurs, porte-filtres.

matte screen Écran mat.

maverick ➔ *independent feature*. SYN. *independent film*.

maxibrute Maxibrute (ANGLICISME).

MCS Abrév. de *medium close shot*.

MDS Sigle de *multipoint distribution system*.

meaning Sens.

media Média.

media art Art médiatique.

media industry Industrie des médias, industrie de la communication, industrie des communications.

medium close shot [MCS] Plan américain serré, plan rapproché. ➤ *american shot, medium close up, two-shot.*

medium close up Plan rapproché, plan de taille, plan poitrine. SYN. *medium close shot.*

medium-length film Moyen métrage.

medium lens Focale moyenne, focale normale, moyen foyer.

medium long shot [MLS] Plan de demi-ensemble [plan demi-ensemble].

medium shot [MS] ➤ *full shot.*

megaphone Mégaphone, porte-voix.

megascope Mégascope.

megger ARG. Réalisateur. SYN. *director.* ➤ *film-maker.*

melodrama Mélodrame.

member of the audience ➤ *filmviewer.*

Men With Beards ➤ entrée **Barbus** dans le dictionnaire.

metallic screen Écran aluminisé, écran métallique.

metal mount Armature métallique.

Method (the) La Méthode. ➤ entrée **Actors Studio** dans le dictionnaire.

metonymy Métonymie.

Metrocolor Métrocolor.

mic Abrév. de *microphone.* Micro. SYN. *mike.*

mickey Mickey (ANGLICISME).

Mickey Mouse Mickey la Souris.

microcinematography Microcinématographie.

microphone Microphone.

mike FAMILIER Micro. ➤ *mic.*

mike monkey ARG. Perchiste. ➤ *boom man.*

military drama Drame militaire. ➤ entrée **cinéma militaire** dans le dictionnaire.

miniature Maquette. SYN. *model.*

minibrute Minibrute (ANGLICISME).

minicam Mini-caméra.

minor figure Second couteau.

mirror Miroir.

mirroshutter Obturateur réflex.

mise-en-scène Mise en scène.

mix [mixing] Mixage. ➤ *dubbing.*

mix VERBE Mixer.

mix dissolve ➤ *cross fade.*

mixer Mixeur.

mixing ➤ *mix.*

mixing booth Salle de montage. SYN. *aquarium* (ARG.).

mixing console Console de mixage. SYN. *tea-wagon* (ARG.).

MLS Abrév. de *medium long shot.*

mobile camera Caméra mobile.

model ➤ *miniature.*

modeling Modélisation.

modem Modem.

modulation Modulation.

mogol [mogul] ARG. É.-U. Magnat, nabab. ➤ *tycoon.*

monitor Écran (du téléviseur), écran de visualisation, écran témoin. ➤ entrée **moniteur** dans le dictionnaire.

monitor loudspeaker Haut-parleur témoin.

monochromatic light Lumière monochromatique.

monochromatic print Film monochromatique.

monochrome Monochrome.

monopack Monopack.

monster movie Film de monstres.

monstration Monstration.

montage Montage. ➤ entrée **montage** dans le dictionnaire.

montage of attractions Montage des attractions.

mood Ambiance.

morgue ARG. Cinémathèque. ➤ *film archives.*

morph Morph.

morphing Morphage.

motion control ➤ *automate.*

motor Moteur.

"Motor!" «Moteur!»

mount Monture.

mountain film Film de montagne.

movement Déplacement.

movement-image Image-mouvement.

movie [1] Cinéma. [2] Film. [3] G.-B. Salle de cinéma. [4] Séance de cinéma.

movie buff Cinémaniaque, cinéphage. SYN. *film buff.* ➤ *movie fan.*

movie fan Cinémaniaque, cinéphage. SYN. *flicker fan* (FAMILIER). ➤ *movie buff.*

moviegoer Amateur de cinéma, amateur de films, cinéphile.

movie house Cinéma, salle de cinéma. SYN. *hardtop* (ARG.), *Kodak cathedral* (ARG.), *movie theater* (É.-U.), *picture house* (FAMILIER), *pic spot* (FAMILIER). ➤ *movie.*

movie palace Palace (ANGLICISME).

movie theater É.-U. ➤ *movie house.*

movie village FAMILIER Hollywood. SYN. *Hiwood* (ARG.).

MS Abrév. de *medium shot.*

multi-image Multi-image, multiple image. SYN. *split screen.*

multimedia Multimédia.

multiplane Animation multiplane.

multipoint distribution system (MDS) Système de distribution multipoint, système de télédistribution multidirectionnelle.

music Musique.

musical editing Montage musical.

musical short Court métrage musical.

music composer Compositeur.

music editing Composition sonore, montage sonore.

musician Musicien.

music mixer ➤ entrée **mixeur** dans le dictionnaire.

mute part Rôle muet.

mutte print Copie muette.

mystery film Film à suspense.

myth Mythe.

N

narration Narration.

narrative film Film narratif.

National Film Board of Canada Office national du film du Canada.

naturalism Naturalisme.

navigation Navigation.

NC17-rated ➤ cette entrée dans le dictionnaire.

negative Film négatif, image négative, négatif (N.) ➤ *negative film.*

negative cutting ➤ *conforming.*

negative film Film négatif. ➤ *negative.*

negative perforation Perforation Bell and Howell, perforation BH.

neighborhood movie house É.-U. Cinéma de quartier.

neon Néon.

Neorealism Néoréalisme.

neutral density filter Filtre gris, filtre neutre.

neutral image Image neutre.

New German Cinema Nouveau cinéma allemand.

newsflash Flash (ANGLICISME), nouvelle-éclair.

newsreel [news reel] Actualités.

newsreel cameraman Opérateur d'actualités.

New Wave Nouvelle Vague.

nickelodeon Nickelodéon (ANGLICISME).

night Nuit.

night for night [nite for nite] Nuit réelle.

nite for nite ➤ *night for night.*

nitrate Nitrate.

nodal point Point nodal.

noise reduction Réduction de bruit.

nomination Nomination (ANGLICISME).

noncamera animation Animation sans caméra. ➤ *direct animation, handmade film.*

nonfiction film Film de non-fiction.

non flam Non flam.

non-flammable ADJ. Ininflammable.

nonlinear editing Montage virtuel. SYN. *ramdom access editing.*

non-professional Non professionnel (N.).

non-professional actor Acteur amateur.

nonsense Non-sens.

nonsynchronous ADJ. Non synchrone.

normal angle Angle normal.

normal focus Foyer normal.

notch Encoche.

novelization ➤ cette entrée dans le dictionnaire.

nudie VX. Film nudiste. SYN. *skinflick* (ARG.).

nuts-and-bolts film FAMILIER Film industriel.

O

oater ARG. Film de cow-boys, western (ANGLICISME). SYN. *hick pic* (ARG.), *oaters opera* (ARG.).

oaters opera ARG. Film de cow-boys, western (ANGLICISME). SYN. *hick pic* (ARG.), *oater.*

object animation Animation d'objets.

objective camera Caméra objective.

oblique angle Angle oblique.

off Arrêt. SYN. *stop.*

off-line editing Montage hors ligne.

off-line multimedia Multimédia hors-ligne.

off-screen Hors-champ, son off, voix off.

omnidirectional microphone Microphone omnidirectionnel.

180-degree rule Loi des 180 degrés.

one-light print Lumière unique.

one-shot ➤ cette entrée dans le dictionnaire.

one turn, one picture Tour de manivelle.

on location ➤ cette entrée dans le dictionnaire.

opacity Opacité.

opaque Opaque.

opaque projector G.-B. Épiscope. ➤ *épiscope*.

open VERBE Ouvrir.

open a mic FAMILIER Ouvrir un micro. SYN. *crack a mike* (ARG.).

opening night Première.

open titles Générique de début.

opera film Film d'opéra.

operating cameraman Cadreur. SYN. *camera operator, operator*.

operator [1] Cadreur. SYN. *camera operator. operating cameraman*. [2] Opérateur (FAMILIER). [3] Opérateur (société).

optical Optique.

optical cable Câble en fibre optique.

optical distortion Distorsion optique.

optical effects PLUR. Effets optiques.

optical fiber Fibre optique.

optical printer Tireuse optique.

optical printing Tirage optique.

optical reader Lecteur optique.

optical slit Fente de lecture. SYN. *sound gate, sound scanning slit*.

optical sound Son optique.

optical sound track Piste optique photographique.

orchestra É.-U. Orchestre. SYN. *front stalls* (G.-B.).

organ Orgue.

original negative Négatif original.

original score Bande originale du film.

original script Scénario original.

original sound Son original.

original title Titre original.

original version Version originale.

ortho Forme abrégée de *orthochromatic print*.

orthochromatic print (ortho) Film orthochromatique.

Oscar Oscar.

outline Argument.

out of frame Décadrage.

out-of-focus Flou.

out-of-sync Désynchronisation.

outside-broadcasting van Car de reportage, cinébus.

out-take Prise refusée.

overdevelop VERBE Pousser.

overdevelopment Surdéveloppement.

overexposure Surexposition. SYN. *burning up* (FAMILIER).

overlap Chevauchement.

overload Surcharge.

overspending [overspend on budget] Dépassement.

overspend on budget ➤ *overspending*.

over-the-shoulder shot Amorce.

oxidation Oxydation.

ozoner ARG. Ciné-parc (ou cinéparc) (QUÉBÉCISME), drive-in (ANGLICISME). ➤ *drive-in*.

P

package Package.

p(a)edophile movie Film pédophile. SYN. *chicken porn film* (ARG.).

painting Gouachage.

pan Forme abrégée de *pan shot*.

pan VERBE Panoramiquer.

panchromatic print Film panchromatique.

panoramic screen Écran panoramique.

pan shot (pan) Panoramique horizontal.

paper to paper Fil à fil.

paradigm Paradigme.

parallax Parallaxe.

parallel É.-U. Praticable. ➤ *rostrum*.

parallel cutting Montage parallèle. SYN. *parallel editing*.

parallel editing ➤ *parallel cutting*.

parody Parodie.

part RARE Emploi (interprétation).

partners PLUR. Partenaires.

passband Bande passante.

pastedboard Carton-pâte (VX).

pattern Motif.

pause Pause. ➤ *stop action*.

paying off Amortissement.

pay-per-view Paiement à la séance.

pay tv Télévision à péage.

pearl screen Écran perlé.

peplos Péplum.

perforated screen Écran perforé.

perforation Perforation. SYN. *sprocket hole*.

perforation pitch Pas des perforations.

perform VERBE Interpréter, jouer. SYN. *act, play*.

performance [1] Interprétation, prestation. [2] Présentation, représentation.

performer Comédien, interprète.

period Période.

period film Film d'époque.

periodic effects PLUR. Phénomènes périodiques.

periscope Périscope.

persistence of vision Persistance rétinienne.

perspective Perspective.

phase Phase.

phenomenology Phénoménologie.

phi effect [phi phenomenon] Effet «phi».

phi phenomenon ➤ **phi effect**.

phonograph Phonographe.

photocell Forme abrégée de *photoelectric cell*.

photoelectric cell (photocell) Cellule photoélectrique.

photo-electric meter Photomètre. SYN. *photometer*.

photoflood Photoflood (ANGLICISME).

photogenic ADJ. Photogénique. ➤ entrée **photogénie** dans le dictionnaire.

photography Photographie.

photokinesis Photokinésie.

photometer ➤ **photo-electric meter**.

photometry Photométrie.

photoplay [1] Film. ➤ cette entrée dans le dictionnaire. [2] Scénario. SYN. *script, screenplay*.

physical reading Lecture mécanique.

pic actor FAMILIER Acteur (de cinéma). ➤ *actor*.

pic biz FAMILIER Industrie du cinéma. ➤ *film industry*.

pic factory FAMILIER Studio. ➤ *studio complex*.

pic spot FAMILIER Salle de cinéma. SYN. *picture house* (FAMILIER). ➤ *movie house*.

picture ➤ *image*. [2] film.

picture bank ➤ *image bank*.

picturedom FAMILIER Monde du cinéma. ➤ *filmdom*.

picture frame ➤ *frame* [2].

picture house FAMILIER Salle de cinéma. SYN. *pic spot* (FAMILIER). ➤ *movie house*.

picture negative Négatif image.

picture positive Positif image.

pigment Pigment.

pilot frequency ➤ *control frequency*.

pilot movie Film pilote.

pilotone Piloton.

pilot program Émission pilote.

pilot tone Signal pilote.

pin ➤ *claw*.

pinhole Sténopé.

pink cinema ➤ cette entrée dans le dictionnaire.

pink version Version rose.

pin screen Écran d'épingles.

pin up girl Pin up.

piracy Piratage.

pix FAMILIER Cinéma.

pixel Pixel (ANGLICISME).

pixilation Pixilation.

plane glass Glace optique.

plasterer Staffeur.

plastic coating Plastification.

plates PLUR. Plateaux.

plausible ADJ. Vraisemblable.

play ➤ *acting*.

play VERBE ➤ act. SYN. *perform*.

playback Play-back (ARG.), présonorisation. ➤ *pre-scoring*.

plot Intrigue.

plugging Branchement.

poetic cinema Cinéma poétique.

poetic realism Réalisme poétique.

point of view Point de vue.

point of view shot Plan subjectif.

polarization Polarisation.

pola-screen Filtre polarisant.

Policy of authors Politique des auteurs.

polish VERBE Polir (un scénario).

polishing ➤ *descratching*.

polish out VERBE Dérayer, polir.

political drama Drame politique. ➤ entrée **cinéma politique** dans le dictionnaire.

polyester Polyester.

popcorn Pop-corn.

porn film Forme abrégée de *pornographic film*.

pornographic film (porn film) Film pornographique. SYN. *adult film, blue movie*.

pornography Pornographie.

positive Film positif, image positive.

positive cutter Monteur positif.

positive cutting Montage positif.

positive film Film positif.

positive perforation Perforation Kodak, perforation KS.

poster Affiche.

poster designer Affichiste.

postflashing Postflashage.

postproduction Postproduction.

postrecording Postsonorisation.

postsync Forme abrégée de *postsynchronisation*. Postsynchro.

postsynchronisation [postsync] Postsynchronisation.

POV Abrév. de *point of view*.

power adaptor Alimentation secteur, bloc d'alimentation.

power supply Alimentation. SYN. *power unit*.

power unit ➤ *power supply*.

preamplifier Préamplificateur.

predub Prémixage. SYN. *premix*.

preflashing Préflashage.

premix ➤ *predub*.

preproduction Préproduction.

prequel ➤ cette entrée dans le dictionnaire.

pre-recorded En différé. SYN. *recorded*.

pre-sale ➤ *advance sale*.

pre-scoring ➤ *playback*.

presence Présence.

presentation Présentation.

press agent Attaché de presse. SYN. *publicist*.

press book Press-book (ANGLICISME). ➤ entrée **press-book** dans le dictionnaire.

press kit Cahier de presse, press-book (ANGLICISME).

pressure plate Cadre presseur, presse-film, presseur.

pre-timing Préminutage.

preview [1] Bande-annonce, film-annonce. SYN. *trailer*. [2] Avant-première. [3] ➤ cette entrée dans le dictionnaire.

primary colors PLUR. Couleurs primaires.

primary sources PLUR. Sources primaires (lumière).

prime lens Objectif primaire.

print Copie.

printer Tireuse.

printing Tirage.

print-light Lumière (d'une tireuse).

print-through Effet d'écho.

prism Prisme.

prison film Film de prison.

private-eye Privé.

private-eye film ➤ *detective film*.

private screening Projection privée.

prize Prix.

prize-winning Primé (ADJ.).

processing Traitement du film. ➤ *developing*.

producer Producteur.

production [1] Réalisation, mise en scène. ➤ *achievement, film-making*. [2] Production.

production accountant Administrateur.

production department Régie, service de production.

production designer ➤ *art director*.

production management Régie.

production manager ➤ *line producter*. SYN. (RARE): *unit producer*.

production report Rapport de production.

production schedule Plan de travail.

production secretary Secrétaire de production.

production unit Équipe de production, équipe principale.

production year Date de production, année de production.

professional Professionnel (N.).

program (1) Programme. ➤ *schedule*.

program (2) É.-U. VERBE Programmer (appareil sonore). SYN. *programme* (G.-B.).

programme G.-B. VERBE ➤ *program*.

programmer [1] ➤ *booker*. [2] ➤ cette entrée dans le dictionnaire.

programming ➤ *booking*.

progressive titles PLUR. Titres progressifs.

projection Projection.

projection aperture Fenêtre de projection. SYN. *projection gate*.

projection axis Axe de projection.

projection booth Cabine de projection.

projection gate ➤ *projection aperture*.

projectionist Projectionniste.

projection leader Amorce. SYN. *spacer*.

projector Appareil de projection, projecteur.

projector head Bloc optique.

promotion Lancement (d'un film). ➤ entrée **promotion** dans le dictionnaire.

prompter Souffleur.

prompter system Télésouffleur.

prop Forme abrégée de *property*.

propaganda film Film de propagande.

property (prop) Accessoire.

property man (prop man) Accessoiriste.

prop man Forme abrégée de *property man*.

prop room Entrepôt d'accessoires.

protagonist Protagoniste.

protective coating Traitement multicouche.

psychodrama Psychodrame.

psychotronic film Film psychotronique.

publicist → *press agent*.

publicity department Département de publicité (ANGLICISME). → entrée **publicité** dans le dictionnaire.

public service channel Chaîne publique.

pull-down claw Griffe d'entraînement.

pulse lamp Lampe pulsée.

punch Encocheuse, poinçonneuse.

puppet Marionnette.

puppet animation Animation de marionnettes.

puppet film Film de marionnettes.

pure cinema Cinéma pur.

purveyor Fournisseur.

push-button release Bouton-pressoir de mise en marche.

push off Chassé, effet de chassé. SYN. *pushover*.

pushover → *push off*.

pyrotechnics PLUR. Pyrotechnie.

Q

quarter-inch tape Bande quart de pouce.

quartz Quartz. → *crystal sync*.

quartz lamp Lampe à quartz.

Quebecois Direct Cinema Cinéma direct québécois.

queer cinema Cinéma homosexuel.

queue G.-B. Queue. SYN. *line*.

quickies ARG. PLUR. → cette entrée dans le dictionnaire.

quota Quota.

R

rack-over camera Caméra à crémaillère.

rack-over system Système à crémaillère.

radiosity Radiosité.

rain effect Effet de pluie.

ramdom access editing → *nonlinear editing*.

rangefinder Télémètre. SYN. *telemeter*.

ratings PLUR. Audience.

ray-tracing Lancé de rayons (RARE), tracé de rayons.

reading Lecture.

"ready for shooting" «Prêt à tourner».

real image Image réelle.

realism Réalisme.

reality effect Effet de réalité.

rear projection → *back projection*.

reciprocity failure Écart de réciprocité.

recorded → *pre-recorded*.

recording Enregistrement. → *sound recording*.

recording studio → *auditorium*.

record library Discothèque, musicothèque.

red N. Rouge.

reduction print Copie de réduction, copie réduite, film réduit.

reduction printing Réduction.

reflected light Lumière réfléchie.

reflection law Loi de réflexion.

reflector Diffuseur, réflecteur (projection).

reflector board Diffuseur (éclairage), panneau diffuseur, réflecteur, panneau réflecteur.

refraction index Indice de réfraction.

refraction law Loi de réfraction.

reframing Recadrage.

register VERBE Registrer (ANGLICISME).

registration of copyright Dépôt légal.

registration pin Contre-griffe.

rehearsal Répétition.

release [1] Diffusion, distribution. [2] Sortie (d'un film).

release date Date de sortie.

release print Copie d'exploitation, copie de série, copie standard.

releaser → *distributor*.

release title Titre de sortie.

releasing organization Distributeur, maison de distribution.

religious film Film religieux.

remanence Rémanence.

remote control Télécommande.

rendering Rendu.

repertory film Film de répertoire.

repertory theater Cinéma de répertoire.

repolishing Repolissage.

report Rapport.

reporter Reporter, reporter caméraman. SYN. *reporter cameraman*.

reporter cameraman → *reporter*.

reporting → *coverage*.

report sheet Conduite de montage.

representation Représentation.

reproduction Reproduction.

re-recording Réenregistrement.

re-recording mixer → *dubbing mixer*.

rerelease Reprise. SYN. *rerun*.

rerun → *rerelease*.

researcher Recherchiste.

resolution → *definition*.

resolution chart Mire de définition.

resolution power Pouvoir de résolution, pouvoir résolvant.

resolving power Pouvoir de séparation, pouvoir séparateur,

resonance Résonance.

retake [1] Reprise (tournage). [2] Nouvelle prise, plan refait, reprise. → entrée **retake** dans le dictionnaire.

reticle Réticule.

retrofocus lens Rétrofocus.

retrospective Rétrospective.

reverberation Réverbération.

reversable film Film inversible.

reverse action Inversion.

reverse angle Contrechamp.

rewinding Réenroulement, rembobinage, rembobinement.

RGB RVB.

rhetoric of the image Rhétorique de l'image.

rhythm Rythme.

ribbon RARE Ruban.

"rich and famous" → cette entrée dans le dictionnaire.

road movie Road movie (ANGLICISME), film d'errance (RARE).

rock documentary Documentaire rock.

role RARE Emploi.

roll Galette.

roller Galet.

roller titles PLUR. Déroulant, titres roulants. SYN. *rolling titles*.

rolling titles PLUR. → *roller titles*.

romance Film d'amour.

rostrum G.-B. Praticable. → *parallel*.

rotoscope Rotoscope.

rough cut Bout à bout.

roughies PLUR. → cette entrée dans le dictionnaire.

royalties PLUR. Droits, redevances.

rubbishy Navet.

run Défilement. → *scrolling*.

runaway production → cette entrée dans le dictionnaire.

running gag Gag à répétition.

running time Durée.

run through Filage.

S

safe film Forme abrégée de *safety film*.

safety base Support de sécurité.

safety film (safe film) Copie de sécurité.

salad ARG. Bourrage.

satellite Satellite.

satellite dish Antenne parabolique (TV).

saturation Saturation.

saturday night movie Cinéma du samedi soir.

scanner Scanner (ANGLICISME), scanneur.

scanning Scannage.

scanning print Copie numérisée.

scene Scène.

scene dock Entrepôt de décors.

scenography Scénographie.

schedule Programme.

schüfftan process Procédé Schüfftan.

science-fiction film (sci-fi film) Film de science-fiction.

science film Film scientifique.

sci-fi film Forme abrégée de *science-fiction film*.

scissors Ciseaux.

scoop Bol.

Scope Forme abrégée de *CinemaScope*. Scope.

score Composition.

Scotchlite process Procédé Scotchlite.

scrambling Cryptage, embrouillage.

scratches PLUR. Rayures.

scratch-video Scratch vidéo (ANGLICISME).

screen Écran.

screen VERBE Visionner (critique). → *view prints*.

screening Séance de cinéma.

screening room Salle de projection.

screen mask Cache.

screenplay Scénario. SYN. *script, photoplay* (VX).

screen test Audition, bout d'essai. SYN. *live-stock show* (ARG.).

screenwriter Scénariste.

screwball comedy Comédie fantaisiste, comédie loufoque.

scrim Écran réflecteur.

script [1] Découpage, script (ANGLICISME). SYN. *shooting script*. [2] → *screenplay*.

script doctor Consultant en scénario.

script girl ⇀ *continuity clerk*.

scriptwriter ⇀ *screenwriter*.

scrolling Défilement (en audiovisuel).

scrubbing Décapage.

S distortion Distorsion en S.

secondary sources PLUR. Sources secondaires (lumière).

second banana ARG. Rôle secondaire. ⇀ *supporting role*.

second fiddle FAMILIER Second violon.

second generation copy Copie de seconde génération.

second unit Deuxième équipe.

selection Sélection.

selection committee Comité de sélection.

selenium Sélénium.

self-blimped Autoblimpé.

semiology of the cinema Sémiologie du cinéma.

semiotics Sémiotique.

semiotics of the cinema Sémiotique du cinéma.

sensitive layer Couche sensible.

sensitivity Sensibilité.

sensitogram Sensitogramme.

sensitometer Sensitomètre.

sensitometry Sensitométrie.

sensor [1] Palpeur. [2] Capteur.

separating printing Sélection.

separation master Tirage par extraction.

sequel Film de série, suite.

sequence [1] Épisode. [2] Séquence.

sequence shot Plan-séquence.

serialization Adaptation en feuilleton (TV).

serial-killer movie Film de psycho-killer.

server Serveur.

servo control Servocommande.

set [1] Décor. [2] Plateau de cinéma, studio.

set decorator Ensemblier.

setting-up Plantation du décor.

sex appeal Sex-appeal (ANGLICISME).

shadow Ombre.

share Participation.

sharp ⇀ *in focus*.

sharpness Piqué.

shedding ⇀ *deposit*.

sheet Feuille.

shoot VERBE Tourner.

shooting ⇀ *filming*.

shooting ratio Rapport de métrage.

shooting script Découpage technique. ⇀ *script* [1].

short Forme abrégée de *short film*.

short film (short) Court métrage. SYN. *short subject*.

short focal-lenght lens Courte focale.

shortie ARG. Court métrage.

short subject ⇀ *short film*.

shot Plan. SYN. *cut*.

shotgun microphone Micro canon.

shot number Numéro de plan.

shot-reverse shot Champ-contrechamp.

show Spectacle.

show business Industrie du spectacle.

showing Passage.

shrinkage Retrait.

shunt VERBE Fondre.

shunter Shunter (ANGLICISME).

shutter Obturateur.

shutter blackout Obturation.

shutter blade Lame d'obturateur, pale d'obturateur.

shutter frequency Fréquence d'obturation.

shutter opening Ouverture de l'obturateur.

shutter speed Vitesse d'obturation.

sidekick Faire-valoir.

side light ⇀ *cross light*.

sign Signe.

silent film Film muet, cinéma muet.

silent track Silence modulé, silence plateau, silence technique.

silhouette animation Animation de silhouettes.

silhouette lighting Silhouettage.

silicon Silicium.

silver bromide Bromure d'argent.

silver iodide Iodure d'argent.

singing voice Doublure-chant.

single chamber magazine Magasin à un seul boîtier.

single 8 Simple 8.

single system Single-system (ANGLICISME).

Sing-Sing ARG. É.-U. ⇀ cette entrée dans le dictionnaire.

sinusoidal law Loi sinusoïdale.

16 mm 16 mm.

size Largeur, format.

skinflick ARG. ⇀ *nudie*.

slacker ARG. ⇀ entrée *slasher* dans le dictionnaire.

slapstick Coup de bâton. ➤ cette entrée dans le dictionnaire.

slapstick comedy Comédie «tarte à la crème».

slasher ARG. ➤ cette entrée dans le dictionnaire.

slate Ardoise, pancarte.

slave Asservissement.

sleaze ARG. É.-U. ➤ cette entrée dans le dictionnaire.

sleeper ARG. ➤ cette entrée dans le dictionnaire.

slice-and-dice film ARG. ➤ *horror film*. SYN. *splatter film*.

slow film Film lent.

slow motion Ralenti.

small part in action Second plan.

sneak preview Avant-première fugitive.

snoot Abrév. de *snoot cone*.

snoot cone (snoot) Nez.

snuff movie ➤ cette entrée dans le dictionnaire.

social consciousness film Film social.

Society for Eccentric Actors [FEX Group] Fabrique de l'acteur excentrique [FEKZ].

soft ADJ. Doux.

softcore ➤ cette entrée dans le dictionnaire.

softcore film Film érotique. SYN. *soft porn film*.

soft focus [1] Diffusion, foyer doux. [2] Flou.

soft light Lumière douce.

soft porn film ➤ *sotfcore film*.

software Software, logiciel.

song Chanson.

sound Son.

sound advance Décalage.

sound break Trou sonore.

sound distortion Distorsion sonore.

sound editor Monteur sonore.

sound effect Bruit.

sound effects PLUR. Effets sonores.

sound effects machine Machine à bruits (RARE).

sound effects man ➤ *Foley artist, gafoon*.

sound effects production Bruitage.

sound gate ➤ *optical slite*.

sound library Sonothèque.

sound log Rapport son.

soundman Chef opérateur du son. SYN. *knob-twister* (ARG.), *sound supervisor*.

sound motion-picture Cinéma parlant, film parlant.

sound negative Négatif son.

sound-on-disc ➤ entrée **platine** dans le dictionnaire.

sound positive Positif son.

soundproofing Insonorisation.

sound reader Lecteur sonore.

sound recording [1] Enregistrement sonore, prise de son. [2] Report optique, transfert optique.

sound recordist ➤ *audio operator*. SYN. *dial twister* (ARG.).

sound scanning slit ➤ *optical slit*.

sound supervisor ➤ *soundman*. SYN. *knob-twister* (ARG.).

sound take Prise de son directe (en tournage).

sound test Essais sons (PLUR.).

sound trace Trace sonore.

sound track Bande son, piste sonore.

sound truck Camion son.

sound volume Intensité sonore.

space Espace.

space light Chaussette.

space opera Opéra de l'espace.

spacer Amorce.

sparks ARG. Électricien. ➤ *electrician*.

speaker ➤ *loudspeaker*.

special effects PLUR. Effets spéciaux.

special effects generator Pupitre de trucages.

special effects technician Truqueur, truquiste.

spectacles PLUR. Lunettes (cinéma 3D).

spectrum Spectre.

speed Vitesse.

speed controller Régulateur de vitesse.

speed variator Variateur de vitesse.

spherical lens Lentille sphérique.

splatter film ARG. ➤ *horror film*.

splice Collure.

splicer Colleuse.

splicing Collage.

splicing block ➤ *editing block*.

split screen Double image.

splitter Prisme diviseur.

sponsor Commanditaire.

spool Bobine.

spot [1] Projecteur. [2] Spot (ANGLICISME).

spotlight Spot.

spotmeter Spotmètre.

spreader Base de pied.

sprocket [1] Débiteur. [2] Tambour denté.

sprocket hole → *perforation*.

sprocket noise Bruit de cadre, bruit de perforation.

sprocket wheel Galet denté.

spy film Film d'espionnage.

stability Fixité, stabilité.

staff Staff (décor).

stage Plateau de cinéma, studio. SYN. *set*.

stage manager → *floor manager*.

stage settings painter Peintre de plateau.

stag film → cette entrée dans le dictionnaire.

stand alone disponibility Autonomie.

standard film Film standard.

stand-by En attente.

stand-in Doublure. SYN. *understudy*.

stand-in VERBE Doubler.

star Étoile, star, vedette.

starlet Starlette.

start mark Marque de départ, repère de départ.

static mark Effluve.

station Station (radio, TV).

stencil-tinting process Coloriage au pochoir.

step printer Tireuse alternative, tireuse intermittente.

stereo Forme abrégée de *stereophony*. Stéréo.

stereophonic sound Son stéréophonique.

stereophony (stereo) Stéréophonie.

stereoscope Stéréoscope.

stereoscopy Stéréoscopie.

still man Photographe de plateau.

still photography Photographie de plateau.

still shot Plan fixe.

stock footage → *library shot*.

stock shot → *library shot, stock footage*.

stop → *off*.

stop action → *pause*.

stop frame → *freeze frame*.

stop motion → cette entrée dans le dictionnaire.

stopwatch Chronomètre.

storage Stockage.

story Histoire, récit.

storyboard Scénarimage, story-board (ANGLICISME).

story in cinema Récit cinématographique.

straight cut Coupe franche.

stray light Lumière parasite.

street film Film de rue.

stretch printing Impression extensible.

strike a shot (ARG.) Casser un plan.

stripping Diffusion en rafale.

strobe effect Phénomène de stroboscopie.

Stroboscope Stroboscope (appareil de projection).

stroboscope Stroboscope (pièce de caméra).

stroboscopy Stroboscopie.

stucco Stuc.

studio Studio.

studio complex Studio.

studio film Film de studio. → *pic factory*.

studio lighting Éclairage de studio.

studio manager Régisseur de plateau (télévision).

stunt Cascades (PLUR.).

stuntman MASC. Cascadeur.

stuntwoman FÉM. Cascadeuse.

style Style.

subbing layer Substratum. SYN. *substratum*.

substratum → *subbing layer*.

subjective camera Caméra subjective.

subjective shot Plan subjectif.

subsidiary company Filiale.

substandard film Film substandard.

substitution Substitution.

subtitle Sous-titre.

subtitle cue sheet Feuille de sous-titres.

subtitle negative Négatif sous-titre.

subtitler Titreur (OBS.).

subtitling Sous-titrage.

subtractive color system Synthèse soustractive.

subtractive printer Tireuse soustractive.

subtractive process Procédé soustractif.

Sundance Film Festival Festival du film de Sundance.

sunlight Lumière du soleil.

sunspot Sunlight (ANGLICISME).

super 8 Super-8.

superimposed titles [supers] PLUR. Titres en surimpression.

superpanchromatic film Film superpanchromatique.

supers Abrév. de *superimposed titles*.

supersensitive film Film ultrarapide. SYN. *ultra-hight-speed film*.

super star Monstre sacré, superstar.
supervisor Superviseur.
support Support.
supporting role Rôle secondaire, second rôle.
surimposition → *double exposure*.
suspense Suspense. → *mystery film*.
sweep Balayage.
swish pan Fouettage.
symbol Symbole.
sync Abrév. de *synchronization*.
sync beep Mille.
synchroniser Synchroniseuse.
synchronism Synchronisme.
synchronization [sync] Synchronisation.
synchronous sound Son synchrone.
sync mark Repère (tirage, projection).
sync pulse Top de synchronisation.
syndicate Syndicat de distribution.
syndication Distribution sous licence.
synopsis Synopsis.
syntax Syntaxe.

T

tachometer Tachymètre.
tail Queue. → *tails*.
tail leader Élément.
tail on Tête-à-queue.
tails Chutes, queues.
take Prise.
take-up Récepteur.
take-off plate → *feed plate*.
take-off spool → *feed spool*.
take-up plate Plateau débiteur.
take-up spool Bobine réceptrice.
take-up sprocket Pignon récepteur.
talent-scout ARG. → cette entrée dans le dictionnaire.
talkies Parlant (le).
talking picture Film parlant (OBS.).
tape recorder Magnétophone.
tape-to-film transfer → *kinescope*.
tax shelter Abri fiscal.
tear Déchirure.
tearjerker (ARG.) Mélodrame. SYN. *weepie*.
teaser Accroche.
tea-wagon ARG. Console de mixage. → *mixing console*.
technical adviser Conseiller technique.
technician Technicien.

teens-slasher ARG. → entrée **slasher** dans le dictionnaire.
telecine Télécinéma.
telecommunications PLUR. Télécommunications.
telefilm Téléfilm. SYN. *telepix* (FAMILIER).
telemeter → *rangefinder*.
telephoto lens Téléobjectif.
telepix FAMILIER Téléfilm. → *telefilm*.
teleputer Téléordinateur.
television [1] Télévision. [2] Téléviseur (FAMILIER).
television camera Caméra électronique, caméra de télévision.
television channel Chaîne de télévision. SYN. *television station*.
television fan Téléphile.
television network Réseau de télévision.
television print Copie antenne.
television projector Téléprojecteur.
television serial Feuilleton télévisé. SYN. *chapter play* (ARG. É.-U.).
television series Série télévisée.
television station → *television channel*.
Ten Minutes Take Prise de 10 minutes.
tension roller Tendeur.
test Essai, bout d'essai. → *testing, bench, test strip*.
test chart Mire.
test film Film d'essai.
testing bench Banc d'essai.
test strip Essai.
text Texte.
texture Texture.
theatrical circuit Circuit de salles.
theatrical film → *feature film*.
theme Thème.
thesis film Film à thèse.
Third World cinema Cinéma du Tiers Monde.
30-degree rule Loi des 30 degrés.
threading Amorçage.
three-color process Trichromie.
3-D Cinéma en relief, 3D.
thriller Thriller.
throw Distance de projection.
thumb Effet de battement, effet vibratoire.
tilt Forme abrégée de *tilt shot*.
tilt VERBE Basculer.
tilt shot (tilt) Basculement, panoramique vertical.

time Temps.

time code Marquage temporel.

time-image Image-temps.

timing É.-U. [1] Étalonnage. SYN. *grading* (G.-B.). [2] Minutage.

timing print É.-U. Copie d'étalonnage, copie "Ô" ➤ *grading print*.

timing track Bande rythmographique, bande rythmo.

tinseltown ARG. ➤ cette entrée dans le dictionnaire.

tint Teinte.

tinting Teintage, teinture.

title Titre.

title background Fond neutre.

title negative Négatif titre.

titler Titreuse.

title role Rôle-titre.

titling Titrage.

to-camera glance Regard-caméra.

toning Virage.

track [1] Piste sonore. [2] Rails (PLUR.).

track back Travelling arrière. SYN. *track out*.

track in Travelling avant.

track out ➤ *track back*.

track shot ➤ *dolly shot*.

trailer ➤ *preview* [1].

trainee Stagiaire.

transfer [1] Kinescope (film). [2] Repiquage.

"transfer for the screen" VERBE «Porter à l'écran».

transition Transition.

transitional effects PLUR. Effet de liaison.

travelling board Plaque de roulement.

treatment Développement. ➤ *adaptation, continuity*.

tree Arborescence.

tribute Hommage.

tri-film projector Projecteur triformat.

trigger Déclencheur.

trim bin Chutier.

tripack Tripack.

tripod Trépied.

tripod leg Branche de trépied.

tripod socket Articulation (de trépied).

trucking shot Travelling latéral.

t-stop T-stop.

tuner Syntoniseur.

tungsten Tungstène.

turkey ARG. Navet.

tycoon Magnat. SYN. *magnate*. ➤ *mogol*.

typage Typage.

tweeter ➤ cette entrée dans le dictionnaire.

$ 20 Million Club Club des 20 millions $.

two-color process Bichromie.

two-shot Plan américain (de deux personnages). ➤ *american shot, medium close shot*.

U

ultra-hight-speed film ➤ *supersensitive film*.

ultra-high-speed photography Ultracinéma.

ultrasound Ultrason.

ultraviolet Ultraviolet.

ultraviolet filter Filtre ultraviolet.

ultraviolet travelling matte Cache mobile ultraviolet.

underexposure Sous-exposition.

underground film Cinéma underground.

understudy ➤ *stand-in*.

unit producer RARE SYN. *production manager*.

universal camera filter Filtre universel.

unloading Déchargement.

unsqueeze VERBE Désanamorphoser.

unwinder Dérouleur.

upper loop Boucle supérieure.

upside down shot Inversion.

ushrette Ouvreuse (FÉM.).

V

vamp Vamp.

variety show Théâtre de variétés, spectacle de variétés.

vehicle Véhicule.

velocilator Vélocilateur.

Venise Film Festival Festival du film de Venise.

version Version.

version with subtitles Version sous-titrée.

vertical integration Intégration verticale.

vibration Vibration.

video Forme abrégée de *videography*. Vidéo.

video art Art vidéo.

video camera Caméra vidéo.

video clip Clip, vidéoclip.

video club Club de vidéo, club vidéo, vidéoclub.

video copy Vidéo copie.

video film Film vidéo.

videogram Vidéogramme.

videography (video) Vidéographie.

video recorder Magnétoscope.

video-recording tape Bande vidéo d'enregistrement.

video synthesizer Synthétiseur vidéo.

videotape Bande vidéo, cassette vidéo, film vidéo.

view [1] Vue (OBS.). [2] Photogramme. [3] ➤ entrée **vue [3]**.

viewer [1] Téléspectateur. [2] Visionneuse.

viewfinder axis Axe de visée.

viewing Visionnage, visionnement (QUÉBÉCISME).

viewing glass ➤ *contrast glass*.

view prints VERBE Visionner (sur une visionneuse ou sur un écran). ➤ *screen*.

virtual image Image virtuelle.

virtual immersion Immersion virtuelle.

virtual reality Réalité virtuelle.

visual effects Effets visuels.

voice-off Voix off.

VU indicator Vu-mètre. SYN. *Vu meter*.

VU meter ➤ *Vu indicator*.

W

W W (pour watt).

wardrobe Garde-robe (entrepôt de costumes).

wardrobe master ➤ *costume director*.

war film Film de guerre.

warning Avertissement.

warping Warpage.

washed off color [washed out color] Couleur délavée.

washed out color ➤ *washed off color*.

washing Lavage.

watering Moirage.

watt Watt.

wavelenght Longueur d'onde.

waxing Waxage.

wedge Cale.

wedging Caler.

weepie ARG. ➤ Mélodrame. SYN. *tearjerker*.

weighting Pondération.

western Western (ANGLICISME).

wheezer ARG. ➤ cette entrée dans le dictionnaire.

whip pan Filé. SYN. *whip shot*.

whip shot ➤ *whip pan*.

whirly (ARG.) Grue. SYN. *cherry picker*.

white N. Blanc.

whodunit ARG. Polar (FAMILIER).

wide angle lens Grand angle, grand angulaire.

wide film Film large.

wide screen Écran large.

widescreen ➤ *letterbox*.

wig Perruque.

wigmaker Perruquier.

wildlife film Fim animalier.

wild sound Prise de son des ambiances (en tournage).

wind Embobinage.

winder Bobineuse.

winding Enroulement.

window filter Filtre pour vitre, gélatine pour fenêtre.

wind screen Bonnette, boule anti-vent.

wire Fil.

woden VERBE Élargir.

women cinema Cinéma de femmes.

woofer Boomer (ANGLICISME).

working take Prise provisoire.

working title Titre de travail, titre provisoire.

work permit Autorisation de travail, permis de travail.

work print Copie de travail.

wraparound screen Écran courbe.

wrist-strap Dragonne.

write a script VERBE Scénariser.

X

XCU ➤ *ECU*.

xenon Xénon.

xenon lamp Lampe à xénon.

XLS ➤ *ELS*.

X-ray ARG. G.-B. Gros plan.

Y

yellow N. Jaune.

Young German Cinema Jeune cinéma allemand.

Young Turks Jeunes Turcs.

Z

zap VERBE Zapper, pitonner (QUÉBÉCISME).

zoom Zoom.

zoom back Travelling optique arrière, zoom arrière. SYN. *zoom out*.

zoom in Travelling optique avant, zoom avant.

zoom out → *zoom back*.

zoom shot Zoom (plan).

Remerciements

Pendant les recherches et la rédaction de ce dictionnaire, j'ai eu le bonheur de recevoir l'aide de nombreuses personnes. Je voudrais les remercier chaleureusement.

Le jugement avisé et l'amitié indéfectible d'Yves Roy m'ont grandement aidé lors de la révision linguistique de ce dictionnaire. Je n'aurais jamais imaginé avoir un jour l'aide précieuse d'un cinéaste québécois, je veux nommer Marcel Carrière, qui a accepté de revoir tous les termes techniques; ce fut pour moi un grand honneur.

L'amitié de Janine Euvrard a été – et est toujours – précieuse dans ma vie, et une fois encore, sa diligence et son professionnalisme ont fait leurs preuves dans la recherche de renseignements indispensables sur des institutions françaises et européennes.

La Cinémathèque québécoise et le Centre de documentation cinématographique sont des institutions qui n'ont plus de réputation à défendre tant elles ont démontré leur réelle nécessité; leur personnel a toujours fait l'impossible pour répondre à mes demandes. Je les remercie chaleureusement et, tout particulièrement René Beauclair, qui n'a pas hésité à mettre à ma disposition de nombreux documents pour des durées exceptionnelles. Je remercie également les projectionnistes qui ont répondu immédiatement à mes appels téléphoniques impromptus, pour ne pas dire intempestifs. Je voudrais remercier chaleureusement Isabelle Morissette pour sa recherche iconographique, ainsi que Nicole Laurin pour la numérisation électronique. Toute ma reconnaissance à Pierre Jutras avec qui j'ai eu, à diverses occasions, de belles et longues discussions qui m'ont été salutaires, car elles m'ont encouragé à poursuivre mon travail.

Il en a été de même avec le personnel du Bureau de surveillance du cinéma du Québec qui a répondu gentiment à toutes mes questions.

Je ne voudrais surtout pas oublier ici Marcel Jean et Serge Théroux qui ont été parmi les tout premiers à croire en mon projet.

J'ai eu l'appui immédiat et l'entière confiance en la publication de ce livre des deux directeurs de la collection «Dictionnaires», André Dugas et Gilles Fortier. Je suis reconnaissant à Jean-Luc Loiselle qui m'a conseillé, avec pertinence, de déposer mon manuscrit aux Éditions LOGIQUES.

Enfin, je voudrais remercier tous mes amis qui m'ont été fidèles même si la longue écriture de ce dictionnaire m'a empêché très souvent de leur témoigner plus concrètement mon amitié.

André Roy

Achevé d'imprimer sur les presses
d'Imprimerie Quebecor L'Éclaireur
Beauceville